Hospital Pharmacy Practice For Pharmacy Students

약대생을 위한

실무중심의 병원약학

삼성서울병원 약제부

d Edition

군자출판사

실무중심의 병원약학

둘째판 발행 2009년 11월 20일
셋째판 인쇄 2013년 12월 31일
셋째판 발행 2014년 1월 10일

지 은 이 삼성서울병원 약제부
발 행 인 장주연
출 판 기 획 노미라
편집디자인 천혜진
표지디자인 전선아
발 행 처 군자출판사
등록 제 4-139호(1991. 6. 24)
본사 (110-717) 서울특별시 종로구 인의동 112-1 동원회관 BD 6층
전화 (02) 762-9194/5 팩스 (02) 764-0209
홈페이지 | www.koonja.co.kr

ISBN 978-89-6278-836-5
정가 50,000원

집필진

초판 집필진

김은영, 김정미, 김지희, 김희수, 민경아, 민명숙, 박향미, 박효정, 손기호, 이영미, 이용석, 이윤진, 이재현, 이후경, 인용원, 전은용, 정선영, 정신한, 최경업, 최미용, 최지선, 황서영

증보판 집필진

김선미, 김영순, 김은영, 김정미, 김정현, 민경아, 박효정, 손기호, 신가영, 안보미, 윤민지, 윤정아, 이용석, 이윤진, 이재현, 이후경, 임현정, 장승연, 전은용, 정선영, 정신한, 조민희, 조정아, 조정혜, 최유정, 최지선, 한채원, 홍수연, 황서영

3rd ed. 집필진

김미옥, 김수진, 김승혜, 김유진, 김은정, 민경아, 민명숙, 박선미, 박소진, 박수진, 박정아, 박지은, 박효정, 손유민, 안현영, 윤지혜, 이수미, 이후경, 이재현, 임현정, 전혜영, 정연화, 최미용, 최윤경, 최지선, 홍수연, 황서영

- 주 편집위원 : 이용석
- 부 편집위원 : 박선미, 박지은, 이수미, 황서영

머리말

Preface

'약대생을 위한 실무중심의 병원약학' 개정판을 내면서

삼성서울병원 약제부는 1994년 개원 이후 환자 중심의 임상약제업무를 개발하고 도입하는데 많은 노력을 하여 국내 최초로 전 병동 Unit Dose System (UDS) 적용 및 항응고약물상담(Anticoagulation Service, ACS) 도입 등 병원약국 업무의 변화 발전에 선도적인 역할을 수행하여 왔습니다. 또한 이러한 노력으로 쌓아온 병원약국의 실무와 교육, 연구 업무에 대한 자료와 know-how를 모아 '실무중심의 병원약학' 초판 및 증보판을 발간하여 발전적인 병원약국의 업무를 소개하고 전파하기 위해 노력하였습니다.

초판을 발간한 이후 국내에서는 15개 약학대학의 추가 설립 및 약학교육 체계의 대변화를 알리는 6년제 교육과정으로의 개편 등 주변 환경에 많은 변화가 있었고, 삼성서울병원 약제부에서도 2014년부터 6년제 약학대학생의 의료기관 실무실습을 수행하게 되었습니다. 따라서 그 동안 발간한 교재 내용을 재검토하여 보완하고 새롭게 도입된 임상약제 업무를 추가하여, 약대생들이 임상 현장에서 병원약학 실무실습을 수련할 때 쉽게 이해할 수 있도록 '약대생을 위한 실무중심의 병원약학' 으로 새롭게 개정판을 발간하게 되었습니다.

본 교재는 병원약국에서 실무실습을 수련하게 되는 약대생들이 실습 전에 알아야 할 기본 자세 및 감염관리를 포함한 총론 part 와 조제 및 처방 검토, 복약지도 업무, 임상약제 업무 등을 포함한 각론 part로 구성되어 있습니다. 각 part는 의료기관 필수 실무실습 뿐만 아니라 심화 실무실습 시에도 활용할 수 있도록 현재 삼성서울병원 약제부에서 수행하고 있는 업무를 기준으로 학습 이론 및 실무에 대해서 쉽게 기술하였으며, 본원은 물론 타 의료기관에서 수련하는 약대생들에게도 병원약학을 이해하는데 도움이 될 수 있도록 편집하였습니다.

부디 본 책자가 의료기관 실무실습에 임하는 약대생들에게는 병원약학을 이해하는데 도움이 되었으면 하는 바램과 함께 약대생 실무실습교육의 책임을 함께 공유하게 된, 병원약국 일선에서 임상 약료 서비스의 개발 및 발전을 위해 불철주야 노력하는 병원약사들에게도 조금이나마 유용한 책자가 되길 희망합니다.

2013년 12월

삼성서울병원 약제부장 이영미

Contents_

| 총론 |

01. 병원약국의 비전과 미션 ······ 3
02. 병원실습생의 기본자세 ······ 7
03. 병원내 감염관리 ······ 21

| 각론 |

Part 1. **조제 및 처방검토 업무**

01. 조제업무 및 처방검토 ······ 37
02. 주사제 조제업무 및 처방검토 ······ 71
03. 마약류 관리업무 ······ 89
04. 원외처방전 관리업무 ······ 95
05. 의약품 사용과오 ······ 105

Part 2. **복약상담 업무**

06. 복약상담 ······ 123
07. 이식약물 복약상담 ······ 149
08. 호흡기약물 복약상담 ······ 171
09. 항응고약물 복약상담 ······ 197
10. 항암화학요법 복약상담 ······ 223
11. 당뇨병 치료약물 복약상담 ······ 243

Part 3. **임상약제 업무**

12. 임상약물동력학 업무 ······ 265
13. 임상영양요법 ······ 287
14. 항암화학요법과 암환자 관리 ······ 321

15. 중환자병동 임상업무 335

Part 4. **병원 약무행정**

16. 병원 약무행정 353

Part 5. **제제 업무**

17. 제제 업무 403

Part 6. **의약품정보 업무**

18. 의약품정보 업무 417

Part 7. **약물유해반응 관리**

19. 약물유해반응 439

Part 8. **DUR (Drug Utilization Review)**

20. DUR (Drug Utilization Review) 469

Part 9. **지참약 관리**

21. 지참약 관리 487

Part 10. **임상시험약 관리**

22. 임상시험용 의약품 관리 499

INDEX 513

총론

_01

병원약국의 비전과 미션

비전(vision)의 사전적인 뜻은 보이지 않는 것을 마음속에 그리는 상상력 혹은 마음속에 그린 광경이고, 미션(mission)은 사명 혹은 임무이다.

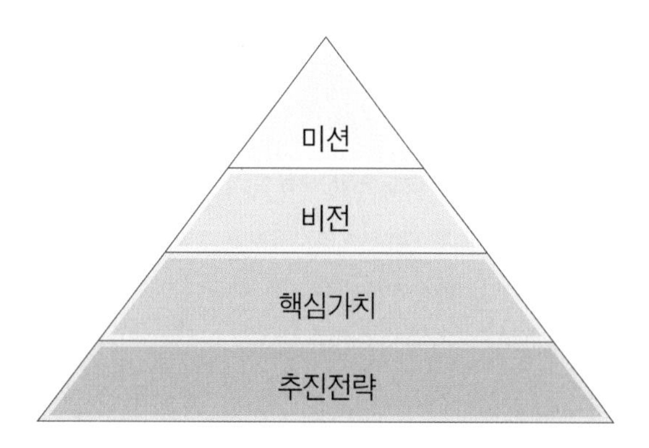

그림에서 보듯이, 미션은 궁극적인 사명과 존재의 의의를 표현하는 것이다. 조직이나 구성원 각자는 미션을 달성하기 위하여 추구해야 할 비전을 우선적으로 수립해야 하며, 비전을 성취하기 위해 핵심가치와 추진전략이 연속적으로 확립되어야 한다.

일례로, (사)한국병원약사회(KSHP)와 미국병원약사회(ASHP)의 비전과 미션을 각각 첨부 1, 2, 3, 4에 기술하였다. 따라서 미래의 병원약사가 될 약대생들은 병원약국 실무실습을 수련받으면서 병원약사로서의 역할에 대해서 이해하고, 최종 미션을 달성하기 위해 약대생으로 사전 준비과정인 실무실습에 성실히 참여하여야 한다.

첨부 1) 한국병원약사회의 비전

한국병원약사회는

① 체계적인 교육 프로그램과 정보의 제공을 통하여 약료(Pharmaceutical Care)를 효율적으로 수행하고 발전시킬 수 있도록 전문성을 높인다.

② 의료팀의 일원으로서 팀 활동에 적극 참여하여 상호 존중 및 협력의 의료문화를 선도하도록 지원한다.

③ 병원약제 업무에 대한 연구기능을 강화하여 환자지향적인 보건의료 제도 발전과 정책개발에 앞장선다.

④ 국민건강증진을 위한 사회봉사활동을 통하여 회원의 위상과 자긍심을 높이고 신뢰를 확보한다.

첨부 2) 한국병원약사회의 미션

한국병원약사회는

전문화된 약료(Pharmaceutical Care)를 통하여 환자 중심의 안전하고 효과적이며 경제적인 약물요법 실현에 기여한다.

첨부 3) 미국병원약사회의 비전

ASHP Vision Statement for Pharmacy Practice in Hospitals and Health Systems

ASHP dedicates itself to achieving a vision for pharmacy practice in hospitals and health systems in which pharmacists:

① Will significantly enhance patients' health-related quality of life by exercising leadership in improving both the use of medications by individuals and the overall process of medication use.

② Will manage patient medication therapy and provide related patient care and public health services.

③ Will be the primary individuals responsible for medication use and drug distribution systems.

④ Will be recognized as patient care providers and sought out by patients to help them achieve the most benefit from their therapy.

⑤ Will take a leadership role to continuously improve and redesign the medication-use process with the goal of achieving significant advances in (a) patient safety, (b) health-related outcomes, (c) prudent use of human resources, and (d) efficiency.

⑥ Will lead evidence-based medication use programs to implement best practices.

⑦ Will have an image among patients, health professionals, administrators, and public policy makers as caring and compassionate medication-use experts

Approved by the ASHP House of Delegates, June 4, 2001.

첨부 4) 미국병원약사회의 미션

Mission Statement of the American Society of Health-System Pharmacists

ASHP believes that the mission of pharmacists is to help people make the best use of medications. The mission of ASHP is to advance and support the professional practice of pharmacists in hospitals and health systems and serve as their collective voice on issues related to medication use and public health.

Approved by the ASHP House of Delegates, June 4, 2001

_02
병원실습생의 기본자세

I 용모, 복장, 자세 및 예절

1. 용모 및 복장

1) 용모 및 복장의 기본사항

- 청결, 단정해야 한다.
- 품위(나이, 신분, 직업에 적합한 복장)가 있어야 한다.
- 전체적인 조화가 이루어져야 한다.

2) 용모

(1) 머리

- 청결하게 한다.
- 단정하고 화려하지 않게 한다.

① 컷트머리

a. 앞머리는 눈을 가리지 않도록 길이를 유지한다.

b. 지나친 웨이브는 피하고 단정해 보이도록 한다.

② 단발머리

a. 앞머리는 흘러내리지 않도록 한다.

b. 화려한 머리 장신구(핀, 헤어밴드) 사용은 피한다.

③ 긴 머리

a. 앞머리가 흘러내리지 않도록 한다.

b. 활동하기 편하도록 단정히 묶는다.

(2) 화장

- 청결하고 단정한 느낌을 주도록 한다.

(3) 손톱

- 길지 않게 자른다.
- 아무 것도 칠하지 않는다.

3) 복장

각 업무에 따른 유니폼을 착용한다. 유니폼은 병원 전체의 통일된 아름다움을 나타냄은 물론, 각 병원의 개성을 고객에게 전달하고 정돈된 서비스를 제공할 수 있는 폭넓은 개념이다.

(1) 가운

- 흰색가운을 착용하였는가?
- 구겨지지는 않았는가?
- 얼룩이 있지는 않은가?
- 깃과 단처리가 단정한가?

(2) 하의

- 바지일 경우 활동하기 편한 길이인가?
- 치마일 경우 가운보다 길지는 않나?

(3) 스타킹

- 치마일 경우 스타킹은 착용하였나?
- 무늬 없는 옅은 색인가?

(4) 구두

- 샌들이나 슬리퍼는 아닌가?

2. 자세 및 대화

1) 자세의 기본사항

- 마음의 표현이다.
- 눈에 보이는 언어이다.
- 이해심을 가지고 상대방의 입장에서 생각한다.
- 베풀려는 마음의 여유를 갖는다.

2) 대화예절

(1) 고객(환자, 보호자) 응대

① 고객응대의 의미

a. 고객과 병원이 만나는 최일선이다.

b. 고객의 요구를 받아들이고 해결하는 장소이다.

c. 가장 짧은 시간 내에 효율적으로 우리 병원의 서비스에 나의 마음을 덧붙여 제공하는 장소이다.

② 고객을 맞이하는 마음가짐

a. 성의를 가지고 대한다.

b. 누구에게나 한결같이 공손하게 응대한다.

c. 올바른 예절로 응대한다.

d. 업무와 병원전체에 관한 지식을 풍부하게 갖는다.

③ 올바른 고객 응대법

a. 고객에게 무관심한 모습을 보이지 않는다.

- 하던 일이나 대화를 중지하고 바로 맞이하여 용건을 묻는다.
- 양해를 구하지 않은 채 기다리게 하지 않는다.
- 기다리는 시간이 길어지면 중간에 이유와 상황을 설명한다.

b. 동료와의 사담, 고객에 대한 비평을 하지 않는다.

- 응대 중에 사담을 나누면 근무태도가 형편없다는 인상을 준다.
- 이미 돌아간 고객에 대해 말을 하는 것도 앞에 있는 고객은 불쾌하게 생각한다.

c. 자신과 관계없는 일도 친절히 안내한다.

- '죄송합니다만 그 일의 담당자에게 안내해 드리겠습니다.' 라고 말하고 담당자에게로 안내한다.
- 평소 관련 업무는 확실히 익혀둔다.

d. 바쁠 때에도 소란스런 모습을 보이지 않는다.

- 여유가 있을 때 정중하게 대하다가도 바쁘면 자제력을 잃기 쉽다.
- 자신을 억제하고 어디까지나 고객의 입장에서 행동한다.

(2) 고객과의 대화

① 말하기의 기본자세

a. 시선

- 듣는 사람을 정면으로 보고 경청한다.
- 상대방의 눈을 부드럽게 주시한다.

b. 몸

- 표정 : 밝게 하며 눈과 표정으로 말한다.
- 자세 : 등을 펴고 똑바른 자세로 한다.
- 동작 : 자연스런 몸짓을 사용하되, 손짓이나 웃음이 지나치지 않아야 한다.

c. 입

- 어조 : 입은 똑바로 하고, 정확한 발음으로, 자연스럽고 상냥하게 말한다.
- 말씨
  - 알기 쉬운 용어와 경어를 사용한다.
  - 말끝을 흐리지 않고 명료하게 말한다.
- 목소리
  - 한 톤 올려서, 적당한 속도와 맑은 목소리로 말한다.
  - 강조할 부분에서 반드시 액센트를 가한다.

② 듣기의 기본자세

a. 시선

- 상대를 정면으로 보고, 시선을 마주치면서 경청한다.

b. 몸

- 정면을 향해 조금 앞으로 내밀 듯이 앉는다.
- 손이나 다리를 꼬지 않고 동의하는 자세를 취하고, 필요시 메모하는 적극적인 경청 태도를 취한다.

c. 입

- 맞장구를 치거나 복창하고, 모르는 것에 대한 질문을 섞어가면서 경청한다.

d. 마음

- 흥미와 성의를 가지고, 상대의 마음이 편하도록 배려해준다.
- 말하고자 하는 의도가 느껴질 때까지 안내한다.

③ 예의바른 화법

a. 명령형을 의뢰형으로

- 명령문은 아무리 공손하게 해도 명령문임에 변함이 없다.
- 문장 앞에 '죄송합니다만' 을 붙인다면 더욱 저항감이 적어진다.

b. 부정형을 긍정형으로

- 안 되는 일을 가능하다고 말할 수는 없지만, 긍정문으로 완곡하게 표현하면 더욱 공손하다.

(예) 그 약 안 먹으면 안 됩니다.(×)

검사 전에 약을 드셔야만 검사가 가능합니다.(O)

c. 플러스화법

- 환자나 외래객에게 불편한 점을 먼저 이야기하고 난 후 얻어지는 결과가 이후에 얼마나 도움을 주는지를 설명하면, 뒤의 말이 인상에 남기 때문에 매우 협조적일 것이다.

(예) 주사 맞을 시간입니다. 좀 아플 거에요.(×)

조금 아프시겠지만, 치유에 많은 도움을 줍니다.(O)

d. 쿠션언어를 덧붙인다.

- 상대방보다 한마디 더 붙여줌으로써 관심을 쏟고 있다는 이미지를 보여 주도록 한다.

(예) 죄송하지만… , 불편하시겠지만…

(3) 고객의 불평, 불만

① 고객의 불평, 불만 발생원인

a. 병원의 업무상 과실

- 직원의 업무 지식 부족
- 설명 불충분, 의사소통 미숙
- 업무처리 미숙, 지연
- 서비스 정신 결여

b. 병원의 심리적 원인

- 바쁘다(귀찮다).
- 특별대우를 할 수 없다.
- 자신이 전문가라는 우월감
- 규정을 어길 수 없다.

c. 고객의 업무상 과실

- 병원업무에 대한 지식부족
- 착오
- 감정개입
- 고의적 업무방해

d. 고객의 심리적 원인

- '고객이 왕' 이라는 우월감
- 진료 및 회복지연에 대한 초조감
- '병원이 여기뿐이냐' 라는 비교심리
- 자기본위의 심리

② 고객의 불평, 불만 처리법

a. 사유를 듣는다.

- 끝까지 전부 듣는다.

- 반드시 메모한다.
- 절대로 피하지 않는다.
- 변명하거나 논하지 않는다.

b. 원인을 규명한다.

- 업무적 측면에서(과실 혹은 착오)
- 심리적 측면에서

c. 해결책을 강구한다.

- 신속한 응대
- 난이도에 따른 대책강구

d. 결과를 알려주고 효과를 검토한다.

- 적당한 처리로 임시방편이 되어서는 안 된다.
- 피드백

③ 불평, 불만 처리 시 유의사항

a. 병원의 문제인 경우

- 고객의 입장에서 동조하면서 긍정적으로 듣는다.
- 변명은 하지 않는다.
- 성의있는 태도로 대한다.
- 감정적 표현 및 노출을 피하고 일보후퇴하고 냉정하게 검토한다.
- 솔직하게 사과한다.
- 사실중심으로 명확하게 설명한다.
- 신속하게 처리한다.
- 적극적인 자세로 임한다.

b. 고객에게 문제가 있는 경우

- 고객이 무엇이든지 전부 이야기할 수 있도록 해준다.
- 덮어놓고 반격하지 않는다.
- 고객의 잘못은 간접적으로 지적한다.
- 고객이 빠져 나갈 길을 터주고 자존심이 상하지 않도록 배려한다.

II 전화예절

1. 전화응대의 중요성

1) 전화는 업무의 기본이다.

- 전화는 업무의 주요한 도구이다.

2) 전화는 고객접점의 제 1선이다.

- 전화는 보이지 않는 고객과의 만남이다.

3) 전화 한 통이 우리 병원의 이미지를 결정한다.

- 병원의 첫인상은 전화응대로 좌우된다.

2. 전화 받는 요령

1) 기본요령

- 고객을 맞이하는 마음가짐으로
- 전화벨이 3번 이상 울리기 전에 수화기를 들면서
- 먼저 인사하고 소속과 이름을 밝히고
- 발음은 정확하게, 목소리는 명랑하게
- 상대방의 말을 충분히 경청하면서
- 필요한 내용은 메모를 하고
- 내용은 간단명료하게, 태도는 친절하게
- 끝인사 후 상대보다 늦게 끊는다.

2) 본인 전화를 직접 받을 때

(1) 벨이 울리면 즉시 받는다.

- 벨이 2번 울릴 때가 가장 적합

(2) 우선 자기 소속과 이름을 밝힌다.

- 정확한 발음, 정중한 말씨, 다정한 음성

  (예) '정성을 다하겠습니다. 약제부 000입니다.'

(3) 상대방을 확인한다.

- 정중하게, 실례가 되지 않도록

(예) '네.. 000이시라구요.'

(4) 인사한다.

- 밝고 명랑하게

(5) 메모준비를 하면서 용건을 경청한다.

- 5W1H에 의해 메모, 적당한 반응
- 한손에는 수화기, 다른손에는 펜
- 차분하고 정확하게 상대의 말에 응답하면서 요점을 메모한다.
- 용건이 끝나면 통화내용을 요약하여 다시 말해준다.
- 필요한 중요내용, 숫자, 장소, 위치 등의 요점을 되풀이하여 확인한다.

(6) 끝인사를 한다.

- 전화인사도 실제처럼, 감사하는 마음으로

(예) '감사합니다.', '이만 실례하겠습니다.', '안녕히 계십시오.'

(7) 전화를 끊는다.

- 상대가 끊는 것을 확인하고, 조용히 수화기를 놓는다.

3) 전화를 바꿔줄 때

(1) 전화 받을 사람을 확인한다.

- 어느 부서의 누구인가? 담당자가 누구인가?

(예) '00부서 000선생님 말씀이시죠? 잠시만 기다려 주십시오.'

(2) 송화구를 막은 다음, 전화받을 사람에게 이야기 한다.

(예) '000선생님! 00부서 000로부터 00건으로 전화와 있습니다.'

(3) 타 부서의 경우는 전화번호 안내와 함께 연결해준다.

(예) '담당부서인 000로 연결해드리겠습니다.
연결되지 않으면 000-0000번으로 다시 연락하십시오. 감사합니다.'

(4) 전화를 받을 사람이 즉시 받을 수 없을 때는 수시로 중간상황을 알려준다.

- 통화 중, 결재 중, 상사와 이야기 중, 지금 오고 있음 등

(예) '지금 000선생님은 통화 중입니다. 잠시 기다려 주시겠습니까? 아니면 전화를 드리라고 전해드리겠습니다.'

(5) 전화받을 사람의 신상을 알려주며 돌려준다.
- 직위, 이름, 담당업무 등
(예) '000담당 000선생님 바꿔드리겠습니다.'

4) 전화받을 사람이 부재 중일 때

(1) 부재 중인 이유와 일정을 알려준다.
- 무슨 일 때문에, 언제 돌아올 예정
(예) '지금 외출중입니다만, 00경에 돌아오실 예정입니다.'

(2) 소재가 확실한 경우 상대방이 원하면 연락처를 알려준다.
- 어느 곳에서 무슨 일을 하는 중, 전화번호

(3) 용건을 물어보고 처리가 가능하면 친절히 안내한다.
- 알고 있는 내용, 필요 시 관련 담당자에게 연결

(4) 메모를 정확히 한다.
- 언제, 누구에게서, 무슨 일로
- 전화를 다시 하겠다, 전화를 부탁한다, 전화번호 등의 내용을 메모한다.

(5) 간결하게 복창하면서 확인한다.
- 내용, 누가, 전화번호, 어떻게 처리했는지

(6) 이름을 알려주어 책임의 소재를 명확히 한다.
- 전화 받은 사람 소속, 이름

(7) 처리에 대해 확인한다.
- 메모를 전하겠다.
(예) '000선생님이 오면 메모를 전해드리겠습니다.'

(8) 메모를 전한다.
- 전화 내용, 전화받은 시간, 전화받은 사람의 이름 기재

5) 문의전화를 받을 때

(1) 문의 내용을 정확히 파악한다.

- 확실한 복창, 확인

(예) '예! 약의 복용법에 대해 물어보신다는 말씀이시죠.'

(2) 담당업무일 경우 성실하게 답변한다.

- 정확한 답변, 정중한 표현, 친절한 태도, 어려운 전문용어 배제

(3) 담당업무가 아닐 경우에도 아는 데까지 답변하고 담당자에게 돌려준다.

- 내 업무는 무엇이기 때문에, 해당부서는 어디, 담당자는 누구인지 답한다.

6) 특별한 경우의 응대

(1) 전화가 잘못 걸려 왔을 때

- 잘못 걸었음을 정중하게 이야기 한다.
- 다른 부서일 경우 해당부서의 전화번호를 안내한다.

(2) 전화가 잘 들리지 않을 때

- 한번 더 이야기하도록 한다.
- '감이 먼 것 같습니다. 좀 더 크게 말씀해 주시면 감사하겠습니다.' 라고 복창하면서 통화 한다.
- 다시 전화를 걸어 주도록 정중하게 요청한다.

(3) 전화가 도중에 끊길 때

- 다시 통화가 된 경우 '전화가 끊어져서 죄송합니다.' 등으로 먼저 사과하고 통화를 계속 한다.

(4) 갑자기 기침이나 재채기가 나올 때

- 송화구를 막고 상대방이 들리지 않도록 한다.
- 들렸을 경우 사과하고 계속 통화한다.

(5) 항의전화를 받았을 때

- 항의내용을 끝까지 참고 경청한다.
- 항의내용을 정확히 파악하고 정중하게 사과한다.
- 최선의 해결책을 제안하고 필요시 관련부서에 통보하여 조치 하도록 한다.
- 전화 받은 사람의 소속과 이름을 알려준다.

(6) 상대방을 기다리게 한 후 전화를 받을 때

- '오래 기다리셨습니다.', '기다리게 해서 죄송합니다.' 등으로 사과의 인사를 한 후 통화한다.

(7) 통화 중 손님이 온 경우

- 양해를 구한 후 송화기를 막고 손님을 응대한다.
- 손님의 용건이 급하지 않으면, 기다리도록 양해를 구하고 통화를 빨리 끝내도록 한다.

(8) 손님이 있을 때 전화가 온 경우

- 정중하게 손님의 양해를 구한다.
- '실례합니다.' 라고 양해로 구하며 수화기를 든다. 급한 내용이 아니면 '죄송합니다. 지금 손님이 계셔서 잠시 후 전화 드리겠습니다.' 라고 양해를 구한다.

(9) 전화를 잘못 걸었을 때

- 상대방이 기분 나쁜 말을 해도 '죄송합니다. 잘못 걸었습니다.' 라고 정중히 사과한다.

7) 전화 거는 요령

(1) 통화 전 준비

- 상대의 전화번호, 소속, 성명을 미리 확인
- 이야기할 용건과 통화에 필요한 자료를 준비

(2) 소속과 이름을 먼저 밝힌다.

- 상대가 전화를 받으면 먼저 본인의 소속과 이름부터 밝히도록 한다.

(3) 상대를 확인한다.

- 상대방이 이름을 말하지 않을 경우 정중히 상대방을 확인한다.
  (예) '실례지만 전화 받으시는 분은 누구십니까?'

(4) 상대가 직접 받을 경우

- 인사를 하면서 안부를 묻는다.

(5) 상대가 부재중일 경우

- 부재 이유를 간단히 묻고 메모를 부탁하거나 다시 전화하겠다고 약속한다.

(6) 용건을 말한다.

- 간결, 명확하고, 알아듣기 쉽게

- 통화를 길게 해야 할 경우는 먼저 상대의 형편을 묻는다.

(7) 끝인사를 한다.

- '감사합니다.', '잘 부탁드립니다.' 등의 내용으로 끝인사를 한다.

(8) 전화를 끊는다.

- 상대가 먼저 끊는 것을 확인한 후 끊는다.

III 인사예절

1. 인사의 의미

- 마음의 문을 여는 열쇠이다.
- 내 직분의 일부이다.
- 자부심의 표현이다.
- 마음가짐의 외적표현이다.
- 나를 변화시키기 위한 결의의 표시이다.

2. 인사의 7 points

1) 내가 먼저
2) 적극적인 자세로
3) 몸을 상대 쪽으로 향하여
   - 밝고 명랑한 표정으로
   - 정다움과 친밀감을 실어
4) 상대의 눈을 보고 미소지으며
   - 눈은 대화의 통로
5) 인사말은 다정하게
6) 인사 받은 사람은 반드시 답례를
7) 언제나, 지속적으로

3. 기본 인사법

1) 자세를 바르게 하고 상대를 향해 선다.

2) 상대방의 눈을 보며 인사말을 한다.
3) 상체를 정중하게 굽힌다.
4) 잠시 멈춘다(0.5~1초).
  - 시선은 발끝 1~2 m 앞에
5) 천천히 든다.
  - 상체를 숙일 때보다 천천히 든다.
6) 똑바로 서서, 다시 상대방의 눈을 본다.
  - 미소 짓는다.

4. 인사의 종류

1) 목례(가벼운 눈인사)

- 자주 대할 때, 조용한 장소, 협소한 공간, 엘리베이터에서

2) 가벼운 인사(상체를 15도 숙임.)

- 복도에서, 보행 중

3) 보통 인사(상체를 30도 숙임.)

- 일반적인 인사

4) 정중한 인사(상체를 45도 숙임.)

- 사죄나 깊은 감사의 뜻을 전할 때

5) 악수

- 선 자세로 오른손을 내민다.
- 윗사람, 연장자, 여성이 청한다.

5. 인사의 잘못된 표현

- 눈을 쳐다보지 않고 하는 인사
- 망설임이 느껴지는 인사
- 고개만 까딱이는 인사
- 말로만 하는 인사
- 마지 못해 하는 인사
- 무표정한 인사

- 반가운 마음을 싣지 않은 인사
- 아쉬울 때만 하는 인사

6. 인사를 하지 않는 경우

- 위험한 작업 중
- 상사에게 결재나 주의를 받고 있을 때
- 회의 중, 교육 중일 때
- 중요한 상담 시
- 화장실에서(상황에 따라서는 목례)

참고문헌

- 한국국민윤리학회 편 : 현대사회와 직업윤리, 형성출판사 (2001)
- 삼성서울병원 고객만족시리즈 자료
- 삼성서울병원 CS 아카데미 인사예절 자료
- 에버랜드 CS 아카데미 강사양성과정 자료

_03 병원내 감염관리

Objectives 

- ▶ 병원내 감염의 정의와 예방의 중요성에 대해 알아본다.
- ▶ 병원내 감염 예방에 있어서 소독과 멸균의 중요성에 대해 알아본다.
- ▶ 약국 감염관리에 대해 알아본다.
- ▶ 병원내 감염관리 규정 및 감염관리위원회에 대해 알아본다.

I 병원내 감염의 정의

병원내 감염은 병원내에서 일어나는 모든 미생물로 인한 감염으로 'hospital acquired infection' 혹은 희랍어로 병원인 nosocmia에서 유래한 'nosocomial infection' 이라고 통칭된다. 병원내 감염에 대한 구체적인 정의는 미국병원협의회의 '병원내 감염관리' 에서 최초로 언급되었고 현재는 미국질병관리센터(CDC, Centers for Disease Control and Prevention)에서 제정한 정의를 기초로 하고 있다.

병원내 감염이란 입원 당시 감염증이 없었음은 물론 잠복상태도 아니었던 상태에서 입원기간 중에 감염증이 발생한 경우로, 통상 입원 후 48시간 이후에 발생한 감염증이며 외과수술환자의 경우 퇴원 후 30일 이내에 발생하는 것을 말한다. 또한 환자뿐 아니라 병원내에서 발생하는 직원들의 감염도 병원내 감염에 포함된다.

일반적으로 감염이 성립하기 위해서는 감염원(미생물), 감수성 숙주, 감염 경로의 세 가지 원인이 필요하며, 이들 중 하나라도 저지할 수 있으면 감염은 성립되지 않는다.

감염증을 일으키는 원인균으로는 Aspergillus균, Clostridium difficle균, Hepatitis virus, Human Immunodeficiency virus, Legionella균, Meningococcus균, Methicillin Resistant Staphylococcus aureus (MRSA)균, Pediculosis균, Rotavirus, Vancomycin Resistant Enterococci (VRE)균 등이 있다.

II 병원내 감염 예방의 중요성

의학의 발전과 더불어 감염에 취약한 노령인구의 증가, 만성 퇴행성 질환자의 증가, 다수의 항균제 남용으로 인한 내성 균주의 증가, 항암제 및 면역억제제의 사용으로 인한 면역부전 환자의 증가, 각종 침습적 의료처치의 보편화 등으로 병원내 감염율은 높아지고 있다.

병원내 감염이 발생할 경우 내성균에 의한 환자치료의 어려움으로 인한 의료의 질 저하, 재원기간의 연장과 추가 진료 및 투약 등으로 인하여 환자, 병원, 국가의 경제적 손실, 법적 문제, 윤리적 문제, 사회적 문제 등이 발생할 수 있으므로 병원내 감염을 예방하기 위한 감염관리가 중요하다.

III 병원내 감염 예방에 있어서 소독과 멸균의 중요성

병원에서 사용하는 의료물품은 미생물이 없는 멸균 제품에서부터 환경에서 흔히 볼 수 있는 일반적인 세균들이 존재하는 물품까지 다양하다. 환자의 정상적인 방어기전이 손상된 신체 조직이나 약한 점막 등에 사용하는 의료물품들은 적절한 소독이나 멸균을 통해서 미생물의 수를 줄이거나 없애야 한다. 소독이나 멸균이 부적절한 경우에는 의료물품의 손상이나 병원내 감염을 유발할 수 있으며, 이로 인해 의료비용의 상승이나 의료의 질 저하가 초래된다. 그러므로 사용 목적에 맞는 적절한 소독 및 멸균을 시행하는 것이 중요하다고 할 수 있다.

1. 세정, 소독, 멸균의 정의 및 원리

1) 세정(Cleaning)

대상물로부터 모든 이물질(토양, 유기물)을 제거하는 과정으로 물, 기계적 마찰, 그리고 세제에 의해 이루어지며 소독과 멸균의 전단계로 매우 중요하다.

오염물질은 미생물이 소독제나 멸균제와 접촉하는 것을 방해하고, 세척제와 반응하여 불활성화시키므로 소독이나 멸균과정 이전에 이러한 오염물질을 제거하기 위한 세척과정이 필요하다. 물리적 세척으로 오염물질과 관련된 많은 수의 미생물을 제거할 수 있으며, 기구 · 물품 세척과 병실바닥 · 벽 · 가구와 같은 환경표면의 세척으로 나눌 수 있다.

2) 소독(Disinfection)

생물체가 아닌 환경으로부터 박테리아의 아포를 제외한 대부분의 또는 모든 병원성 미생물을 제거하는 과정이다. 소독제의 작용과 효과는 여러 가지 조건에 따라 달라질 수 있다. 일반적으로 외부의 물리적인 환경, 미생물 자체의 특성, 구조, 성분과 조건, 그리고 미생물이 특정한 물질의 작용을 감소시키거나 불활성화시키는 능력 등과 관련된 것으로 알려져 있다.

3) 멸균(Sterilization)

물리적 · 화학적 과정을 통하여 아포를 포함한 모든 생물을 완전하게 제거하고 파괴시키는 과정이다.

2. 소독과 멸균의 분류

물품의 소독과 멸균에 대한 분류는 E.H.Spaulding (1968)의 분류법이 가장 일반적으로 사용되고 있다. 이 분류법에 의하면 물품은 크게 세가지 범주로 고위험기구(critical item), 준위험기구(semicritical item) 그리고 비위험기구(noncritical item)로 나누어 진다.

표 3-1 Spaulding의 물품 및 처리과정의 분류와 EPA 살균제 분류

분류	기구의 예	Spaulding의 처리방법 분류	EPA[1] 살균제 분류
고위험 기구 (무균조직 또는 혈관계에 사용)	이식물, 주사바늘, 외과용 칼, 수술기구 등	· 멸균 · 아포살균화학제 : 긴 접촉시간	멸균제 / 소독제
준위험 기구 (점막에 사용: 치과용 제외)	내시경, 기관지경, 기관지 삽관 튜브, 기타 유사한 가구들	· 높은 수준의 소독[2] · 아포살균화학제 : 짧은 접촉시간	멸균제 / 소독제
	구강 및 직장 체온계, 수치료 욕조 등	· 중간 수준의 소독[3]	결핵균에 살균력이 있는 병원 소독제
비위험 기구 (손상이 없는 피부에 접촉)	청진기, 탁자 등	· 낮은 수준의 소독[4]	결핵균에 살균력이 없는 병원소독제

[1]: Environmentl Protection Agency, 미국 환경보호청

[2]: high level disinfection -세균의 아포 일부와 다른 모든 미생물을 파괴

[3]: intermediate level disinfection - 결핵균, 일반세균, 대부분의 바이러스와 곰팡이는 불활성화 시키나 세균의 아포는 사멸시키지 못함

[4]: low level disinfection - 대부분의 일반세균, 바이러스, 곰팡이의 일부는 사멸시키나 저항성이 있는 결핵균이나 세균의 아포는 사멸시키지 못함

3. 소독제의 종류 및 선택기준

1) 소독제의 효과에 영향을 미치는 요인

(1) 미생물의 오염수와 오염부위

(2) 미생물의 소독제에 대한 내성

(3) 소독제의 농도와 효과
(4) 물리적 · 화학적 요인
(5) 접촉시간
(6) 유기물질

2) 주요 소독제의 종류

(1) 기구 및 환경 소독제

① 높은 수준의 소독

a. 목적 : 모든 영양형 박테리아, 바이러스, 진균, 결핵균, 아포의 일부까지 사멸

b. 종류 : 2% 글루타알데하이드(glutaraldehyde), 유리 이산화염소(demanded-release chlorine dioxide), 과초산(peracetic acid), 1,000ppm 차염소산나트륨(sodium hypochlorite)

② 중간 혹은 낮은 수준의 소독

a. 목적 : 박테리아 아포를 제외한 미생물을 제거하거나 감소시키기 위함. 중간수준의 소독은 결핵균에 효과 있음

b. 종류 : 염소화합물(chlorine compound), 요오드와 아이오도퍼(iodine and iodophor), 페놀화합물(phenolics), 사급 암모니움화합물(quaternary ammonium compounds), 양성 계면활성제(amphoteric compounds), 알코올(alcohol), 클로르헥시딘 글루코네이트(chlorhexidine gluconate, 이하 CHG)

(2) 피부소독제

① 목적 : 손씻기, 침습적 시술시 피부 준비

② 종류 : CHG(chlorhexidine gluconate), 요오드와 아오도퍼(iodine and iodophor), 알코올(alcohol), 헥사클로로펜(hexachlorophene)

4. 소독제의 내성 기전

소독제가 발달함에 따라 항생제 내성 균주들, 특히 메치실린 내성 황색포도구균(Methicillin resistant *Staphylococcus aureus*, MRSA), 반코마이신 내성 장내구균(Vancomycin resistant *enterococci*, VRE), 다약제내성 결핵균(Multidrug resistant *M. tuberculosis*, MDRTB), 그리고 다약제 내성 그람음성간균(Multidrug resistant gram negative bacilli, MDRGNB) 등이 증가하고 있다. 염색체 매개(chromosomal mediated) 항생제 내성은 광범위한 항생제에 대해 내성을 유발한다. 플라스미드 매개(plasmid mediated) 항생제 내성 역시 다제 내성의 특성을 갖는데, 이러한 이유들로 인해 항생제 내성 박테리아들은 피부소독제나 소독제에 대해서도 교차내성을 가질 가능성이 있다.

표 3-2 소독제의 성분별 분류

살균범위	분 류	특 성	관련 원내 코드
고수준	글루타알데하이드	• 세균아포에 대해 살균력 있음. • 피부와 점막에 대한 자극과 독성이 문제됨.	• Wydex : GA2-L • Cidex : CIDE-L
	포르말린	• 미생물의 활성기를 알킬화하여 무력화 시킴. • 강력한 발암물질이고 낮은 농도에서도 자극적이으로 사용이 제한됨.	• 35% : FR35-L
	과산화수소	• hydroxy-free radical을 생산하여 세포의 필수 성분을 파괴	• 3% : HO25-L
	산화제	• 낮은 온도에서 빠른 시간에 적용함.	
중수준	염소화합물	• 강력한 산화능력으로 세포내 단백질을 파괴	• sod. hypochlorite : VIPO-L
	요오드화합물과 아이오도퍼	• 미생물의 세포벽을 빠르게 투과하여 단백질과 핵산의 구조와 합성력을 저해 • 유리산의 농도는 pH에 영향받음	• 포비돈-아이오딘 : 10% : PI1-L, 7.5% : PIS1-L 1% : PI11-L, PI1-G
중수준 · 낮은 수준	페놀 화합물	• 소독제의 선두물질로 출발하였으나 독성의 문제로 사용빈도가 저하됨.	-
낮은 수준	사급 암모니움 화합물	• 에너지 생성을 무효화하며 필수적인 세포 단백질 변형, 세포막을 파괴시킴. • 계면활성을 저하시키는 소독제 중 양이온 소독제 • 환경소독에 사용권장	-
	양성 계면활성제	• 양이온과 음이온의 특성이 혼합되어 계면활성을 저하시키는 화합물 • 단백질의 존재하에서도 살균력이 감소하지 않으며 고체표면에 흡착하여 막을 형성하는 특성이 있으며 흐르는 물에서도 씻기지 않음.	-
	알코올	• 미생물의 단백질 변성 • 작용시간이 빠름 • 아포는 사멸하지 못함	• 83% ethanol : EA83-L (색소), EA83-R (무색)
	CHG	• 양전하의 CHG가 음전하를 띤 세균의 세포막과 미생물에 결합하여 살균효과 • 세포막의 삼투평형에 영향을 주어 정균작용 • 입안의 세균이 만드는 플라그에 결합하여 세균이 치아로 흡수되는 것을 방해	• 0.1% : CX12-G • 4% : CXQ-L • 5% : CXR-L • 20% : CXS-L

5. 소독제의 독성 및 환경에 대한 영향

박테리아나 바이러스와 같은 유기체를 사멸하거나 불활성화 시키는 소독제는 인체의 세포에도 영향을 미친다. 인체에 미치는 영향은 경한 경우에는 접촉한 부위나 점막이 자극되는 정도지만 다량의 소독제가 인체내로 유입될 경우에는 사망할 수도 있다. 소독제의 위험성 정도는 소독제 자체의 독성정도나 노출량에 따라서 달라질 수 있기 때문에 모든 소독제를 목적에 맞게 올바르게 사용해야 할 것이다. 소독제를 제거하기 위해 헹구는 과정에서 수돗물의 오염이 발생할 수도 있다. 소독제의 일정농도 이상이 배수 중에 포함되면 여러 가지 환경오염을 일으킬 수 있다. 소독제가 환경에 미치는 영향을 최소화 하기 위해 많은 나라들은 법적으로 글루타알데하이드, 페놀이나 차염소산 나트륨의 농도를 제한하거나 규제하고 있으며, 우리나라 역시 글루타알데하이드나 6%이상의 과산화수소, 페놀, 염소, 수은 등에 대하여 유독성 물질로 간주하거나 처리기준을 제시하고 있다. 이를 위해 가능하면 환경에 영향을 덜 미치는 제제로 바꾸어 사용하거나, 사용한 소독제를 유해독성 물질로 폐기처리하거나 중화처리가 가능한 것은 폐기 전에 가능한 범위까지 처리하여 폐기하도록 하고 있다.

IV 멸균

1. 멸균의 원칙 및 영향을 미치는 인자

1) 멸균의 원칙

(1) 멸균 전에 반드시 모든 재사용 물품을 철저히 세척해야 한다. 만약 유기물이 잔존할 경우에는 미생물이 사멸될 수 없다.
(2) 세척한 물품은 완전히 건조되어야 한다.
(3) 물품 포장지는 멸균제의 침투 및 제거가 용이해야 하며, 저장시 미생물, 먼지, 습기에 저항력이 있으며 유독성이 없어야 한다.

2) 멸균과정에 영향을 미치는 인자

(1) 시간

모든 멸균과정이 종료될 때까지는 적절한 시간이 필요하다. 이 시간은 일차적으로 멸균 과정의 유형에 따라 달라지며 이외의 유기물질의 유무, 미생물의 양 등에도 영향을 받는다. 멸균과정에 필요한 적절한 시간은 생물학적 표식자(고내성 미생물)를 사용하여 결정한다. 멸균과정은 존재하는 모든 아포를 죽이는데 필요한 시간 또는 미생물을 90%까지 감소시키는데 필요한 시간으로 정의된다.

(2) 온도

미생물은 최적의 성장온도가 있으며 이 이상에서는 잘 성장하지 못하거나 죽게 된다. 따라서 멸균과정의 온도를 최적 성장온도 이상으로 올리는 것이 멸균과정의 효과를 향상시키는데 도움이 된다.

(3) 상대습도

상대습도는 동일한 온도 하에서 포화수증기압에 대한 실제 수증기압의 비로 정의된다. 이것은 대기 중의 수분상태를 나타내며 미생물 세포 또는 아포의 수분상태를 나타내기도 한다. 상대습도는 열멸균(건열 또는 습열멸균)과 화학가스멸균과정에 영향을 미친다고 알려져 있다.

(4) pH

pH는 미생물 또는 아포의 열에 대한 불활성화에 중요한 영향을 미친다. 다수의 연구에서 pH가 낮을 수록 박테리아 및 아포에서는 열처리에 대한 내성이 줄어드는 것으로 나타났으며 효모에서는 그 반대인 것으로 나타났다. pH의 변화는 용액내 물질의 해리도에 영향을 주고 그 결과 산화 · 환원력을 변화시켜 미생물의 생존에 영향을 주게 된다.

(5) 적재표준화

용기에 담아서 멸균을 하는 경우 균일하게 멸균될 수 있도록 표준화된 적재가 중요하다. 즉 물품의 효과적인 멸균은 멸균기의 올바른 작동뿐 아니라 멸균기에서 멸균물품의 적재배열과 방법에도 영향을 받는다. 멸균기에서 공기의 제거는 좌우가 아니라 상하로 이루어지기 때문에 공기가 빠져나가고 건조가 쉽게 되도록 캡이나 구멍이 없는 용기는 옆으로 뉘여 놓는다. 일반적으로 트레이나 기구는 세워 놓는다.

(6) 보관

멸균이 끝난 물품의 보관 또한 중요하며, 보관실의 온도는 18~22℃, 상대습도는 35~75%를 유지한다.

2. 멸균 방법 선택시 고려할 사항

1) 멸균 여부를 확인 할 수 있어야 한다.
2) 멸균 물품과 충분한 접촉면을 유지하여 표면뿐만 아니라 내부까지 멸균될 수 있어야 한다.
3) 멸균 물품의 화학적, 물리적 변화를 고려한다.
4) 멸균제의 독성으로 인해 인체에 유해하지 않아야 한다.
5) 멸균 효과와 경제성을 고려해야 한다.
6) 멸균 물품의 포장이 적절해야 한다.

3. 멸균방법

1) 증기 멸균(Steam Sterilization)

이 방법은 멸균법 중 효과나 비용 면에서 가장 우수하며 121~131℃에서 3~30분간 멸균처리를 하게 되므로 열과 습기를 견딜 수 있는 의료기구 및 물품에 이용한다.

2) 건열멸균(Dry Heat)

증기멸균할 수 없는 물품(유리와 금속이 섞인 기구나 안과 수술에 사용되는 뾰족한 기구, 파우더나 오일과 같이 수증기가 침투하기 어려운 재료)에 사용되고 있다. 일반적으로 160~180℃에서 30~120분 멸균하며 한 주기당 2.5~5시간이 소요된다. 건열멸균의 장점은 부식이 적고 투과력이 좋다는 점이다. 그러나 가열과정이 느리고 멸균에 소요되는 시간이 길게 소요되는 단점도 있다.

3) 저온살균법(Pasteurization)

75℃에서 30분간 처리하며 호흡치료기구의 멸균에 활용할 수 있다.

4) EO 가스멸균(Ethylene Oxide Gas Sterilization)

증기멸균보다 비싸고 복잡하며 시간이 더 오래 걸린다. 열이나 습기에 약한 기구의 멸균에 효과적이며 EO 가스는 독성이 있으므로 사용 전에 충분히 통기하도록 한다. EO 가스멸균은 보통 37℃나 55℃에서 이루어지며 소요시간은 온도, 압력, 습도, 가스농도에 영향을 받는다. 종이, 폴리프로필렌(polypropylene), 폴리에칠렌(polyethylene) 등은 EO 가스 멸균에 적합하지만 나일론은 부적합하다.

5) 저온 증기 포름알데하이드 멸균(Low Temperature Steam Formaline Sterilization, LTSF)

포름알데하이드는 EO 가스와 마찬가지로 살균력이 광범위하다. 적절한 온도와 습도 하에서는 아포까지 제거할 수 있다. 아포를 죽이는 능력은 실온에서는 느리지만 70~75℃에서 증기의 기체 결합에 의해 가속화된다. 바이러스, 곰팡이, 결핵균에 대한 감수성도 있다. 멸균과정을 보면 먼저 처리 용기내로 건조한 포름알데하이드 가스를 주입하고 내부 온도를 73℃로 맞추기 위해 증기를 주입한 후 2시간 정도 유지한다. 이 과정이 끝나면 증기 분출과 멸균 여과된 공기의 투입으로 잔류 포름알데하이드 가스를 제거한다. EO 가스에 비해 통기에 필요한 시간이 짧고 높은 온도로 멸균의 성공 가능성을 증가시킨다는 장점이 있지만 포름알데하이드의 독성과 과민반응이 나타나는 단점도 있다.

6) 플라즈마 가스멸균(Plasma Gas Sterilization)

가스 플라즈마는 EO 가스나 LTSF의 대체법으로 소개되었다. 그 과정이 비교적 짧고(45~80분) 활성입자는 멸균과정 마지막에 독성으로 작용하지 않는다. 가스 플라즈마는 55℃이하의 낮은 온도와 진공상태에서 이온전자, 자유기, 중립입자로 구성되며 자유기는 세포를 구성하는 주요 성분인 효소나 핵산과 상호작용하고 미생물의 대사를 방해하는 능력이 있다. 플라즈마 과정은 정상적인 가스과정에서 가능할 수 있는 것보다. 낮은 농도의 멸균제로도 효과를 나타낼 수 있다. 활성 입자는 전원이 켜질 때만 존재하고 꺼질 때는 재빠르게 사라지기 때문에 멸균과정의 마지막에 독성으로 작용하지 않게 된다.

표 3-3 멸균방법

멸균방법	조건	해당 품목
증기 멸균	온도 : 135℃, 기압 : 3기압 멸균시간 : 7분 건조시간 : 10분	• 금속제품 : set 류, 낱개기구, can • Furazine can • 면직물 : package, 거즈, 붕대 등
	온도 : 121℃, 기압 : 2기압 멸균시간 : 30분 건조시간 : 10분	• 고온에 견디는 합성수지류 : 일부 인공호흡기 circuit • 알코올솜, cotton ball
건열멸균	온도 : 160℃ 멸균시간 : 2시간 30분	• 바세린 캔 • 파우더 • 오일
EO 가스멸균	온도 : 55℃ 멸균시간 : 1시간 공기정화시간 : 8시간 이상	• 금속외의 재질로 된 수술세트, 기구류 : 내시경 및 레이저 수술세트 • 열에 약하고 날카로운 기구 • 열에 약하고 날카로운 기구열에 약한 합성수지류 • 부정형의 기구(청진기, 전자) • silastic 류(인공장기류) • 기타 사용부서에서 의뢰하는 물품
포르말린 가스 멸균	온도 : 65℃, 80℃ 멸균시간 : 30분, 10분 공기정화시간 : 4시간 이상	• 열에 약한 합성수지류 • 열에 약하고 날카로운 기구 • 지름 2 mm 이상, 길이 1.5 cm 이하의 카테터
플라즈마 멸균	온도 : 42~48℃ 멸균시간 : 15분 총멸균시간 : 75분	• 액체와 종이, 린넨, 나무, 셀룰로오스 계통의 물질만 제외한 모든 재질이 멸균 가능 • 지름 8 mm 이상, 길이 30 cm 이하의 카테터

7) 액체 화학제

증기멸균, 가스멸균, 건열멸균법이 용이하지 않을 때 고수준 소독제를 이용하여 멸균처리한다. 멸균된 물품은 멸균 증류수로 씻어내고 말린 후 사용하고 오염을 예방하기 위해 멸균장갑과 타월을 이용하여 보관한다.

V 약국 감염관리

약국에서 취급 · 관리하는 모든 약제는 각종 오염 및 감염을 예방하여 안전하고 유효하며 효과적으로 적합한 약물치료가 보장될 수 있도록 적정성을 유지해야 한다. 특히 적절한 감염관리를 위해 상품화된 약제를 공급하는 과정이나 재포장하는 과정에서 오염이 없어야 하며 병원에서 사용하는 약제를 평가하고 그 사용법(항생제, 소독제 등)을 알리며 정확한 데이터를 제공해야 한다.

1. 일반 지침

근무자 개개인은 근무직원의 안전과 약제의 취급 시 발생될 수 있는 각종 오염 및 감염위험을 예방하며 약제의 적정유지를 위하여 다음사항을 준수하여 업무에 임하여야 한다.

1) 약제를 취급하는 모든 공간은 약제의 적정유지를 위해 조제 및 보관관리에 적합하도록 청결하고 안전하게 운영되어야 하며, 항시 일정 청정도를 유지할 수 있도록 관리한다.
2) 조제대를 비롯한 각종 약제 장비 및 기구 등 제반 시설은 안전하고 청결하게 조제 · 제제가 이루어질 수 있도록 유지 · 관리한다.
3) 약제의 적정유지를 위해 조제 · 제제 용기 및 각종 취급 소모품은 반드시 사용적합 여부를 재확인 후 사용토록 한다.
4) 근무자 개개인은 근무 중 항시 약제 취급에 적합한 위생적인 상태와 복장을 유지하도록 하며, 특히 작업 전과 작업 중 가능한 자주 철저하게 손씻기를 하여 취급약제 및 작업의 적정성이 유지되도록 최선을 다한다.
5) 주사혼합조제 또는 주사 및 안약 등의 제제 시 작업자는 반드시 별도로 정해진 규정에 의해 무균복장을 갖추고 clean bench에서 무균조제 방법에 따라 시행하여야 하며, 특히 항암제의 경우에는 작업자의 안전을 고려하여 반드시 항암제 전용 clean bench (safety cabinet)에서 조제한다.
6) 작업자의 안전을 위해 유독성 약품 및 제제의 취급은 반드시 fume hood에서 하도록 한다.
7) 조제 및 제제장비를 조작시에는 취급약품과 작업자의 안전을 위해 최선을 다하며, 유독약품(시약) 및 유리용기, needle 등의 취급시에는 특히 작업자에게 위해가 발생되지 않도록 주의한다.

2. 감염경로

오염된 약제에 대한 집단감염이 가능한 약국에서는 여러 가지 경로로 약제가 오염될 수 있음을 알아야 한다.

1) 약제가 병원에 도착하기 전 이미 오염된 경우
2) 약제를 보관, 운반, 재포장할 때 발생 가능한 오염
3) 약국을 떠난 약제가 보관 미숙이나 관리 부족으로 오염된 경우

약제를 다루는 직원은 약제의 탁도, 색깔의 변화, 이물질 유무 등을 확인해야 하며 의심이 되는 경우 반

드시 질관리에 들어가야 한다.

VI 감염관리 규정

2012년에 개정된 의료법 제47조「병원감염의 예방」에서는 보건복지부령으로 정하는 200병상 이상의 종합병원의 장은 병원감염 예방을 위하여 감염관리위원회와 감염관리실을 설치 · 운영하는 등 필요한 조치를 하여야 하며 위원회의 구성과 운영, 그 밖에 필요한 조치에 관하여는 보건복지부령으로 정한다.

1. 감염관리위원회의 기능

감염대책위원회는 다음의 사항을 심의한다.

1) 병원감염에 대한 대책, 연간 감염예방계획 수립 및 시행에 관한 사항
2) 감염관리요원의 선정 및 배치에 관한 사항
3)「감염병의 예방 및 관리에 관한 법률」에 따른 감염병 환자, 감염병 의사환자, 또는 병원체 보유자의 처리에 관한 사항
4) 병원의 전반적인 위생관리에 관한 사항
5) 병원감염관리에 관한 자체 규정의 제정 및 개정에 관한 사항
6) 그 밖에 병원감염관리에 관한 중요한 사항

2. 감염관리실의 운영

병원감염예방을 위해 감염관리실을 설치하고, 감염관리업무의 수행에 필요한 인력을 두어야 한다. 감염관리실은 감염관리 업무를 총괄하는 부서로서 병원감염 감시 및 보고, 감염관리 정책과 규정 작성, 직원교육, 감염관리와 관련된 각종 자문, 기타 업무를 담당하며 감염관리 의사, 감염관리전문간호사, 감염관리 미생물학자 혹은 임상병리사 등이 업무를 담당한다.

참고문헌

- 김기경 외 : 새로운 체계의 보건의료 관계법규 보기 제5판, 군자출판사 (2007)
- 김용호 외 : 소독 · 멸균학, 고려의학 (1995)
- 대한감염관리간호사회 : 소독과 멸균, 현문사 (2001)
- 문홍섭 : 최신 병원약학, 신일상사 (2009)
- 삼성서울병원 감염관리 지침 4th ed. (2010)

- C. Glen Mayhall, et al : Hospital Epidermiology and Infection Control, Lippincott Williams & Wilkins, p. 913~54 (1996)
- Graham A.J. Ayliffe, et al : Control of Hospital Infection 4th ed., Arnold, p. 57~91(2000)

각론

part I

조제 및 처방검토 업무

1장 조제업무 및 처방검토

2장 주사제 조제업무 및 처방검토

3장 마약류 관리업무

4장 원외처방전 관리업무

5장 의약품 사용과오

_01

조제업무 및 처방검토

Objectives 

▶ 입원 및 외래조제시스템을 숙지하고 조제업무의 흐름을 이해한다.
▶ 처방검토, 조제약 감사, 투약 및 복약지도에 필요한 지침을 이해하고 응용할 수 있다.
▶ 약품의 제형별 특성 및 관련 조제법을 이해하고 활용할 수 있다.
▶ 조제자동화의 개념 및 관련 장비를 이해하고 활용할 수 있다.
▶ 약품관리(청구, 진열 및 품질관리)에 필요한 사항을 이해하고 적용할 수 있다.

I 조제업무 개론

의료의 발전에 따라 병원약국의 업무도 매우 다양하게 발전하고 있다. 따라서 병원약국에서 '조제' 가 차지하는 업무의 비중이 과거에 비해 다소 줄어든 감이 있으나 아직도 '조제업무' 는 병원약국 업무 중 가장 기본적이고 중요한 업무이며 향후에도 그 중요도는 변함이 없을 것으로 생각된다. 일부에서는 조제를 '약품을 조합' 하는 정도의 단순 업무로 생각하는 경향이 있으나, 약물요법이 다양해지고 새로운 약물들이 쏟아져 나오고 있는 현 상황에서 이에 대한 고도의 지식과 기술의 습득은 조제업무에 있어서 필수적이다.

약사법 제2조 제11항에 '조제' 란『일정한 처방에 따라서 두 가지 이상의 의약품을 배합하거나 한 가지 의약품을 그대로 일정한 분량으로 나눔으로써 특정한 용법에 따라 특정인의 특정된 질병을 치료하거나 예방하는 등의 목적으로 사용되도록 약제를 만드는 것을 말한다.』고 규정되어 있다. 그러나 최근의 조제의 개념은 의사, 치과의사가 발행한 처방전의 내용이 적정한지를 확인하고 처방된 의약품을 사용하여 특정 환자의 특정질병에 대한 약제를 특정한 사용법에 적합하게 조제하여 환자에게 의사의 지시대로 정확하게 사용할 수 있도록 지도하면서 교부하는 것 뿐 아니라, 복용 후의 안전성과 유효성을 관찰하여 의사와의 연락을 통하여 처방을 수정하는 등 적절한 조치를 행하는 부분까지 확대 해석되고 있다. 따라서 약사는 환자에게 투여하는 약제의 품질, 유효성, 안전성을 확보하여야 하며 조제를 행할 때는 처방검토, 약제조제, 복약지도의 세 가지 요소에 유념하고 이를 위해 의료담당자로서의 철학을 가지고 의약품에 관한 학식과 기술을 습득해야 한다.

1. 조제윤리

1) 조제실에서의 근무자세

조제는 처방에 근거하여 환자의 질병에 대하여 정확하고 안전하게 약물을 투여하는 업무이다. 따라서 조제 시에는 환자의 입장에서 약사로서의 과학적, 전문적인 지식과 기술을 충분히 활용하고, 의료팀의 일원으로서 환자의 치료에 참여하고 있다는 자각과 책임감을 가져야 한다. 또한 약사는 약의 전문인으로서 효과적인 교육과 상담으로 환자에게 질병과 약물치료의 관계를 이해시키고 치료효과를 극대화시킬 수 있도록 노력하여야 한다.

2) 조제실에서의 일반적인 주의사항

(1) 환자를 대할 때에는 항상 언어 및 태도에 주의하고 정성을 다한다.
(2) 환자로부터 문의가 있을 때에는 만족할 만한 설명을 해주도록 하고, 환자가 만족하지 않을 경우에는 상급 책임자에게 인계하여 이해시키도록 한다.
(3) 조제자는 업무기술서의 내규를 숙지하고 조제업무에 임하여야 한다.
(4) 조제시에는 손을 깨끗이 하고 복장은 항상 단정하고 청결하게 한다.
(5) 조제대와 조제용기는 항상 청결하게 유지하며, 조제 종료 후에는 정리정돈을 철저히 한다.
(6) 업무상의 비밀은 절대로 외부에 누설하지 않는다.
(7) 조제실 내에는 함부로 외부인을 출입시키지 않는다.
(8) 오투약 사고 발생시 신속히 책임자에게 보고하고 이에 대처한다.
(9) 물품의 파손 또는 업무상의 손실이 발생했을 경우에는 신속히 책임자에게 보고한다.

2. 조제업무 표준화

동일 처방전 내에서도 약품의 제형이 다양하거나 함량이 여러 가지인 동일성분의 약품을 포함하고 있는 경우는 조제자에 따라 조제형태가 달라질 수 있다. 그러나, 매번 조제형태가 달라지면 환자에게 신뢰감을 줄 수 없기 때문에 동일 처방전이라면 언제, 누가 조제를 하든지 항상 동일한 형태로 조제되어야 한다. 이를 위해 각 병원약국에서는 자체 내규를 만들어 조제 표준화에 노력하고 있다.

1) 조제업무지침

(1) 목적 : 학문적 기반을 배경으로 약사가 지켜야 할 일들을 규정하고, 환자가 정확하게 의약품을 사용할 수 있도록 조제업무의 합리성과 연속성을 유지하며 실무교육에 만전을 기하도록 하는 것이다.
(2) 구성 : 병원 특성에 따라 구성을 달리할 수 있으며 조제에 임하는 마음가짐부터 처방접수업무(외래, 입원), 조제관련 규정(제형별 조제 지침), 복약지도, 미수령 의약품관리, 반납업무 등에 대한 조제관련 내규를 포함한다.

2) 조제 실무위원회

(1) 조제에 관한 실무 전반에 관해 검토하고 체계화하는 일을 담당한다.
(2) 지정된 조제지침이 있더라도 가끔 적용이 어려운 경우가 발생할 수 있으므로 이때에는 경력 있는 책임 약사와 의논하여 조제, 투약하고 이를 기록으로 남긴 후, 조제실무위원회에서 이를 정기적으로 검토하여 조제지침을 보완한다.
(3) 조제시스템에 변화가 있을 때마다 검토하여 조제의 표준화, 조제의 합리화를 기해야 한다.

3. 입원환자 조제시스템

입원환자 조제시스템은 입원환자에 대한 약제 교부와 병동으로의 약품공급 및 병동의 약품관리를 담당하는 것이며 입원환자 조제를 위한 약국은 병동과 가까운 곳에 위치하는 것이 바람직하다.

1) 입원조제 업무흐름

병원마다 다소 차이는 있겠으나, 전체 입원환자의 80~90%에서 매일 규칙적으로 발생하는 정규성 처방과 환자의 상태 변화에 따른 약물 추가, 변경, 혹은 신규 환자 입원 등으로 발생하는 비정규성 처방에 대한 조제 업무로 나뉘어지며 병동과 협의 하에 하루에 수 차례 나누어 공급한다. 과거에는 수기로 처방전을 작성하고 병동사원이 처방전을 직접 가지고 와서 조제약을 받아가는 방식으로 운영하였으며 병동별로 처방일을 지정하여 해당 요일에만 처방을 발행하도록 하여 일주일 범위 내에서 2~3일분씩 처방을 하였다. 그러나 최근에는 자동물류운반시스템을 이용하여 약품을 공급하며 재원일수 단축, 환자의 중증도 증가 등으로 인한 처방변경을 신속히 반영하기 위해서 일일처방시스템을 많이 채택하고 있다.

2) 자동 물류운반시스템

최근 공학의 발달로 병원 물류시스템에도 자동화 개념이 도입되어 에어슈터, 컨베이어, 웨건, 자동운반함 등에 의한 자동 반송시스템이 이용되고 있다. 이중 컨베이어나 웨건의 경우는 대체로 정규로 발생되는 약품을 운반하는데 이용되고 있으며 자동운반함이나 에어슈터의 경우는 비정규 약품을 운반하는데 주로 이용되고 있다.

3) 조제방법

(1) Floor Stock System (Ward Stock System)

입원 병동단위별로 일정한 목록의 약품을 현장 재고로 두고 관리하는 시스템으로 환자별이 아닌 약품위주로 관리하는 방식이다. 이 방법은 약품반납을 최소화할 수 있고 약품을 효율적으로 사용할 수 있는 장점은 있으나 병동에 약품을 보관할 공간이 많이 필요하고 환자별 약품을 간호사가 준비해야 하므로 투약오류의 위험성이 매우 높은 단점이 있다. 또한 직접 간호율이 저하되며 약품의 품질관리에도 문제점이 발생할 수 있다.

그림 1-1. 웨건

그림 1-2. 자동운반함

그림 1-3. 에어슈터

(2) Patient Prescription System

입원환자별로 처방전의 약을 조제하는 방식으로 현재 우리나라에서 가장 많이 채택하고 있는 시스템이다. 이 시스템은 모든 의약품이 약사에 의해 처방전대로 조제되어 조제의 정확성은 있으나, 환자의 질병 상태에 대한 파악을 처방의 상병명에만 의존하는 매우 제한적인 형태이므로 이 방법 역시 처방전에 대한 검토가 불충분하게 이루어질 수밖에 없으며 간호사에 의한 투약 과정 중 발생할 수 있는 문제점도 간과될 수 있다.

(3) Unit Dose Drug Distribution System (UDS, 1960)

UDS는 1960년대 미국에서 투약 error 예방을 위해 약사의 임상업무와 기존 조제업무를 통합한 현재까지 개발된 가장 이상적인 조제시스템이다.

4) Unit Dose Drug Distribution System (UDS)

(1) UDS란?

Unit dose drug distribution system (UDS)과 traditional distribution system (TDS)의 가장 큰 차이점은 medication cycle에서 약사의 역할이 증대되었다. 즉, 과거 약사들은 약이 처방되고, 준비되고, 투약되는 환자 곁에서는 완전히 격리되었다. 간호사로부터 의사의 order를 받아서 약을 multiple dose 혹은 bulk type으로 조제, 공급하였으며 간호사가 모든 medication order를 해석하고 환자에게 직접 투여하였다. 그러나 UDS는 약의 전문가인 약사들이 조제에 앞서 의사가 작성한 모든 medication order를 review하고 모든 medication preparation 단계를 감독하는 방식이다. 따라서 약사는 모든 medication order의 적정성을 평가하고 처방된 모든 약물이 환자의 상태에 적합한지를 모니터링하며, 약물의 적절한 사용과 투여를 위해 health care team의 일원으로서 다른 구성원들을 교육해야 한다.

(2) UDS의 업무흐름

a. 모든 약품은 single unit 또는 unit dose package형태로 공급한다.
b. 병동에 공급되는 약품은 즉시 투여 가능한 형태로 분배되어야 한다.
c. 한번에 24시간 이내에 사용할 약품만 공급한다.
d. 투약과 동시에 환자의 투약력이 약사에 의해 기록 · 관리되어야 한다.

(3) Unit Dose System Design

UDS는 centralization과 decentralization의 두 가지 형태로 운영되는데 규모가 큰 병원의 경우는 decentralization방식으로 각 병동마다 satellite pharmacy (위성약국)를 운영하고 있다. 일반적으로 중앙약국에서 조제를 하고 조제된 약을 각 병동의 위성약국으로 보내서 위성약국의 담당약사가 조제약 감사에서부터 투약까지 병동업무를 담당하고 있다.

(4) 업무분장

① 약사

UDS의 도입으로, 약사들이 단순 반복적이고 기계적인 업무로부터 벗어나 병원의 medication order cycle에 있어서의 중요한 역할자로 자리매김하게 되었다. 약사들은 약의 구입에서부터 환자에게 투여될 때까지, 그리고 약물요법의 결과 평가까지의 모든 medication related activities를 담당하는 health care team의 확실한 구성원이 되었다.

② 약사 보조원(Pharmacy Technicians)

미국의 경우 Unit dose medication packaging and labeling이라는 새로운 조제 방법의 도입으로 인

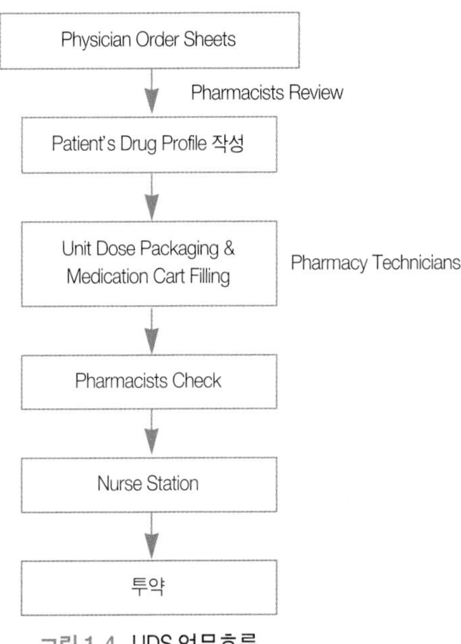

그림 1-4. UDS 업무흐름

하여 조제 후 final check가 가능해짐에 따라 과거 TDS하에서 약사들이 하던 기능을 약사 감독 하에 약사 보조원이 할 수 있도록 되었고, 약사 보조원이 조제하고 약사가 감사함으로써 double check가 가능하게 되었다. 따라서 원만하고 정확한 업무진행을 위하여 약사 보조원은 각 해당 분야에서 6주 내지 20주간의 교육을 받도록 하고 있다. 우리나라는 약사보조원의 조제행위를 법적으로 허용하지 않고 있으며, 상대적으로 처방 내용이 매우 복잡하고 UDS의 개념 확립 및 UDS 시스템이 아직 정착되지 못하여 이 제도의 도입에 한계가 있다.

(5) UDS의 장점

① UDS는 patients care를 향상시킨다는 측면에서 중요하고, 이에 따라 재원일수가 단축되어 결과적으로 의료비 지출의 절감효과를 가져온다. 즉, 약에 대한 지출(병동재고 및 폐기약품)을 감소시키고 간호사의 medication related activities를 감소시킴으로써 환자의 직접 간호시간이 길어진다.

② 각 dose별로 약사, 간호사가 double check를 함으로써 medication error가 감소된다.

③ 전반적인 임상약학 서비스로의 접근을 용이하게 한다.

(6) 임상적인 역할 증대

UDS는 약사가 의사의 모든 medication order를 review하고 조제된 약을 환자에게 안전하고 정확하게, 그리고 적절한 시기에 제공하는 것은 물론 전향적으로 환자의 상태, 경제적 측면, 약물상호적인 측면에서 약물요법을 모니터링 하도록 요구하고 있다. 따라서 약사가 patients care unit 가까이에 위치하여 medication order가 작성되기 이전에 order에 영향을 줄 수 있도록 한다면 가장 이상적인 시스템이 될 것이다.

(7) UDS의 적용

전산화가 된 병원의 경우는 전체 의사 처방을 조회할 수 있도록 하고 medication profile 작성, 일별 재원환자 리스트 출력(상병, 재원기간 표시), self medication에 대한 기록 등 환자 상태를 쉽게 파악할 수 있도록 전산시스템 등을 보완한다. 조제 업무 면에서도 반납 및 회수 등을 고려한 간편한 조제시스템 선택, 반납업무 개선활동(Electronic Medical Record 활용), 포장(제약회사 제품 최대한 활용)방법 개선, 예제제 활용 및 소아 약 용량 표준화 작업(산제조제), 마약, 향정 처방 및 장부 전산화 등 조제시간 단축을 위한 개선 활동을 통해 불필요한 시간 소비를 줄여서 환자에 대한 전체적인 order를 파악할 수 있는 시간으로 활용한다.

4. 외래조제시스템

조제업무에서 가장 중요한 것은 정확성이지만 외래환자에 대한 서비스의 관점에서 조제 대기시간을 단축하는 것이 중요한 과제가 되고 있다. 따라서 병원 전체의 기능을 고려하여 환자의 동선과 조제 작업의 흐름을 충분히 파악한 후 각각의 시설에 적합한 효율적인 조제시스템을 구축하는 것이 중요하다.

1990년대 일부 병원에서 시스템의 전산화에 성공하여 의료진이 직접 처방을 입력하는 처방전달시스템(Order Communication System, OCS)을 전산화 하였으며, 이는 조제업무의 전산화로 이어져 약국업무에 많은 변화와 발전을 가져왔다. 조제업무의 전산화는 업무 효율향상은 물론 조제업무의 안전성 면에서도 상당한 기여를 하고 있다. 이는 처방내용의 정확한 전달은 물론, 약품별로 처방 용량을 함량단위에서 조제단위로 환산할 수도 있고, 조제에 필요한 총량을 자동 계산함으로써 계산착오로 인한 오류를 감소하였으며 약물상호작용 중복투여 및 용량초과에 대한 경고 메시지를 통해 안전한 약물투여가 가능하게 하는 등 이제는 조제업무에서도 전산이 없어서는 안 될 필수조건으로 인식되었다. 그러나 전산시스템으로 인한 여러 가지 문제점도 고려되어야 한다. 예를 들면, 처방용량 단위의 선택 오류, 약품코드의 선택 오류 및 전산 장애, 약품마스터 등 전산 자료의 지속적인 유지 보수 관리의 어려움과 보안 문제 그리고 시스템을 과신하는 데서 오는 문제점 등도 적지 않기 때문이다.

1) 외래조제업무 흐름

외래진료실에서 입력되는 원내처방 정보를 접수하면 조제약사가 처방정보를 검토한 후 조제를 시작하고 감사약사는 처방내용 및 조제완료 된 약품의 이상 유무를 감사한 후 복약상담 및 복약안내문과 함께 투약한다.

2) 조제방법

(1) 1인 1처방 조제(직렬조제, 일괄조제방식)

처방전 1매를 한 명의 약사가 모두 조제 완료하는 방법이다. 대체로 업무량이 적고 약사수가 적은 조제실의 경우에 적합한 시스템이다. 약사 1인이 한 환자의 처방에 대한 모든 약품을 조제함으로써 전체적인 처방약의 조합에 대한 감사가 가능하고 처방전에 대한 책임 소재가 명확한 반면, 많은 업무량을 처리하기에는 다소 비효율적인 부분이 있다.

(2) 분담조제(병렬조제)

처방전 1매를 조제 unit별로 나누어 각 unit별 담당약사가 해당 부분에 대해 조제를 완료한 후 다시 환자별로 모아서 감사 및 투약을 하는 방법이다. 업무량이 많고 약사인력이 많은 조제실의 경우에 적합한 시스템이다. 한 처방전을 각각의 조제단위로 분류하여 각 조제단위별 전담약사가 조제를 하는 시스템으로 업무효율은 매우 높은 반면, 전체 처방 내용에 대한 감사가 소홀해질 수 있고 조제단위별로 조제된 약을 환자별로 조합하는 과정이 복잡하며 이 때 오류 발생의 가능성도 있다.

3) 약 포장방법

(1) 일 회분 포장

처방내용의 다양화 및 환자의 고령화로 복용약물이 다양해짐에 따라 환자의 복용 편의를 위해 한 번에 복용해야 할 의약품을 한꺼번에 한 포에 포장해 주는 일 회분 포장방식은 환자의 복약순응도를 향상시키는데 많은 도움을 줄 수 있다. 단, 약품의 특성상 흡습성 및 차광 등의 이유로 별도 포장이 필요한 경우는 제외한다.

① 복용시점 기준 포장

일 회분 포장 중 복용시점이 같은 약품끼리 모아서 한 포에 포장하는 방법이다.

복용시점이 같은 약품끼리 포장하되, 복용시점별로 각각의 봉투에 넣어주는 방법(포장상태 1)과 복용시점 순서대로 포장하여 하나의 봉투에 넣어 주는 방법(포장상태 2)이 있다. 이는 시간대별로 한 번에 복용해야 하는 모든 약을 한꺼번에 포장해 주는 방식으로 환자의 복약순응도를 높이는 데 효과적이다. 그러나 복용시점별로 각각의 봉투에 넣어주는 방법(포장상태 1)은 복용시점이 다양한 경우 복용시점에 따라 여러 개의 봉투를 받아야 하는 불편함이 있다. 반면, 복용시점 순서대로 포장하여 하나의 봉투에 넣어주는 방법(포장상태 2)은 조제약 감사에 많은 어려움이 있어 감사 과정 중에 오류를 범할 소지가 많으며 환자가 복용시점을 놓친 경우 약물을 잘못 복용할 위험성이 있다.

② 복용횟수. 일수 기준 포장(포장상태 3)

일 회분 포장 중 복용횟수 및 일수가 같은 약품끼리 같이 포장하는 방법이다.

㉮ Rx	A	1T	1일 1회 아침 식전 복용
	B	2T	1일 1회 아침 식전 복용
	C	1T	1일 3회 식후 30분 복용
	D	1T	1일 4회 식후 30분, 자기전 복용
	E	1T	1일 2회 아침, 저녁 식후 30분 복용

☞ (포장상태 1)

아침식전 약	A 1T, B 2T	약봉투1
아침 식후 30분 약	C 1T, D 1T, E 1T	약봉투2
점심 식후 30분 약	C 1T, D 1T	약봉투3
저녁 식후 30분 약	C 1T, D 1T, E 1T	약봉투4
자기전 약	D 1T	약봉투5

☞ (포장상태 2)

약봉투: A 1T, B 2T/ C 1T, D 1T, E 1T/ C 1T, D 1T/ C 1T, D 1T, E 1T/ D 1T

아침식전　　아침식후30분　　점심식후30분　　저녁식후30분　　자기전

☞ (포장상태 3)

아침식전 약	A 1T, B 2T	약봉투 1
아침점심저녁 식후 30분 약	C 1T	약봉투 2
아침점심저녁 식후 30분, 자기전 약	D 1T	약봉투 3
아침저녁 식후 30분 약	E 1T	약봉투 4

4) 조제업무 자동화

(1) 조제업무 자동화시스템이란?

우리나라와 약 처방 형태가 유사한 일본에서 의약분업이 시행되면서 대형병원 앞에 있는 문전약국에 도입된 시스템이다. 이 시스템은 접수된 처방정보를 각각의 조제 unit별로 분산하여 각 조제 unit에서

동시에 조제가 이루어지고 조제가 끝난 순서대로 투약이 이루어지도록 하는 분담조제 방식으로 조제 및 감사 이외의 모든 부분을 자동화하여 불필요한 시간을 최대한 단축시키는 시스템이다. 이 시스템의 가장 큰 특징은 처방내용을 재편집한 지시서 형태로 출력된 조제지시서를 보고 조제하고, 조제가 완료된 처방에 한하여 처방전과 봉투를 출력하도록 하는 방법이다. 이와 같은 분담조제방식은 업무효율을 높일 수 있다는 장점이 있는 반면 조제약을 환자별로 정리해야 하는 것이 가장 큰 문제점이 되고 있는데 이 부분을 자동화하여 조제약이 자동으로 환자별로 조합할 수 있도록 한 것이 특징이다.

(2) 조제업무 자동화 시스템의 구성

자동화시스템은 host computer를 비롯하여 ATC, barcode reader, conveyor line, drug stocker (DST), 약 봉투 발행기, 전광판으로 구성되어 있으며, 처방 접수, 분류, 봉투 및 label작성, 조제된 약품의 운반, 환자별 조제약품 matching, 투약 전광판 조작을 모두 자동화하였고 조제업무의 흐름을 연속적 병렬로 처리할 수 있는 기능을 갖도록 하였다.

(3) 조제 unit 별 자동화 장비

① 자동 정제 포장기(ATC)

정제 자동 포장기는 처방에 따라 복용시점별로 여러 가지 약품을 자동으로 조합하여 포장하는 조제 장비로서 많은 병원에 널리 보급되어 사용하고 있다. 이 장비를 사용함으로써 조제시간이 크게 단축되었고, 조제 오류도 감소되었다.

② 자동 산제 포장기

가루약이 처방되었을 때 측량된 양을 분포기에 넣고 수동으로 분배하여 포장하는 장비로, 최근에는 측량된 양을 분포기에 넣기만 하면 입력된 데이터에 따라 자동으로 분배하고 포장하는 장비가 일부 병원에 도입, 사용되고 있다.

③ 계수 카운터기

단독으로 투약되는 한 가지의 약품이 처방되었을 때 자동으로 약품을 세어 조제하는 장비이다.

④ 주사제 자동 조제 시스템

주사제 자동조제 시스템은 처방에 따라 여러 가지 주사제를 자동으로 조합하여 조제하는 장비로, 일본의 일부 병원에 설치되어 사용 중이며 국내에서도 최근 개발 중에 있다.

⑤ 조제 로봇 시스템

조제 로봇 시스템은 unit dose system을 가장 이상적으로 실현하기 위한 장비로 모든 약품을 unit dose로 포장하여 준비하고, 처방에 따라 로봇에 의해 여러 가지 약품을 자동으로 조제하는 시스템이다. 외국의 일부 병원에 도입되어 사용 중이다.

⑥ ATC 포장약 자동 검수 시스템

정제 자동 포장기로 조제된 약을 자동으로 검수하는 시스템으로 해당 약품의 크기를 입력하여 데이터베이스를 구축하고 조제된 각 포의 바코드를 통해 검수한다. 아직까지 약품의 색깔이나 식별문자, 문양으로 검수하지는 못하여 크기가 비슷한 약이 섞여 있을 때 완벽하게 구별할 수 있을 지는 미지수다.

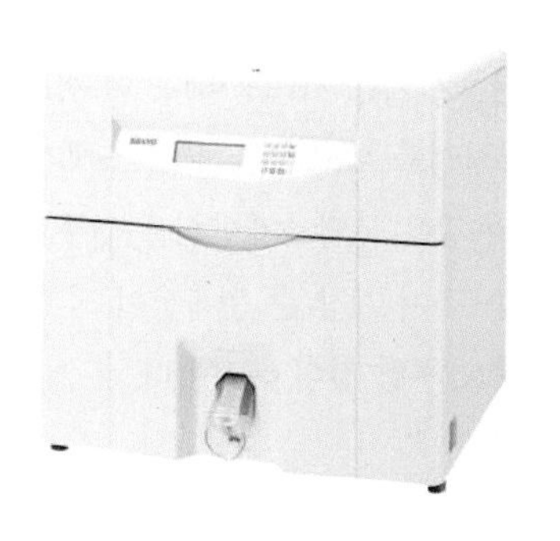

그림 1-5. 카운터기

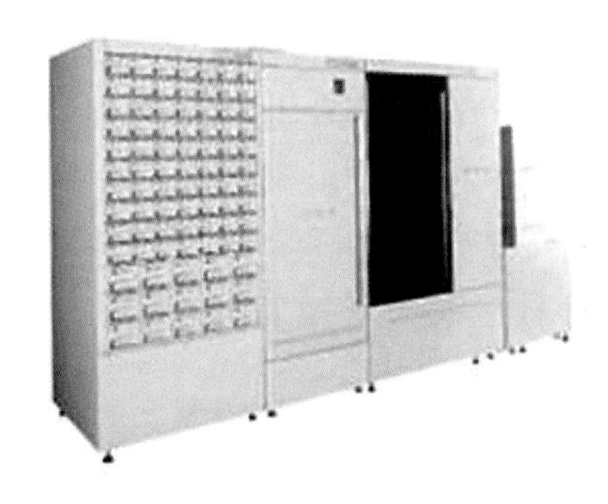

그림 1-6. 주사 자동 조제 시스템

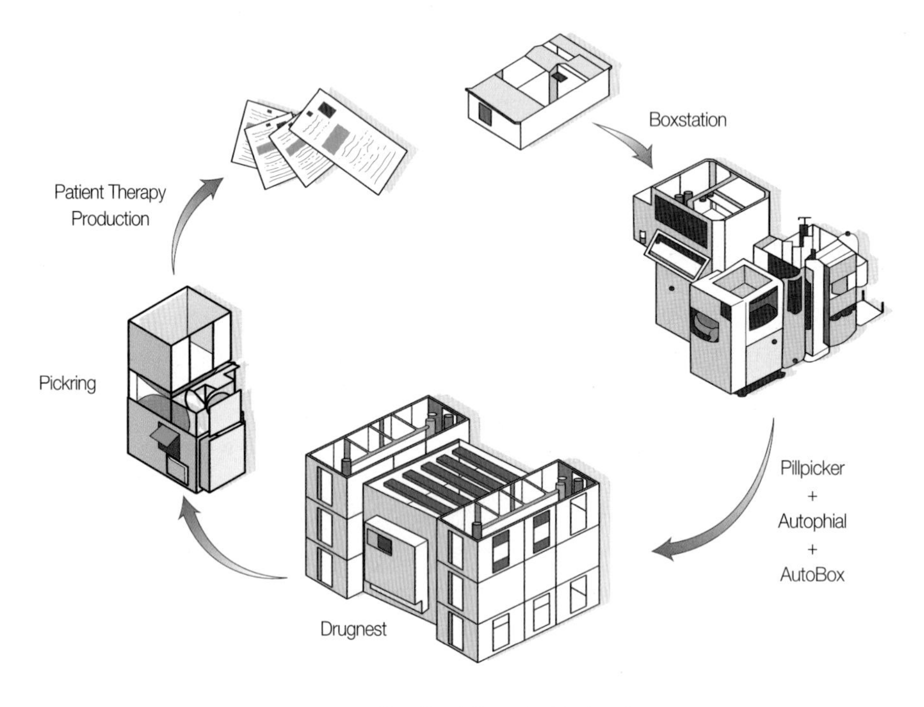

그림 1-7. 자동 조제로봇 시스템

5) 의약분업 후 외래조제 업무

(1) 분업 후 외래조제 업무범위

분업 후 외래약국에서는 분업예외환자에 대한 원내조제업무 담당하고 있으며 예외환자의 범위는 크게 예외 환자군, 예외 질병군, 예외 약품군의 세 가지로 분류할 수 있고 코드별 원내예외 사유 내용은 다음과 같다.

의약분업이란?

의약분업은 환자의 치료에 사용되는 의약품을 의사가 환자의 증상을 진단하여 가장 적합하게 처방한 후 처방전에 따라 약사가 의약품을 조제 · 판매하는 제도이다. 즉 의사는 진단 및 치료에 주력하고, 약사는 조제 및 투약에 전문성을 높여, 보다 질 좋은 의료서비스를 제공하기 위한 제도이다.
이와 같은 의약분업 후, 규모가 큰 일부 대학병원의 경우 조제 업무량이 분업 전 업무량의 약 10~15%로 감소하였다. 그러나 원내조제환자는 상대적으로 중증도가 높으므로 처방내용이 매우 복잡하고 처방일수가 긴 장기처방이 대부분이다. 따라서 조제 소요시간 자체가 길어 나름대로의 노력에도 불구하고 투약 대기시간은 줄어들지 않고 있다.

※ 참고 : 원내예외 사유별 구분 코드내역(2006. 2. 기준)

01. 약국이 없는 지역, 재해발생지역
11. 응급환자
13. 정신보건법에 의해 정신요양시설에 수용 중인 정신질환자 및 정신분열증, 조울증 등 자신 또는 타인을 해칠 우려가 있는 정신질환자
15. 전염병예방법에 의한 제1종 전염병환자
17. 국가유공자등 예우 및 지원에 관한 법령에 의한 상이등급 1급 내지 3급 해당자
19. 장애인복지관련법령에 의한 1급, 2급 장애인 및 이에 준하는 장애인
21. 파킨슨질환자, 나병환자
23. 장기이식을 받은 자, 후천성 면역결핍증환자
25. 사회복지사업법에 의한 사회복지시설 입소자
27. 가정간호대상자
29. 협진(한양방, 양한방, 양양방)환자
31. 교정시설, 소년보호시설, 치료감호시설 수용자
41. 전염병예방접종약, 진단용의약품
43. 결핵예방법에 의하여 결핵치료제를 투여하는 경우
45. 의료기관 조제실제제, 임상시험용 의약품, 마약, 방사성의약품, 신장투석액 및 이식정 등 투약을 위하여 기계, 장치를 이용하거나 시술이 필요한 의약품, 식품의약품안전청장이 정하는 희귀의약품
47. 6세 이하의 소아에게 투약하는 항암제
51. 운반 및 보관 중 냉동, 냉장 또는 차광을 필요로 하는 주사제(2001. 11. 15.삭제)
52. 주사제 중 원내 투약한 경우(2001. 11. 15. 신설)
53. 항암제 중 주사제(2001. 11. 15. 삭제)
55. 검사를 위하여 필요하거나 수술 및 처치에 사용하는 의약품
57. 예외약제와 동시 투여하는 약제

※ 약사법 개정(2001. 8. 14, 법률 제6511호) 시행으로 2001. 11. 15일부터 주사제가 의약분업 예외사항으로 분류됨에 따라 요양기관에서 의사 · 치과의사의 직접조제가 가능하게 되었기에 '52 주사제를 원내투약 하는 경우' 신설, 기존의 주사제 의약분업 예외구분코드 "51, 53" 은 삭제되었다.

(2) 원외처방관리업무

분업 후 신규로 발생된 병원약국의 업무이다. 원내처방전의 갑작스런 원외발행에 부담을 느낀 병원 측에서 환자 편의 및 병원 이미지를 고려하여 원내 약사가 발행된 원외처방을 검토하도록 하여 처방의 정확도를 높이고 종합병원의 특성상 원내 의료진과 외부약국간의 의사소통이 원활하지 못할 것에 대비하여 창구 역할을 담당하도록 하기 위하여 설치하였다.

5. 처방전

1) 처방전의 종류

(1) 외래 처방전

① 약품별 : 약 처방전(경구, 외용), 주사처방전, 마약처방전

② 유형별 : 원내처방전, 원외처방전

(2) 입원 처방전

① 약품별 : 약 처방전(경구, 외용), 주사처방전, 마약처방전

② 유형별 : 정규처방전, 비정규(추가, 응급, 퇴원 등) 처방전

2) 처방전의 보관 및 조제 유효기간

분업 후 원외처방전에 '조제 유효기간' 이라는 항목이 신설되었다. 조제 유효기간은 병원마다 각자의 상황에 따라 정하게 되어 있고 대형병원들의 경우 대체로 1~2주일을 조제 유효기간으로 정하고 있다.

처방전은 약사법 및 의료법에 의해 2년을 보관하도록 하고 있으나 조제기록부는 5년을 보관하도록 하고 있다. 단, 전자인증을 받은 처방전은 전자문서의 형태로 보관하는 것을 인정하고 있다.

3) 처방전 기재사항

의료법(의료법 시행규칙 제12조), 약사법, 마약법, 향정신성의약품 관리법, 요양급여기준 및 진료보수기준(보건복지부) 등 관련법에 처방전 기재사항에 대해 기록되어있다.

(1) 환자의 성명 및 주민등록번호

(2) 의료기관의 명칭 및 전화번호

(3) 『통계법』 제 22조 제 1항 전단에 따른 한국표준질병, 사인분류에 따른 질병분류기호

(4) 의료인의 성명, 면허종류 및 번호

(5) 처방의약품의 명칭(일반명칭, 제품명이나 대한약전에서 전한 명칭) · 분량 · 용법 및 용량

(6) 처방전 발급 연월일 및 사용기간

(7) 의약품 조제 시 참고 사항

(8) 서명(전자서명법에 따른 공인전자서명 포함) 또는 날인

cf) 마약 처방전 : 일반처방전의 기재사항 + 병명 또는 병명기호 + 의사 자필서명

4) 처방전 기재방법

과거에도 처방전을 기재할 때에는 의사와 약사가 서로 의사소통 할 수 있도록 하기 위하여 정해진 약어를 사용하도록 하는 등 일정한 약속된 형식이 있었으나, 처방의사에 따라 다소의 융통성이 허용되었던 반면, 전산이 도입된 이후에는 처방 작성에 대한 구속력이 매우 커졌다. 그러나 이로 인해 처방에 대한 의사와 약사간의 의사소통의 문제로 발생할 수 있는 오류는 과거에 비해 상당 부분 줄어들게 되었다. 또한 분업 전에는 병원 내부의 의사와 약사 간에 의사소통만이 문제였으나 분업 후에는 외부약국 약사들과 의사소통이 이루어져야 하므로 처방전 기재는 매우 중요하며 처방 해석상의 오류를 최소화하기 위하여 정형화된 처방양식이 필요하게 되었다.

(1) 처방단위

처방전에는 처방 약품의 용량을 1일 기준 혹은 1회 기준으로 작성할 수 있으며 과거 분업 전에는 대부분 1일 기준으로 처방하였으나 처방 시스템에 전산을 도입하면서부터 1회 기준처방을 하는 병원들이 많아졌고 의약분업 후 처방양식 통일을 위한 논의에서 1회 기준 처방으로 결정한 바 있다.

(2) 처방일수

과거에는 입원환자의 경우, 중환자실과 같이 환자의 상태 변화에 따른 처방 변화가 잦은 일부 부서만 일일단위 처방을 하였고 비교적 환자 상태가 안정적인 일반 병동에서는 업무편의상 2, 3일분씩 처방을 하였다. 그러나 처방 시스템에 전산이 도입되면서 환자 상태 변화에 따른 신속한 처방을 위해 최근에는 전 병동을 대상으로 일일단위로 처방하는 추세이다.

(3) 약품명

전산화에 따라 원내에 등록 된 코드 혹은 등록 된 성분명에 한하여 입력이 가능하게 되었다. 전산화로 처방약품의 선택이 편리해진 반면 유사 코드, 유사 약품명을 혼돈하여 처방하는 처방오류의 가능성은 더 커졌다고도 볼 수 있다.

(4) 규격단위 및 제형

과거 수기처방을 할 때는 단위가 g인 경우는 생략하고 mg인 경우는 반드시 단위를 기재한다는 규정이 있었으나, 전산화 이후에는 처방의가 선택한 약품에 대해 전산에서 약품별 기본 함량 및 제형단위에 대한 정보가 자동반영되므로 단위를 별도로 입력할 필요가 없으며 처방의사의 편의에 따라 함량단위로 할 것인지 제형단위(Tab. or Cap.)로 할 것인지를 선택할 수 있게 되었다. 따라서 정제 및 캡슐제는 mg, g, T, C의 단위를, 산제는 mg, g, 수제는 *ml*, *l*, btl을, 외용제는 *ml*, btl, tube, ea의 단위를 사용한다. 주사제는 250 mg/V, 0.5 mg/A로 함량과 제형단위를 함께 기재한다.

II 조제실무

1. 조제업무흐름

1) 처방접수

외래처방의 경우는 일반적으로 외래 진료를 마치고 수납 완료된 정보가 조제실에 접수되나 일부 병원에서는 대기시간 단축을 위해 수납을 거치지 않고 진료 후 곧바로 처방정보를 받아 접수하는 방식으로 운영하기도 한다. 입원의 경우, 응급처방은 처방입력 즉시 약제부에 접수되고 추가처방인 경우는 병원마다 다소 차이가 있을 수 있으나 처방입력 후 일정시간 buffer시킨 후 접수를 하고 있다. 처방입력 후 일정시간 전산에 buffer시키는 것은 병동 입장에서는 처방을 수정할 수 있는 시간적인 여유를 주는 것이고 조제실 입장에서도 몇 가지 장점이 있다. 전산 내부에서 buffer 되는 동안 처방 출력순서를 조제자의 편의에 따라 병동별로 모아서 출력할 수도 있고 또한 동일약품끼리 혹은 유사처방끼리 한꺼번에 모아서 조제 할 수 있으므로 효율적으로 업무를 처리할 수 있다. 정규처방의 경우도 일정시간 전산에서 buffer 후 새벽에 처방입력을 마감하고 일괄 접수하여 조제한다.

2) 처방 검토 및 문의

(1) 처방내용 검토

약물치료의 안전성을 확보하고 조제과오를 방지하기 위하여 조제약 감사를 한다. 조제약 감사는 조제가 정확한지를 확인하는 것 외에도 처방내용 검토를 포함한다.

① 약품명, 약 용량, 제형, 조제법 또는 용법, 용량에 주의하고, 약품의 성상, 배합, 복용시간 및 사용방법 등을 검토한다.

② 1회량 혹은 1일량을 체크한다.

③ 복용횟수 및 복용일수가 적합한지 확인한다.

④ 독극약인 경우 극량을 고려하고 이를 초과하는 지를 확인한다.

⑤ 여러 과를 진료할 경우 약물의 중복 유무를 체크하여 처방의사에게 확인한다.

⑥ 약리학적으로 작용의 증강, 감소 등 약물 상호 작용(Drug interaction)을 검토한다.

의료진에게 병용상의 주의에 관한 정보, 병용에 따라 생길 수 있는 바람직하지 않은 현상에 대한 대책을 제공하며 병용 중지를 권고하고 대체 약품 정보를 제공한다.

(2) 처방전의 변경, 수정

원칙적으로 약사는 처방전을 변경, 수정할 수 없으나(약사법 제26조) 다음과 같이 약제학적인 조치를 취해야 할 사항은 예외로 한다.

① 부형제의 첨가

② 보존제, 안정제의 첨가

③ 용해 보조제, 유화제, 현탁화제의 첨가

④ 등장화 완충액의 첨가

⑤ 배합 금기의 경우는 별도의 포지에 포장한다.

- 처방전 문의
  - 의사와의 Communication

    의사가 발행한 처방전에 의문이 가는 경우, 처방전 중 반드시 기재하여야 할 사항이 미비된 경우, 약품명 또는 약 용량의 기재가 불분명한 경우(처방의 판독이 곤란한 경우), 약 용량이 적절하지 않은 경우는 처방의사에게 확인한다.
  - 처방 문의방법

    외래환자의 경우는 신속한 처리를 필요로 하므로 전화를 이용한 문의가 대부분이나 경우에 따라서는 전자메일 등을 이용하기도 한다.
  - 처방 확인 내용 기록

    처방전의 의문사항에 대해 전화 등을 통해 의료진과 확인한 후 반드시 처방전 및 조제장부 등에 통화한 내용을 기록으로 남긴다.

3) 약 봉투 및 라벨작성

약사법 시행규칙 제18조에 따라 조제한 약제의 용기 또는 포장에는 다음 사항을 기재하여야 한다.

- 처방전에 기재된 환자의 성명, 용법 및 용량
- 조제 연월일
- 조제자의 성명
- 조제한 약국 또는 의료기관의 명칭과 소재지

(1) 복용시간과 방법

① 약품 작용을 신속하고 정확하게 하기 위해서는 공복 시(식후 2시간)에 복용한다. 음식물에 의해 약효가 저하됨을 예방하기 위함이다.

② 약품 이상반응을 줄이기 위해서는 만복 시(식후 또는 식 직후)에 복용한다. 위점막에 대한 직접적인 자극이 적고, 완만하게 흡수되게 하기 위함이다.

③ 약물 효과(혈중농도)를 일정하게 하기 위해서는 일정시간 간격으로 복용한다. 특히 지효성, 서방성 제제 및 항생제는 시간을 잘 지켜서 복용하도록 한다.

(2) 일반적인 약품의 복용시간

① 정장제, 식욕 촉진제, 진토제, 기타 일반 액제, 이담제, 유아에게 약복용시, 협심증치료제 : 매 식전 30분

② 소화제, 기타 일반 산제 : 식 직후, 매 식후 30분

③ 진정제, 해열제, 진해제, 강심제, 이뇨제, 제산제, 장용성 제제 : 식후 2시간

④ 위산에 의해 효력이 감소되는 약품 : 식후 1~2시간

⑤ 이뇨제, 강심이뇨제, 중추신경흥분제 : 1일 1~2회(아침 · 점심)

⑥ 위점막을 자극하는 약제(예 : 철분제제) : 매 식 직후

⑦ 최면제, 완하제, 항히스타민제, 근이완제 : 취침 전 30분

⑧ 구충제 : 취침 전, 조식 전, 공복 시

⑨ 지속성(지효성)제제 : 1일 1~2회

⑩ 부신피질 호르몬제제, 강심제, 결핵치료제 : 1일 1회(아침)

4) 조제약 감사

조제과정 부분별로 감사를 완료한 후 투약 전에 반드시 처방전 검토와 총 감사를 실시하여 이중감사가 되도록 한다. 이 때에는 복약시에 고려할 사항에 대해서도 감사한다.

(1) 정제 : 약의 모양, 크기, 색깔, 식별코드, 포장상태, 총 투여량, 분할 가능 여부 등을 감사한다. 단위함량이 2종 이상인 경우, 모양과 색깔이 유사한 경우, 제조회사가 변경된 경우는 특히 유의하고 견본 약을 파일북에 정리하거나 전산화면으로 약물정보는 물론 약품실물을 확인할 수 있는 시스템을 갖춘다면 업무에 많은 도움을 줄 수 있다. 최근 약품의 종류가 매우 많아짐에 따라 유사한 모양과 크기의 약품이 많으므로 감사할 때 세심한 주의가 필요하다.

(2) 산제 : 조제내규에 따랐는지의 여부, 예를 들면 부형제 선택, 부형제의 양, 산제의 색깔 형상, 무게(조제 손실분도 고려함), 포장의 완전성, 전체포수, 약포지의 인쇄내용 등을 종합적으로 검토한다.

(3) 수제 : 색깔과 냄새, 총량, 부형제 종류와 양, 혼화 가능 여부, 희석제, 희석시 계산 감사, 투약병의 크기, 투약기구 첨부, 건조시럽의 경우 유효기간, 이물의 유무, 뚜껑이 잘 닫혔는지, 환자에 대한 지시사항이 적합한지 등을 확인한다.

(4) 외용제 : 사용부위, 횟수, 사용법, 흡입기구, 사용설명서 첨부여부를 확인한다.

(5) 총 감사가 끝나면 특수 보관법의 표시여부와 정확한 투약을 유도하는 복약지도용 첨부문서, 투약용 기구, 사용기구 등이 첨부되었는지 확인하고, 특별한 주의를 필요로 하는 약품인 경우는 라벨이나 첨부문서 외에 반드시 구두로 설명을 해야 한다. 환자에게 별도의 복약지도가 필요하다고 판단되는 경우는 약 교부시에 복약지도 하도록 처방전에 표시한다.

5) 투약 및 복약지도

약제를 교부할 때에는 환자에게 필요한 내용을 정중하고 이해하기 쉽게 설명하여야 한다. 약사가 환자를 대하는 자세에 따라 환자의 복약순응도에 큰 영향을 미칠 수 있으므로 충분한 설명이 가능하지 않은 경우는 별도의 장소를 마련하여 상담하도록 한다. 또한 약사마다 설명이 다르지 않도록 상담 내용을 매뉴얼화하고 이 때 의사와의 사전 협의도 필요하다.

(1) 투약

① 환자이름과 투약번호를 이용하여 2중확인을 하고 환자이름은 반드시 개방형 질문으로 확인한 후 투약한다(동명이인 주의).

② 복용법, 사용법, 보관 방법 등의 간단한 복약지도를 한다.

③ 복약상담이 필요한 경우는 환자의 프라이버시 등을 고려하여 가급적 별도의 장소에서 할 수 있도록 한다.

④ 미수령 약이 발생한 경우는 익일 환자에게 연락하여 받아야 할 약이 있다는 내용을 통보하고 반드시 수령하여 복용할 것을 알려준다.

(2) 복약지도

① 관련법(약사법)

의약분업 이후 2001년 8월 제22조 제4항(2008년 6월에 제24조 제5항으로 개정) 「약사는 의약품을 조제하면 환자에게 필요한 복약지도를 하여야 한다.」는 문구와 약사법 제2조 제16항(2008년 6월에 제2조 제12항으로 개정)에는 「이 법에서 "복약지도"라 함은 다음 각호의 1항에 해당하는 것을 말한다.
1. 의약품의 명칭, 용법 · 용량, 효능 · 효과, 저장방법, 부작용, 상호작용 등의 정보를 제공하는 것」이라는 문구가 삽입되었다.

② 대상

특히 외래초진환자, 퇴원환자의 경우는 복약지도에 더 세심한 주의를 기울여야 한다. 일본에서는 투약력을 기록한 수첩 등을 작성하여 환자가 약을 받을 경우 소지하게 함으로서 환자별 약력관리에 힘쓰고 있다.

③ 표현방법

나이, 질병상태, 장애 정도, 설명에 대한 이해도에 따라 환자가 잘 적응할 수 있도록 쉬운 용어로 설명하여야 한다. 필요한 경우 상세한 설명을 기록하여 줄 필요가 있다. 환자에게 사용방법을 설명하고 확인을 위하여 환자에게 동일한 내용을 질문하여 보는 것은 특히 약을 처음 복용하는 환자 및 복용방법이 변경된 환자에게 좋은 방법이다.

④ 약을 복용해야 하는 이유

주 치료약의 경우는 해당약품의 복용 이유 및 복용량에 대해 설명하고 필요시 그 내용을 약 봉투 등에 표시하든가 인쇄물로 교부한다. 통증을 가라앉게 하기 위해서 또는 두통을 없애기 위해, 가려움을 가라앉게 하기 위해서 등 일시적인 필요에 의해 투여하는 경우에는 그 목적을 명확히 설명하여 환자가 혼란스럽지 않도록 설명한다.

⑤ 약 이름 등에 대한 정보 제공

이상반응 등이 나타나거나 돌발적으로 또는 고의적으로 과 용량을 투여한 경우에 적절한 대책과 유효한 치료를 시작하기 위하여 신속하게 약 이름과 사용량을 알아내는 것은 중요하다. 따라서 미국에서는 많은 주에서 약 봉투에 약 이름, 단위, 용량을 표시하도록 하고 있다. 따라서 의사가 치료를 이유로 제외시키는 경우가 아니라면 환자에게 약 이름 등에 대한 정보가 제공되어야 하며 적절한 방법으로 사용 후 '남은 약은 폐기 하세요' 등의 표현과 함께 필요한 경우 약품의 유효기간, 보관 방법 등이 약 봉투에 제시되도록 한다.

⑥ 용법

특정한 기구를 사용하는 경우는 의사 또는 약사에 의해서 그 사용법이 쉽게 제시되어야 한다. 외용으로만 사용한다든가, 사용 전에 흔들어서 사용한다든가, 독약으로 용량에 주의하며 사용한다 등의 내용도 주의깊게 전달되어야 한다. '지시된 대로 사용하세요' 또는 '필요한 경우에 사용하세요' 하는 내용은 가능한 한 피하여야 한다. 특정시간에 사용하는 경우에는 정확한 시간과 횟수가 약봉투에 설명되어야 한다. 일정시간마다 사용하는 것이 치료에 중요한 경우 몇 시간마다 사용해야 하는지 등이 구체적으로 설명되어야 한다.

⑦ 용량

약사는 항상 환자가 작용이 강한 약을 과다하게 복용하지 않는지 혹은 작용이 미치지 못할 정도로 소량을 복용하지 않는지 등을 주의깊게 살펴보아야 한다. 일반적으로 사용되는 것 보다 많은 양의 약이 환자에게 주어져야 하는 경우, 정확한 양을 상기할 수 있도록 밑줄을 긋는다든가 하는 방법으로 1회 용량을 강조하여 정확한 용량을 처음부터 올바르게 복용하도록 한다. 일반적으로 약품을 복용하지 않고 복용시점을 지나쳤을 때는 그 다음에 2배 이상의 용량을 사용하지 않도록 한다.

6) 처방의약품 반납

의약분업 이전에는 주로 대형병원들에서 처방의약품 반납 요구가 있어 각 병원들마다 나름대로의 내규에 의해서 처방의약품 반납을 처리해왔으나, 분업 이후에는 처방의약품의 조제가 모든 일반 개국 약국들로 확대됨에 따라 엄격히 관리되어야 하는 의약품의 특성상 반납과 관련된 여러 가지 이상반응이 우려되었다. 따라서 복지부에서는 의약품의 엄격한 관리를 위해 다음과 같은 지침을 발표하였다.

※ 2000년 10월, 보건복지부 급여 65720-634, 처방의약품 반납관련 지침 통보

1. 의약분업의 시행이전 의료기관에서는 환자에게 투약한 의약품에 대하여 이상반응의 발현, 복용불편 등의 이유로 환자의 요구가 있는 경우에 잔여의약품을 반납 처리하는 것이 일반화되어 있었다.
2. 그러나, 의약품은 그 특성상 보관 및 관리가 엄격하여야 하며 여타의 오염에 의하여 심각한 이상반응을 야기할 수 있으므로 일단 조제 투약된 의약품을 반납 받아 다른 환자에게 재사용하는 것은 사실상 불가능하다.
3. 의약품의 경우 정상적인 처방 및 조제 투약이라 하더라도 필연적으로 이상반응이 발현되었다 하여 잔여의약품을 반납 처리하는 것은 정상적인 진료 및 투약 등을 저해하게 된다.
4. 따라서, 요양기관에서는 여타의 이유로 환자가 복용 중인 의약품을 반납 받아 다른 환자에게 재사용하거나 이를 보험으로 정산 처리해서는 안 될 것이다.

   또한 의약품 재사용 및 보험정산이 금지됨에 따라 의약품의 반납과 관련하여 발생되는 비용 문제는 환자와 요양기관간 민사상의 원칙으로 해결해야 할 것이다. 즉, 의사 또는 약사의 처방 또는 조제 등의 과실로 인하여 발생한 문제에 의하여 의약품 반납이 이루어진 경우에는 과실 책임자가 그 비용을 부담하여야 하며, 그 이외의 경우에는 요양기관의 자체 판단에 따라 약제비, 원외처방료의 본인부담분 반납여부를 결정하라는 추가적인 지침(2001. 3.)이 발표되었다.

다음은 반납관련 몇 가지 민원에 대한 질의응답을 정리한 자료이다.

Q: 반납을 받아 재사용이 불가한 것인지 아니면 반납 자체가 불가능한 것인지?

A: 우리부 급여 65720-634호(2000. 10. 4.)로 통보한 바 있는 「처방의약품 반납관련 지침」의 근본 취지는 처방전에 의거 조제되어 환자가 개인적으로 보관하고 있던 의약품을 다른 환자에 사용하는 행위를 금지하는 것이지 의약품의 반납자체를 금지하는 것은 아님.

Q: 만약 반납을 받아 재사용이 불가능한 경우라면 그에 따른 손실분은 요양기관에서 감수해야 하는 것인지? 만약 반납이 가능한 경우 반납 받을 수 있는 의약품과 받을 수 없는 의약품의 명확한 구분은? 약국에서 처방전에 의해 조제된 의약품의 경우 약국과 의료기관 중 어느 곳에서 반납을 받아야 하는지?

A: 의료기관, 약국 및, 환자의 당사자간에 결정할 사항이며, 이에 대하여 우리부에서 정한 사항은 없음.

7) 약품관리

(1) 약품의 청구 및 충진

① 정기청구

a. 일 단위, 주 단위 등 일정 기간별로 조제에 소요되는 의약품을 청구한다.

b. 전산을 이용하여 약품별로 최저량을 설정하여 재고량이 그 이하로 떨어질 경우 자동 발주서가 작성될 수 있도록 한다.

② 응급청구

a. 수시로 조제에 필요한 의약품을 청구한다.

b. 정기적으로 소모되지 않고 특정질환에만 사용할 수 있는 의약품의 경우에 응급청구가 발생할 수 있다.

③ 약품의 진열

a. 알파벳순으로 진열

약품을 찾기는 쉬우나 약품명에 대한 혼돈 등으로 오류를 범할 수 있다.

b. 효능별 진열

효능별 구분이 명확하지 않은 약품이거나 타 부서 근무자가 당직 근무를 할 경우 약품을 찾기 어려운 단점이 있는 반면, 유사 약품명의 혼돈에 의한 조제오류 발생 가능성 및 위험성이 적다.

c. 조제대 충진

보유약품의 품목수가 계속 증가하다 보니 유사한 모양, 유사한 코드, 유사한 성분명을 가진 약품이 많이 있으므로 반드시 약명, 모양, 색깔, 사용기한 등을 재차 확인한 후 선입선출에 의해 충진한다.

(2) 품질관리

① 유효기간 관리

의약품에서 가장 기본이 되는 관리로서 약품을 검수할 때에 유효기간이 충분히 긴 제품을 납품 받을 수 있도록 하고 반드시 선입, 선출에 의한 재고관리를 한다.

② 보관 장소에 따른 관리

냉장, 냉동, 차광 등 표시된 보관 조건을 반드시 준수하도록 하고 특히 백신류의 경우 온도 기록계가 부착된 약품 전용 냉장고를 구비하여 24시간 일정한 온도를 유지하고 있는지 확인할 수 있도록 한다.

③ 수량관리

a. 마약류 의약품의 일별 수불 재고관리

마약류 의약품(마약, 향정)의 경우 엄격한 입출, 재고관리를 위해 일별로 재고 관리를 한다.

b. 고가의약품의 월별 수불 재고관리

병원마다 사용하고 있는 모든 의약품에 대해 또는 병원 내규에 의해 설정한 기준(금액기준)에 따라 대개 월단위로 재고수불관리를 하고 있다.

c. 파손 및 망실 의약품의 관리

최근 병원 내에 자동물류운반시스템의 도입이 확대됨에 따라 물류이동의 편리성이 커진 반면 이로 인한 약품의 손실도 적지 않게 발생하고 있다. 따라서 파손 및 망실 약품이 발생한 경우 이를 처리 할 수 있는 지침을 마련하여 실무자들의 업무 혼선을 줄이고 약품관리에 효율을 기하도록 한다.

2. 내복약

1) 산제

산제는 통상 칭량, 혼화, 분할, 분포의 순서로 행한다.

(1) 산제의 특징

① 산제조제의 장점

산제는 개개 환자별로 투여량을 세밀하게 조제할 수 있으며 일반 정제나 캡슐제에 비해 복용 후 약물의 확산, 흡수가 빠르고 연하곤란인 경우와 유아에게 적합한 제형이다.

② 산제조제의 단점

아주 쓰고 자극성이 있으며 불쾌한 냄새가 나는 약제 및 흡습성이 있는 약제인 경우는 산제가 적합하지 않다. 또한 조제할 때 각각의 물성, 즉 비산성, 부착성 등의 영향으로 조제가 곤란한 경우도 있으며 비산성이 있는 약제는 약물 알레르기의 원인이 되기도 한다. 그리고 조제감사를 할 경우에도 정제나 캡슐제만큼 감사가 확실하지 못하다.

(2) 산제 조제시 유의사항

산제는 제형의 특성상 조제 후 감사가 매우 제한적이다. 그러므로 조제자가 선택한 약품의 품명 및 칭량한 양이 처방내용과 일치하는지의 여부를 분쇄 및 혼화하기 전에 다른 약사가 재차 확인하도록 하는 시스템을 갖추도록 한다.

① Cross contamination에 주의한다.

산제의 조제는 하나의 기구와 기기로 다종의 약제를 취급하게 되므로 조제 중에 발생하는 약진과 부착된 약제가 다음의 처방약제에 혼입되는 경우가 있다.

Contamination은 조제의 모든 단계에서 발생할 수 있으므로 주의해야 한다. 따라서 칭량지, 약 스푼, 유발, 유봉 등의 칭량 기기와 혼합기 및 자동분포기의 각 부분에 조제약이 남아있을 수 있으므로 주의가 필요하다. 특히 항악성종양제 및 냄새나 착색이 강한 약제의 경우 별도의 기구나 기기를 사용하도록 한다.

② 균일하게 분포해야 한다.

산제는 분할, 분포시 중량오차를 최소화하고 충분히 혼화하여 정확하게 분할, 분포한다. 비산성이나 부착성이 있는 경우 조제에 의해 복용량의 저하를 가져올 수 있으므로 소량의 약제는 특히 주의해야 한다. 또한 산제를 조제할 때에는 책임소재를 명확히 하기 위해 칭량, 혼화, 분포 모두 가능한 한 동일인이 하도록 한다.

③ 조제시의 손실에 유의하여야 한다.

④ 조제의 각 조작시와 장치병에 약품 충진 과정 중에 발생하는 약진은 알레르기의 원인이 될 수 있으므로 산제 조제시에는 집진장치를 갖추어야 한다.

※ 산제로 조제하는 경우

- 일정 연령 미만의 소아인 경우
- 캡슐을 분할하여 투약해야 하는 경우
- 정제로 처방되어 있으나, 용량으로 보아 정제 투약이 불가능한 경우.
- 의사가 산제로 처방한 경우

※ 산제로 조제하지 않는 경우

- 장용정, 서방정은 원칙적으로 분쇄하지 않는다.
- 인습성 약물은 산제로 조제하지 않는다.
- 과립성상으로 되어있는 경우는 산제로 조제하지 않는다.

(3) 산제조제 지침

① 정제, 캡슐제의 유무와 조합 시 방법

연하곤란, 유아인 경우 및 안정성 문제로 산제 제형이 시판되지 않는 경우에는 정제 혹은 캡슐제를 분쇄하여야 한다. 이 경우 주약의 안정성, 약품이 매우 쓰거나 자극성이 있는지, bioavailability의 변화, 이상반응 발현 등을 검토해야 한다. 장용성, 지효성, 특수 코팅한 것에 대해서는 각각의 목적을 이해한 후 분쇄여부를 판단하고 문제가 있다고 생각될 때는 처방의사와 상담 후 처방변경(다른 제형, 다른 효능약) 등의 적절한 조치를 취한다. 또한 해당 약물에 대해서는 미리 데이터를 수집하여 분쇄 가부를 포함한 약물별 리스트를 작성해 두는 것이 좋다. 정제만 있는 약물을 산제로 조제할 경우는 사용하는 정제의 총량을 처방전에 기재한다. 캡슐제가 산제로 처방되었을 경우, 정확한 약 용량의 투여 및 조제 감사에서 캡슐제 혼합 조제 유무를 확인하기 위해 1캡슐이 안되는 용량만 산제와 함께 분포하고 나머지는 캡슐 그대로 포장하여 복용할 때에 캡슐을 풀어서 복용하도록 한다.

② 원말과 배산의 사용방안

일회 복용량이 미량으로서 단독조제가 어려운 경우는 부형제 등을 첨가하여 배산 하여 조제한다. 배산 조제는 주약을 균일하게 분포하는 것이 무엇보다도 중요하다. 배산제를 이용하여 조제할 경우 '1회 용량 × 1일 복용횟수 × 처방일수' 를 처방전에 기재하여야 한다.

③ 부형제 첨가의 판단과 첨가량

산제 조제시 복용하는 1회 용량이 일정량 미만의 경우 부형제로 유당(Sugar Lactose)을 첨가한다. 보통 0.1~0.2 g을 최소 1회량으로 맞추어 조제하며 첨가하는 유당의 양을 처방전에 기재한다. 단, INAH, Aminophylline은 유당과 배합금기이므로 부형제로 corn starch를 사용하여 조제한다.

④ 과립제의 유무와 혼합의 주의

산제의 성상이 과립인 경우에는 1회 복용량이 0.2 g 미만일 경우라도 부형제인 유당을 첨가하지 않도록 하고 과립의 형태가 손상되지 않도록 분포한다. 단, 1회 복용량이 극소량이라서 복용하기 어려운 경우에는 해당하는 산제와 유당을 이중으로 분포하여 투약한다.

⑤ 착색용 약제 전용기구 사용

착색이 되는 Rifampicin 등의 유색 약제 조제시에는 다른 약물에 착색이 되지 않도록 별도의 유발, 유봉 등 조제기기를 사용하여 분포하도록 한다.

⑥ 배합변화, 약물상호작용의 유무와 해결방법

배합변화 및 약물상호작용이 우려되는 약품의 경우는 별도로 포장하여 따로 복용할 수 있도록 한다.

(4) 칭량

① 칭량시의 기구

a. 조제대 : 산제 조제시는 칭량, 혼화, 분포의 과정 중에 약진 발생이 많으므로 조제자의 건강을 위해서 집진 장치가 반드시 필요하다. 그러나 집진장치의 진동이나 흡입력으로 인하여 천평에 영향을 주지 않도록 해야 한다.

b. 조제용 저울 : 조제용 저울을 다룰 때는 정확성과 신속성이 요구된다. 조작면에서는 반응의 신속성과 정지시 표시눈금의 안정성이 중요하고 눈금이 보기 쉬워야 한다. 최근에는 대부분 전자저울을 사용하는데 칭량범위는 최소 10 mg에서 여러 단계로 조절 가능하다.

c. 약 스푼 : 과거에는 지금과 같이 분포기가 제대로 보급되지 않아 소화제와 같이 용량에 예민하지 않은 약품의 경우에는 약 스푼을 이용하여 수작업으로 분포를 하였다.

② 칭량순서

먼저 처방전의 환자이름, 연령, 약품명, 용량의 적부, 배합변화 유무, 부형제 첨가의 적합성, 조제내규를 염두하여 처방전과 약봉투를 감사하고 칭량한다.

a. 저울이 수평이 되도록 수준기를 이용하여 조절한 후 칭량지를 올려놓고 '0' 을 맞춘다.

b. 처방전, 약 봉투, 칭량용 컵을 제 위치에 놓는다.

c. 산제 약병의 라벨을 확인 한 후 칭량하면서 약제의 색조, 결정 등 성상을 확인한다.

d. 칭량 후 산제 약병의 라벨을 재차 확인하고 처방 내용을 재확인한 후 혼화한다.

③ 칭량시 유의사항

a. 복수의 산제를 조제할 때에는 일반적으로 처방 기재순서대로 조제하나 혼화의 효율을 고려하여 소량의 약제에 대량의 약제를 조금씩 넣어가며 혼화하는 것이 좋다.

b. 용량이 아주 적은 경우는 약제의 손실을 막기 위해 적량의 부형제를 넣어 조제한다. 일반적으로 사용하는 부형제는 결정유당, 전분 등이 있다. 부형제로 유당을 가장 많이 사용하고는 있으나 이것과 배합상에 문제가 있을 경우는 다른 부형제를 사용한다. 소량의 경우임에도 배산을 하지 않을 경우는 조제 포수를 늘려서 그 중 일부만을 취하여 사용하는 방법도 있다.

※ 산제감사시스템

산제는 조제 후 감사에 많은 한계가 있어 식별이 불가능한 경우가 대부분이므로 산제는 조제 전 감사가 매우 중요하다. 이러한 산제 조제의 특성을 고려하여 조제 오류를 최소화하기 위해 일본에서 개발된 조제 장비가 산제감사시스템이다. 산제감사 시스템은 바코드가 부착된 약병, 바코드 리더기, 조제저울, 프린터로 구성되어있다.

먼저 각 산제 약병에 약 이름, 약품코드, 함량 등에 대한 정보를 바코드화 하여 부착하고 조제하기 전 조제저울과 연결된 바코드에 약병의 바코드를 읽힌 후 조제저울에 처방된 용량을 칭량 하면 역시 조제저울과 연결된 프린터에서 조제한 약품의 이름과 조제량이 표시된 용지가 출력된다. 그러면 조제자는 조제저울에서 출력된 용지의 내용과 처방전의 내용이 일치하는 지를 재차 확인할 수 있으므로 약병을 잘못 선택할 수 있는 오류, 처방용량을 잘못 측량할 수 있는 오류 등 조제오류를 최소화하도록 고안한 시스템이다. 또한 일본에서는 조제정보 종합 네크워크 시스템을 구축하여 처방마다 칭량 산제와 분포지의 총량을 포함한 총 조제량과 감사시점에서의 계산 결과를 확인한다든지 하는 방법으로 분포 손실을 자동계산 하는 시스템도 이용하고 있다.

(5) 혼화

① 혼화시 사용하는 기구

a. 유발, 유봉 : 유발은 약 용량에 비해 너무 작지 않은 것, 즉 약의 양이 유발 깊이의 약 1/3을 넘지 않도록 하고 비산성이 있는 약제는 특히 큰 용기를 사용한다.

b. 조제용 믹서 : 용량이 적은 경우는 사용하지 않도록 한다.

- 혼화시 유의사항 : 혼화는 조제약의 균질성을 유지하는데 중요하므로 신중하게 해야 한다.

(6) 분할, 분포

과거에는 약 스푼과 목측을 이용한 수작업으로 약 주걱에 조제된 가루약을 분포하였으나 자동 분포기가 개발됨에 따라 조제방법에 많은 변화를 가져왔고 조제의 능률을 대폭 향상시키게 되었다. 분포기는 분포의 정확성, 조작의 간편성, 분할분포의 신속성, 효율성 등의 조건이 요구된다.

① 분포기

분포기의 종류에는 직렬분할식 분포기와 회전원반식 분포기가 있다. 직렬분할식 분포기는 분포할 약제를 조제자가 분포기에 균일하게 펼쳐지도록 조절하는 반면 회전원반식 분포기는 투입구에 약제를 투입하면 일정한 방향으로 360도 회전하는 원판에 약제를 일정한 속도로 분사하여 균일하게 분포하는 방식이다. 따라서 회전원반식 분포기는 직렬식에 비해 자동으로 약제를 균일하게 분포하므로 분포시간이 절약되고 약진이 날릴 위험이 적으며 약제를 일정한 속도로 분사하여 중량오차가 적다. 또한 최근에는 분포기에 인쇄기능을 탑재하여 산제 포장시 각 포마다 약품코드, 약품명, 조제일자 등을 인쇄할 수 있어 예제제 조제 등에 편리하게 사용할 수 있음은 물론 가루약을 여러 종류 투약 받는 환자의 경우에 포 인쇄를 통해 약품의 구분을 명확히 할 수 있어 편리하다.

② 분포지

약제의 포장은 약제의 품질을 유지하기 위하여 방습성, 무균성, 차광성, 기밀성을 갖추어야 하며 인쇄 가능한 재질, 외관상 청결 정도가 고려되어야 한다. 또한 습윤, 변색, 함량저하 등 약제학적 변화를 막기 위해 방습이 중요하다. 분포용지는 보통지, 셀로판, 방습셀로판, 폴리에틸렌, 폴리에틸렌 라미네이트 셀로판, 폴리에틸렌 라미네이트 그라신, 폴리프로필렌, 염화비닐 등이 있다.

(7) 산제의 감사

조제약의 중량, 색조, 입자의 성상 등을 외관상으로 확인하는 것이 일반적이나 산제를 혼화한 후에 각각의 약제를 외관상으로 식별하는 것이 불가능하므로 최근에는 산제감사시스템이 개발되어 보급되고 있다.

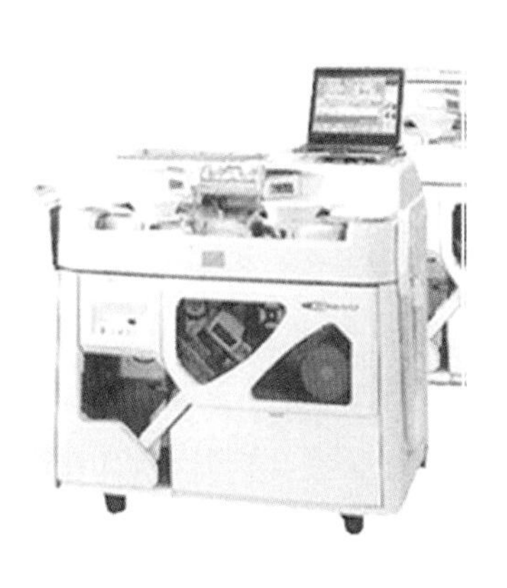

그림 1-8. 인쇄 기능이 있는 분포기

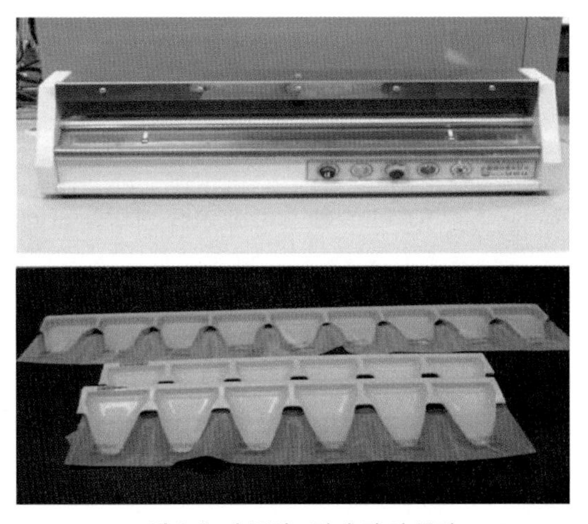

그림 1-9. 수동식포장기 및 약 주걱

(8) 배합변화

복수약제의 배합에 의한 성분의 물리 화학적 변화로 다음과 같이 구분한다.

① 배합불가(배합금기) : 성분의 안정성이 현저하게 떨어지고 결과로서 유해물질이 생길 경우, 또는 약효를 감소시켜 배합변경이 필요한 경우

② 배합부적 : 배합에 의해 습윤 또는 침전이 생기거나 하여 그대로 조제하여 복용할 경우 문제가 있으므로 제형변경 등 조제 기술상의 처치가 필요한 경우

③ 배합주의 : 배합에 의해 침전 등이 생길 수 있으나 직접 약효발현에는 영향을 미치지 않아 그대로 조제해도 문제가 없는 경우

2) 과립제

과립제는 조제할 때 과립의 형태가 손상되지 않도록 유의하여야 하며 따라서 부형제와도 함께 혼합하여 조제하지 않도록 한다. 부형제의 첨가가 필요한 경우는 과립제와 부형제를 각각 분포한 후 혼합한다.

3) 정제

알약 단독 처방 외에 여러 알약을 한꺼번에 투약하는 경우는 대부분 전자동정제용포장기에 의해 조제되므로, 정제용 조제대는 press (or push) through pack (PTP) 포장약과 일반 병 포장 알약을 함께 진열할 수 있도록 고려한다.

(1) 정제, 캡슐제의 특징

정제, 캡슐제는 의약품 중 경구, 고형제로 분류되는 가장 중요한 제형이다. 최근에는 drug delivery system (DDS) 개념의 도입으로 새로운 제형의 개발뿐 아니라 기존 의약품의 제제학적 개선에 따른 새로운 제제가 증가하고 있다. 따라서 복용방법, 보관방법이 복잡하므로 각각의 제형에 대한 이해가 필요하며 필요시 그 특징에 대해 환자에게 충분히 설명하여 오용하는 일이 없도록 한다.

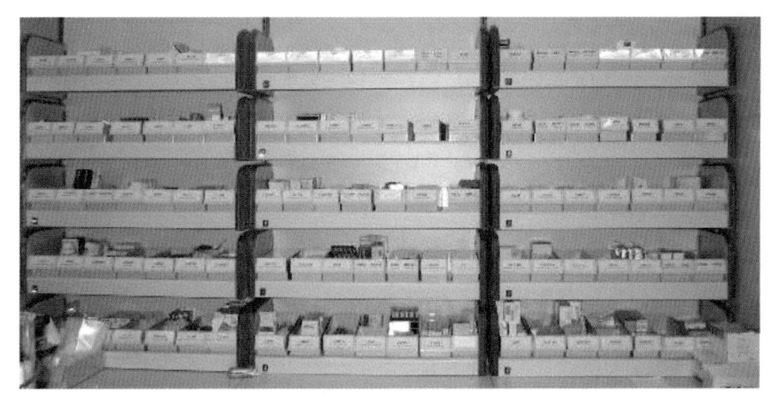

그림 1-10. 정제조제대

① 정제의 특징

정제는 액제나 산제에 비해 정확한 투여량을 유지하기 쉽고 복용 및 휴대가 편리하다. 또한 제제설계를 통해 붕해성과 용출성을 조절하는 것이 가능하고 약리작용의 발현과 지속시간도 어느 정도 조절이 가능한 반면, 투여량의 미세한 가감이 어렵고 연하 곤란한 환자에게 투여하기는 부적절하다.

② 캡슐제의 특징

캡슐제는 냄새가 있고 자극성이 강한 약품, 유상, 현탁상의 액체약품 등을 복용하기 쉬운 형태로 하기에 적합한 제형이다. 캡슐은 젤라틴 기제를 가공한 것으로 경질캡슐, 연질캡슐이 있다.

(2) Drug Delivery System (DDS)

약물의 이상반응을 줄이고 효능 및 효과를 극대화시켜 필요한 양의 약물을 효율적으로 전달할 수 있도록 설계한 제형을 Drug Delivery System (DDS)이라고 한다. DDS의 연구방향을 기술적 측면에서 보면 흡수 촉진형, 약효 지속형, 표적부위 집중형, intelligent DDS로 나눌 수 있다.

① 흡수촉진형 DDS

a. 흡수촉진제를 이용하여 약물의 흡수를 촉진시키는 방법으로 주로 경피흡수나 경점막(직장, 비강, 구강, 안구, 질)에 적용하는 제제에 적용한다.

b. Prodrug이나 복합체를 만드는 방법으로 흡수율을 높이기 위해, 불활성형 약물을 체내에 흡수 후 약리활성을 나타내는 약물로 변화시킬 수 있도록 설계된 것이 prodrug이다. 이로 인해 흡수가 증가할 뿐 아니라 이상반응 경감, 약효의 지속화를 기대할 수 있다.

② 약효지속형 DDS

복용 후 흡수부위에서 신속히 녹고 투여부위로부터의 흡수속도가 큰 약물 중에서는 체내로부터의 소실, 즉 clearance가 크기 때문에 빈번히 투여하지 않으면 유효혈중농도를 유지하기가 힘들고 따라서 약효도 오래가지 못하는 문제점을 갖고 있는 약물이 적지 않다. 이런 약물들을 제제학적으로 수식하여 약물이 체내에 투여된 후 제제로부터 서서히 방출되게 함으로서 약물의 혈중 농도를 높게 유지하고 약효를 지속적으로 유지하게 할 수 있다. 이러한 약효지속형 DDS는 주로 경구 투여 제제에 한정되었으나 이제는 경피 투여제, 경점막 투여제 및 기타 제제에 이르기까지 다양한 경로에 대하여 시도되고 있다.

a. 경구 투여용 서방제제

- 삼투압제어 시스템(OROS system) : 소화관내의 물이 반투막을 통과하여 시스템 내부로 침입하면 시스템 내부에 있던 염과 섞여 삼투압을 발생시키고 이 삼투압이 시스템 내부에 있는 약물을 좁은 구멍을 통하여 일정 속도로 방출하도록 한 제제이다. 현재 시판되고 있는 약물로는 Nifedipine, Salbutamol 등이 있다.
- 대장송달 시스템 : 대장에 생기는 대장암, 궤양성 대장염 등은 난치성 국소질환이므로 약물이 직접 환부에 도달하도록 해 주는 것이 바람직하다. 따라서 pH 의존성 방출특성을 보이는 고분자로 코팅한 제제를 이용하여 이 제제를 경구투여하면 대장에 도달하여 대장의 pH에 의해 약물이 방출되어 나오게 하는 것이다. 1984년 Smith Kline Beecham사에서 Mesalazine (5-

Aminosalicylic acid)을 함유하는 장용 코팅정제를 발매하였다. 한편 대장내 세균총을 이용하는 방법도 있는데 Sulfasalazine의 경우는 소장 상부에서도 일부 흡수되지만 대부분은 대장에 도달하여 장내 세균에 의해 Azo환원을 받아 Mesalazine으로 분해되어 흡수된다.

- Pulse 방출시스템 : 불용성 body에 hydrogel로 만든 plug가 붙어있고 이것을 다시 수용성 cap으로 뒤집어 씌운 캡슐제이다. Cap이 위에서 녹은 다음 plug가 팽윤하게 되면 plug가 body에서 튕겨져 빠져 나오게 되고 body 중에 들어 있던 약물이 방출되기 시작한다.
- 이온교환수지 이용 방출제어 시스템 : 약물을 이온교환수지의 미립자에 흡착시킨 후 Polyethyleneglycol로 처리하고 다시 Ethylcellulose (EC)로 코팅한 미립자 제제이다. 소화관내의 Na와 K가 EC막을 통해 제제내로 들어오면 약물이 수지로부터 유리되어 EC막을 통해 방출된다. 이 방출은 소화관내의 pH나 온도, 소화관 내용물의 부피 등의 영향을 받지 않고 12시간동안 지속적으로 방출된다. 1982년 미국 Fison사는 이 시스템을 이용하여 Dextromethorphan의 지속성 제제(Delsym®)를 발매하였다.
- 그밖에 경질 캡슐내에 서방성 beads를 충전하여 1일 1회 복용하게 만든 Eucap이라는 시스템과 직경 1 mm의 multiparticle beads를 캡슐에 충전한 서방성제제 SODAS (Solid Oral Drug Absorption System)가 개발되어 위 내용배출시간이나 소화관의 운동성, pH변화, 음식물의 유무 및 환자의 자세 등에 관계없이 소화관내의 부위에 약물이 정밀하게 방출되도록 하였다.

b. 경피 투여용 서방제제(Transdermal Therapeutic System, TTS)

- 막제어형 : Transderm-Nitro® (Nitroglycerin), Estraderm® (Estradiol), Duragesic® (Fentanyl), Exelon® (Rivastigmine)
- 매트릭스 제어형 : 약물이 점착성 고분자내에 용해 또는 분산되어 약물이 고분자내를 확산하는 과정이 방출을 제어하는 점착막시스템(Deponit)과 backing, 약물함유 고분자 매트릭스, 점착 rim으로 구성되어 고분자 매트릭스 내를 확산하는 과정이 약물의 방출을 제어하는 고분자매트릭스 시스템(Nitro-Dur), 그리고 microreservior 시스템이 있다.

c. 경점막 투여용 서방제제(눈, 코, 구강, 직장, 질 점막에 적용하는 제제)

- 눈에 적용하는 것은, carrier에 부착된 polyvinyl alcohol에 함유되어 있는 약물이 눈물과 만나 서서히 녹아 나오게 하는 것으로 녹내장 치료제에 응용하고 있다.
- 비점막에 적용하는 것은 비염치료 등 국소 효과 외에 전신작용을 목적으로 하는 제제가 많이 개발되고 있다(Desmopressin).
- 약물을 직장에 투여하면 위장장해나 초회통과효과를 피할 수 있고 소화관의 운동성에 따른 흡수의 변동이 적다는 등의 장점이 있다. 예를 들어 Morphine을 cross-linked ethylene oxide hydrogel 내에 함유시켜 직장에 투여함으로써 이상반응이 적고 진통효과가 지속되게 만든 제제 등이 있다.
- 생체 부착성 폴리머(Polycarbophil)를 이용하여 질 내에 투여하는 multiparticle 시스템을 통해 투여 후 2~3일간 질 내에 체류하면서 질을 정상적인 상태로 유지시켜 주는 제제도 있다. 질 벽 내에는 혈관이 많고 이 경로를 통과하면 초회 통과효과를 피할 수 있으므로 역시 전신계 약물

송달을 위한 검토가 이루어지고 있다.

- 기타 일본 Takeda사의 Leuplin® 주사는 LHRH agonist인 Leuprorelin을 생분해성 폴리머를 써서 마이크로 캡슐화한 제제로써 이 제제를 피하주사하면 3개월간에 걸쳐 약물이 서서히 방출된다. 따라서 전립선암 환자에 대해 Testosterone 레벨을 낮추어 암의 진행을 막을 수 있다. 또한 펠렛트, 펌프 등을 외과적으로 체내에 이식하여 일정속도로 약물을 방출하게 하는 이식형 피임제 등도 있다.

③ 표적지향형

리포좀과 같은 미립자성 운반체를 담체로 이용하는 방법이다.

a. 리포화 제제 : 약물의 담체로 lipid microsphere (LM)를 이용한 제제로 LM의 체내분포를 조사하여 선택적으로 많이 분포하고 있는 간장이나 비장, 염증부위 등을 표적으로 LM 안에 약물을 봉입하여 투여하는 것이다.

b. 고분자화 제제 : 이 제제는 Lipiodol을 담체로 사용하는 방법이다.

c. 승압화학요법제제 : Angiotensin II 를 이용하여 혈압을 상승시키고 이로 인해 종양 부위의 혈류가 증가되어 항암제의 종양 이행성을 높이기 위해 사용하는 방법이다.

d. 리포솜 제제 : AmBisome® (Amphotericin B)

④ Intelligent DDS연구

펩타이드나 호르몬의 약물요법시에는 생체 내 circadian 리듬에 맞는 방출 특성을 가진 DDS가 바람직하므로 체내에서 필요한 때에만 약물이 방출되도록 하는 Intelligent DDS가 연구 중에 있다.

(3) 포장

의약품의 안정성에 영향을 주는 외부 요인으로는 온도, 습도, 공기, 빛, 오염, 이물질의 혼입, 압력 등이 있다. 의약품의 포장은 유통과정은 물론 약제부에서의 보관이나 환자에 의한 보존 기간 중 이러한 외부요인으로부터 의약품을 보호하고 안정한 형태로 유지하는 것이 가능해야 한다. 또한 조제, 충진시 취급이 편리하고 환자가 꺼내 복용하기 쉬워야 한다.

(4) 조제시 유의사항

① 동일성분으로 함량이 두 가지 이상인 경우가 많으므로 규격, 단위를 정확히 확인한 후 조제한다.

② 동일성분으로 두 가지 이상의 상품명이 있는 경우 상품명을 확인한 후 조제한다.

③ 복합제제의 경우 상품명을 확인하고 복합제제를 동시 투여하는 경우 성분간의 중복이 없는지를 확인한다.

④ 상품명 혹은 성분명이 유사하여 혼돈을 일으키는 경우가 있으므로 세심한 주의를 기울여야 한다.

⑤ 노인, 소아 등 환자가 복용할 수 있는 제형으로 조제되었는지 확인한다.

⑥ 약품의 색깔이나 모양이 유사하여 혼돈을 일으킬 수 있으므로 주의하여 조제한다.

(5) 투약시의 유의사항

일반 용법, 용량 외에 특수한 사용법이 있는 경우, 보존방법이나 유의사항이 있는 경우는 약 봉투에 기재할 필요가 있고 약물의 외관이나 규격이 변경된 경우는 환자에게 알려주어야 한다.

(6) 포장기계

전자동정제포장기(ATC)의 도입으로 조제시간 단축은 물론 조제의 정확도 등에 있어서 정제조제업무가 획기적으로 발전했다. 그러나 다음과 같은 문제점에도 주의를 기울일 필요가 있다. 첫째, 카세트에 보관 중인 알약의 온도, 습도, 빛에 대한 안정성에 주의해야 하고 둘째, 정제가 복용편의 등의 이유로 소형화되고 백색 나정이 많아짐에 따라 포장 후 제품식별에 어려움이 있으며 간혹 카세트를 잘못 장착한 경우 발견하기 어렵다. 또한 카세트로부터 정제낙하방식으로 설계된 기계의 경우는 알약의 파손이 잦아지게 되는 문제점도 있다.

4) 내용액제 : 시럽제, 현탁제, 유제, 엘릭실제

조제대는 시럽제, 현탁제, 연고제 등 다양한 형태의 약품을 진열할 수 있도록 설계하고 연고 등을 혼합할 수 있는 공간을 확보해야 하며 싱크대가 가까이 위치하도록 한다.

(1) 내용액제 조제

① 내용액제의 특징

정제, 캡슐제 등에 비해 흡수가 빠르고, 유 · 소아, 노인 및 고형제제의 복용이 어려운 경우 또는 흡습성이 있는 약제의 경우 액제가 유효하다. 반면, 미생물에 의한 오염이 쉽고 보존상에 문제가 있으며 휴대가 불편하고 복용시 복용량에 오차가 발생하기 쉽다.

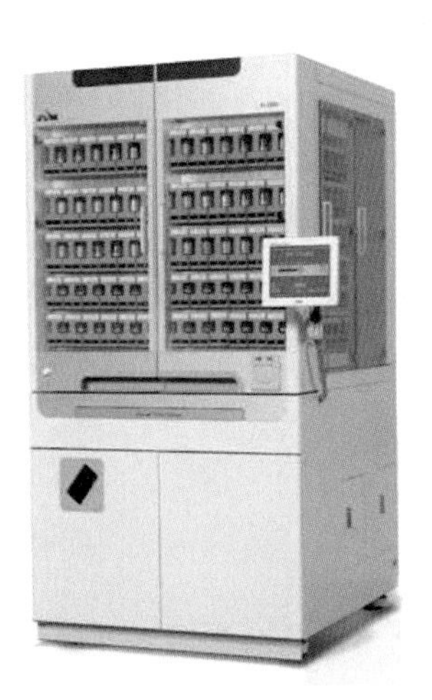

그림 1-11. ATC (Automatic Tablet Canister)

② 용기와 기구

투약 용기는 세정, 멸균하여 청결한 것을 사용한다. 투약병을 사용하고 약 용량이 적은 경우는 경구용 syringe를 이용하여 투약하는데 이 때 주사용 syringe와 혼동하지 않도록 주의하여야 한다.

③ 조제

내용액제의 조제에는 농축액제를 희석해서 조제하는 것과 원액 그대로 조제하는 것이 있다. 처방된 총량을 1개의 병에 투약하고 환자가 분할하여 복용하도록 하며 분할 방식은 투약 병의 눈금, 계량컵, 계량스푼, 스포이드, 경구용 syringe 등을 지정하여 오차가 적도록 한다. 한편 1회 복용량이 눈금 또는 분할의 정수배가 안 되는 경우는 적절한 증량제를 이용하여 조제하고 현탁액의 경우는 흔들어서 복용하도록 한다.

(2) 조제용수

내용액제의 조제에는 멸균정제수나 신선한 정제수를 사용하는 것이 바람직하며 이온교환수지를 통해 얻어진 정제수는 미생물 오염에 충분한 주의가 필요하다.

(3) 내용액제 감사

조제 후 내용액제에 대한 감사가 곤란하므로 일본에서는 산제감사시스템과 유사한 장비를 개발하여 감사하기도 한다.

3. 외용약

외용제에는 소독제, 분무제, 습포제 등이나 무균적으로 조제한 점안제, 점비제 및 연고제나 좌제 등 다양한 제제가 있다. 외용제의 대부분은 국소작용을 목적으로 하고 있으나 최근에는 DDS의 개념을 응용하여 전신작용을 목적으로 하는 새로운 형태의 외용제가 증가하고 있다. 외용제의 경우 대부분 시판품 그대로 투약하고 있으나 개개의 환자에 따라 조제가 필요한 경우도 있다. 또한 창구에서 사용방법, 보존방법에 대한 설명을 필요로 하므로 그에 따른 지식의 습득도 매우 중요하다.

1) 외용액제

외용액제는 세정, 주입, 함소, 습포, 흡입, 분무, 관장, 도포, 약욕, 소독, 점이, 점비 등 외용으로 제공하는 액제이다. 용제로는 물 이외에 에탄올, 글리세린, 프로필렌글리콜, 식물유 등이 사용되고 필요에 따라 보존제 등이 첨가되어 있다. 따라서 제제의 물리화학적 성질이나 사용목적에 따라 조제법을 선택하고 용기의 멸균도 고려해야 한다.

2) 외용산제

외용산제는 주로 피부점막의 진무름, 습진, 궤양면 등에 산포하는 것으로 국소부위를 물리적으로 보호한다든지, 건조, 살균하는데 사용한다.

3) 안과용제(점안제, 연고제)

안과용제는 세균 등에 의한 오염이 되지 않도록 하고 현저한 산성 또는 알카리성이 아니어야 하며 이물이 함유되지 않아야 하고 점안제의 경우는 누액과 등장이어야 한다.

(1) 점안제

수성, 수성 현탁, 비수성, 비수성현탁 점안제가 있다. 점안제의 용기는 무균 보존 및 주약의 안전성을 고려하여 소량으로 되어있다. 또한 품질보존을 위해 사용할 때에 구멍을 뚫는 것도 있다. 최근에는 여러 종류의 점안제가 한꺼번에 처방되는 경우가 많아 어느 정도의 간격을 두고 사용해야 하는지를 묻는 경우가 많다. 통상 결막낭에 흡수되는 약액의 양은 0.02 ml로 이것은 한 방울로 충분하고 점안제 간에는 적어도 5분 정도 간격을 두고 점안하는 것이 바람직하다.

(2) 안연고제

적용부위에 머무르는 시간을 길게 하기 위한 목적으로 자기 전에 사용하도록 한다.

4) 연고제

연고제는 외용제 중 중요한 위치를 차지하고 있으며 동일성분의 제제라도 기제에 따라 흡수가 달라서 치료효과에 많은 영향을 미친다. 따라서 이들을 정확히 조제하기 위해서는 성분의 특징뿐 아니라 흡수와 성분의 안전성에 영향을 미치는 기제의 물리화학적 성질을 이해해야 한다.

시판제제인 경우 기제가 oil인지 cream인지에 주의하고 원내제제인 경우 약품이 구별될 수 있도록 연고곽 또는 튜브의 색깔 등을 달리하여 오투약 사고를 예방한다.

5) 좌제

좌제는 치질치료, 하제 등의 국소 목적 외에 해열진통작용이나 항생물질 등의 전신작용발현을 목적으로 널리 사용되고 있다. 또 좌제는 의약품의 투여경로로서 비교적 안전성이 높아 유아, 노인에게 쉽게 사용 가능한 장점이 있다.

4. 주사약

주사제는 냉장 혹은 차광 보관해야 하는 약품이 많으므로 보관에 특히 주의해야 한다. 백신류와 같이 보관온도에 민감한 주사제는 반드시 24시간 온도 관리가 가능한 온도기록계가 부착된 약품 전용 냉장고에 보관하도록 하고 백신류의 경우는 입출고시 Lot번호를 기재하도록 하여 사고 발생 시 추적관리가 용이하도록 한다.

주사제는 앰플 혹은 바이알의 모양이 매우 유사하여 혼돈의 우려가 많으므로 반드시 약품명, 함량 단위 등을 재차 확인하고 투약하여야 한다.

1) 주사제의 종류

주사제는 물리화학적 특성에 따라 5종류로 분류된다.

(1) 수성 주사제 : 용제에는 주사용수, 생리식염수 등을 이용한다.

(2) 비수성 주사제 : 비수성용제는 약리학적 작용에 유해성이 없고 체내에서 빠르게 대사되는 것이어야 한다.

(3) 용시 용해하는 주사제 : 약제를 용액상태로 보존하면 역가가 저하되므로 동결건조하거나 분말형태로 하여 사용직전에 주사용수나 생리식염수에 용해하여 사용한다.

(4) 현탁성 주사제 : 약제가 불용성 미세한 입자상으로 현탁하고 있는 제제로서 원칙적으로 혈관내, 척수강내에 적용해서는 안 된다.

(5) 유탁성 주사제 : 유성의 약제를 유탁액으로 하며 원칙적으로 척수강내는 적용되지 않는다. 적용부위는 피하, 피내, 근육내, 정맥내, 동맥내, 복강내 등이 있다.

2) 주사제 교부방법

주사제는 외용제에 비해 일반적으로 고가이고 광선이나 온도에 민감한 약제가 많으므로 약국에서 불출하여 병동에서 관리되는 동안 품질관리에 문제가 발생하기 쉬우므로 주의해야 한다.

(1) 외래환자의 경우는 자가 주사약제에 한하여 직접 투약하고 그 이외의 경우는 주사실 등으로 불출하여 투여 받을 수 있도록 한다.

(2) 병동의 경우에는 처방 발생시마다 약을 불출하는 방법과 정수배치, 비품, 청구약품 등 각각의 약품의 특성과 용도에 따라 여러 가지 방법으로 관리하고 있다.

① 의사 처방전에 따른 불출

② 정수배치 : 일정 수량의 약품을 비품으로 비치해 주고 처방에 의해 익일 사용량만큼 보충해 주어 해당부서에서 항상 일정 수량을 보유할 수 있도록 하는 방법으로 대개 수술장 등에서 사용하는 약품 등이 해당된다.

③ 청구약품 : 대개 처치용으로 사용되는 소독제 등의 약제로서 각각의 환자별로 처방 발생이 어려운 경우로 해당부서에서 필요시 청구하여 사용하도록 한다.

이들 약품의 경우 사용량에 대한 통제가 어려우므로 가능한 고가약품은 청구성으로 운영하지 않도록 한다.

3) 주사제 교부시의 주의사항

(1) 외관 확인 : 변색, 침전, 현탁 등 외관변화나 이물 혼입, 분말 바이알의 밀봉불완전에 따른 습윤 등을 체크한다.

(2) 투여경로 확인 : 정주용, 근주용 등 투여경로에 주의한다.

(3) 유효기간, 사용기한 확인

(4) 보관방법의 지시 : 보관방법에 주의가 필요한 약제는 교부시에 약제에 '냉장' 혹은 '차광' 이라고 표시

를 하기도 한다.

(5) 용해액이 첨부된 경우는 용해액과 함께 투약한다.

(6) 고가 약의 경우에도 별도 표기하여 취급에 주의한다.

(7) 향정신성의약품의 경우 취급 주의는 물론 별도의 장부에 입출에 관한 기록을 하고 관리한다.

(8) 생물학적제제의 경우 제품명, 제조번호, 조제일 등을 기재하고 투약한다.

4) 항균 주사제관리

항균제의 남용 및 오용 방지, 항균제 내성 균주 출현의 최소화, 과다한 사용으로 인한 의료비용의 절감을 위해 각 병원마다 일정한 내규에 의하여 선정한 약품에 대해 '제한 항균제' 혹은 '유보 항균제' 등으로 지정하고 사용을 규제하고 있다.

병원마다 각자 병원 특성에 맞는 시스템을 구축하여 자체적인 관리를 하고 있으며 대부분의 병원에서 약제부와 감염내과 전문의가 주축이 되어 항균제 관리시스템을 운영하고 있다.

(1) 대상 항균제의 범위

대상 항균제의 범위 역시 각 병원의 특성에 따라 규제 대상 항균제를 선정하고 있으나, 일반적으로 항균 스펙트럼이 넓고 1차 선택 약물이 아닌 항균제, 고가의 항균제 등을 대상으로 관리하고 있다.

㉠ Amikacin, Ambisome®, Arbekacin, Carbenin®, Caspofungin, Colistimethate, Ertapenem, Linezolid, Meropenem, Micafungin, Synercid®, Vancomycin, Teicoplanin, Cefepime, Voriconazole

(2) 관리 대상 부서

원내 내규에 의해 관리대상 부서를 선정하되 제한 항균제의 관리 취지에 부합하기 위해서는 가급적 예외 사항 없이 가능한 전 부서를 대상으로 하는 것이 바람직하다.

(3) 관리 방법의 예(삼성서울병원 제한항균제 관리)

① 처방입력

제한 항균제로 지정된 항균제의 경우는 처방입력 후 처방 내림시에 전산에서 자동으로 감염내과 컨설트 화면이 뜨게 되고 여기에 일정 내용을 작성하여야만 처방내림을 할 수 있도록 한다. 한 번 처방 내림시 7일간 유효하도록 하고 7일 이후 계속 처방이 필요한 경우에는 처음과 동일한 방법으로 컨설트를 작성하여야 한다.

② 감염내과 전문의 승인

감염내과에 도착한 컨설트는 감염내과의가 검토하여 합격, 불합격을 판정하게 되고 이 정보가 약제부에 전달되어 합격인 경우는 약품을 불출하고 불합격인 경우는 불출하지 않는다. 단, 휴일 및 야간 등 감염내과의 공석으로 인해 발생할 수 있는 업무 혼선을 최소화하기 위해 처방 직후 1~2회는 약품을 불출하고 감염내과 판정 통보 후부터는 그 결과에 따라 불출 여부가 결정된다.

참고문헌

- 서울대학교병원 약제부 편 : 병원약학, 서울대학교출판부 (1996)
- 오오사카병원약학연구회 편 : Handbook of Hospital Pharmacy Practice (병원약국연수) 제3판, (주)약업시보사 (1999)
- 심창구 : DDS의 현황과 장래. 월간 의약정보. 7 : 83~93 (1997)
- 이민식 : Unit dose system 도입전망. 한국병원약사회지. 16 : 269~73 (1999)
- 이병구 : 조제업무 지침. 한국병원약사회지. 14 : 80~91 (1997)

_02 주사제 조제업무 및 처방검토

Objectives 

- ▶ 무균조제의 정의 및 필요성을 이해한다.
- ▶ 무균조제를 위한 기본시설과 장비에 대해 알아보고 무균적 조작술을 익힌다.
- ▶ 주사제의 안정성 및 배합 적합성에 대해 학습한다.
- ▶ 무균조제약의 신뢰성 보증과 품질 관리 업무를 이해한다.

I 무균조제

1. 정의 및 필요성

1) 무균조제의 정의

무균조제법이란 엄격히 통제된 조건 하에서 주사제의 혼합과정을 수행함으로써 여러 미생물과 입자 오염의 기회를 최소화시키는 방법으로, 아래와 같은 제제에 사용되는 기술을 말한다.

(1) 마지막에 무균화(sterilization)가 이루어지지 않는 안과용 제제와 정맥주사 제제
(2) 여과(filtration)에 의해 무균화되는 제제
(3) 무균시험(sterility test)을 거치는 모든 무균제제

2) 약국 내 중앙집중식 정맥주사 혼합 업무 체계

무균조제는 환자의 세균 감염률을 저하시킬 뿐만 아니라 의료인들이 항암제 등의 독성 화합물에 노출되는 것을 방지할 수 있다. 이러한 이점 외에도 약국 내에 중앙집중식 정맥주사 혼합 업무 체계를 갖춰 얻을 수 있는 장점으로는 다음과 같은 것들이 있다.

(1) 정맥주사 혼합액의 조제 및 투약에 대한 책임을 집중화할 수 있다.
(2) 의사, 간호사가 주사약 혼합 업무에 사용하는 시간을 감소시켜 환자의 치료, 간호에 더 충실할 수 있도록 한다.

(3) 혼합주사액의 라벨을 표준화할 수 있다.
(4) 불안정하거나 변질된 혼합액의 사용을 효과적으로 통제할 수 있다.
(5) 혼합액의 물리 · 화학적인 배합변화를 계속적으로 스크리닝할 수 있다.
(6) 청정공기 후드(laminar air flow hood)를 사용함으로써 조제 작업 중에 적절한 무균상태를 유지할 수 있다.
(7) 조제시 내용 약물의 계산에 정확성을 기할 수 있다.
(8) 첨가제의 농도를 조절할 수 있으므로, 특수한 혼합액을 조제, 투여할 수 있다.
(9) 배합금기인 주사제의 혼합을 예방할 수 있으며, 주사제의 잉여분을 이용할 수 있어 경제성을 증대시킨다.

2. 기본시설 및 장비

1) 무균조제실(Cleanroom)

(1) 무균조제실의 분류

무균적인 주위 환경을 유지하기 위해 분리된 공간과 효율적인 작업 배치가 필요하며 외부 공기 유입 방지 장치, 여과장치, 처리장치, 자외선 조사장치와 적절한 냉방시설, 양압 유지, 접착 매트가 부착된 마루 바닥 등의 시설이 요구된다. 무균조작이 요구되는 모든 물품은 적절히 소독되어 pass-through hatch를 통해 무균조제실 내 또는 무균조제실 내의 손수레에 운반되어야 한다. 또한 모든 물품과 장비는 작업대에서 가까운 곳에 위치하여야 하며 작업자가 접근하기 쉽게 하여 조제대 내부와 주위에서 발생할 수 있는 공기 와류(turbulence)를 최소화해야 한다. 무균조제실의 최적 온도는 18-22℃, 상대 습도는 40~60%이며 국제 표준화 기구(ISO, the International Organization for Standardization) 14644-1에 의한 분류는

표 2-1 국제 표준화 기구(ISO)에 따른 무균조제실의 분류

Class	입자 크기에 따른 공기 중 최대 입자수(개/m³)					
	≧ 0.1 ㎛	≧ 0.2 ㎛	≧ 0.3 ㎛	≧ 0.5 ㎛	≧ 1 ㎛	≧ 5 ㎛
ISO Class 1	10	2				
ISO Class 2	100	24	10	4		
ISO Class 3	1,000	237	102	35	8	
ISO Class 4	10,000	2,370	1,020	352	83	
ISO Class 5	100,000	23,700	10,200	3,520	832	29
ISO Class 6	1000,000	237,000	102,000	35,200	8,320	293
ISO Class 7				352,000	83,200	2,930
ISO Class 8				3,520,000	832,000	29,300
ISO Class 9				35,200,000	8,320,000	293,000

표 2-2 미연방 기준(U.S Federal Standard No. 209b)에 따른 무균조제실의 분류

Class	입자		압력차	온도(℃)			습도(%)			기류	조도
	입경(μm)	입자수(개/ft³)	(mmAq)	범위	요구치	제어범위	최고	최저	제어범위	환기회수	(Lux)
100	≧ 0.5	≦ 100	1.25이상	19.4~25	22.2	±2.8 or ±0.28*	45	30	±10 or ±5*	층류방식: 0.45 m/s ± 0.1m/s 난류방식: ≧ 20회/h	1,080 ~1,620
1,000	≧ 0.5	≦ 1,000									
	≧ 5.0	≦ 7									
10,000	≧ 0.5	≦ 10,000									
	≧ 5.0	≦ 65									
100,000	≧ 0.5	≦ 100,000									
	≧ 5.0	≦ 700									

*: 특수한 경우

표 2-1과 같다. 국제 표준화 기구(ISO)에 의한 분류가 유럽 연합(1999년), 미국(2001년)에 의해 국제적인 표준으로 채택되기 전까지 미연방 기준(U.S Federal Standard No. 209b)이 널리 사용되었다(표 2-2). 미국 약전(USP chapter 797)에 따르면 무균조제가 이루어지는 후드는 ISO class 5 (미연방 기준 Class 100)를, 무균조제실은 ISO class 7 (미연방 기준 Class 10,000), 준비실은 ISO class 8 (미연방 기준 Class 100,000)을 유지하여야 한다.

(2) 무균조제실 표면

바닥, 벽 및 작업표면들은 세척과 소독을 쉽게 하기 위해 구멍이 없는 소재로 만들어져야 한다. 또한 폐쇄된 사물함은 문을 여닫을 때 공기흐름이 발생하고 문을 열기 위한 동작이 필요하여 접촉오염 가능성이 크기 때문에 개방된 선반 구조물이 선호된다. 천정은 구멍이 없고 입자의 발생을 최소화하는 소재로 만들어져야 한다. 금속으로 도금된 재료가 흔히 사용되며 이러한 소재는 쉽게 닦여질 수 있는 장점이 있다. 노출된 선, 파이프, 환기관은 최대한 줄이고 잘 봉하여 먼지의 축적을 감소시켜야 한다. 바닥과 벽 사이의 접촉면은 완만한 골을 형성하도록 오목하게 하여 벽과 바닥의 접촉면에 틈이 생기지 않도록 해야 한다. 세척 및 소독이 쉬운 구멍이 없는 바닥의 일반적인 형태는 틈이 봉해진 vinyl sheeting이다.

(3) 무균조제실의 청소

무균조제실의 청소 빈도는 사용강도에 따라 달라지며 매일, 매주의 청소 스케줄에 따라 정기적으로 행해져야 한다. 추가 청소는 특별한 환경이 발생할 때 행해질 수 있다. 무균조제실 청소 시 주의사항은 다음과 같다.

① 청소 담당자는 무균조제실 작업자와 같은 전체적인 복장을 갖추어야 한다.
② 청소는 무균조제실의 가장 깨끗한 부분에서 출입문 쪽으로 진행되어야 한다.
③ 청소하는 동안 입자 발생을 최소화해야 한다.
④ 모든 청소 장비들은 무균조제실 전용이어야 하고 정기적으로 소독되어야 한다.

⑤ 모든 청소 담당자는 적절하게 훈련되어야 한다.
⑥ 조제 중 사용되는 모든 일회용 물품들은 안전하게 밀봉하여 폐기되어야 한다.
⑦ 주사 바늘, 주사기, 거즈 등은 특별히 고안된 용기에 따로 폐기해야 한다.
⑧ 모든 유해 폐기물은 병원 규정에 따라 environmental services department에 모아 폐기되어야 한다.

무균조제실의 청소법으로는 진공 청소와 wet wiping이 있다. 진공 청소법은 100 ㎛이상의 입자를 제거할 수 있으며 wet wiping으로는 좀 더 작은 입자를 제거할 수 있는데 사용 가능한 소독제로는 4차 ammonium 화합물, halogen 분비 화합물(Halogen Releasing Agents, HRA), 페놀류, 알코올, biguanide 중합체, chlorhexidine 등이 있다. 하지만 페놀류, chlorine 분비 화합물은 독성이 있고 iodophors는 부식성, 염색성이 있어 무균조제실에 적합하지 않다. Chlorhexidine은 독성이 낮고, 70% 알코올은 살균작용과 증발력이 좋아 무균조제실 소독에 적합하며 서로 혼합하여 사용 시 살균작용이 증가한다. 하지만, 가격적인 면을 고려했을 때 chlorhexidine과 알코올 혼합 화합물은 중요한 무균 구역에만 사용하고 다른 곳은 4차 ammonium 화합물 수용액을 사용한다. 각 소독제의 살균적 특성을 살펴보면 표 2-3과 같다.

표 2-3 소독제의 살균적 특성

소독제	항균 활성						
	Gram positive bacteria	Gram negative bacteria	Virus enveloped	Virus non-enveloped	Myco bacteria	Fungi	Spores
70% 알코올	+++	+++	+++	++	+++	+++	-
Chlorhexidine	+++	++	++	+	+	+	--
4차 amonium 화합물	++	+	+	?	±	±	-
Iodophors	+++	+++	++	++	++	++	+

Good = +++, moderate = ++, poor = +, variable = ±, none = -

일상적인 청소에는 다음과 같은 것이 포함된다.
① 작업자가 하는 청소로서 작업 전과 후에 자주 실시하며 사용빈도에 따라 청정공기 후드 작업대의 모든 내부 표면을 청소하는 것
② 섬유가 적은 수건(low-linting wipes)과 적절한 무균화 소독제를 사용하는 것
③ 무균조제실로부터 모든 휴지, 포장지, 주사 바늘 용기를 제거하는 것
④ 모든 시설, 작업대의 외부 표면, 바닥, 천정, 방지 장치(baffles), 벽, 통(basins)과 모든 다른 표면, 손잡이(knobs), 스위치 등을 청소하는 것
⑤ 바닥의 맨 위 시트 제거 또는 접착 매트를 청소하는 것

2) 청정공기 후드(Laminar Air Flow Hood)

청정공기는 일정한 속도로 주어진 공간을 가로 질러 평행이동 하면서 그 방향을 따라 최소량의 동요와 소용돌이를 일으키는 공기층이다. 청정공기 후드는 크기, 모양, 디자인이 다를 수 있으나 본질적인 목적은 모두 무균작업에 적합한 청정공기 환경(class 100)을 제공하는 것이다. 청정공기 후드는 오염을 막는 1차적인 장벽으로 이 공간의 오염을 막기 위해 주의를 기울여야 한다. 청정공기 후드는 공기흐름 방향에 따라 공기 흐름이 수평인 수평형 후드(horizontal hood, 그림 2-1)와 수직인 수직형 후드(vertical hood, 그림 2-2)가 있다.

(1) 수평형 후드(Horizontal Hood)

수평형 후드는 전기모터를 이용하여 외부 공기를 필터로 여과한 뒤 작업자 쪽으로 밀어주게 설계되어 있다. 항암제나 독성 화합물의 작업 시 오염된 공기가 작업자 쪽으로 직접 향하게 되므로 작업자를 보호하지 못하는 단점이 있다.

(2) 수직형 후드(Vertical Hood)

수직형 후드는 작업자와 조제 공간 사이에 유리 차단막이 있고 위에서 여과된 공기가 아래로 흐르면서 조제 공간을 통해 빨려 들어가기 때문에 조제 약품의 무균 상태를 유지하면서 작업자와 주위 환경을 함께 보호할 수 있다. 그렇기 때문에 항생제나 항암제와 같은 약물의 조제에는 수직형 후드를 사용하고 흡입 및 배출 구멍을 종이나 다른 물건으로 막지 않도록 해야 한다. 수직형 후드 종류인 생물학적 안전 캐비넷(biological safety cabinet)은 class I, II, III로 나눌 수 있으며 class I, II는 위험성이 적거나 중등도인 약물의 작업에, Class III는 높은 위험성을 가진 약물의 작업에 사용된다.

Class I은 작업자와 캐비넷 내의 오염 물질로부터 주위 환경을 보호할 수 있으나 조제실 주위 공기로부터 혼합 주사제의 오염을 막지는 못한다. Class II는 혼합주사제, 작업자, 환경 모두를 보호할 수 있는 캐

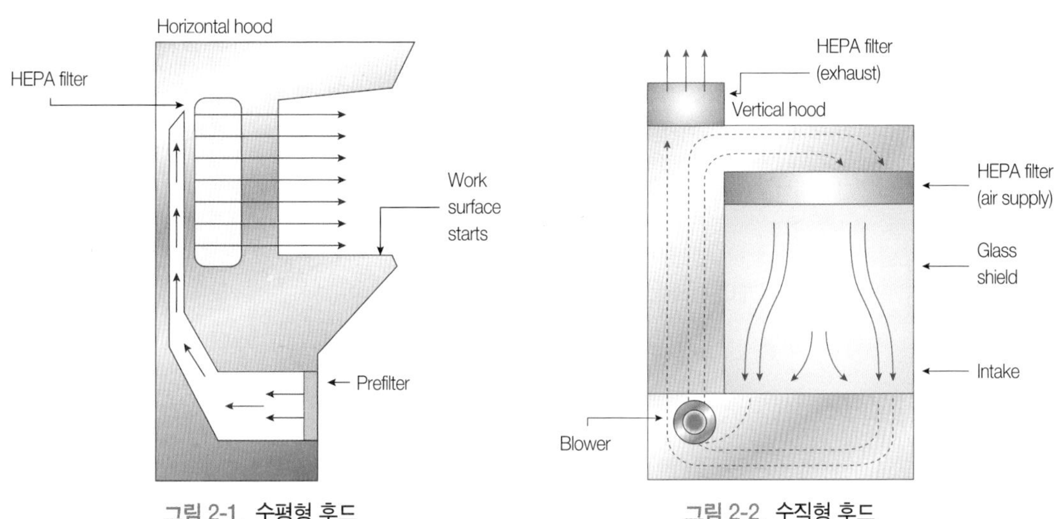

그림 2-1. 수평형 후드 그림 2-2. 수직형 후드

비넷으로 연구실, 병원, 약제 시설 등에서 널리 사용된다. Class II는 4가지 종류로 분류할 수 있는데 type A1, type A2, type B1, type B2이다. ISOPP 가이드라인(International Society of Oncology Pharmacy Practitioners)에서는 Class II 캐비넷의 분류를 표 2-4와 같이 하고 있다.

Class III 캐비넷은 기체-단속 봉입(gas-tight enclosure) 체계로 작업자, 혼합 주사제, 주위 환경에 위험을 줄 수 있는 미생물과 공기 내 입자 오염을 방지 할 수 있어 감염의 위험이 높거나 위험한 물질 등의 작업에 사용된다. 또한 항암제를 조제할 경우에는 캐비넷이 화학적으로 오염될 염려가 있으므로, 재순환된 공기를 사용하지 않는 생물학적 안전 캐비넷(Class II type B2, Class III BSC)을 사용하는 것이 권고된다.

(3) HEPA (High Efficiency Particulate Air) 필터

청정공기 후드는 이중의 여과장치로 되어 있는데 큰 입자의 오염을 제거하기 위한 1차 필터(prefilter)와 미세한 입자 및 세균의 제거를 위한 2차 필터 또는 고성능 공기입자(High Efficiency Particulate Air, HEPA) 필터로 이루어져 있다. HEPA 필터는 공기 속도가 0.45 m/sec일 때 약 0.3 ㎛의 입자를 99.997% 제거할 수 있으며 0.35 m/sec이하의 속도는 HEPA 필터가 입자들에 의해 막혀 있거나 다른 고장이 있다는 것을 의미하며 이 때 HEPA 필터를 교체해야 한다. HEPA 필터의 성능검사에는 DOP (Dioctylphthalate) 측정법이 이용되는데 이는 연기 감지기(smoke photometer)를 이용해 입자의 평균 직경이 0.3 ㎛인 DOP 연기가 필터를 통과하는지 검사하는 방법이다. 청정공기 후드의 유지를 위해서는 1차 필터의 청소 또는 교환이 매달 시행되어야 하고 HEPA 필터는 반년 혹은 일년마다 확인되어야 한다. 조제 작업 시 HEPA 필터의 기능을 감소시킬 수 있는 액체나 앰플의 유리 조각 등이 튀지 않도록 해야 한다.

(4) 청정공기 후드에서의 작업

기본적으로 청정공기 후드는 항상 가동 중인 것이 이상적이나 전원을 꺼야 할 상황이라면, 재 작업 30분 전 가동시켜 후드 안의 무균 상태를 안정화시켜야 한다. 모든 작업은 청정공기 후드 내 최소 15 cm 안쪽으로 들어와 시행되어야 하며 후드 안쪽에 적절하게 물건을 배치하는 것이 중요하다. 특히 지저분한 물건은 무균적인 물건의 위쪽에 두지 않는다. HEPA 필터와 무균 주사제 사이의 공기 흐름을 차단해서도 안 된다. 청정공기 후드 내에서 작업하는 동안에는 이야기, 기침, 재채기는 피하도록 한다. 혼합 업무 동안 작업대 위에 멸균된 일회용 흡수성 포를 깐다. 이 흡수성 포는 약물을 흘렸거나, 작업을 변경할 때마다 교환하도록 한다. 작업 시작 전과 혼합 업무가 끝난 후에 정기적으로 작업대와 양쪽 벽을

표 2-4 생물학적 안전 캐비넷(Biological Safety Cabinet)의 분류

분류	재순환 공기	배출 공기
Class II type A (type A1, A2)	30 ~ 70%	
Class II type B1	60%	40%
Class II type B2	0%	100%

70% 알코올로 닦는다. 수평형 후드의 청소부위는 작업대, 양쪽 벽, 작업대 위 천정이며 수직형 후드의 청소 부위는 작업대, 양쪽 벽, 뒤쪽 벽, 앞쪽 유리 차단막 부분이다. 청정공기 후드는 내부의 어떤 물건 표면으로부터 미생물을 제거하지 못하므로 후드 안에 넣기 전에 70% 알코올로 소독되어야 한다. 후드 꼭대기에는 아무 것도 보관해서는 안 되며 불필요한 장비로 과부하 시키지 않는다.

(5) 청정도 유지를 위한 시설 점검 사항

무균조제실과 생물학적 안전 캐비넷은 작업자의 안전을 도모함과 동시에 청정 환경 속에서 조제를 가능하게 하므로 정확한 검사를 통해 성능과 안전성을 보증하여야 한다. 국제 표준화 기구에서는 무균조제실의 청정도 유지를 위해 분진 검사(particle count), 공기 유동(airflow velocity & volume)과 차압(air pressure difference) 측정을 요구하고 있으며 설치된 필터 누설(installed filter leakage), 공기 유동 가시화(airflow visualization), 회복 정도(recovery), containment 누설(containment leakage) 검사는 선택 사항으로 제시하고 있다. 분진 검사는 청정공기 환경(class 100)을 유지하기 위해 최대 6개월마다, 공기 유동과 차압 측정은 최대 1년마다 이루어져야 한다. 설치된 필터 누설, 공기 유동 가시화, 회복 정도, 누설 검사는 최대 2년마다 실시하도록 한다. 분진 검사는 단일입자측정-광산란 측정 장비를 사용하며 공기압은 완전히 밀폐시킨 후 측정한다.

미생물 시험으로 낙하균 시험을 한 달에 한 번 시행할 수 있다. 당일 조제 완료 후 적절한 소독제로 청정공기 후드를 소독하고 2개의 미생물학적 배지를 청정공기 후드 안, 같은 위치에 놓는다. 조심스럽게 미생물학적 배지의 뚜껑을 열고 1시간 방치한다. 사용 가능한 미생물학적 배지로는 nutrient agar, TSA (Tryptone Soya Agar), blood agar 등이 있다. 방치 후 미생물학적 배지를 배양하는데, 세균의 경우는 30~35℃에서 최소 2일간, 진균의 경우는 20~25℃에서 최소 5일간 배양한다. 배양 후 균 집락이 있으면 다시 시험하고 또 나타나면 청정공기 후드 전문가에게 검사를 의뢰한다.

3. 무균적 조작술(Aseptic Technique)

1) 무균적 조작술

정맥주사 조제 서비스의 기본적인 목적은 환자 개인에게 투여할 목적으로 무균적인 정맥주사를 사용직전의 형태(ready-to use form)로 준비하는 것이다. 이를 위해서는 주사제를 '재구성(reconstitution)' 하고 '희석(dilution)' 하게 되는데, 재구성이란 가루 형태의 약물을 주사용수, 포도당, 생리식염수 등으로 용해시키는 것이고 희석이란 점적 주입을 위해 재구성한 약물을 다시 포도당, 생리식염수 등에 혼합하는 것이다. 재구성과 희석 시 기본적으로 적용 되어야 하는 무균적 조작술에는 다음과 같은 것들이 있다.

(1) No touch 기술 : 손가락으로 주사기 주입 포트, 바이알의 고무마개 입구, 앰플의 목 부위, 주사기의 plunger와 tip, 주사 바늘의 모든 부분 등을 절대 만지지 않는다.

(2) 공기 와류 발생 방지를 위해 움직임을 최소화한다. 특히 후드 출입 시 손과 팔의 움직임을 피한다. 후드 내 앞쪽 모서리 부분의 공기는 와류를 유발할 수 있으므로 작업은 가능한 HEPA 필터 가까이서 시행한다.

(3) 청정공기 후드를 사용하고 후드 내 공기 흐름의 방향을 항상 숙지한다.

(4) 정신을 산만하게 할 수 있는 것들을 피한다.

(5) 작업자의 조제작업 수행 정도를 정기적으로 검사한다.

2) 주사기(Syringe)

주사기의 각 부위 명칭은 다음과 같다(그림 2-3). 주사기는 약액 부피가 주사기의 3/4을 넘지 않도록 하며, 내용물을 정밀하게 측정할 수 있어야 한다. 주사기를 다룰 때에는 plunger와 tip에 손가락이 닿지 않도록 주의해야 한다.

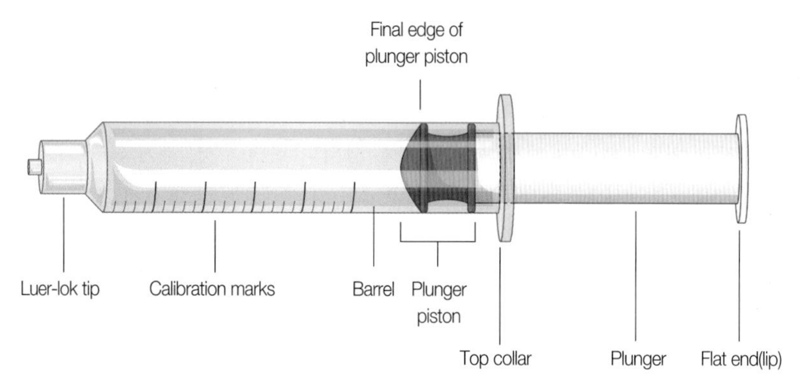

그림 2-3. 주사기의 각 부위 명칭

(1) 주사 바늘

주사 바늘(그림 2-4)의 크기는 게이지(gauge)와 길이로 표시하며 숫자가 작을수록 공경 크기가 증가한다. 주사 바늘에서 shaft는 금속으로 silicone 코팅이 되어 있어 매끄럽기 때문에 이 부분을 알코올로 문질러 닦거나 손으로 만지면 안 된다.

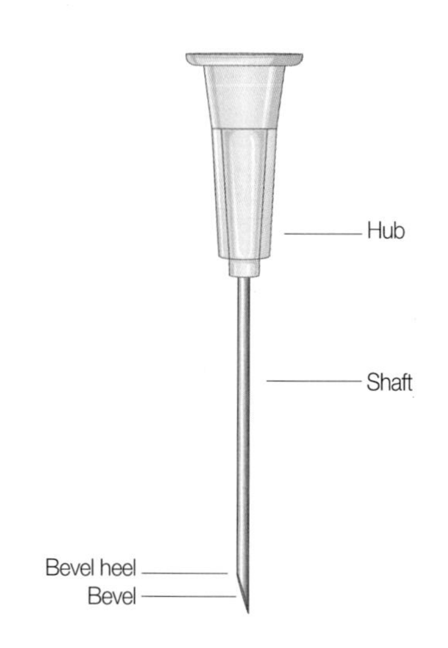

그림 2-4. 주사 바늘 각 부위 명칭

3) 바이알(Vial)

바이알이란 금속 링에 의해 고정된 고무마개를 가진 플라스틱 또는 유리 용기이다. 이 고무마개는 뚜껑 또는 금속 커버로 보호되나 대부분의 뚜껑은 고무마개의 무균성을 보장하지 못한다. 그러므로 모든 바이알은 조제 전에 70% 알코올로 문질러 소독 후 건조시켜야 한다. 알코올로 문질러 닦는 것(swabbing)의 효과는 다음의 두 가지이다.

- 알코올이 소독제로서 역할을 한다.
- 한 방향으로 문질러 닦음으로써 물리적으로 바이알 고무마개로부터 입자를 제거한다.

(1) Noncoring 기술

바이알이 주사 바늘에 의해 뚫릴 때 고무마개의 조각이 떨어져 나올 수 있기 때문에(coring) 주사 바늘은 tip과 bevel heel이 바이알 고무마개의 같은 지점을 통과할 수 있게 삽입되어야 한다. 즉, 먼저 bevel tip이 고무마개를 뚫은 후 bevel에서 떨어져 있는 측면을 고무마개에 대고 주사 바늘 삽입을 위해 밑으로 압력을 주는 noncoring 기술(그림 2-5)을 사용해야 한다.

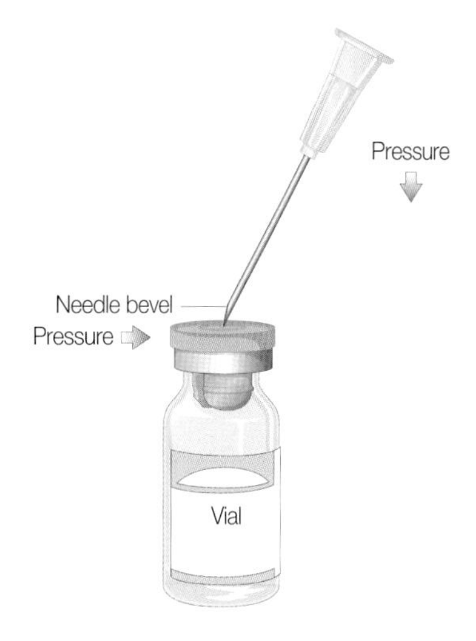

그림 2-5. Noncoring 기술

(2) 바이알의 조제

바이알로부터 약액을 빼내고 옮기는 방법은 다음과 같다(그림 2-6). 바이알 내의 약물이 가루 형태라면 재구성해야 하는데 적절한 부피의 용매(예, 주사용수)를 바이알 내로 주입한다. 용매 주입 후 바이알 내 양압을 방지하기 위해 용매와 같은 부피의 공기가 제거되어야 한다. 이것은 바이알에서 주사 바늘을 빼기 전에 주사기의 피스톤을 뒤로 당겨 주사기 내로 공기가 흘러 들어가도록 함으로써 가능하다. 대부분의 약물이 흔들었을 때 빠르게 용해되나 조제 전에 완전히 약물이 녹았는지 확인해야 한다. 바이알을 뒤집고 피스톤을 뒤로 당겨 원하는 수액량을 빼낸다. 공기가 주사기 안에 있다면 피스톤을 뒤로 당긴 뒤 바이알 내부에 바늘을 두면서 공기거품이 표면에 뜨도록 주사기 몸체를 가볍게 두드린다. 떠오른 공기는 바이알 내로 주입한다. 바이알은 공기 또는 용액이 자유롭게 드나들 수 없는 폐쇄적 체계의 용기이므로 바이알에서 제거된 용액의 부피만큼 공기를 주입하여야 진공(vacuum)의 발생을 최소화할 수 있다. 그러나 이러한 기술은 재구성(reconstitution)시 가스를 발생시키는 ceftazidime과 같은 약물에서는 사용되어서는 안 된다.

4) 앰플(Ampule)

앰플은 전체가 유리로 만들어진 용기이다. 앰플로부터 약액을 빼내고 옮기는 방법은 다음과 같다(그림

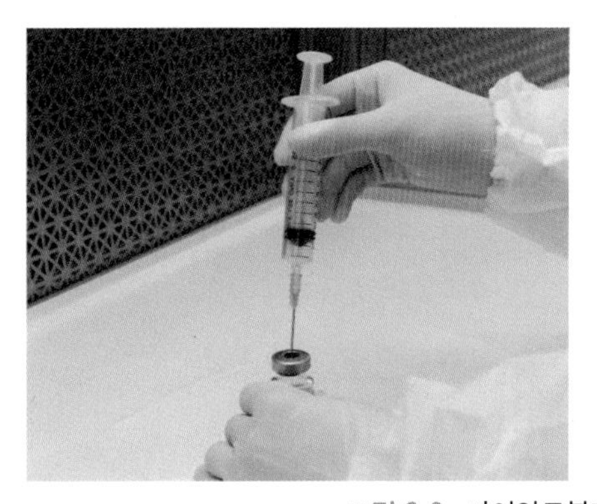

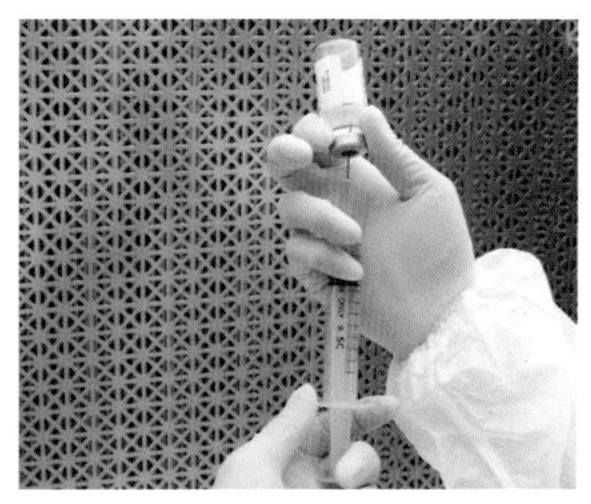

그림 2-6. 바이알로부터 약물을 회수하는 법

2-7, 2-8). 앰플을 개봉할 때에는 앰플을 똑바로 세워 소용돌이치게 하거나 손가락 하나로 앰플의 머리부분을 톡톡 쳐 주거나 앰플을 뒤집어 거꾸로 세운 뒤 곧바로 다시 똑바로 세워주는 방법으로 앰플 머리 부분에 고여 있는 용액을 몸통 부분으로 내려오게 한다. 70% 알코올 스왑으로 앰플의 목 부분을 문지르고 그대로 두어 유리입자의 퍼짐과 손가락 베임을 방지한 뒤, 앰플의 머리부분을 한 손의 엄지와 검지 사이에 두고 몸통부분은 다른 손의 엄지와 검지 사이에 두어 앰플의 목 부분 중 압력이 약한 지점에 힘이 집중되도록 하여 재빨리 개봉한다. 앰플을 약 20°정도 기울여 앰플 어깨 바로 아래의 약액에 바늘을 위치시킨다. 이때 주사바늘 끝이 앰플의 깨진 목 주위에 닿지 않도록 주의한다. 앰플 안에 용해성 가루가 있다면 용제를 앰플 옆면 아래로 서서히 떨어뜨려 가루가 젖게 하고 날리지 않도록 주의한다. 앰플은 개봉하게 되면 개방적 체계의 1회 사용 용기가 되며, 공기 또는 용액의 출입이 자유로우므로 제거된 용액 부피만큼 공기를 주입하지 않아도 된다.

5) 필터(Filter)

필터에는 stainless steel로 된 필터 바늘(filter needle)과 멤브레인 필터(membrane filter)가 있다. 세균 제거에 사용되는 무균화 필터는 공경이 0.22 ㎛ 이하이며 주로 열에 의한 무균화가 가능하지 않은 액체 등에 이용한다. 무균화 필터는 석면, 박리성 섬유, 입자를 함유한 매개체를 사용하지 못하며 보통 섬유나 입자의 소실이 없는 cellulose 유도체나 다른 중합체로 만들어진 멤브레인 필터를 사용한다. 멤브레인 필터의 장점으로는 다음과 같은 점들이 있다.

(1) 견고한 구조(rigid structure) : 거품 또는 압력(pressure surge)에 의해 영향을 받지 않는다.
(2) 높은 여과 속도 : 필터 표면의 80%가 구멍(pore)으로 이루어져 있다.
(3) 섬유의 탈락이 없다.
(4) 최소의 흡수 : 용액의 농도에 영향을 주지 않는다.
(5) 최소의 소모량(minimal wastage) : 용액의 머무름(retention)이 거의 없다.
(6) 여과 전 후에 테스트가 가능하다.

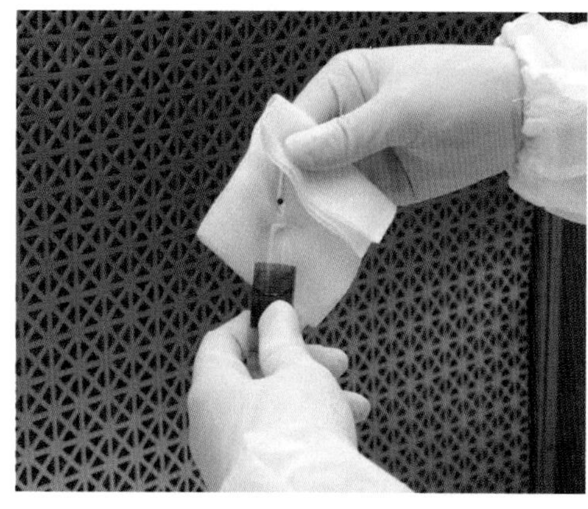
그림 2-7. 앰플 개봉하는 법

그림 2-8. 앰플로부터 약물을 회수하는 법

6) 복장

작업 공간의 오염을 막기 위해 각 개인은 무균적, 비침투성의 적절한 복장을 하는 것이 필수적이다. 복장은 최대한의 커버력을 지녀야 하기 때문에 몸, 팔, 다리부분을 커버할 수 있는 작업복과 모자, 신발 커버, 마스크, 장갑 등도 착용해야 한다(그림 2-9). 작업복, 모자 등은 섬유와 입자의 탈락 양을 최소화할 수 있는 합성섬유(예: 100% polyester)로 만들어져야 한다. 조제에 들어가기 전에 전신거울로 복장이 제대로 이루어 졌는지 확인한다.

그림 2-9. 복장

(1) 작업복

작업복은 앞이 막히고, 소맷부리가 꼭 맞는 보호용 긴 소매 가운이어야 한다. 항암제 취급 시에는 보풀이 없는 비흡수성 소재(예, polyethylene-coated polypropylene)의 일회용 작업복이나 가운을 사용해야 한다. 그 외 조제로 재사용 시에는 무균화 방법으로 세탁되어야 한다.

(2) 장갑

장갑은 가루가 없고 의복 소매의 끝동을 덮을 수 있는 손에 딱 맞는 것이어야 한다. 피부로부터 오염입자들이 떨어지는 것을 막을 수 있으며 유해물질로부터 피부를 보호하는 기능을 한다. 사용 후에는 유해폐기물로 폐기하고, 손 씻기를 시행한다. 항암제를 다루는 경우 항암제용 장갑, 수술용 멸균 latex 장갑 2벌을 단회 사용(single use)하며, 적어도 30분마다 또는 손상과 오염이 발생되었을 때 교환해야 한다.

(3) 마스크

작업 공간과 작업자의 얼굴 사이의 물리적인 장벽으로 딱 맞게 쓴 마스크는 세균 오염 방지 장벽으로서의 역할을 할 수 있으나 마스크가 젖을 경우 이러한 기능은 감소한다. 수술용 마스크는 가루 입자의 흡입을 방지할 수는 있으나 액체나 에어로졸의 흡입은 막을 수 없으며, 이 때문에 항암제 조제시 P2/3 (European standard EN 143) 또는 N95 (United States NIOSH standards) 마스크를 사용할 수 있다.

(4) 개인적인 습관들

화장분, 눈 화장품, 손톱 매니큐어 등은 조제된 주사약의 완전한 보존에 잠재적 위협이 될 수 있으므로 작업자는 반드시 장갑, 마스크, 모자 및 보호안경을 착용하는 등 적절한 조치를 취해야 한다. 무균조제실에서는 먹거나, 마시거나, 껌을 씹거나, 담배를 피우거나, 화장을 해서는 안 된다.

4. 오염(Contamination)

1) 입자 발생에 따른 공기오염

조제실 내 환경에서 대부분의 공기오염은 시설을 이용하는 개인으로부터 발생한다. 개인의 활동 정도에 따른 입자 발생 정도는 표 2-5와 같다.

표 2-5 활동 정도에 따른 발생 입자 수

개인 활동 정도	1분 당 발생 입자 수
No activity	100,000
Light activity(Moving hands or head)	500,000
Moving larger parts of body	1,000,000
Sitting down on a chair	2,500,000
Walking with a speed of 3 km per hour	5,000,000

2) 세균 오염

세균 오염의 근원으로는 다음과 같은 것들이 있다.

(1) 공기 : 감염이 일어난 장소에서 세균들은 인체의 분비물로부터 나와 주변 환경을 오염시키고 이러한 세균은 공기 중으로 퍼져 표피 등에 달라붙는다.
(2) 피부 접촉 : 피부 중의 세균으로 정상적으로 존재하는 상주균과 병원균 등이 있다.
(3) 물건 외부 표면과의 접촉
(4) 혈액 : 혈액 내의 미생물(간염 바이러스, HIV 바이러스)
(5) 손 씻기를 제대로 시행하지 않았을 경우
(6) 알코올로 문질러 닦아내는 것을 제대로 시행하지 않았을 경우
(7) 알코올로 문질러 닦아낸 후 알코올이 마르기 전에 바이알을 주사 바늘로 뚫었을 경우
(8) 주사기 내로의 바깥 공기 유입
(9) No touch 기술의 부족
(10) 종이 수건으로 앰플을 개봉한 경우
(11) 조제 후 주사기에 뚜껑을 씌우지 않고 병동으로 운반한 경우

3) 미생물학적 측면

사람의 피부, 머리카락, 호흡기, 소화기관에 존재하는 세균으로는 주로 Staphylococcus spp, Micrococcus spp, Streptococcus spp, Corynebacterium spp 등이 있고 Enterobacter spp, Klebsiella spp, Serratia marcescens, Proteus mirabilis, Escherichia coli, Pseudomonas spp와 같은 여러 그람 음성 간균과 Candida albicans를 포함한 여러 진균이 있다. 특히 Klebsiella spp, Enterobacter spp, Serratia spp는 실온(23℃) 또

는 체온(37℃) 모두에서 빠르게 성장한다. 또한 무균상태가 아닌 병이나 접시의 반복적 사용은 저항성 포자의 잠복을 가능하게 하므로 70% 알코올 용기로 병이나 접시를 반복 사용하지 않도록 한다.

II 안정성 및 배합 적합성(Stability & Compatibility)

1. 배합변화

배합변화는 화학적 배합변화, 물리적 배합변화로 나눌 수 있다.

1) 화학적 배합변화

화학적 배합변화는 흔히 가수분해, 산화, 광분해, 환원 또는 복합체의 형성에 의한 것으로 분석적인 방법들에 의해 발견될 수 있다. 화학적 배합변화의 결과로 활성약물의 소실, 독성 분해 산물의 생성, 약제학적 특성의 소실 등이 일어날 수 있으며 화학적 분해 속도에 영향을 주는 인자로는 용액의 pH, 온도 등이 있다.

(1) 가용매 분해(Solvolysis)

가용매 분해는 활성약물이 용매와의 반응을 통해 분해되는 현상으로 용매가 물인 경우가 많으므로 이 과정을 특히 가수분해라고 부른다. 예로 penicillin G는 35℃ 수용액, pH 1.5에서 약 4분에 이르는 극히 짧은 반감기를 가진다.

(2) 약제학적 특성의 소실(Loss of Pharmaceutical Elegance)

약제학적 특성의 소실의 한가지인 변색은 의사, 약사, 간호사에게 안전성과 효능의 변화에 대한 우려를 유도하므로 대부분의 제약회사들은 변색을 최소화하는 제형을 생성하거나 변색이 일어나기 전에 유효 시간을 제한한다. 변색이 불가피하면 라벨에 변색이 치료학적, 독성학적으로 무관하다는 것을 언급해야 한다. 예로 epinephrine이나 dopamine 또는 다른 catecholamine의 중성~알카리성 수용액은 산소 노출 시 산화되어 adrenochrome과 같은 적색 생성물을 형성한다. 1차, 2차 amine과 환원당 사이에 발생할 수 있는 maillard reaction은 약의 손실을 가져올 수 있고 용액을 갈색으로 변화시킨다.

2) 물리적 배합변화

침전, 탁도, 색깔, 점도, 비등(effervescence), 섞이지 않는 액체 층의 형성과 같은 시각적 변화를 일으켰을 때는 물리적 배합금기(physical incompatibility) 또는 시각적 배합금기(visual incompatibility)라고 한다.

(1) 용해도의 변화

용해도의 변화에 따른 현상으로 염석(salting out)이 있는데 sodium, potassium, calcium, chlorides와 같은 강력한 전해질의 존재 하에서 비전해질과 약하게 수화된 유기 이온의 용해도가 감소하는 것으로 diazepam 또는 chlorpromazine hydrochloride는 약물과 염의 농도, 온도, 용액 pH에 따라 침전할 수 있다. 복합체를 형성하는 것도 있는데 tetracycline은 Al^{3+}, Ca^{2+}, Fe^{2+}, Mg^{2+}과 불용성의 킬레이트를 형성할 수 있다.

(2) 가스의 발생

가스의 발생도 일어날 수 있는데 가스는 carbonates 또는 bicarbonates와 산성 약물 간에 일어나는 화학적 반응이다. Sodium bicarbonate 뿐 아니라 cephalothin sodium, cephradine, cefamandole nafate, ceftazidime과 같은 cephalosporin계 약물은 sodium carbonate 또는 bicarbonate를 제형에 함유하고 있다. 그러므로 cefamandole과 ceftazidime을 재구성하는 동안 이산화탄소가 발생하며 이것은 주사기 내에서 폭발적인 반응을 일으킨다.

(3) 용기 내 흡수와 외부 흡착(Absorption into and Adsorption onto Containers)

용기 내 흡수와 외부 흡착에 의해 제형의 가시적인 변화는 없으나 임상적으로 유의한 약물의 소실 사례가 보고 되고 있다. 예로 insulin, nitroglycerin, diazepam, warfarin 등이 있다. 플라스틱 용기와 매트릭스 내로 흡수될 수 있으며, 특히 PVC (Polyvinyl chloride)로 만든 용기에서 지용성 약물의 소실 및 가소제인 DOP (Dioctylphthalate)의 용해가 발생할 수 있다. Polyethylene과 polypropylene과 같이 DOP 가소제가 거의 없거나 전혀 없는 플라스틱은 지용성 약물을 쉽게 흡수하지 않는다. 이런 차이점 때문에 nitroglycerin과 지방유제 투여 시에는 DOP 가소제가 없는 특수 주입세트가 사용된다.

3) 기타 정의

(1) 배합금기(Incompatibility)

농도 의존성 침전, 물리적 상태나 protonation-deprotonation 평형 변화에 따라 생성물을 동반하는 산 · 염기 반응과 같은 물리화학적 현상이 발생하는 경우, 배합금기이다.

(2) Expiration time, Beyond-use date

a. Expiration time은 무균성 유지와 물리화학적 안정성으로 정해지며, 최소 90%의 약이 완전하게 남아 있는 기간으로 제약회사에서 생산된 완전한 제형에만 사용된다.

b. Beyond-use date는 물리화학적 안정성과 미생물 오염 위험도를 기준으로 정해진다. 조제 후 무균테스트를 하지 않은 주사제의 beyond-use date는 미생물 오염 위험도에 따라 표 2-6의 시간을 초과하지 못하며 무균테스트를 거친 주사제의 beyond-use date는 expiration date까지이다.

표 2-6 미생물 오염 위험도에 따른 Beyond-use date (USP 797)

미생물 오염 위험도	실온	냉장	냉동(≤10°C)
저	48시간	14일	45일
중	30시간	9일	45일
고	24시간	3일	45일

III 신뢰성 보증 및 질 향상(Quality Assurance and Validation)

신뢰성 보증은 서비스 또는 생산품의 바람직한 표준을 정하고, 추구하고, 유지하고, 모니터링하는 것이라고 정의할 수 있다.

1. 미생물학적 분석과 그 외 모니터링

약국에서 조제되는 무균 혼합주사제에 대하여 일상적인 미생물학적, 화학적 분석이 이루어져야 한다. 지속적으로 전체 혼합 주사제에 대한 임의적 sampling을 시행하여 적당한 무균 배지가 첨가된 무균화 필터를 통과시킨 후 그 필터를 14일간 배양하고 매일 체크하여 미생물학적인 신뢰를 보증할 수 있다. 주위 환경은 공기 샘플링, 미생물학적 배지 등을 사용하여 한계치를 벗어난 결과는 없는지 모니터링하여야 한다. 한계치를 벗어난 주위 환경요건이 발견되면 이 때 조치한 사항에 대해 문서화하여야 한다. 혼합 주사제, 주위 환경에 대한 모니터링 뿐만 아니라 작업대와 시설에 대한 체크도 이루어져야 한다. 모든 작업자는 신뢰성 보증 프로그램에 포함되어야 하며 지속적인 개선을 위해 모니터링 결과에 대해 정기적인 토의가 있어야 한다. 무균 조작의 모든 과정은 정기적으로 감사(audit)되어야 하고 결과는 책임 약사에 의해 문서화되어야 한다.

2. 문서화

기록과 문서화 작업에 있어서 고려해야 할 사항에는 다음과 같은 것들이 있다.

1) 약사는 처방의 적절성, 환자의 나이와 상태에 따른 약 용량의 정확성을 확인하기 위해 처방을 검토해야 한다. 처방은 최소한의 세부 사항, 처방 날짜, 용액의 종류, 용액의 부피, 혼합할 약 이름, 주입속도, 처방 의사 등의 정보를 포함하고 있어야 한다.
2) 정맥주사 용액 또는 용기와 약의 배합, 안정성에 대한 정보는 Lawrence A. Trissel의 『Handbook on Injectable Drugs』와 같은 적절한 문헌을 사용하여 확인해야 한다.
3) 무균 조작에 사용된 모든 혼합 주사제의 제조번호, 제약회사, 약품명과 계산법은 워크시트 또는 적당한

컴퓨터 프로그램에 기록되어야 한다. 이를 근거로 혼합 주사제의 사용과 폐기를 결정할 수 있어야 한다.

4) 모든 정맥주사 첨가제와 다른 무균적으로 조제된 혼합주사제는 적절히 라벨링되어야 하는데 적어도 환자의 세부 사항, 날짜, 용액의 종류, 용액의 부피, 첨가된 약의 이름과 양, 조제 날짜와 시간, 저장 상태, 유효날짜와 시간이 표기되어 있어야 한다.
5) 처방전, 제조번호 기록지, 라벨과 마지막 혼합주사제는 약사에 의해 감사되고 서명되어야 한다.
6) 품질 관리 기록지에는 검사된 샘플, 검사 날짜, 검사 과정, 검사 시행과 결과, 작업을 수행하는 사람에 대한 정보를 포함해야 한다. 검사 실패 시 취해진 조치 사항이 문서화 되어야 한다. 조치 사항에 대한 모든 기록과 세부사항은 시설 책임 약사에 의해 보증되어야 한다.
7) 다른 문서들로는 표준 작업 지침, 청소와 시설 유지 기록, 개인 훈련과 향상에 대한 기록 등이 있다.
8) 워크시트와 제조번호 기록지는 혼합주사제의 유효기간이 지난 후 적어도 1년간 보관한다.

3. 조제 후 평가(End Product Evaluation)

혼합 주사제의 조제 후 마지막 단계에서 용기가 새지 않는지, 용액이 불투명하지 않은지 또는 입자가 보이지 않는지, 색깔이 적절한지, 정확한 양이 조제되었는지, 무균 검사에서 적절한 결과를 얻었는지가 평가되어야 한다.

참고문헌

- 신현택 : Hand book of 정맥주사 및 영양요법의 기초, 신일상사, p. 1-51 (1993)
- L. Casey Chosewood : Primary Containment for Biohazards : Selection, Installation and Use of Biological Safety Cabinets 3rd ed., CDC/NIH (2007)
- ASHP Guidelines on Quality Assurance for Pharmacy-Prepared Sterile Products. Am J Health-Syst Pharm. 57 : 1150-69 (2000)
- The Society of Hospital Pharmacists of Australia Committee of Specialty Practice in Parenteral Services : SHPA Guidelines of Practice for Aseptic Dispensing Services. Australian Journal of Hospital Pharmacy. 24 : 509-12 (1994).
- 한국공기청정협회 : ISO/TC 209 연재 I : 청정실 및 관련제어환경. 공기청정기술지. 10(4) : 19-43 (1997)
- Bryan D. et al : Laminar-airflow equipment certification : What the pharmacist needs to know. American Journal of Hospital Pharmacy. 41 : 1343-8 (1984)
- Eric S. Kastango : Blueprint for implementing USP chapter 797 for compounding sterile preparations. Am J Health-Syst Pharm. 62 : 1271-88 (2005)
- G. D. Lowe : Filtration in Intravenous Therapy. Part I : Clinical aspects of IV fluid filtration. Aust J Hosp Pharm. 11 : S23-S30 (1981)
- Murtough SM et al : A survey of disinfectant use in hospital pharmacy aseptic preparation areas. The Pharmaceutical Journal. 264 : 446-8 (2000)

- Aseptic Dispensing Course 3rd ed., Kuala Lumpur, Malaysia (2003)
- American Society of Health-System Pharmacists. The ASHP Discussion Guide for Compounding Sterile Preparations: summary and implementaion of USP chapter 797. http://www.ashp.org/sterileCpd/ 797guide.pdf(accessed 2004 Dec.)
- A working group of the Scottish quality assurance specialist interest group. Guidelines on test methods for environmental monitoring for aseptic dispensing facilities, 1st ed. February 1999
  http://www.show.scot.nhs.uk/astcp/Resources/ASTCP/Guidelines/Guidelines
- ISOPP standards of practice. Safe handling of cytotoxics. J Oncol Pharm Pract 13 : 3-74 (2007)
- 주사제 안전사용 가이드라인(KFDA, 2010)
- WHO Guidelines on Hand Hygiene in Health Care. http://apps.who.int/medicinedocs/documents/s16320e/s16320e.pdf

_03
마약류 관리업무

Objectives 

▶ 마약류의 개념과 종류를 학습한다.
▶ 마약류의 처방 및 사용량을 검토하고 체계적으로 관리하는 업무를 이해한다.
▶ 마약류의 점검 및 모니터링 내용을 이해한다.

I 용어의 정리

1) 마약류 : 마약, 향정신성의약품 및 대마를 말한다.
2) 마약류취급자 : 마약류취급의료업자, 마약류관리자 등 병원 내에서 마약류를 취급하는 모든 자를 말한다.
3) 마약류취급의료업자 : 병원에 근무하는 의사, 치과의사, 한의사로서 환자에게 진료의 목적으로 마약류를 투약 또는 투약하기 위하여 마약류를 기재한 처방전을 발부하는 자를 말한다.
4) 마약류관리자 : 의료기관에 종사하는 약사로 시 · 도지사로부터 마약류관리자로 지정받은 자로서 병원 내 마약류 관리를 담당하는 책임자를 말한다. 4명 이상의 마약류취급의료업자가 의료에 종사하는 의료기관의 대표자는 그 의료기관에 마약류관리자를 두어야 한다. 다만, 향정신성의약품만을 취급하는 의료기관의 경우에는 그러하지 아니하다.
5) 마약류관리보조자 : 마약류관리자와 마약류취급의료업자를 위해서 마약류를 운반, 보관, 관리하는 자(약사, 간호사, 기타 원내 종사자)를 말한다.
6) 비상마약류 : 마약류관리자로부터 일정량의 마약류를 수수하여 환자에게 신속한 투여가 가능하도록 마약류관리자가 지정하는 장소에 보관된 마약류(중환자실, 응급실, 수술실 등)를 말한다.
7) 잔여마약류 : 의사가 일부만 처방하여 사용 후 남는 마약류(예: 1/2앰플 처방 시 사용 후 남은 마약류)를 말한다.
8) 사고마약류 : 마약법에 의한 사고마약류(재해에 의한 상실, 분실 또는 도난, 변질 · 부패 또는 파손마약류)를 말한다.

II 마약류 종류

1. 마약

마약법에서의 마약이란 양귀비, 아편, 코카 잎[엽], 양귀비, 아편 또는 코카 잎에서 추출되는 모든 알카로이드, 또한 이와 동일하게 남용되거나 해독(害毒) 작용을 일으킬 우려가 있는 화학적 합성품으로서 대통령령으로 정하는 것을 말한다.

2. 향정신성의약품

인간의 중추신경계에 작용하여 환각, 각성, 최면, 진정 등의 효과를 나타내 이를 오용하거나 남용할 경우 인체에 심각한 위해가 있다고 인정되는 물질로 대통령령으로 정하는 것을 말한다.

III 마약류 사용 절차

1. 청구 및 구입

1) 청구

마약류관리약사가 월말에 1개월 동안 사용할 마약의 수량을 고려하여 마약도매상(의료기관이 개설된 동일 행정구역 내에 위치)에 청구한다.

2) 구입

청구된 수량의 약품을 마약도매상이 납품한다. 이 때 시 · 도지사가 발행하는 마약구입서 및 마약판매서의 용지에 필요한 사항을 적고 서명 또는 날인하여 교환한다. 해당 서류는 교환한 날부터 2년간 보존하여야 한다.

2. 저장 및 보관

마약류의 저장시설은 이중으로 잠금장치가 된 철제금고이어야 하며, 또한 마약류취급자의 업소 또는 사무소 안에 있어야 하고, 일반인이 쉽게 발견할 수 없는 장소에 이동할 수 없도록 설치한다.

※ 마약법에서 정하는 사항 및 사고마약류 발생방지를 위한 준수사항

- 마약류는 다른 의약품과 구별하여 별도 보관
- 마약은 이중 잠금장치(2개의 잠금장치를 의미)가 된 철제금고에 보관
- 향정신성의약품은 잠금장치가 설치된 장소에 보관
- 잔여, 반품, 파손, 유효기간 경과 마약 등 폐기마약도 위와 동일한 장소에 보관
- 마약류 저장시설이 있는 장소에 무인경비장치 또는 CCTV 등 설치
- 마약류 저장시설을 외부에 쉽게 노출되지 아니하고 이동이나 잠금장치의 파손이 어렵도록 조치
- 냉장 · 냉동보관이 필요한 마약류도 잠금장치가 설치된 장소에 보관
- 조제목적으로 업무시간 중 조제대에 비치하는 향정신성의약품의 경우 반드시 업무 이외의 시간에 지정된 보관소에 보관
- 파손 사고마약류 근절을 위하여 병원 내 마약류 운반 시 탄력 있는 받침대 사용

3. 처방

1) 마약류취급의료업자만이 마약류를 처방할 수 있으며 처방전에 의해서만 투약할 수 있다.

2) 마약의 처방전에 기재 하여야할 사항
   - 발부자의 업무소재지, 상호, 면허번호, 서명 · 날인, 교부일자
   - 환자의 주소, 성명, 성별, 연령, 병명

4. 기록

1) 마약류 수불대장

마약류관리자는 마약을 투약하거나 투약하기 위하여 제공된 환자의 주소, 성명, 나이, 성별, 병명 및 투약한 마약의 품명, 수량 및 재고량, 연월일에 관한 기록을 다른 의약품과 구별하여 작성 · 비치하며, 해당 기록은 2년간 보존하여야 한다.

2) 마약류 저장시설 점검부

마약류 의약품의 저장시설은 수시로(매일) 이상 유무를 점검하고, 마약류 저장시설 점검부를 비치하여 기록 및 보존한다.

IV 마약류 관리

1. 비상마약류

1) 비상마약류의 관리

마약류 취급 장소별(응급실, 외래, 수술실, 중환자실 등) 또는 제품별, 종류별로 약사 또는 간호사를 마약류관리보조자로 지명하여 관리한다.

2) 마약류관리보조자의 업무

마약류관리자를 보좌하며 아래의 업무를 담당하며 마약류관리자가 실시하는 마약류 교육에 참석하여야 한다.

(1) 비상마약류의 보관, 불출, 재고 및 기록관리

(2) 사고마약류 발생 시 신속보고

(3) 기타 마약류의 관리(마약류관리대장, 마약류 저장시설 점검부 작성 관리 등)

2. 잔여마약류

1) 잔여마약류 관리

주사용 마약류의 개봉 사용 후 총량이 1앰플 미만으로 남은 잔여마약류에 대해서는 부정으로 사용되지 않도록 약제부로 반납하여야 한다. 각 부서의 마약류관리보조자는 반납한 잔여마약류에 대하여 마약류관리대장에 환자명, 약품명, 반납량, 반납일을 기록하여야 한다. 약제부에서는 '마약류 잔량 반납대장' 을 2년간 보관한다.

2) 잔여마약류 폐기

잔여마약류는 타 부서(예: 원무팀, 진료팀 등)의 관계자 입회 하에 폐기하고, 입회 사실 확인(서명)및 근거(폐기일시, 제품명, 제조 또는 수입회사 상호, 규격, 수량, 폐기장소, 폐기방법 등의 기록과 증거사진)를 2년간 보관하여야 하며 폐기한 날부터 10일 이내에 해당 허가관청에 보고하여야 한다.

3. 사고마약류

1) 사고마약류 발생 보고

사고마약류가 발생할 경우 사고 발생을 인지한 날로부터 5일 이내에 별지 제25호 서식에 의한 보고서에 사고발생 경위에 대하여 육하원칙에 맞게 상세히 기재하고 그 사실을 증명하는 서류를 첨부하여 관할 보건소에 제출해야 한다.

2) 사고마약류 폐기

허가관청에 보고 후, 협의 하에 폐기장소, 방법, 일시 등을 결정하여 담당공무원의 입회 하에 폐기한다.

4. 교육

마약류관리자는 식품의약품안전처장 또는 시 · 도지사가 하는 마약류 또는 원료물질 관리에 관한 교육을 받아야 한다. 또한 병원 내 규정에 따라 원내의 모든 마약류취급자(관리보조자 포함)에 대해 정기적으로 교육을 실시하고, 그 준수여부를 수시로 점검하여야 한다.

5. 점검

1) 원내 자체점검

관련 법률 준수를 위하여 원내 마약류의 취급, 관리에 있어 발생할 수 있는 문제점을 미연에 방지하기 위하여 '마약류 관리팀' 을 운영하며, 정기적으로 점검을 실시한다.

2) 실태 조사

보건소 및 식품의약품안전처에서 정기적 또는 필요시 실시한다.

참고문헌

- 삼성서울병원 마약류 관리 규정(2008.10)
- 종합병원 마약류 관리지침(식품의약품안전처, 2011.4)
- 마약류 관리에 관한 법률(법률 제11984호, 시행 2013.7.30)
- 마약류 관리에 관한 법률 시행령(대통령령 제24454호, 시행 2013.3.23)
- 마약류 관리에 관한 법률 시행규칙(총리령 제1010호, 시행 2013.3.23)

_04

원외처방전 관리업무

Objectives 

- ▶ 원외처방전의 양식과 발급관련 원칙을 이해한다.
- ▶ 원외처방의 사전 감사시 고려할 항목을 이해하고 적용할 수 있다.
- ▶ 외래 환자 원외 처방 발행의 흐름을 이해한다.

I 의약분업

1. 의약분업 제도

1) 의약분업 시행

2000년 7월부터 1개월간의 계도기간을 거쳐 의약분업이 시행되었다.

2) 의약분업의 취지

(1) 의약품을 전문가의 지도, 감독이 필요한 전문의약품과 안전성이 확보된 일반의약품으로 분류하여 전문의약품은 소비자가 의사의 처방없이 약국에서 직접 구입할 수 없도록 한다.

(2) 의사는 처방전을 발행하고 약사는 처방전에 의해서 의약품을 조제함으로써 의사와 약사의 전문성을 상호보완하여 환자치료에 기여한다.

3) 의약분업의 필요성 및 기대효과

(1) 의약품의 오남용을 방지한다.

(2) 의약품의 적정사용으로 약제비 등을 절감한다.

(3) 환자의 알 권리를 보장하고 의약서비스의 수준을 향상시킨다.

(4) 제약산업의 발전 및 의약품 유통구조를 정상화한다.

4) 의약분업 대상 의약품

(1) 국내에서 제조하거나 수입되는 모든 전문의약품과 일반의약품을 포함하며, 전문의약품은 의사의 처방 없이는 환자가 직접 구매할 수 없으며, 약사도 의사의 처방에 의해서만 조제, 판매할 수 있다.

(2) 의약분업 예외 대상 의약품

① 전염병 예방 접종약, 진단용 의약품

② 보건소, 보건지소, 결핵협회부속의원에서 결핵예방법에 의하여 결핵치료제를 투여하는 경우

③ 의료기관 조제실제제, 임상시험용 의약품, 마약, 방사성 의약품, 신장투석액 및 이식정 등 투약시에 기계, 장치를 이용하거나 시술이 필요한 의약품, 식품의약품안전처장이 정하는 희귀의약품

④ 운반, 보관 중 냉동, 냉장 또는 차광하는 주사제, 항암제 중 주사제, 검사, 수술, 처치에 사용하는 주사제

⑤ 예외약제와 동시 투여하는 약제

5) 의약분업 대상기관

(1) 모든 의료기관을 대상으로 한다.

(2) 보건소 및 보건복지부 장관이 지정하는 보건지소(도시화 지역 등)는 지역보건법에 의한 '지역주민의 외래진료업무' 에 대하여 의약분업을 실시한다.

(3) 의약분업의 실효성을 확보하기 위해 의료기관의 시설내 또는 구내에 약국개설을 금지한다.

(4) 의약분업 예외지역

① 의료기관 또는 약국이 없는 지역은 읍, 면의 행정구역을 기본단위로 따로 보건복지부장관이 지정하여 의약분업시행 대상지역에서 제외하며, 재해가 발생한 지역의 경우 및 사회봉사활동을 위하여 조제하는 경우도 제외한다.

② 국군의료시설 및 경찰병원에서 그 업무수행으로서 군인환자 및 경찰 환자에 대해 조제하는 경우는 제외한다.

6) 의약분업 대상환자

(1) 모든 외래환자를 대상으로 한다.

(2) 의약분업 예외환자

① 응급환자(33개 응급증상 해당자, 비응급으로 야간진료시 당일만 원내)

② '정신보건법' 에 의한 정신요양시설에 수용 중인 정신질환자 및 정신분열증, 조울증 등 자신 및 타인을 해할 우려가 있는 정신질환자

③ '전염병예방법' 에 의한 제1종 전염병 환자

④ 국가유공자 등 예우지원에 관한 법령에 의한 상이등급 1 내지 3급 해당자

⑤ '장애인 복지관련 법령' 에 의한 1, 2급 장애인 및 이에 준하는 장애인, 장애인복지법에 의한 1, 2급 장애인 및 중증 장애인인 보호자와 동행한 소아환자

⑥ 파킨슨 질환자(모든 진료과 해당), 나병환자

⑦ 장기이식을 받은 환자, 후천성 면역결핍증 환자 : 장기이식을 받은 자에 대하여 이에 관련된 치료(면역억제제 투여)를 하거나 AIDS 환자에 대하여 당해 질병을 치료하기 위한 경우
⑧ 사회복지사업법에 의한 사회복지시설 입소자
⑨ 가정간호 대상 환자(가정간호사가 환자 집에 직접 방문한 경우에 한함)
⑩ 협진(한양방, 양한방, 양양방) 환자

II 원외처방전

1. 처방전 기재사항

1) 의사 또는 치과의사가 환자에게 처방전을 교부하는 경우에는 처방전에 다음의 사항을 기재한 후 서명(전자서명법에 의한 전자서명을 포함) 또는 날인하여야 한다.
① 환자의 성명 및 주민등록번호
② 의료기관의 명칭 및 전화번호
③ 통계법 제17조의 규정에 의한 한국표준질병사인 분류에 따른 질병분류기호(환자의 요구가 있을 시에는 기재하지 않는다)
④ 의료인의 성명, 면허종별 및 번호
⑤ 처방의약품 명칭(일반명칭, 제품명 또는 대한약전에서 정한 명칭), 분량 · 용법 및 용량
⑥ 처방전의 교부연월일 및 사용기간
⑦ 의약품 조제시 참고사항

2) 의사 또는 치과의사는 환자에게 처방전 2부를 교부하여야 한다.

III 처방전관리실 업무

1. 처방전관리실 업무의 시작

의약분업 실시 이전에는 진료, 처방, 조제 및 투약이 모두 병원 내에서 이루어졌기 때문에 처방내용을 감사하는 일은 병원 내 약사의 필수업무 중 하나였으며, 오류처방이 발생하거나 환자의 요구로 처방을 수정, 변경하는 일이 비교적 용이하였다. 그러나, 의약분업의 실시 이후 약을 조제, 투약하는 원외약국에서 처방내용을 감사해야 하는 상황이 되었으며 그에 따른 몇가지 문제점이 예상되었다. 예로, 원외약국 약사가 처방내용에 대해 진료의사와 직접 통화할 경우 의사소통의 어려움, 진료시간 지연 및 진료방해 등의 부

처 방 전

1 의료보험 2 의료보호 3 산재보험 4 자동차보험 5 기타(　　) 요양기관기호 :

교부 년월일 및 번호		년 월 일 - 제 호	의료기관	명 칭	
환자	성 명			전화번호	(　) -
				팩스번호	
	주민등록번호			e-mail주소	

질병분류기호						처 방 의료인의 성 명	(서명 또는 날인)	면허종별	
								면허번호	제 호

※ 환자의 요구가 있는 때에는 질병분류기호를 기재하지 아니합니다.

처방 의약품의 명칭	1회 투약량	1일 투여횟수	총 투약일수	용 법
				매식(전 간 후) 시 분 복용
				조제 시 참고사항
주사제 처방내역(원내조제 □ 원외처방 □)				

사용기간	교부일부터 ( )일간	사용기간내에 약국에 제출하여야 합니다.

의 약 품 조 제 내 역

조제 내역	조제기관의 명 칭			처방의 변경·수정·확인·대체시 그 내용 등
	조제약사	성 명	(서명 또는 날인)	
	조 제 량 (조제일수)			
	조제년월일			

그림 7-1. 처방전 양식(예)

작용이 발생될 수 있다는 점이었다. 이와 같은 상황과 새로운 제도의 실시에서 오는 불편 및 감사과정 없이 발행되는 처방전으로 인한 환자의 안전 문제 등을 고려하여 원외처방의 1차 감사 및 환자-병원-원외약국 간 가교역할을 담당하는 새로운 영역인 소위 '원외처방전 관리' 업무를 시작하게 되었다.

1) 처방전관리실의 기능 및 담당업무

(1) 원외처방 감사를 통하여 문제처방의 발생을 방지한다.

(2) 처방관련 문의 응대를 통하여 환자의 불편을 최소화한다.

(3) 처방 수정, 변경이 필요할 경우 진료과와 원외약국간 가교역할을 한다.

(4) 처방대체, 변경을 처리하고 그 내역을 해당 진료과 및 보험심사과에 통보한다.

2) 외래 처방내림과 원외처방전 발급흐름

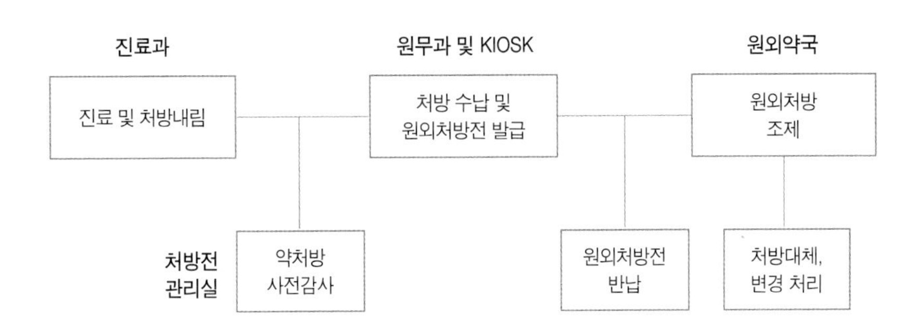

그림 7-2. 외래처방내림과 원외처방전 발급흐름

3) 원외처방전 감사

(1) 처방감사 항목

처방전에 기재된 환자의 기초정보(환자의 성별, 연령, 진료과, 상병명, 처방발행의사 성명 등) 및 처방된 약품의 용량, 제형, 용법, 투약일수, 특기사항 등이 적합한지 충분히 검토한다.

① 연령 : 환자의 연령(소아의 경우 체중도 고려)을 고려하여 용량의 적합성을 확인한다.

a. 특정연령대 사용금기 성분(보건복지부, 병용금기 및 특정연령대 금기성분고시)인 경우 적절한 연령에서 처방되었는지 확인한다.

b. 같은 성분이라도 성인용과 소아용이 다른 제형으로 생산되는 약품이 있으므로 연령에 적합한 용량과 제형이 처방되었는지 확인한다.

② 성별 : 성별에 따라 선택되는 약물이 다른 경우가 있으므로 성별을 확인한다.

③ 상병명 : 처방전에 기재된 상병명만으로 환자의 모든 질병 상태를 파악할 수는 없으나 적응증에 맞는 약품이 처방되었는지 확인하기 위하여 상병명을 확인한다.

④ 용량 : 환자의 연령이나 체중에 적합한 용량이 처방되었는지 확인한다.

a. 소아의 경우 동일 연령이라 하더라도 체중범위가 넓은 경우가 많으므로 용량이 조금이라도 의심스러우면 체중을 반드시 확인한다.

b. 같은 성분의 약품이라도 용량에 따라 적응증이 다를 수 있으므로 적응증에 맞는 용량이 처방되었는지 확인한다.

⑤ 함량 : 약처방의 일회량 입력은 약품의 제형단위(예 : 정, 캡슐, 병 등)와 함량 단위(예 : mg, mcg 등)의 방법을 이용할 수 있는데, 이때 두 가지의 입력방법이 서로 뒤바뀌게 되어 몇 배의 용량으로 초과투여 되거나, 극소량이 투여될 수 있다(예, 1정당 100 mg인 약품이 100정으로 처방). 그러므로 약품별 함량이 얼마인지 정확히 파악해야하며, 함량단위와 제형단위가 바뀌어 처방되지 않았는지 확인한다.

⑥ 용법 : 약품별 권장 용법에 맞게 처방되었는지 확인한다.

a. 내복약을 외용제 용법으로, 혹은 외용제를 내복약 용법으로 처방하지는 않았는지 확인한다.

b. 약품의 작용기전 및 특성에 맞는 적합한 용법인지 확인한다.

- 당뇨약은 일반적으로 식전에 복용한다.
- 혈압약, 이뇨제는 일반적으로 아침에 복용한다.
- Bisphosphonate류(Alendronate, Risedronate 등)는 식사 30분~1시간 전에 복용하며 다른 약과 함께 투약하지 않는다.
- 제산제는 다른 약물과 1~2시간 간격을 두고 복용한다.

c. 약품별 투여횟수가 정확한지 확인한다.

⑦ 제형 : 제형에 따라 투여횟수가 다르며, 경우에 따라 분할, 분쇄할 수 없는 제형도 있으므로 약품별 제형의 특징을 정확히 파악하고 적합한 제형이 처방되었는지 확인한다.

a. 원칙적으로 분할, 분쇄하지 않는 약품

- 연질캡슐류(예 : Cyclosporine 등)
- 인습성이 있는 약품(예 : Amoxicillin/Clavulanic acid 복합정, Valproic acid 등)
- 항암제 및 마약류
- 최기형성이 있는 약품(예 : Isotretinoin, Finasteride, Mycophenolate 등)
- 서방형 제제
- 장용성 제제

b. 4세 미만 소아의 경우 가루약 조제가 원칙이나, 동일성분의 시럽제형이 있으면 정제를 산제로 조제하는 불합리를 피할 수 있으므로 시럽제형으로 바꾸도록 유도한다.

⑧ 약물상호작용 : 동시에 투여할 경우 이상반응이 증가되거나 효과가 감소할 우려가 있는 것 중 1등급 약물상호작용에 해당하는 병용금기 성분조합에 포함된 처방인지 확인한다.

a. 1등급 약물상호작용 : 모든 경우, 확실하게 병용투여가 금기시되며 환자에게 조제 또는 투여되어서는 안 되는 약물상호작용

b. 2등급 약물상호작용 : 심각한 이상반응의 위험을 감소시키기 위해 조치가 필요한 약물 상호작용

c. 3등급 약물상호작용 : 환자에 대한 위험을 평가하고 필요시 조치를 취할 필요가 있는 약물상호작용

⑨ 주석 : 주석이 처방내용과 일치하는지 확인한다.

⑩ 기타

a. 이중발행 : 한 진료과에서는 동일 환자에 대해 하루 한 건의 처방만을 발행하는 것이 원칙이므로

복수의 처방전이 동일 의사,진료과에서 발행되었는지 확인한다.

b. 중복처방 : 같은 약품 또는 같은 효능군의 약품이 이중으로 처방되었는지 확인한다.

c. 보험 : 허가사항 이상의 용량을 처방하는 경우 대부분 보험 삭감의 대상이 되기 때문에 보험급여 인정기준을 확인해 볼 필요가 있다.

(2) 처방오류의 실례

① 연령 부적합 약품선택 오류

예) 55세 환자에 Montelukast 5 mg 2정을, 1일 1회 씹어서 복용하도록 처방된 경우

: 성인 상용량이 10 mg이지만, 5 mg chewable 정제는 소아용이므로 10 mg 정제 1정으로 대체하도록 권한다.

② 성별에 따른 약품선택 오류

예) 60세 배뇨곤란 여성환자에 Finasteride 5 mg이 처방된 경우

: Finasteride 5 mg은 양성 전립선비대증에 적용되는 약물로 작용기전상 여성에 사용될 수 없으므로 다른 배뇨곤란 치료제를 추천한다.

③ 상병에 따른 약품선택 오류

예) MRSA 환자에 Vancomycin 캡슐이 처방된 경우

: Vancomycin 주사제의 경우 MRSA치료의 목적으로 처방되나 경구용 캡슐은 흡수율이 매우 불량하여 소장결장염 및 C. difficile에 의해 야기된 항생물질 관련 위막성 대장염에만 사용되므로 Vancomycin 주사제 치료로 대체할 것을 권한다.

예) 피부과 환자에 Hydroxyurea가 처방된 경우

: 발음상 또는 알파벳 조합상 등의 이유로 착오를 일으켜 Hydroxyzine을 항암제인 Hydroxyurea로 잘못 처방한 것은 아닌지 확인한다.

④ 적응증에 따른 용량오류

예) 피부과 탈모 환자에 Finasteride 5 mg이 처방된 경우

: Finasteride 5 mg은 전립선 비대증에, 1 mg은 남성형 탈모증에 처방되므로 1 mg 용량으로 변경하도록 권한다.

예) 간염환자에 Lamivudine 150 mg이 처방된 경우

: Lamivudine 150 mg은 AIDS치료에 사용되므로 간염치료제로 사용되는 100 mg 용량으로 변경하도록 권한다.

⑤ 일반적 용량오류

예) 20 kg 소아환자에 (Cefixime 1일 60 mg을 투여시킬 목적으로 Cefixime powder 1일 0.06 g이 처방된 경우)

: Cefixime powder (유효성분과 부형제가 함께 포함되어 있음) 1 g에는 순수 유효성분인 Cefixime이 50 mg 함유되어 있으므로 Cefixime 60 mg은 실제처방시 Cefixime powder 1.2 g으로 입력되어야 한다.

예) 30세 환자에 Acetaminophen 650 mg 3정, Ambroxol 30 mg 3정, Dextromethorphan 15 mg 3정씩 1일 3회 복용하도록 처방된 경우 : 차트 기재상의 "# 3"을 잘못 해석하여 하루 총량을 3회로 분할하여 투여한다는 뜻을 일회량 및 횟수로 오인한 것이 아닌지 처방의사에 확인한다.

⑥ 용법오류

예) 골다공증 환자에 Risedronate 35 mg을 1일 1회 복용하도록 처방한 경우

: Risedronate 35 mg은 1주일에 1회 복용하므로 주 1회 용법으로 바꾸거나 5 mg용량으로 바꾸어 매일 복용하도록 한다.

예) Clotrimazole 질정 500 mg을 1일 1회 7일 동안 사용하도록 처방한 경우

: Clotrimazole 질정 100 mg은 1일 1회 6~7일 동안 사용하며, 500 mg은 1회용으로 사용하므로 처방일수를 1일로 조절한다.

⑦ 제형오류

예) Cyclosporine 50 mg을 0.5 캡슐씩 1일 2회 복용하도록 처방한 경우

: Cyclosporine은 연질캡슐로 분할, 분쇄할 수 없으므로 25 mg 제형으로 변경한다.

예) 3세 소아에 Valproic acid 가루약이 처방된 경우

: Valproic acid는 인습성으로 인해 분쇄가 어려우므로 시럽제형을 권한다.

⑧ 일수오류

예) H. pylori 박멸을 위해서 Rabeprazole 10 mg, Amoxicillin 1 g, Clarithromycin 500 mg을 1일 2회 30일 동안 복용하도록 처방한 경우

: 1일 1회 요법의 경우 14일, 1일 2회 요법은 7일 투여가 보편적이다. 다른 약품과 함께 처방하면서 투약일수를 잘못 입력한 것이 아닌지 확인한다.

⑨ 약물상호작용 오류

예) 류마티스성 관절염 환자에 Methotrexate와 통증경감 목적으로 Ibuprofen이 함께 처방된 경우 : 상호작용에 의해 Methotrexate의 독성이 증가될 수 있는 병용금기 처방이므로 Ibuprofen을 Acetaminophen으로 대체할 것을 권한다.

⑩ 중복오류

예) Atenolol 50 mg, Simvastatin 40 mg, Atorvastatin 40 mg이 함께 처방된 경우

: Simvastatin과 Atorvastatin은 같은 statin계 고지혈증 치료제이므로 처방입력 과정에 실수가 없었는지 확인한다.

⑪ 보험오류

예) Sinusitis 환자에게 Chlorhexidine gargle 100 ml 10 bottle이 보험급여로 처방된 경우

: Chlorhexidine gargle는 입원환자 및 외래 암환자의 허가사항 범위가 아닐 경우 한 처방에 100 ml 1병까지 보험급여 가능하므로, 처방량을 변경하거나 1병 이외의 처방은 비급여로 처방하도록 권한다.

2. 처방전 발급

1) 처방전 발급 원칙

① 처방전은 약국제출용과 고객보관용으로 총 2장이 발급되며 약국제출용은 원외약국에 제출하고 고객보관용은 본인이 보관한다.

② 원외처방전은 원본만이 유효하므로 팩스 서비스나 e-mail 서비스는 원칙적으로 불가하다.

③ 원외처방전의 사용기간은 삼성서울병원의 경우 진료받은 날로부터 14일간이며, 사용기간 내에만 약국에서 조제를 받을 수 있다. 마지막 14일째 날이 휴일인 경우 하루 연장된다. 사용기간이 지난 처방전으로는 조제를 받을 수 없으며 다시 진료를 받고 처방전을 새로 발급받아야 한다.

2) 처방전 분실

처방전을 분실하여 분실된 처방전과 동일하게 단순 재발급하는 경우에는 종전의 교부를 그대로 사용하고 재발급한 사실은 확인할 수 있도록 해야 한다. 이 경우 요양급여 비용명세서도 환자나 일반인 등이 알아보기 쉽도록 재발급이라는 표기를 하는 것이 바람직하다. 재발급시 의무기록사본 발급에 준해서 재출력한다.

3. 원외처방의 대체, 변경, 수정

1) 대체, 변경, 수정의 정의

(1) 대체 조제

처방된 의약품과 동종(동일성분/함량/제형)의 의약품으로 조제하는 것으로, 처방의약품 및 조제의약품이 모두 식품의약품안전처(식약처)고시에서 정한 대체조제의약품 리스트에 등재된 것이어야 한다. 즉, 식약처장이 약효동등성 시험을 거쳐 대체조제 의약품으로 고시한 품목은 의사의 사전 동의없이 대체 조제할 수 있다. [사후통보]

예 동일한 Aceclofenac 정제인 한미약품 아섹정 100 mg을 대웅제약 에어탈정 100 mg으로 바꾸는 경우(식약처 대체조제의약품 리스트에 등재되어 있음)

(2) 변경 조제

처방된 의약품과 성분, 함량, 제형 등이 다른 의약품으로 조제하거나, 또는 대체조제의 경우에서 처방의약품 또는 조제의약품을 식약처 고시 대체의약품 리스트에 등재되지 않은 약품으로 대체하는 경우 모두 변경조제에 해당한다.[사전승인]

예 동일한 Fluorometholone 0.1% 점안액이지만, 식약처 대체조제의약품리스트에 등재되지 않은 태준 플루메토론 0.1% 점안액을 삼일 오큐메토론 0.1% 점안액으로 바꾸는 경우

예 동일한 Ciprofloxacin 성분으로 동일 제약회사, 동일 제형인 바이엘 코리아 씨프로유로 서방정 1000 mg 1정을 바이엘코리아 씨프로유로 서방정 500 mg 2정으로 바꾸는 경우

(3) 수정 조제

처방상의 오류를 바로잡아 조제하는 것으로 처방되지 않은 의약품을 추가, 삭제하거나 일회량, 횟수, 처방일수 등을 바꾸는 경우를 말한다. [사전승인]

2) 처방감사 중 처방오류로 인한 변경 및 수정의 처리

① 진료과에 처방내용을 확인한 후 처방오류가 확인되면 전처방은 발행취소 처리를 하고 수정 처방을 발생시킨다.

② 환자가 처방전을 발급받은 후라면 오류처방전을 반드시 회수하도록 한다.

3) 원외약국에서 발생한 처방변경 및 수정의 처리

(1) 처방누락으로 추가처방이 필요한 경우

환자가 기 수령한 처방전을 소지하고 내원하여 진료과에서 다시 처방을 발생시키는 것을 원칙으로 한다.

(2) 처방내역 중 일부약품을 삭제하거나 용량, 횟수, 일수변경이 필요한 경우

① 진료과에 문의하여 기존의 처방은 반납하고, 다시 처방을 발생시킨다.

② 새로 발행된 처방전을 외부약국으로 팩스 전송하고, 반납된 처방전 원본과 교환한다.

③ 지역에 따라 수정 전의 약국용 처방전의 회수가 불가능한 경우가 있으며, 수정 전 처방전(원본)과 수정 후 처방전(팩스본)을 함께 보관하여 보험청구 등에 참고할 수 있도록 한다.

(3) 처방자체에는 문제가 없으나 원외약국 사정상(약품 구비상의 이유) 처방의와 협의하여 처방 약품을 변경하는 경우

① 처방전관리실에서 처방의와 사전협의하여 해당내용을 원외약국에 승인한다.

② 변경사유와 내역, 조제기관명 등 세부사항을 약국용처방전에 기재하여 처방전관리실로 팩스 전송하도록 안내한다.

③ 처리 후에는 해당내역을 전산입력하고 보험심사과에 통보한다.

4) 대체 변경 조제의 처리

대체조제 하고자 하는 약품과 처방약품이 대체가능 리스트에 등재되어 있는지 확인하고 fax로 전송 받은 대체조제 내용을 전산입력한다. 변경조제도 동일하게 전산입력하고 진료과에 사전승인되었는지 확인한다.

참고문헌

• (사)대한약사회 : 의약품 사용평가(DUR) 학술정보(2009)

_05
의약품 사용과오

Objectives 

▶ 의약품 사용과오의 개념과 원인 및 종류를 학습한다.
▶ 의약품 사용과오의 방지대책에 대해 알아본다.
▶ 의약품 사용과오 모니터링과 관리방안을 익힌다

I 서론

약물치료의 목표는 약물로 인한 위험발생을 최소화하고 최선의 치료효과를 달성함으로써 환자의 삶의 질을 향상시키는 것이라고 할 수 있다.

치료약물 자체 혹은 약물투여장치나 방법 등에 의한 위험이 실제적으로 환자에게 나타난 것을 총칭하여 약물관련 사고(Drug Misadventure)로 정의하는데 약물 자체로부터 나타나는 유해사례(Adverse Event, AE)와 약물유해반응(Adverse Drug Reaction, ADR), 그리고 약물을 잘못 사용함으로써 일어나는 Medication Error를 포함한다. Medication Error는 의약품 사용과오, 조제과오, 약물관련 오류, 약물요법 오류, 투약과오, 약화사고 등으로 해석된다.

II 의약품 사용과오의 정의

미국의 NCC MERP (National Coordinating Council for Medication Error Reporting and Prevention)에서 "Medication Error는 약에 대한 전문가와 환자 그리고 소비자의 통제 하에서도 약물이 부적절하게 사용되거나 환자에게 위험을 초래할 수 있는 모든 예방 가능한 사례" 로 규정하고 있다.

Medication Error 발생 시 환자의 치료에 직접적인 악영향을 끼치고, 의료진에 대한 신뢰도를 저하시켜 치료효과에 부정적인 영향을 준다. 또한 이차적인 치료비용 발생으로 전체 의료비의 상승을 초래하며, 치료 지연으로 인한 경제적인 손실을 야기한다. 따라서 약사는 약물치료과정 중에 발생할 수 있는 문제점을 파악하고 의사, 간호사와 함께 이를 예방하고 해결하기 위해 노력함으로써 환자가 가장 효과적으로 약을 복용하는데 도움을 주어야 한다.

III 의약품 사용과오의 원인

NCC MERP에서는 medication error의 원인을 의사전달(communication), 명칭혼돈(name confusion), 라벨(labeling), 사람에 의한 요인(human factors), 포장과 디자인(packaging/design) 등 크게 5가지로 분류하고 있다(표 5-1).

특히, 조제단계에서 발생할 수 있는 과오의 원인으로는 조제자의 부주의로 인한 과오, 산만한 주위 환경, 조제 중의 대화, 한번에 2가지 일을 동시에 함, 조제자 상호간의 의사소통 불충분, 조제약품의 부적절한 배치 및 부적합한 환경, 조제속도를 높이기 위한 감사단계 생략(업무과중) 등을 들 수 있다.

또한 명칭혼돈 중에서도 상품명/성분명 혼돈 중 유사한 발음으로 인한 명칭혼돈이 발생할 수 있는 국

표 5-1 의약품 사용과오의 원인

구분	내용
의사전달	**구두 의사전달 실수**
	서면 의사전달 실수
	읽기 어려운 필체
	약어(처방에서 부적절하게 혹은 부정확하게 사용된 약어)
	용량단위 기재 누락
	소수점 기재(예, 10.00 → 1000으로 잘못 해독)
	잘못 읽거나 읽지 않아서 생기는 실수
	잘못된 처방 해석
명칭혼돈	**상품명/성분명 혼돈**
	접두어/접미어 혼돈(예, 상품명/성분명의 접두어, 접미어로 숫자를 기재하면 용법 혹은 함량표시로 오인가능)
	다른 상품명/성분명과 유사한 발음으로 인한 혼돈
	다른 상품명/성분명과 유사한 약 모양으로 인한 혼돈
라벨	**회사에서 출고된 제품이 담긴 용기의 라벨**
	다른 회사 제품과 유사한 모양
	동일회사의 타 제품과 유사한 모양
	부정확하고 불충분한 모양
	현란한 회사 상징이나 로고

	약국의 조제과정에서 사용한 용기의 라벨 잘못된 지시라벨 불충분한 지시라벨(보조라벨의 부족을 포함) 잘못된 혹은 정확하지 않은 약명, 약용량, 환자명 등 기재
	제품설명서 부정확하고 불충분한 지시
	전자 혹은 서면 참고 자료 부정확하거나 알아보기 힘들고 모순된 정보제공 날짜를 생략하거나 유효기간 경과 혹은 사용할 수 없는 제품
	광고 제품홍보를 위한 상업적 과대광고
사람에 의한 요인	**지식 또는 기술의 결여**
	업무수행 착오
	용량이나 투여속도 계산 착오
	컴퓨터 에러 컴퓨터 작동자 실수로 인한 잘못 데이터베이스 내의 부정확한 프로그램 부적절한 스크리닝(알레르기나 상호작용 등)
	재고, 출고, 카트 충진 시 과오
	조제 준비 시 과오 처방전달 과정의 실수 잘못된 희석액 희석액 용량 오류 최종 제품을 만들기 위한 주성분 추가 시 용량 오류 **부적절한 필사**
	과도한 업무 등으로 인한 스트레스
	피로/수면부족
	필요한 약물이 준비되지 않음
포장과 디자인	**부적당한 포장과 디자인**
	제형(정제/캡슐제) 혼돈 다른 회사 제품과 색깔, 모양, 크기 등의 유사함으로 인한 혼돈, 동일 회사 함량 다른 제품의 색깔, 모양, 크기 등의 유사함으로 인한 혼돈
	장치 기구선택 오류(예, 인슐린주사용 시린지 대신 일반주사용 시린지 선택) 어댑터(주사용/경장용), 자동분포기, 자동분쇄기, 자동조제시스템 등의 오류 경구용 측량기(시린지, 컵, 스푼 등), Infusion (PCA, Infusion pump 등)의 오류

내 유통의약품 사례를 살펴보면 표 5-2, 5-3 과 같다.

표 5-2 성분명과 상품명 간 유사발음 의약품 사례

성분명 (상품명)	상품명 (성분명)
아미오다론, amiodarone (Cordarone)	아미로정 5 mg (amiloride)
아지스로마이신, azithromycin (Zithromax)	아지도민캡슐 100 mg (zidovudine)
베라프로스트, beraprost (Berasil)	베리플라스트-피콤비셋트 1ml (beriplast P)
클로바잠, clobazam (Sentil)	클로자릴정 100 mg (clozapine)
두타스테리드, dutasteride (Avodart)	듀파스톤정 10 mg (dydrogesterone)
에날라프릴, enalapril (Enaprin)	에나폰정 10 mg (amitriptyline)
에스시탈로프람, escitalopram (Lexapro)	에스트로펨정 1 mg (estradiol hemihydrate)
페노피브레이트, fenofibrate (Lipidil Supra)	페노프론캡슐 200 mg (fenoprofen)
페노테롤, fenoterol (Berotec)	페노프론캡슐 200 mg (fenoprofen)
베탁소롤, betaxolol (Kerlone)	베타록정 100 mg (metoprolol)
미도드린, midodrine (Midron)	미니린정 0.1 mg (desmopressin)
토레미펜, toremifene	토렘정 5 mg (torasemide)
발라시클로버, valaciclovir	발싸이트정 450 mg (valganciclovir)

표 5-3 상품명과 상품명 간 유사발음 의약품 사례

상품명 (성분명)	상품명 (성분명)
푸로스판시럽 (dried ivy leaf ext.)	후로스판액 (phloroglucin)
코판시럽 1 mcg/ml (clenbuterol HCl)	코푸시럽 (dihydrocodein 100mg 외)
자디텐정 1 mg (ketotifen fumarate)	자니딥정 10 mg (lercanidipine HCl)
다이아막스정 250 mg (acetazolamide)	다이아벡스정 1000 mg (metformin)
트란데이트정 100 mg (labetalol)	트리테이스정 5 mg (ramipril)
글루코바이정 50 mg (acarbose)	글루코반스정 500/2.5 mg (metformin HCl/glibenclamide)
테프라정 40 mg (propranolol)	케프라정 500 mg (levetiracetam)
발싸이트정 450 mg (valganciclovir)	발트렉스정 500 mg (valciclovir HCl)
노바스크정 5 mg (amlodipine)	유니바스크정 7.5 mg (moexipril)
아사콜디알정 400 mg (mesalazine)	아서틸정 (perindopril tert-butylamine)
아반다메트정 4 mg/500 mg (rosiglitazone/metformin)	아반디아정 4 mg (rosiglitazone)
엠에스콘틴서방정 30 mg (morphine sulfate)	옥시콘틴서방정 10 mg (oxycodone HCl)
알케란정 2 mg (melphalan)	알키록산정 50 mg (cyclophosphamide)

라믹탈정 100 mg (lamotrigine)	라미실정 125 mg (terbinafine)
레나젤정 (sevelamer HCl)	레날민정 (Vit. B,C complex)
리바로정 2 mg (pitavastatin)	리베라정 (alibendol)
타리겐정 370 mg (talniflumate)	타리온정 10 mg (bepostatine)
프리토정 40 mg (telmisartan)	리피토정 10 mg (atorvastatin)
판크론 (pancreatin 외)	판토록정 (pantoprazole)
미드론정 2.5 mg (midodrine HCl)	미니린정 0.2 mg (desmopressin)

IV 의약품 사용과오의 종류

Medication error는 처방, 조제, 투약, 복용 과정 뿐만 아니라, 구매조달 및 저장과정, 사용 모니터링 등 약물사용의 전 과정에서 일어날 수 있다.

미국병원약사회는 medication error를 방지하기 위한 지침을 병원과 처방의사, 약사, 간호사, 환자, 제약회사 등에 권고함으로써 병원 내 medication error에 대한 가이드라인을 제시하였다. 이를 중심으로 구체적인 권고사항을 살펴본다.

표 5-4 Medication error의 종류

종 류	정 의
처방 과오	적응증, 금기사항, 용법, 용량, 제형, 투여방법, 투여농도, 투여속도 등 의약품 선택에 오류가 있거나 읽기 어려운 처방 등
투약누락 과오	다음 투약시간 전에 처방된 약물을 투여하지 않은 경우(단, 환자 거부로 투여되지 않은 경우는 제외)
투약시간 과오	정해진 약물투여시간을 제대로 지키지 못한 경우
미승인 약물 투여 과오	처방권자로부터 투여가 승인되지 않은 약물을 투여한 경우
용량 과오	처방된 용량보다 더 많거나 더 적게 투여되거나 중복 투여되는 경우
잘못된 제형 과오	처방된 제형과 다른 제형을 투여하는 경우
잘못된 약물 준비 과오	약물 투여 전 부적절하게 약물이 준비된 경우
잘못된 투약기술 과오	약물을 투여하는 과정 또는 기술이 부적당한 경우
질이 저하된 약물 투여 과오	유효기간 경과 약물 투여 또는 외형상 온전하지 않거나 역가가 떨어진 약물을 투여한 경우
모니터링 과오	환자에게 적절한 regimen이나 문제점 등을 고려하지 않고 사용하거나 환자의 임상적 데이터에 근거한 적절한 평가 없이 사용한 경우(약-약/약-음식/약-질환 간의 상호작용 또는 알레르기, 금기 약물 등 포함)
복약이행 과오	처방된 약물요법에 따르지 않는 환자의 부적절한 행동 과오
기타 약물요법 과오	상기 언급된 사항에 속하지 않는 모든 과오

V 의약품 사용과오의 방지대책

1. 병원 전체적인 방지대책

1) 의사, 약사 및 관련 전문인으로 구성된 약물치료학위원회를 구성하여 의약품의 선택, 평가 및 치료학적 사용에 대한 충분한 검토를 통해 정책을 수립하도록 한다.
2) 처방과 조제, 투약 및 환자교육 등에서 지속적으로 전문적이면서 기술적인 교육의 기회가 주어져야 한다.
3) 적절한 인력배치로 최적의 업무수행이 가능하도록 하여 업무과중으로 인한 과오가 발생하지 않도록 한다.
4) 빈번한 업무방해 상황을 최소화하여 과오가 발생하지 않도록 적절한 업무환경을 조성해 준다.
5) 처방, 조제, 투약 등 약물사용 각 단계별 책임소재를 명확히 하고, 서로 간 충분한 의사소통으로 잠재적으로 발생 가능한 과오를 미연에 방지한다. 또한 처방내용에 의심이 있거나 처방변경이 필요할 경우에는 환자에게 투약하기 전에 반드시 처방의사에게 확인하여 해결함으로써 추측에 의한 잠재적 과오 발생을 피한다.
6) 안전한 약물사용을 위하여 의사, 약사, 간호사 등 관련인의 협조 하에 약물사용의 질을 향상시키고, 지속적이고 체계적인 약물사용평가 프로그램을 개발, 발전시켜 나간다. Medication error 발생 가능성이 높은 약물(칼륨제제, 마약류, 헤파린, 리도카인, 인슐린, 항암제 등)에 대해서는 집중적으로 모니터링을 실시한다.
7) 약사는 처방의 적정성을 평가하기 위해서 환자관련 임상정보(약력, 알레르기, 특이성, 진단, 임신여부, 임상수치결과 등)를 충분히 검토할 수 있어야 한다.
8) 약사는 환자들에 대한 medication profile을 구비하고 이 profile에는 환자 약력, 알레르기, 진단, 가능한 약물상호작용 및 부작용, 임상자료 등이 포함되어야 한다.
9) 병원약국은 병원에서 사용하는 모든 약품의 구매, 배분, 감독에 대한 책임을 담당하며, 병원약국의 적정 근무시간을 안배해야 한다. 가능하면 24시간 운영하도록 하며 부득이한 경우 승인된 비약사로 하여금 제한된 응급약품을 취급하게 하고, 이 경우 약물치료학위원회에서 결정한다. 경우에 따라 24시간 운영이 불가할 경우 on-call 제도를 이용하기도 한다.
10) 약국의 부서장은 약물치료학위원회 협조 하에 모든 의약품 및 관련물품의 안전하고 효과적인 공급에 대한 정책과 업무수행과정에 대한 규정 등을 마련하여야 한다. 안전한 약물공급을 위하여 UDS (Unit Dose System)를 권장한다.
11) 간호부에서 입원환자를 위해 보유하는 비응급성 약물비치는 최소화하도록 한다. 심각한 medication error를 유발할 가능성이 다분하거나 안전역이 좁은 약들(lidocaine이나 KCl주사와 같이 고농도의 약물을 많은 양으로 희석해서 사용하는 경우 등)은 특별히 주의를 요한다. 모든 약품보관 장소는 약사에 의해서 정기적으로 적절하게 관리되고 있는지 점검해야 한다. 특히 내복제와 외용제는 각각 분리하여 보관되어야 한다.

12) 약국의 부서장과 약사들은 모든 의약품에 대해 유효기간 내의 의약품을 보유하고, 제품의 포장과 라벨이 완벽한 제품을 사용하는 등 흠 없는 최상의 제품을 사용하도록 해야 한다.
13) 입원환자가 입원 후에도 지참약을 지속적으로 사용하는 경우 주치의는 환자의 병력기록에 이러한 약물의 처방을 기록하고 약물 사용 전 약사에 의해 약물이 검토된 후 사용하도록 한다. 약물의 내용이나 품질이 확인되지 않은 약물은 사용하지 않도록 한다.
14) 사용 중지된 약물이나 쓰고 남은 약들은 사용 중지시점 혹은 환자가 퇴원한 이후 즉시 약국으로 회수되도록 한다.
15) 용량체크, 중복치료, 알레르기, 약물상호작용 등을 자동으로 점검하는 약국전산화 시스템을 권장한다. 가능하다면 바코드 시스템 등의 기술이용으로 환자, 약품, 환자담당 의료진 등을 한눈에 알아볼 수 있도록 한다.
16) 적절한 약물정보 자료가 약물사용과정에 관계된 관련자들에게 제공되도록 한다.
17) 약국과 간호부의 의견을 수렴하여 약물치료학위원회를 통해 표준화된 약물투여시간이 확립되도록 하며, 필요한 경우에는 표준화된 약물투여시간에서 벗어나는 경우도 허용한다. 또한 표준약물농도나 용량/용법표를 사용하도록 함으로써 용량계산을 최소화하도록 한다.
18) 약물치료학위원회에서는 약 처방 시 사용하는 약어를 표준화하되, 가능하면 약 처방 시 약어사용은 피하도록 한다.
19) 약물치료학위원회를 통하여 medication error 관련 데이터수집과 보고서작성을 담당하는 사람과 관련 소위원회를 구성하여 과오발생 원인을 규명하고 재발방지 프로그램을 발전시켜 나간다.
20) 약국은 의료진과 연계하여 medication error의 원인과 예방대책 등을 교육하는 프로그램을 실시하며, 세미나 또는 뉴스레터, 기타 다른 정보제공 방법들을 이용할 수 있다.

2. 처방 과정에서의 방지대책 - 의사

1) 적절한 약물요법을 위해 처방의사는 관련문헌 검토 등을 통해 항상 최신지견에 능통해야 하며, 약사나 다른 의료인에게 자문을 구하고 꾸준한 전문교육프로그램에 참여한다.
2) 처방의사는 처방 시 환자의 전반적인 상태를 염두에 두고 처방해야 하며, 처방된 약물요법의 적정성을 평가하기 위하여 필요 시에는 환자의 임상 증세나 검사결과의 적절한 모니터링을 실시하도록 한다.
3) 처방의사는 병원 내 처방시스템에 익숙해야 한다. 예를 들어 약물사용평가 프로그램, 승인된 약어, 표준 약물투여시간 등을 들 수 있다.
4) 약 처방전에 기재해야 할 항목들이 빠짐없이 기재되어야 한다. 즉, 환자이름, 일반명(필요할 경우 상품명), 투여경로, 제형, 용법, 용량, 함량, 투여횟수, 처방의사이름 등을 들 수 있다. 경우에 따라서는 주사제의 경우 농도, 투여속도, 투여시간 등도 요구된다. 처방의사는 처방직후 처방의 정확성과 판독 가능성 등을 검토해야 한다.
5) 처방 시에는 처방의도가 명쾌해야 하며 따라서 다음 사항을 유의한다.
   ① 명료하지 않은 비 표준화된 약어보다는 표준약어를 사용한다.
   ② 불분명한 용법지시보다는 특정 지시사항을 사용하도록 권장한다.

③ 복합성분일 경우를 제외하고는 1정 내지는 1바이알 등 제형단위 사용보다는 1 mg, 1 g 등 정확한 함량을 사용하도록 한다.

④ 약품의 일반명, 공식명, 상품명 등 표준 명칭을 사용하도록 한다.

⑤ 함량 해석의 오류를 예방하기 위하여 소수점 이하에는 0을 사용하지 않는다(예, 5.0 ml 대신 5 ml를 사용 → 5.0 ml를 잘못 판독하여 50 ml로 오해하지 않게 한다).

⑥ 단위 사용시 u 대신 unit로 기재하여 혼돈을 피한다.

6) 수기 처방전은 판독이 가능해야 한다.

7) 구두처방(verbal order)은 불가피한 경우에만 해야 하며, 구두처방 시 천천히 명확하게 불러줌으로써 과오가 생기지 않도록 한다. 구두처방을 받은 경우 간호사나 약사는 다시 읽어서 의사의 확인을 받은 후에 조제하며, 원내 규정에 따라 환자진료기록지에 문서화하고 원내 규정에 따라 차후에 처방자의 확인을 받는 등의 절차를 거치도록 한다.

8) 가능한 한 주사제보다는 경구제를 처방하도록 한다.

9) 가능하면 처방의사는 처방한 약물을 환자나 보호자에게 설명하고 알레르기나 다른 과민증상 등 주의사항에 대해 알려 준다.

10) 처방의사는 각 환자별로 지속적인 약물요법 필요성에 대한 평가 및 정기적인 follow up을 해야 한다.

11) 약물투여를 중지해야 될 상황을 명확히 한다.

3. 조제 과정에서의 방지대책 - 약사

1) 약사는 약물요법을 모니터링(약물치료 적정성평가, 상호작용 가능성 검토, 임상검사자료 평가 등)하고 약물의 안전하고 효과적이며 합리적인 사용을 위한 약물사용 적정성을 위한 활동 등에 참여해야 한다.

2) 적정약물요법을 위하여 약사는 문헌을 통한 최신 약물요법을 비롯한 약학적 지식과 기술 습득에 노력하며 지속적인 전문교육프로그램에 참여하고, 관련 전문인의 자문에 응해야 한다.

3) 약사는 의사나 간호사 등의 의약품관련 질문에 정확한 정보 제공과 적절한 의견제시를 할 수 있어야 한다.

4) 약사는 원내 약물관련 정책과 규정을 알고 있을 뿐만 아니라 medication error 방지 대책에도 능통해야 한다.

5) 약사는 가능하면 환자에게 바로 약물을 투여할 수 있게 준비함으로써 간호사들이 환자에게 약물을 투여하기 전 재포장이나 재가공하는 업무를 최소화하도록 한다.

6) 약사는 원내 규정된 시간 내에 약품을 공급하며, 제때에 공급되지 못한 경우 그 사유를 간호부에 공지하도록 한다.

7) 약사는 약물이 병동에서 입원환자에게 실제로 어떻게 사용되고 있는지, 안전하게 약품이 보관되고 있는지 여부 등을 확인해야 한다.

8) 약사는 병동에서 반납된 약들을 확인(투약누락 혹은 미 승인된 약품사용 여부 등)하여 medication error 발생요인을 제거한다.

9) 약사는 투약 시 약 처방전을 다시 한번 점검하고 환자 확인 후에 복약상담 지침에 따라 환자나 보호자에게 복약상담을 시행하여 투약 및 복약 과정에서 생길 수 있는 medication error를 예방한다.

10) 약사는 환자에게 약이 잘못 투약된 경우 등 medication error에 대한 기록을 충실히 함으로써 추후 사고발생을 미연에 방지할 수 있어야 한다.

11) 약사는 조제업무단계와 관련한 다음 사항에 유의한다.

① 약사는 조제 전에 항상 처방전을 사전 검토해야 하며, 혼돈되는 약 처방의 경우 절대로 짐작하여 조제에 임하여서는 안된다. 처방에 의심이 가는 경우(용량, 약품명, 약코드의 불명확, 약용량의 과량 과소, 중복기재 등) 반드시 처방의사에게 확인 후 조제에 임하고, 중복된 약 처방의 경우 용량을 처방의사에게 확인하며 확인한 사항은 정확하게 기록으로 남긴다.

② 약사는 조제환경을 항상 청결하게 정돈된 상태로 유지하고 가능하면 업무가 중단되지 않도록 한번에 한 작업씩만 수행하도록 하여 동시에 2가지 일을 하지 않도록 한다.

③ 응급의 경우를 제외하고는 약사는 처방의 원본을 확인한다. 또한 보조원이 준비한 작업과 자동화된 시스템을 이용한 사항에 문제점은 없는지 점검한다.

④ 조제 시 3번(조제 전, 조제 중, 조제 후)의 확인 과정을 거친다. 특히, 조제 시 약품의 라벨은 적어도 3번 이상(약품 선택 시, 약품 포장 시, 약품을 다시 제자리에 놓을 시) 읽도록 한다.

⑤ 약병 라벨은 식별이 용이하도록 부착한다.

⑥ 약사는 약물사용을 돕기 위해 사용하는 보조라벨(예, 흔들어 사용, 외용제로만 사용, 주사 금지 등)이 적절한지 확인한다.

⑦ 특별한 관리를 요하는 약품은 장치병에 라벨색으로 구분하거나 따로 보관한다.

⑧ 약품명, 색상, 형상, 포장 등이 유사하여 혼돈의 우려가 있는 약품은 장소를 구분하여 배열하거나 장치병을 달리하여 보관하는 방법도 권장된다.

⑨ 원내 사용 약품의 함량, 외관, 제약회사 등이 변경될 경우 즉시 모든 약사에게 공지한다.

⑩ 신속한 투약을 위하여 정확한 조제를 소홀히 해서는 안된다.

⑪ 조제내규에 의해 조제업무가 진행되도록 하며 조제된 약은 감사를 실시한 후 투약하되 부득이하게 조제자와 감사자가 동일할 경우에는 자기감사를 철저히 하도록 한다.

⑫ 환자에게 투약되는 약 봉투가 많을 때 약품과 약 봉투에 동일한 스티커를 부착하는 등의 방법을 이용하여 약품과 약 봉투가 뒤바뀌지 않도록 한다.

⑬ 조제과오를 유발할 수 있는 주의를 요하는 약품들(예, 성상유사, 일반명/상품명 유사, 약품코드 유사 등)에 대해서는 교육을 통해 주의를 요한다.

⑭ 각 조제장소별로 조제 시 유의사항을 살펴보면 다음과 같다.

ⓐ 산제 조제 시 용량계산값 및 추가된 부형제량을 기재하고 용량계산자가 서명(sign)한 후 계산의 정확성을 조제 전 감사자가 감사하여 서명한 다음 분포한다. 만약 분포용지에 약품명과 일회량이 자동으로 인쇄되지 않는다면 분포 후 맨 마지막 약포에 1회 용량을 기입하고 분포자가 서명하여 정확한 조제를 확인한다.

ⓑ 계수 조제 시 약품배열을 약효능군별 또는 알파벳순으로 정하여 구분한다. PTP 및 foil 포장의 경

우 포장단위가 제품에 따라 다양하게 적용되므로 계수조제에 유의한다.

ⓒ 액제나 외용제 조제 시 장치병 및 연고, 크림 종류에 라벨을 부착하여 약품명을 기입하고, 성상이나 색상이 유사한 액제는 나란히 배열하지 않는다.

ⓓ ATC (Auto Tablet Count and packing machine)에 사용되는 약품카세트에 약품을 충진 시에는 약품과 카세트 라벨이 동일한지 확인 후 약을 충진하고, 충진 후 약품과 카세트 라벨이 동일한지 재확인하는 이중 점검을 한다.

ⓔ 주사제 중 앰플의 경우, 제품의 유효기간, Lot 번호 등 필수 사항이 기재되어 있지 않은 경우가 많으므로 재고관리에 있어 약품의 선입선출을 반드시 지키며, 특히 동일성분이면서 다른 함량의 경우나 동일제약회사의 제품들 간에 구분이 용이하지 않은 경우가 많으므로 각별히 유의한다. 바이알 역시 앰플과 마찬가지로 동일제약회사 제품의 경우 회사이름 및 로고 혹은 용기나 디자인, 라벨, 포장 등이 유사한 경우가 많으므로 조제과오를 일으킬 가능성이 많은 제품끼리 배열하지 않도록 하고 이중감사를 철저히 하도록 한다.

4. 병동에서 투약 과정에서의 방지대책 - 간호사

1) 간호사는 처방내림과 약물사용시스템(약물사용평가 활동, 처방과정, 표준 약물투약시간 등)에 익숙해야 한다.
2) 간호사는 환자의 약물사용을 검토하고 치료중복이나 가능한 약물상호작용이 있는지 여부 등을 검토해야 한다.
3) 약물 투여 전 처방을 반드시 확인하도록 한다. 특히 처방이 분명하고 명확하게 확인될 경우에만 투약하고, 처음 약물을 투여할 때는 처방과 조제가 일치하는지 확인하며, 유효기간이 경과하지는 않았는지 확인한 후 투약하고, 만약 의심되는 경우에는 약국에 연락하도록 한다.
4) 약물 투여 전 대상 환자를 반드시 확인하도록 한다. 가능하면 약물투여 후 환자를 관찰하여 기대효과가 나타나는지 확인하도록 한다.
5) 모든 약물은 특별한 경우를 제외하고는 계획된 시간에 투여하도록 하며, 약물투여 직전에 포장이나 라벨을 개봉하도록 하며, 투여 후에는 반드시 투약기록을 남긴다.
6) 표준약물농도 또는 용법차트가 없어서 용량계산이 요구될 경우 반드시 다른 사람이 계산의 정확성을 확인하도록 한다.
7) 한 환자의 약물을 다른 환자에게 투여한다거나, 사용하지 않은 약을 비치하지 않도록 한다. 약을 분실하였을 때는 약국에 사유를 설명하고 해결하도록 한다.
8) 한 환자에게 투여되는 약이 과량일 경우 처방을 다시 확인하고 의사나 약사에게 문의한다.
9) 약물투여 보조기구들의 사용법에 익숙해야 하며 기구 사용 시 발생할 수 있는 사고가능성에 대해 숙지하여야 한다.
10) 간호사는 환자나 보호자들이 주의사항을 포함한 약물사용법을 잘 숙지하고 있는지 여부를 확인해야 한다.
11) 환자가 약물복용을 거부하거나 의문을 제기할 경우 간호사는 경청하고 질문에 대답한다. 혹시 다른

환자 약은 아닌지, 잘못된 투여경로는 아닌지, 이미 투약한 약을 다시 투약하는 경우는 아닌지 등을 확인하고, 환자가 약물복용을 거부할 경우에는 그 사유를 투약기록지에 기록으로 남긴다.

5. 환자나 보호자의 방지대책

1) 환자는 치료에 직접 관여하는 의사, 약사, 간호사 등 의료진에게 본인이 알고 있는 증상, 알레르기, 과민반응, 그리고 현재 복용 중인 약물 등에 대해 알려주어야 한다. 또한 자가 복용하고 있는 약물이 처방지시와 다를 경우에도 의료진에게 알리도록 한다.
2) 환자는 자신이 받고 있는 치료과정과 처치에 대해 자유롭게 질문하도록 한다.
3) 환자는 처방된 약의 이름, 용량, 스케쥴, 기대효과, 사용방법, 주의사항 및 보관방법 등을 알아야 한다.
4) 환자는 약물요법에 대해 의료진과 상담한 후에 처방된 모든 약을 지시대로 복용하도록 한다.

6. 제약회사와 의약품허가기관의 방지대책

1) 제약회사와 의약품허가기관은 의사, 약사, 간호사들이 약물명, 라벨, 포장 등을 결정하는데 참여하도록 한다.
2) 약모양이 유사하거나 발음이 유사한 상품명, 일반명은 피하도록 한다.
3) 약모양이 유사한 약품들이 medication error를 일으키기 쉬우므로 비슷한 포장이나 라벨은 피하도록 한다.
4) 상품명에 숫자를 포함하면 용법이나 함량을 표시하는 것으로 오인하기 쉬우므로 피하도록 한다. 또한 흔히 사용하는 약어는 상품명에 사용하지 않도록 한다(예, HS: Half-Strength 또는 Hora Somni 로 혼동 가능).
5) 특별한 주의사항은 라벨에 표시하여 주의를 환기시킨다(사용 전에 희석할 것 등).
6) 약포장과 라벨에는 제품명과 함량 등 안전성 관련 정보를 가장 두드러지게 하고, 회사명이나 로고는 그보다 작게 제작한다.
7) 제약회사는 덕용포장 제품뿐만 아니라 일회용포장도 생산하여 현장에서 적합한 사용이 이루어지도록 한다.
8) 제약회사는 제품의 성상이나 제형 등이 변경될 경우 의사, 약사, 간호사 등 의료진에게 알리도록 한다.
9) 의약품 식별코드를 부여해 국내 유통 의약품의 식별을 용이하게 함으로서 조제과오를 줄일 수 있도록 해야 한다. 또한 PTP, foil 포장에는 개별 의약품의 최소정보를 최소단위포장에 기재하고, 특히 앰플 주사제에도 최소정보를 기재하도록 한다.

7. 의약품 사용과오 모니터링

Medication error를 지속적으로 모니터링하는 질 향상 프로그램을 통해 과오발생 때마다 원인을 규명해보고 기록하여 재발을 방지하도록 해야 할 것이다. 과오는 일반적으로 자발적 보고에 의하거나 직접 관찰을 통해서 혹은 업무수행단계에서 인지될 수 있다. 자발적인 보고는 과오를 인지한 사람에 의해 행해지는데 의료기관에서는 자발적인 과오 보고로 인한 개인적인 징계 두려움으로 인해 보고를 회피하는 경향이 발생할 수 있으므로 무기명 자발적 보고 방법을 이용하게 하면 과오발생 보고가 독려될 수 있을 것이다. 현장 관찰 보고는 전반적인 약물투여과정에 관련된 개개인이 직접 관찰한 과오가 포함되므로 보다 많은 보고가 이루어질 수 있다. 또한 업무수행과정 중 과오를 인지할 수 있는데 투약누락과 관련된 반납이나 약 분실로 인해 약품을 재청구 하는 경우 등을 통해 과오발생을 알 수 있다.

효과적인 모니터링을 위한 medication error 위험인자를 살펴보면 다음과 같다.

① 근무시간(대개 야간근무시간에 과오 발생률이 높음)
② 경험이 부족한 직원이나 제대로 교육이 되지 않은 직원
③ 노인병동, 소아병동, 암병동 등 특수병동
④ 환자에게 투여되는 약물의 양이나 수량이 많은 경우
⑤ 근무환경 요인(조도, 소음, 빈번한 작업중단 등)
⑥ 과도한 업무량과 피로감
⑦ 의료진 상호간의 의사소통 부족
⑧ 제형(주사제는 좀 더 심각한 과오발생 가능성 있음)
⑨ 약 공급 시스템(Unit Dose System 권장, 병동 보유 비품 최소화 요망)
⑩ 부적절한 약품보관
⑪ 측량과 계산이 요구되는 정도
⑫ 혼동하기 쉬운 제품명, 포장, 라벨
⑬ 약품 종류(항균제 등)
⑭ 읽기 어려운 필체
⑮ 구두처방(verbal order)
⑯ 효과적인 정책과 절차 등의 결여
⑰ 제 기능을 못하는 감독기관 등

8. 의약품 사용과오 관리

Medication error의 결과는 환자에게 영향을 전혀 미치지 않는 것에서부터 생명을 위협할 정도로 심각한 것까지 다양하다. 따라서 이는 그 위험도에 따라 임상적으로 유의한 과오(잠재적으로 치명적이거나 심각한 혹은 유의한 과오 포함)와 경미한 과오로 나눌 수도 있고, Hartwig 등의 분류에 따라 표 5-5와 같이 7단계로 분류하기도 한다.

표 5-5 과오의 분류

분류단계	과오 결과
Level 0	과오 발생하지 않음(잠재과오 포함)
Level 1	과오는 발생했으나 환자에게 해가 없는 경우
Level 2	환자에게 해가 없고 vital sign의 변화도 없으나 모니터링을 요하는 경우
Level 3	궁극적으로 환자에게 해가 없으나 vital sign의 변화가 있고 임상검사를 하면서 모니터링을 요하는 경우
Level 4	다른 약물의 치료가 필요하고 입원이나 치료기간이 연장되는 경우
Level 5	환자에게 영구적인 해가 발생한 경우
Level 6	환자가 사망한 경우

Medication error가 발생되었을 때 해당 약물치료과정에 관련된 자들이 대처 할 수 있는 가이드라인이 질 관리 차원에서 제공되어야 한다. 오류추적을 위하여 medication error 관리방안을 다음과 같이 권장하고 있다.

1) 환자에게 필요한 모든 처치를 제공한다.
2) 과오발견 즉시 서면으로 기록하고 보고하도록 하되, 임상적으로 심각한 경우에는 우선 구두보고 후 서면보고한다.
3) 임상적으로 유의한 경우에는 즉시 누가, 언제, 어디서, 어떻게, 왜 등의 현황을 파악하고 관련요인을 처리한다.
4) 임상적으로 유의한 과오와 그 처리에 관한 보고는 상위감독자와 부서장, 법률고문, 안전관리위원회 등에서 검토해야 한다.
5) 과오는 직원 개개인의 행위나 환경적 요인보다 시스템의 문제인 경우가 많다. 따라서 보고서는 징벌목적보다는 잘못을 개선하고 변화시키는 목적으로 사용해야 한다. 감독자는 과오가 어떻게 일어났으며 어떻게 예방할 수 있는가에 초점을 맞추어야 한다.
6) 과오보고에서 얻은 정보를 공유하고 교육한 후에도 과오가 재발한다면 효과적인 관리방법을 강구하거나 다른 교육수단을 사용하고 필요 시에는 업무를 바꾸어준다.
7) 감독자, 부서장, 관련위원회에서는 정기적으로 과오보고를 검토하고 과오의 원인을 파악하여 재발방지 대책을 강구한다.
8) 의사, 약사, 간호사, 환자가 상호 경험을 교환함으로써 과오발생을 예방하고 환자의 안전을 증진시킬 수 있도록 범국가적 차원의 과오관련 모니터링 프로그램 보고체계를 정비해야 할 것이다.

약국에서는 환자상태에 따른 과오결과 뿐만 아니라 사고발생 보고시간, 투약경로, 사고약 범주(일반의약품, 고위험의약품, 임상시험약, 항암제, 마약 등), 과오발생시점 등 그 내용을 보다 세분화하여 각 항목별로 점수를 배당하여 관리하는 방법도 효과적일 수 있다.

9. 안전한 약물사용을 위한 약사의 역할

미국의 병원신임평가기관(The Joint Commission on Accreditation of Healthcare Organizations, JCAHO)에서는 범국가적 차원의 환자안전을 위한 목표를 제시하고 있으며, 이는 의사, 약사, 간호사를 포함하여 폭넓고 다양한 의료현장에서 환자안전에 관한 경험과 지식이 풍부한 전문가들에 의해 매년 갱신되고 있다. 참고로 2013년 갱신된 환자안전 목표와 요건(Hospital National Patient Safety Goals, NPSG)을 살펴보면 다음과 같다.

1) 정확한 환자확인과정 개선 (Identify Patients Correctly)

- 의료현장에서 환자치료와 의료서비스 제공 시 적어도 2가지 이상의 방법을 통해 환자의 신원을 확인한다(예, 환자의 이름과 생년월일).
- 수혈 과정에서 환자와 혈액이 맞는지 정확히 확인한다.

2) 의료진간의 효과적인 의사소통 증진 (Improve Staff Communication)

- 중요한 검사결과를 올바른 의료진에게 적시에 정확히 제공한다.

3) 의약품사용 안전관리 (Use Medication Safety)

- 라벨이 되지 않은 모든 의약품과 용기에는 라벨을 부착한다(예, 시린지, 컵 등).
- 항응고약물요법과 관련한 환자에서 위해의 가능성을 줄인다.
- 환자가 사용하는 의약품에 관한 정확한 정보를 유지하고 의사소통한다. 또한, 환자가 복용하는 약을 정확히 알게 하여 진료시마다 최근에 복용하는 의약품 목록을 제시할 수 있도록 한다.

4) 원내감염 위험 감소 (Prevent Infection)

- Centers of Disease Control and Prevention (CDC), World Health Organization (WHO)의 손 위생 가이드라인을 따른다.
- 다약제 내성균 등 치료하기 어려운 감염을 예방하기 위한 입증된 가이드라인을 사용한다.
- 중심정맥을 통한 혈액감염을 예방하기 위한 입증된 가이드라인을 사용한다.
- 수술 후 감염을 예방하기 위한 입증된 가이드라인을 사용한다.
- 카테터로 인한 요로감염을 예방하기 위한 입증된 가이드라인을 사용한다.

5) 환자안전의 내재 위험 요인을 명확히 한다 (Identifies Patient Safety Risk)

- 자살시도 가능성이 있는 환자를 미리 파악하여야 한다.

6) 수술관련 오류 예방 (Prevent Mistakes in Surgery)

- 정확한 환자, 정확한 신체부위에 맞는 수술이 행해지도록 확실하게 확인해야 한다.

- 수술관련 오류를 예방하기 위해 환자의 수술이 이루어지는 정확한 신체부위에 표시를 한다.
- 수술관련 오류 발생이 되지 않도록 수술 시작 전 잠시 멈추고 정확히 확인한다(예, time-out).

안전한 약물사용을 위한 지속적인 노력은 모든 약사들이 현재의 위치에서 담당해야 할 한 부분이다. 이에 대한 개선은 과거의 과오 및 유사 과오에 대한 평가 등을 기초로 가능하며, 체계의 개선, 과오방지 방법의 구체화 등을 통해서도 가능하다. 또한 계산이나 기억에 의존하는 것, 불필요한 단계나 사본 등은 최소화하도록 해야 한다.

지속적인 개선 방법으로는 모든 과정에서 이중점검, 권한에 대한 책임, 확실하고 완전한 환자 data, Orders/Products의 표준화, 자동화 과정 등이 포함되어야 한다. 또한 관련 의료인 상호간 협력과 책임 하에 환자 중심의 약물사용에 대한 이중안전 시스템(Fail-safe medication use system)의 원칙을 수립하고 발전시켜 나간다.

10. 결론

미국의학연구소(Institute of Medicine)에서 1999년 집필한 "To Err Is Human"의 보고에 의하면 미국에서만 medication error로 인해 1년에 약 44,000-98,000여명이 사망하며, 금액으로 환산하면 연간 170-290억 달러의 경제적 손실이 발생하는 것으로 추정하고 있다.

조제과오는 환자의 치료를 지연시킬 수도 있고 경우에 따라서는 환자의 생명을 위협할 수도 있다. 또한 약사에게는 불명예스런 일이며, 병원에 대한 환자의 신뢰도도 떨어지게 되어 무너진 신뢰도 회복을 위해서는 지금까지 쌓아왔던 노력의 몇 배를 기울여야 하는 엄청난 대가를 치를 수도 있다.

조제를 담당하는 약사는 사람의 생명과 건강에 직결되는 의약품을 다루므로 항상 환자의 안전을 우선으로 생각해야 하며, 이를 위해서 여러 학문적 지식과 기술을 습득하는 노력을 게을리 하지 말아야 한다. 또한 이를 바탕으로 신속하고도 정확한 조제업무를 행할 수 있도록 노력해야 한다. 그러므로 약사는 효과적이면서 안전한 약물사용 프로그램을 이끌어가는 주역으로서 의료진과 협력하여 환자의 안전한 약물사용을 위해 항시 경계하고 긴장의 고삐를 늦추지 않는 전문가로 거듭나야 할 것이다.

참고문헌

- Andrew M. P. : Managing Pharmacy Practice. Principles, Strategies, and Systems, CRC Pharmacy Education series (2004)
- ASHP guidelines on prevention medication errors in hospitals. Am J Hosp Pharm. 50 : 305~14 (1993)
- 한현주 : Medication Error (외국병원의 현황). 한국병원약사회지. 13 : 266~71 (1996)
- Hartwig SC et al : A severity-indexed, incident-report based medication-error reporting program. Am J Hosp Pharm. 48 : 2611~6 (1991)

- Jerry P et al : Retrospective analysis of mortalities associated with medication errors. Am J Health-Syst Pharm. 58 : 1835~41 (2001)
- 제9회 한국병원약사회 춘계학술대회 자료 (2003)
- National Coordinating Council for Medication Error Reporting and Prevention. http://www.nccmerp.org
- The Joint Commission. http://www.jcaho.org
- 의약품 사용과오(Medication Error)예방을 위한 가이드라인, 보건복지부 의약품정책팀(2008)

part Ⅱ

복약상담 업무

6장 복약상담

7장 이식약물 복약상담

8장 호흡기약물 복약상담

9장 항응고약물 복약상담

10장 항암화학요법 복약상담

11장 당뇨병 치료약물 복약상담

_06

복약상담

Objectives 

- ▶ 복약상담의 목적과 필요성을 이해한다.
- ▶ 복약상담 시 기본자세 및 제공해야 할 정보에 대해서 학습한다.
- ▶ 환자에게 적절한 복약상담을 시행할 수 있다.

I 복약상담의 목적과 필요성

약사법 제 2조, 제 12항에 의하면 '복약지도' 란 '의약품의 명칭, 용법 · 용량, 효능 · 효과, 저장방법, 부작용, 상호 작용 등의 정보를 제공하는 것' 으로 정의되어 있고 제 24조 제 4항은 '약사는 의약품을 조제하면 환자에게 필요한 복약지도를 하여야 한다' 라고 명시하여 약사에 의한 복약지도를 의무화 하고 있다. 의약분업 제도에서 복약지도는 약사의 의무로 규정됨과 동시에 약사의 고유한 권리로 정의되고 있다. 즉 약사 직능 본연의 임무와 권리를 실천하는 것이며, 복약이행도 향상을 통해 국민 건강증진에 기여하는 것이기도 하다.

복약상담 목적은 환자로 하여금 치료효과를 저해함이 없이 약물 요법의 의의를 인식시키고 치료에 대한 중요성을 주지시켜 복약순응도의 향상을 기대하고자 함이다. 또한, 환자의 처방약의 특성에 따른 올바른 용법, 용량, 사용법, 저장법 등 그 취급에 대해서 정보를 제공하며 올바르지 못한 용법 등에 의한 사고를 미연에 방지할 수 있다. 환자가 유효하고 안전한 약물 요법을 받기 위해 필요로 하는 약효, 부작용, 일상생활과의 관계 등의 정보를 선택해서 조언하며 약물요법에 의해서 생길 수 있는 부작용을 조기발견 하고 예방을 가능하게 함으로써 의료비를 감소시킨다.

II 장소에 따른 복약상담의 형태

1. 투약 창구

투약업무와 함께 복약상담을 실시하는 것으로 대부분의 병원약국에서 시행하고 있는 복약상담의 형태이다. 투약과 함께 처방전을 보면서 바로 응대할 수 있지만 환자에게 충분한 시간을 할애할 수 없고 환자의 프라이버시가 보장되지 못하여 상담내용이 제한될 수도 있다. 주변이 소란스러운 경우는 의사소통 자체가 어려울 뿐 아니라 환자가 서서 상담해야 하므로 몸이 불편한 환자의 경우에 어려움이 있다.

2. 복약상담실

외래투약구 가까이에 위치한 별도의 복약상담실에서 전담약사에 의해 복약상담을 시행하는 것으로 환자와의 예약약속이나 직접방문으로 이루어진다. 예약약속의 형태로 운영되는 경우에는 환자의 medical history와 lab data 등을 미리 준비하여 효과적이고 심도있는 복약상담을 할 수 있다. 상담실은 안정감 있고 편안한 분위기를 줄 수 있는 조용한 공간이 되도록 한다. 이 같은 형태를 운영하기 위해서는 별도의 공간과 전담인력을 갖추어야 하는 부담이 있다.

3. 침상 옆 상담

입원환자에게 적용할 수 있는 방법으로 약사가 직접 환자를 방문하여 침상 옆에서 복약상담을 진행하는 형태로 몸이 불편하거나 움직임에 제한이 있는 환자에게 효과적이다. 미리 medical history 및 lab data를 파악하여 적절한 정보 및 필요한 자료를 준비할 수 있다. 그러나 같은 병실의 환자에게 프라이버시를 지키기 어려울 수 있고 경우에 따라 감염의 전파를 예방하기 위해 마스크, 장갑 등의 착용이 필요할 수 있다.

4. 강당

특정질환 환자집단을 대상으로 병원 내 공개강좌의 형태로 시행된다. 당뇨나 장기이식 등 특정질환의 주제에 따라 질환과 관련된 직종의 전문가가 순서에 따라서 질환에 대한 이해와 생활요법, 약물요법의 필요성을 교육한다. 교육내용은 일반적인 내용을 설명하게 되고 환자의 질문을 받는 형태로 진행된다. 노령환자나 개인적인 문제를 가진 환자의 경우 개별상담이 어려우므로 이러한 경우에는 추후에 개별상담을 약속하기도 한다.

III 복약상담의 기본자세

복약상담 시 환자와의 신뢰 관계가 성립될 수 있도록 환자의 프라이버시를 침해하지 않으며 정중하고 친절하게 상담하도록 한다. 친절한 말씨와 진지한 태도로 환자의 심리상태 및 증상을 파악하고, 처방 내용으로부터 알 수 있는 환자의 비밀을 지키며, 연령, 직업, 기타 사회적 배경에 대한 배려가 필요하다. 특히 담당약사의 첫 인상이 중요하므로 청결한 가운을 착용하고 단정한 용모와 태도를 유지하며 상대방에게 불쾌감을 주지 않도록 어휘 선택에 주의한다. 또한 약사가 알고 있는 정보를 모두 전달할 필요는 없으며 지나치게 많은 정보는 오히려 환자에게 혼란을 일으키므로 환자의 상황에 맞는 정보를 선택하여 전달한다. 환자는 여러 가지 궁금한 점을 질문하는 경우가 많으므로 질문의 의도를 정확히 파악하여 적절한 정보를 제공한다. 상담약사는 환자가 당면하고 있는 상황에 맞게 상대방의 입장이 되어 대응하며, 시간에 제약을 받아 빨리 끝내는 듯한 태도를 보이지 않는다. 또한 복약상담 효과를 높이기 위해서 전문 지식을 갖추고 상담기술 향상을 위해 노력해야 하며 일반교양을 포함한 폭넓은 지식과 인간성을 함양하도록 노력해야 한다.

IV 정보의 제공

1. 정보의 선택

복약상담을 할 때 약물요법에 관한 모든 정보를 환자에게 전달하는 것은 좋지 않다. 불필요한 정보를 제공하는 것은 환자에게 불안과 혼란을 주어 복약불이행을 일으킬 수 있으므로 필요하고 함축된 정보를 제공한다. 따라서 약사는 상황에 따라 환자에게 필요한 내용을 선별하여 복약상담을 한다.

2. 정보 제공의 방법

1) 구두에 의한 복약상담

(1) 구두에 의한 복약상담은 환자와의 인간관계를 밀접하게 하며 쉽게 시행할 수 있는 방법이다. 구두만으로 상담하는 것이 불충분한 경우 특히 연소자 또는 고령자 등의 기억력, 이해력에 문제가 있는 환자, 혹은 정보전달을 잘못 할 우려가 있는 가족과 전달자에게는 문서를 병용하거나 그림을 그려 가면서 상세하게 설명한다.

(2) 구두 지시할 경우에는 될 수 있는 한 전문용어의 사용을 피하고 환자 눈높이에 맞추어 이해하기 쉬운 말로 설명한다. 즉 환자의 연령, 성별, 교육수준, 생활환경에 따라 상담의 내용을 조절해야 한다. 특히 환자의 지적 수준과 배경을 판별하고 이에 맞는 적절한 복약상담을 한다. 구두지도와 함께 환자용 복약안내서를 배부하는 것도 효과적이다.

(3) 환자의 질문에는 그 의도를 잘 파악한 후에 응답해야 한다. 응답은 환자가 신뢰할 수 있도록 항상 자신 있게 해야 하며 즉시 대답할 수 없는 경우에는 이후에 반드시 회신하도록 한다.

2) 문서에 의한 복약상담

(1) 문서는 구두로서 표현하기 어려운 사항을 도식화할 수 있는 이점이 있으며 환자가 복약상담 시점 이후에도 읽어 볼 수 있고 반복해서 읽어볼 수 있기 때문에 이해의 향상을 기대할 수 있다.
(2) 미리 환자용 첨부문서를 작성해 두고 사용토록 한다.
(3) 첨부문서는 전달하고자 하는 내용을 충분히 검토하고 환자가 쉽게 이해할 수 있도록 작성해야 한다. 환자의 복약 준수를 증대시키는 방법으로 테이블 표를 만들어 세로 칸에는 시간, 가로 칸에는 약 봉투 또는 약 이름을 기재하여 한눈에 복용시점을 알 수 있도록 한다. 이밖에 복용시점 별로 체크할 수 있는 카드를 만들어 매일 약물 복용 후 표시하도록 하는 것도 한 방법이 될 수 있다.
(4) 문서의 종류
   ① 팜플렛 : 질환에 대한 설명과 특정 치료약의 주된 작용, 약의 모양, 제형의 특징, 사용방법, 보관법, 복용상의 주의 등을 그림과 함께 문장으로 설명한다.
   ② 복약안내문 : 처방된 전체 약의 약품명, 모양, 효능, 복용법, 부작용 및 주의사항을 설명한다.
   ③ 용법 지시서 : 약물과 복용방법에 관한 설명을 내용으로 한다.
   ④ 약봉투 : 복용시점과 용법 및 용량을 약 봉투 여백에 다시 한번 굵은 펜으로 적어서 환자가 한 눈에 알아볼 수 있도록 한다. 의사가 처방전에 별도로 코멘트한 내용은 환자가 알 수 있도록 기재한다. 그리고 사용방법 및 주의사항은 의약품마다 표시한다. 예를 들면 '흔든 후 복용 하세요', '냉소 및 냉장 보관', '외용제이므로 마시면 안됩니다' 등의 내용을 스티커로 만들어 두었다가 필요 시 부착한다.

3) 시청각자료

복약상담실 또는 대기실에서 차례를 기다리고 있는 외래환자를 대상으로 약물요법의 이해를 돕기 위한 시청각 자료를 사용한다. 전달매체로는 주로 멀티미디어 영상매체, CD-ROM 형태의 디지털 매체 등을 이용하며, 질환의 이해를 돕거나 조작방법이 특이한 외용제 등의 사용방법을 설명한다.

V 복약상담의 내용

약사법(제 2조 제 12항)에 의해 복약상담은 의약품의 명칭, 용법 · 용량, 효능 · 효과, 저장방법, 부작용, 상호작용 등의 정보를 제공하는 것으로 정의되어 있다.

1. 약품명

의약분업(2000.7)실시 이후 원외처방전 발행에 의해 환자는 처방전 내용을 알 수 있게 되었으므로 의약품명은 공개가 원칙이다. 단, 입원환자나 원내에서 조제, 투약 받는 환자의 경우에는 환자병명이나 환자상태, 환자의 약물에 대한 성향, 진료과 의사의 요청에 따라 비공개 하는 경우(예: 정신과)도 있다.

2. 약물복용의 의의

처방약제와 질환, 약을 복용하지 않을 경우의 결과, 과잉 복용시의 결과, 치료의 중요성을 알림으로써 환자 판단에 의한 복약 불이행을 방지할 수 있다. 이 경우 의사의 진료에 방해되지 않도록 신중한 정보선택을 하여 오해의 여지가 없도록 한다. 처방의사와 의견을 충분히 교환한 경우를 제외하고는 약사는 일반적인 약물요법의 의의를 환자에게 설명한다. 또한 약물과 질환에 따라서는 환자에게 알려서는 안 되는 내용도 있으므로 처방의와 충분한 사전협의가 필요하다.

3. 복용법 및 사용법

복용법 및 사용법에 관한 지시는 입원환자 및 외래 환자에게 적극적으로 실시해야 하는 기본사항으로 환자 임의로 해석하거나 오해하여 잘못 복용하지 않도록 정확하게 전달한다. 특히 최신 약물송달시스템(Drug Delivery System, DDS) 으로 개발된 특수한 제형의 복용법과 사용법에 대해서는 이해하기 어려운 경우가 많기 때문에 정보 전달 시 구두 및 문서지도를 병용하여 지시내용을 환자가 올바르게 이해할 수 있도록 한다. 복용을 잊었을 때 대처 방법에 대해서도 설명한다.

4. 효능 · 효과 및 이상반응

환자의 복약 불이행 원인 중 하나로 이상반응을 두려워하여 자기 자신의 판단으로 복약을 중지하는 경우가 많으므로, 이상반응과 치료적인 의의 중 어느 것이 우선인가를 판단하고 환자에게 알려야 할 이상반응을 선택하여 제공한다.

1) 효능, 효과

효능, 효과는 수동적인 복약상담 항목이다. 약사가 불필요한 효능 · 효과를 설명했을 때 의사의 처방목적에 부합되지 않을 경우 환자는 의료를 불신하게 될 수도 있다. 의사의 처방목적을 확인하고 필요한 효능, 효과를 설명한다. 특히 환자의 문의가 있는 경우 효능을 알고 싶어하는 이유와 배경을 파악하여 환자와 의료진간의 신뢰관계가 유지되도록 적절히 설명해야 한다.

2) 경고, 일반적 주의, 임신부 · 수유부에 대한 투여

이 항목은 주로 의사가 행하는 부분이지만 경고에 대해서는 치명적 또는 아주 심하고 비가역적인 부작용이 발생하는 경우와 부작용이 생겨 심한 약화 사고로 연결될 가능성이 있을 경우에는 주의를 환기시킬 필요성이 있으므로 의사의 복약지도와 병행해서 복약상담을 할 필요가 있다. 경고에 대한 복약상담 사항도 사전에 의사와 약사 간 긴밀한 연락과 협의를 필요로 한다. 특히 임산부, 수유부, 노령자, 소아에 대한 복약상담은 중요하므로 주의를 기울여야 한다.

3) 이상반응

환자가 알고 싶어하는 내용으로 의사와 약사의 충분한 사전협의로 의견을 통일하여 환자에게 불안감을 주지 않도록 복약상담을 하는 것이 중요하다. 모든 이상반응을 알려 주는 것은 환자에게 불안감을 조성하여 복약 불이행을 초래할 수 있다. 이상반응의 전구 증상이 있는 경우에는 이러한 전구증상을 알려주어서 이상반응의 발생을 예방하도록 한다.

4) 환자에게 알려 주어야 할 이상반응의 범위

(1) 심각한 이상반응의 전구증상 발현으로 복약중지가 필요한 경우
 ① Aminoglycoside계 항생제 투여로 인한 뇌신경장애의 전구증상인 입술부위의 마비감
 ② Digitalis 복용 중에 나타나는 오심
 ③ Ethambutol 복용 중에 나타나는 시각장애
(2) 환자의 자각증상이 나타나지만 계속 복용해도 지장이 없는 것
(3) 2차적으로 일상생활에 영향을 미치는 이상반응
 ① '자동차 운전과 위험을 수반하는 기계의 조작 등에 종사하지 않도록 주의할 것' 의 문구가 있는 약물
 ② 혈압강하제에 의한 현기증
 ③ 혈당강하제에 의한 저혈당
(4) 일상생활에 영향을 미치는 것은 아니지만 소변이나 변을 변색시키는 약물인 경우에는 환자가 놀라서 복용을 중단하는 경우가 있을 수 있으므로 이러한 약물에 대해서도 사전에 복약지도를 해야 한다. 이러한 약물은 복약상담 매뉴얼에 일람표로 만들어 두는 것이 좋다(표 6-1참고).

5) 기타

식이, 음주, 흡연, 입욕, 운동과 관련된 정보 및 기타 약물과 병용 시 약물상호작용에 대해서도 복약상담을 하도록 한다.

표 6-1 대소변 변색 유발약물

변색	소변 변색 유발약물
검은색/갈색	Cascara, Chloroquine, Ferrous salts
짙은색	Metronidazole, Nitrofurantoin, Quinine, Senna
파란색	Triamterene
파란색/초록색	Amitriptyline, Methylene blue
주황색/노란색	Heparin, Phenazopyridine, Rifampin, Sulfasalazine
빨간색/분홍색	Daunorubicin, Doxorubicin, Heparin, Oxyphenbutazone, Phenylbutazone, Phenytoin, Rifampin

변색	대변 변색 유발약물
검은색	Acetazolamide, $Al(OH)_3$, Aminophylline, Amphetamine, Amphotericin, Bismuth salts, Chlorpropamide, Clindamycin, Corticosteroids, Cytarabine, Cyclophosphamide, Digitalis, Ethacrynic acid, Ferrous salts, Fluorouracil, Hydralazine, Hydrocortisone, 요오드 함유 약물, Methylprednisolone, Methotrexate, Melphalan, Phenylephrine, Potassium salts, Prednisolone, Procarbazine, Sulfonamides, Tetracycline, Theophylline, Triamcinolone
파란색	Chloramphenicol, Methylene blue
초록색	Indomethacin, Medroxyprogesterone
노란색/노란색-초록색	Senna
주황색-빨간색	Phenazopyridine, Rifampin
분홍색/빨간색	Anticoagulants, Aspirin, Barium, Heparin, Oxyphenbutazone

복약상담

5. 약 보관상의 주의점

약의 변질을 방지하기 위해 직사광선을 피하고 서늘하고 건조한 곳에 보관하다. 모든 약은 본래의 약병이나 약 봉투에 보관하되 어린이의 손에 닿지 않도록 안전한 곳에 두도록 한다. 특히 방습을 요하는 산제나 캡슐제, 좌제 등은 원래의 포장 그대로 제습제와 함께 보관하도록 한다.

1) 건냉소 보관: 의약품은 대부분 화학물질이므로 건냉소에 보관하도록 한다.

2) 냉장보관: 역가의 감소를 최소화하기 위하여 냉장 보관한다.

① Galactosidase, testosterone, 사용시 조제한 건조시럽제

② 인슐린 류, 성장호르몬제

③ Salcatonin nasal spray, latanoprost 안약

3) 차광보관: 빛에 불안정한 약품은 차광을 위해 갈색 차광봉투에 넣어 차광보관 하도록 한다.

- Vitamin C, digoxin시럽, 철분시럽제, chloral hydrate 시럽, $AgNO_3$ solution, $KMnO_4$ solution, Lugol solution, dexamethasone gargle제, povidone iodine gargle제, povidone iodine 제제 등

VI 내복약의 종류별 복약상담

내복약은 위장을 거쳐 소장으로 음식물과 함께 지나가면서 흡수되어 간에서 대사된 후 혈액으로 들어갔다가 병소나 장기까지 운반되어 약효를 발휘한다. 내복약은 복용법이 간편하고, 먼저 위장이나 간에서 1차적으로 대사되므로 작용이 완화되거나 이상반응이 작아질 수 있다. 그러나 위장이나 간을 거치는 동안 약효가 떨어지고, 위장이나 간 기능의 개인차로 일정한 효과를 얻을 수 없으며 효과가 늦게 나타나므로 긴급한 경우에는 적합하지 않고 약에 따라서는 위장장애나 간장애를 일으킬 수도 있다.

1. 산제(가루약)

1) 정제, 캡슐제보다 복용과 보관이 불편하다는 이유로 사용을 기피하는 경향이 있으나 노인이나 소아와 같이 연하곤란이 있는 환자의 경우 정제나 캡슐제보다 삼키기 쉽고 위장에서 녹는 과정이 생략되어 약효가 빨리 나타나며 환자의 증상에 따라 양을 미세하게 조정할 수 있는 장점이 있다.
2) 산제 복용법
   ① 미리 입에 물을 머금은 후에 가루약을 먹으면 목이 메거나 흩어지지 않는다.
   ② 맛이나 냄새가 강하여 먹기 어려운 경우에는 가루를 싸서 먹는 오브라이트나 캡슐에 넣어서 먹으면 복용하기 쉽다.
   ③ 굳거나 눅눅해지거나 또는 변색된 약은 약사와 상담하여 복용 여부를 결정한다.
   ④ 변질되기 쉬우므로 고온, 습기가 많은 곳이나 직사광선이 닿는 장소에 두지 않는다.

2. 과립제

1) 좁쌀과 같은 입자 형태로 유동성이 좋기 때문에 먹기 쉽고, 산제와 달리 날리거나 입 속이나 포장지에 달라붙는 일이 없으며, 가공 방법에 따라서는 위장에서 녹지 않고 소장에 들어간 후에 녹는 경우도 있기 때문에 위장 장애가 적은 편이다.
2) 과립제 복용법
   ① 소장에 들어가서 충분한 효과를 나타나게 하기 위해 충분한 양의 물과 같이 복용한다.
   ② 위장 장애를 방지하기 위해 소장에서 녹을 수 있도록 되어 있거나, 쓴맛이나 냄새가 나지 않도록 과립 표면을 코팅한 경우에는 씹거나 으깨서는 안 된다.

3. 건조 시럽제

1) 건조 시럽제는 입자 상태로 만들어서 복용하기 전에 물에 녹이거나 잘 저어서 복용하는 제형으로 정제나 캡슐제를 복용하기 어려운 유아에 편리하며 특히 습기에 약한 항생제 시럽이 건조시럽으로 제품화되어 많이 이용되고 있다.

2) 건조 시럽제 복용법

① 1회 분량의 약을 적당한 양의 물에 녹여서 잘 저은 다음 마신다.

② 병 단위 포장으로 된 건조시럽은 약사의 지시나 또는 약품 설명서에 적힌 양대로 정확히 눈금을 맞춰 물을 붓고 잘 흔들어 약을 잘 녹게 한 뒤 지시된 1회 분량만큼을 먹도록 한다.

③ 다른 산제와 섞어 먹으면 효력이 저하될 수 있으므로 되도록 섞어 먹지 않도록 한다.

④ 냉장고와 같이 저온, 저습도의 장소에 보관하고 유효기간이 지난 약은 복용하지 않는다.

4. 정제(알약)

정제는 원료 약품을 다른 부형제와 함께 압축해서 일정한 형태(알약)로 가공한 것으로 흔히 이용되는 제형이다. 정확한 양을 복용하게 할 수 있고, 복용, 보관, 휴대에 편리하며 제제 기술의 발달로 약효 지속 시간을 다양하게 조절할 수도 있다.

1) 내복정

① 내복함으로써 전신적인 효과를 나타낼 수 있도록 만들어진 제형으로 대부분의 정제는 내복정이다. 이 중에는 당(당의정)이나 합성수지(필름 코팅정)등으로 표면을 코팅하여 상품성을 높이고 약효를 지속시키거나 이상반응을 방지할 목적으로 개발한 제형도 있다.

② 효과를 발휘시키기 위해서는 충분한 양의 물(1컵)로 복용하는 것이 중요하며 특히 고령자는 위장의 기능이 약하기 때문에 반드시 물과 같이 복용해야 한다.

③ 씹거나 으깨면 약효나 맛이 변하거나 이상반응을 일으킬 수 있으므로 그대로 복용하는 것이 좋다.

2) 구강정

혀 밑에 넣어 녹이는 설하정과 사탕처럼 빨아먹는 트로키제가 있다.

① 설하정 : 혀 밑의 점막을 통해 바로 흡수되므로 효과가 빨리 나타나는데, 위장에서 분해되어 효과가 없어지는 약물에 이용되는 제형으로 협심증에 사용하는 nitroglycerin이 여기에 속한다. 설하정은 사용기한이 지난 약이나 보관이 불량한 약은 버린다.

② 트로키제 : 입안 또는 인두 질환에 사용하는 제제로 입안에서 침으로 용해시켜 빨아서 복용하도록 하는 제제이다. 이 제제는 국소적으로 약의 효능을 발현시키므로 가능한 오랜 기간 국소(구강, 인두)에 적용하는 것이 좋다. 특히 물로 삼키지 않도록 지시한다.

3) 츄어블정(Chewable 정)

츄어블정은 씹어서 구강내 모세혈관을 통해 흡수되는 부분이 있으므로 만약 그냥 삼킬 경우는 위, 장관에서 분해 또는 용해가 용이하지 않아 흡수율이 떨어진다.

4) 발포정

① 물에 녹이면 기포가 발생하도록 만든 것으로 물이나 분비액과 반응해서 발포하고 녹아서 작용한다.

② 내복용과 외용이 있으며, 외용은 질정으로서 국소와 살균, 소염, 피임 등의 목적으로 사용된다.

5. 경질 및 연질 캡슐제

1) 캡슐제는 약을 젤라틴으로 만든 캡슐 안에 넣은 것이다. 정제로 하면 제조할 때의 압력으로 분해되어 효력이 저하되는 약, 강한 맛이나 냄새 또는 자극을 방지해야 하는 약 등에 응용 된다. 그러나 정제에 비해 젤라틴이 습기에 변화되기 쉽고, 소화장애를 일으키기도 한다.

2) 캡슐제 복용법

① 구강이나 식도에 붙어 염증이나 궤양을 일으킬 수 있으므로 반드시 충분한 양의 물(1컵)과 같이 복용해야 한다.

② 캡슐제는 습기나 열, 충격 등에 약하기 때문에 보관이나 취급에 주의해야 한다.

③ 캡슐제는 개봉하거나 씹거나 으깨서 사용하면 쓴맛이나 악취 등으로 복용하기 어렵다.

6. 내복용 액제(시럽)

1) 내복용 액제는 물이나 알코올에 녹이거나 현탁시킨 액체 상태로 특히 소아용 약에 흔히 사용되며 성인의 경우에는 진해 거담제에 주로 사용된다. 내복용 액제는 산제나 정제에 비해 흡수가 빠르고, 약이 희석되므로 이상반응이 적다는 장점이 있기 때문에 유아나 고령자에게 사용된다. 그러나 쉽게 변질되므로 장시간 사용하기에는 부적합하고, 맛이나 냄새가 강한 약인 경우에는 복용이 어렵고, 운반도 불편하기 때문에 응용범위가 한정되어 있다.

2) 내복용 액제 복용법

① 마시기 전에 용기를 잘 흔들어서 계량컵 등의 다른 용기로 눈금을 맞춰 마신다.

② 특히 현탁제인 경우 복용 전에 충분히 흔들어 균일하게 현탁시켜 복용하지 않으면 초회 복용약의 유효성분 농도는 낮고 계속 복용함에 따라 유효성분의 농도는 점점 더 높아져서 심각한 부작용을 초래할 수 있으므로 주의한다.

③ 사용 후에 뚜껑을 잘 닫고 냉장고 등 냉암소에 보관한다.

VII 복용시점 별 복약상담

보통 약의 복용을 식사와 관련 지어 설명하는 이유는 약의 복용을 잊지 않도록 하는 가장 좋은 방법이기 때문이다. 하루에 세 번 식사를 하는 경우 식사 후 복용을 하게 되면 1일 3회 복용을 잊지 않고 지켜나갈 수 있다. 대개 식후 30분을 복용법으로 하고 있는 것은 식후 30분경에는 공복상태가 아니므로 복용한 약물로 인한 위장장애 등의 이상반응을 줄일 수 있기 때문이기도 하다. 그러나 모든 약이 식후 30분 복용은 아니며 약의 작용시점과 음식물과의 상호작용, 흡수율에 따라 효과적인 복용시간을 정하고 있다. 하지만 환자의 상태를 고려하여 복약이행률을 높이는 것에 초점을 두어야 할 것이다.

1. 식전 30분

1) 위장관운동 조절제 : Metoclopramide, Levosulpiride, Domperidone, Itopride, Mosapride, Motilitone

장 운동을 미리 촉진시켜 음식물로 인한 구토 유발을 방지한다. 그 예로 Metoclopramide는 작용발현 시간이 약물 복용 후 60분이 지나야 나타나므로 항암제투여로 인한 구토방지 목적으로 복용하는 경우는 최소 1시간 전에 경구 투여한다. 또한 Domperidone 역시 작용발현에 시간이 걸리므로 식전 30분에 복용하는 것이 좋다.

2) 궤양치료제 : Sucralfate

식후 음식물과 위산분비로 인한 궤양부위의 자극을 방지하기 위해서 식전 30분에 복용한다.

3) 과민성 대장증후군 치료제 : Pinaverium, Meveberine

식후 음식물과 위산분비에 의한 위장관 자극을 최소화하기 위해서 식전 30분에 복용한다. 4급 암모늄군의 약물인 경우에는 음식물에 의해 위장관의 흡수가 감소된다.

4) 협심증치료제 : Dipyridamole, Isosorbide dinitrate

음식물로 인한 생체이용률 감소를 방지하기 위해서 식전 30분에 복용한다. Isosorbide dinitrate의 경우에는 활성체인 mononitrate로의 대사가 음식물에 의해 저해되지 않도록 식전복용을 한다. 또한 협심증은 식후에 발작이 많이 일어나기 때문에 식전에 복용한다.

5) 당뇨병 치료제 : Sulfonylurea계

식전 30분 복용으로 탄수화물 섭취로 인한 식후 2시간 내의 과도한 혈당상승을 예방한다.

6) 식욕 촉진제 : Trestan, 항암환자 처방에서의 Megestrol

식전 복용으로 식욕 항진 작용의 최대화를 유도한다.

7) Tetracyclines

음식물 중의 Ca과 착화합물 형성을 방지하기 위해서 식전 30분에 복용한다.

8) Cholestyramine

음식물로 인해 담즙산의 분비가 증가하므로 식전 복용하여 작용을 최대화하고 음식물 중의 anion compound와 결합을 방지하기 위해 식사와 복용간격을 두는 것이 좋다. 식전 복용으로 흡수의 극대화를 유도할 수 있다.

9) Captopril

음식물로 인한 생체내 이용률의 감소를 방지한다. Captopril은 위장관에서의 흡수율이 60~70%이고 식사 후에 복용할 때에는 25~40%로 감소한다.

10) D-penicillamine

식전 30분 복용으로 음식물 속의 Cu와 착화합물 형성을 방지할 수 있다.

11) 결핵치료제

1일 1회 식전 30분에 복용함으로 살균(정균)작용을 크게 하며 복약이행률을 향상시킨다. 즉, 지속적으로 MIC이상을 유지하는 것보다 single peak가 높을 때 임상적인 효과가 우수하다. Pyrazinamide의 경우 위장 장애가 심하면 식후 분복도 가능하다.

2. 식사 직전

1) α-glucosidase 저해제(acarbose, voglibose)는 탄수화물의 흡수를 지연, 억제하는 약물이므로 식사직전 복용한다.

3. 식사 직후

위장장애가 심한 약, 식사직후의 소화기관내 pH가 약물흡수를 더 용이하게 하거나 약의 효과를 증대시키는 경우이다.

1) 철분 제제

식전 30분 복용이 이상적이나 위장장애가 있을 경우 식후에 복용한다.

2) 항진균제 : Ketoconazole, Itraconazole 캡슐

식사 직후의 복용으로 위장장애를 방지할 수 있고 음식물과 병용 시 생체내 이용률을 증대시킨다.

3) Aspirin

위장 장애를 방지하기 위하여 식사 후 복용한다.

4) 구토 유발이 심한 약물 : Bromocriptine, Metformin

음식물과 병용하여 구토, 오심 작용을 억제한다.

5) 만성신부전 환자에게서의 $Al(OH)_3$ 정

식후 복용시 aluminum이 음식물의 인산과 $AlPO_4$를 형성하여 인산의 흡수를 방해하므로 고인산혈증을 예방한다.

6) Probucol

식사 직후 복용 시 흡수율이 최대가 된다.

4. 식간(공복)

'식사를 하면서' 라는 뜻이 아니고 식사와 식사 사이의 공복 시에 복용하라는 의미로 식후 2시간을 가리킨다. 일반적으로 약물을 공복에 복용하는 경우 약물이 음식물에 흡착되지 않아 흡수율이 상승하고, 약의 작용이 신속, 정확하게 나타난다.

제산제는 위 내 산도가 높은 시간인 식후 1~2시간 또는 공복에 투여하여 제산효과의 최대화를 유도한다. H_2 길항제와 제산제만 처방할 경우에는 식후 1~2시간에 복용 하고, 소화제와 병용 처방할 경우에는 식후 30분에 복용한다.

5. 일정 시간 간격으로 복용

1) 항균제, 항원충제, 항바이러스제, 항암제

일정한 약물의 혈중 농도를 유지하기 위해서이다.

2) TDM 대상약물

Theophylline, Aminophylline, Digoxin, Cyclosporine

3) 서방형 제제, 장기 이식 후 면역억제제

4) 호르몬 제제 : 여성 호르몬, 갑상선 제제

5) Warfarin

1일 1회 복용시 저녁 7시에 복용한다. 1일 2회 복용 시 아침, 저녁 7시에 복용한다. 이러한 지침은 환자의 복약이행률 증가와 적응질환의 특성에 따른 것이다. 또한 치료혈중농도 범위가 좁으므로 일정시간 간격으로 복용하는 것이 좋다.

6. 취침 전

1) 최면진정제, 신경안정제

2) 기립성 저혈압 유발약물 : Bromocriptine, Doxazosin

1일 1회 복용 시 취침 전 복용한다.

3) 변비약

작용발현시간이 복용 후 7~8시간 후이므로 취침 전에 복용하여 아침에 배변하도록 하고 식전 복용은 식사 전 대장운동을 최대화시켜 변비방지 효과를 극대화한다.

(1) 1일 1회 : 취침 전
(2) 1일 2회 : 아침 식전 30분, 취침 전
(3) 1일 3회 : 매 식전 30분

4) H_2 길항제

1일 1회 복용으로 처방된 경우 취침 전 복용한다. 새벽 4시경 공복 시에 위산분비로 인한 통증완화를 위해 취침 전에 복용한다.

7. 저녁

1) Statin계열 : Lovastatin, Simvastatin, Pravastatin

1일 1회 복용 시 저녁식후 30분에 복용한다. 생체 내 지질합성이 circadian rhythm에 의해 밤에 주로 이루어지므로 HMG-CoA reductase 저해제를 저녁에 투여하여 혈중지질 강하효과를 최대화한다.

8. 아침

1) 스테로이드제 : Prednisolone, Dexamethasone

1일 1회 이른 아침에 복용한다. 이른 아침에 스테로이드분비가 최대인 circadian rhythm을 타서 HPA (hypothalamus Pituitary Axis)에 대한 억제작용을 최소화한다.

2) 불면증 유발 약물 : Fluoxetine, Selegiline, Methylphenidate

이상반응으로 불면증이 있으므로 아침에 복용한다. 1일 2회 복용 시 아침, 점심에 복용하고 1일 3회 복용 시 아침, 점심, 이른 오후(아무리 늦어도 취침 6시간 이전)에 복용한다.

9. 복용횟수 별 복약상담

1) 1일 1회

서방형 또는 지속형 제제 등 약효가 24시간 정도 지속되도록 개발된 약은 1일 1회 투약으로 간단하게 복용할 수 있다. 고혈압, 심장병이나 알레르기 질환 등의 만성 질환으로 장기간 복용해야 하는 약물에 이러한 투약의 편의성을 높인 제제들이 많다. 또한 통증, 구토, 설사, 변비, 불면 등의 증상을 일시적으로 억제하고자 할 목적으로 복용하는 약도 1일 1회 복용한다. 1일 1회 복용할 경우는 기상 시, 아침 식사 시, 저녁 식사 시, 취침 전, 차 타기 전 등과 같이 시간을 지정하여 일정한 시간에 복용하도록 한다.

2) 1일 2회

약물의 소실 반감기가 비교적 긴 약물이거나 약물의 유효치료농도 범위가 넓은 약물인 경우 1일 2회 복용이 가능하다. 일반적으로 특별한 지시가 없을 때에는 아침, 저녁에 복용하는 것이 좋다. 아침과 저녁은 집에서 복용할 수 있을 뿐만 아니라 심리적으로 가장 안정된 시간이므로 복약이행도를 높일 수 있다.

3) 1일 3회

약동학적인 효과 지속 시간이 4~6시간 정도 되는 약이 많으며, 이러한 약은 1일 3회 복용한다. 또한 음식과 관련된 작용과 부작용이 있는 약물들도 식사와 맞추어 1일 3회 복용한다.

4) 1일 4회

매 6시간마다 약물을 복용하여 혈중이나 조직의 약물농도를 일정 이상 계속 유지시켜 약효가 발현되도록 하는 약물은 1일 4회 복용한다. 일반적으로 매 식후, 취침 전에 복용하도록 한다.

5) 1일 6회

중증 감염증 치료제나 제산제 등 효과 지속 시간이 비교적 짧은 약에 이용되는 복용법으로 매 식전과 식후 또는 4시간마다 등으로 복용시간이 지정된다.

6) 격일복용

하루 복용하면 다음 날은 쉬는 방법으로, 부신피질 호르몬제 요법의 중단을 위해 tapering 하는 경우, 현재 복용하고 있는 약을 다른 약으로 바꾸기 위해 서서히 복용법을 바꿔야 하는 경우에도 이용된다.

7) 주 2~3회

신부전이나 장애가 있어서 약의 대사나 배설이 정상적이지 못한 사람에게 이용되는 특수한 용법이다. 때로는 이뇨제나 비타민 D제에 이용되는 경우도 있다.

8) 기타

(1) Bisphosphonate계 약물과 같이 주 1회 또는 월 1회 등의 일정 주기에 따라 복용하는 제제가 개발되었다. 이 제제는 일정 요일과 날짜를 정하여, 일정 간격을 두고 복용하도록 한다.
(2) 증상에 따라 복용하는 약물들도 있는데, 일시적 증상의 발현이나 일과성인 약효가 요구될 때 복용하게 된다. 이러한 복용법은 과량복용의 위험이 있으므로 가능한 한 1회 사용량을 준수하고, 1일 최대 사용량을 넘지 않도록 지도한다. 계속 증상이 있을 경우 의료인과 상의하여 질병상태를 파악한 후 복용하는 것이 좋다.

VIII 외용약의 복약상담

외용약은 피부나 점막 등 체표면에 적용해서 치료에 이용되는 것으로 좌제, 연고제, 패치 등 여러 가지 제형이 있다. 외용약은 환부에 직접 작용하므로 효과가 빨리 나타나며, 전신적 작용이 없어 큰 이상반응이 없으며, 이상반응이 있는 경우에도 발견하기 쉽고, 처치도 쉽다. 그러나 피부 또는 점막에만 작용하므로 응용 범위가 좁아 사용이 한정되어 있고, 주사약이나 내복약에 비해 효력이 약하다는 단점이 있다.

외용약은 내복약과는 제제 · 약동학적 측면에서 다르기 때문에 내복약과 구별되도록 '외용약' 또는 '복용하지 마시오' 라고 기재하도록 한다.

1. 양치(가글)제

입 안이나 목을 헹구어 구강 내를 살균, 세정하는 액제이다.

1) 가글제 사용법

지시된 적절한 배합으로 희석하여 사용하고 삼키지 않도록 하며 입안에서 약 15-30초 머금고 있은 후

밸도록 한다. 희석 없이 사용 가능한 제제도 있으나, 일부 제제는 지시한 농도로 희석하지 않으면 너무 진해서 점막을 자극하고 염증을 일으키며 너무 약한 경우에는 효과가 없어지는 것도 있다. Nystatin 은 위장관 내 칸디다 감염의 치료를 위해 삼키더라도 흡수되지 않는다.

2. 분무제, 에어로졸

흡입기나 분무기를 이용하여 목, 기관지 등의 호흡기나 피부에 뿌려 소독을 하고, 염증을 억제하고자 하는 경우나, 호흡기나 기침을 억제하고 가래를 없애는데 사용된다. 항알레르기제, 항생제, 거담제 등이 있으며 특히 호흡기 질환에 사용되지만 털이 나 있어 약을 바르기 어려운 부분의 살균, 소독 등에도 사용된다.

1) 분무제, 에어로졸 사용법

① 용기를 흔들어서 약을 잘 섞는다.
② 흡입기의 경우 숨을 충분히 내쉰 뒤에 숨을 들이마시면서 분무한 후, 10초 정도 숨을 멈추어 약이 충분히 흡수될 수 있도록 한다.
③ 한번 더 흡입하는 경우는 적어도 1분 이상 간격을 두고 실시한다.
④ 피부에 적용할 때에는 환부에서 4~6 cm 정도 떨어져서 분무한다.
⑤ 인화성이 있는 약도 있으므로 사용 중에는 담뱃불 등에 가까이 해서는 안되며 직사광선이 닿는 장소나 화기 근처에는 보관하지 않는다. 흡입기의 경우 흡입구를 주 1~2회 온수로 씻은 후 말려서 사용한다.

3. 점비제(코약)

비강 질환에 이용되는 약으로 혈관 수축제, 항히스타민제, 부신피질 호르몬제 등을 함유한 것이 있으며 용도에 따라 구분해서 사용한다.

1) 점비제 사용법

① 코를 가볍게 푼 후 베개 등을 어깨 밑에 대고 똑바로 눕거나 고개를 약간만(약 10도 정도) 뒤로 젖혀서 비강을 위로 향하게 한 다음 흡입구를 한쪽 비공에 넣고 다른 쪽 비공은 한 손가락으로 막는다. 숨을 가볍게 들이쉬면서 정해진 양 만큼 떨어뜨리거나 분무하고 숨을 4-5초간 멈춘 다음 입으로 서서히 내쉬도록 한다. 비공에서 용기를 뺀 후 2-3분간 머리를 뒤로 젖혀 약이 깊게 스며들게 한다.
② 너무 자주 사용하면 코의 점막이 위축되기 때문에 지시된 횟수 및 양을 지켜야 한다
③ 현탁액의 경우 충분히 흔들어 사용하며, 용기 끝이 코에 닿지 않도록 한다.

4. 점이제(귀약)

귓속 질환에 이용되는 약으로 항생 물질, 소염제 등이 있으며 귓속의 염증 억제, 살균 등 목적에 따라

구분하여 사용된다.

1) 점이제 사용법

① 손을 깨끗이 씻은 후, 머리를 옆으로 기울이고 귀가 위로 향한 자세로 귓속에 지시된 양을 떨어뜨린다.
② 약액이 흘러나오지 않도록 5~10분간 귓구멍을 위로 향하게 유지한다.
③ 현탁액의 경우 충분히 흔들어 사용하며, 용기의 끝이 직접 귀에 닿지 않도록 한다.

5. 점안제(안약)

의약품의 용액, 현탁액 또는 의약품을 쓸 때 녹이거나 현탁하여 쓰는 것으로 결막낭에 적용하는 무균제제이다. 눈의 감염증 치료에 이용되는 약으로 점안액(액제)과 점안연고가 있다. 항생제, 소염제, 항알레르기제 등이 있으며 질환과 증상에 따라 구분해서 사용한다.

1) 점안액(액제) 사용법

① 손을 잘 닦고 용기를 흔들어서 약액을 잘 섞은 후 눈을 위로 향하게 하여 아래 눈꺼풀을 가볍게 당긴 후 지시된 양을 떨어뜨린다. 점안 시 용기 끝이 눈에 닿지 않도록 한다.
② 눈을 감은 채로 잠시 같은 자세를 유지하면서 눈물샘에 약이 들어가지 않도록 손가락으로 눈의 안쪽을 1분 정도 눌러준다. 이것은 눈으로 약물이 흡수되는 것을 증가시킬 뿐만 아니라 코와 입을 통해 약이 흡수되는 것을 줄여 전신적 부작용을 줄일 수 있다.
③ 남용하면 이상반응이 일어날 수 있으므로 지시된 횟수 이상으로 점안하지 않는다.
④ 두 개 이상의 점안제를 동시에 사용해야 하는 경우에는 하나의 점안제를 점안한 후 적어도 5분이 경과한 다음에 다른 점안제를 점안하는 것이 좋다.
⑤ 사용 후에는 뚜껑을 잘 닫고 냉장고 등 차가운 곳에 보관한다. 냉장고에서 꺼내 바로 점안하면 눈에 대한 자극이 강하므로 약간 시간이 지난 다음에 점안해야 한다.

2) 점안연고

① 손을 깨끗이 씻고 고개를 뒤로 젖히거나 눕는다.
② 아래 눈꺼풀을 당겨 공간을 만든 후 연고를 가늘게 짜 넣는다. 이 때 일시적으로 시야가 흐려질 수 있다.
③ 눈을 2-3회 깜박거려 약이 눈 안에 고루 퍼지게 한 후 1-2 분간 눈을 감고 있는다.
④ 용기의 끝부분이 직접 눈에 닿으면 오염으로 인한 재감염이 예상되므로 닿지 않도록 주의하고 1일 1회 사용시는 취침 전에 사용한다.

6. 수렴제 및 소독제

1) Chlorhexidine, povidon 소독제 및 burrow solution 등의 수렴제 등이 여기에 포함된다.

2) Burrow solution은 내용물이 가라앉으므로 사용 전 흔들어 균일하게 섞이도록 하고 거즈에 적셔서 10-15 분 정도 질환부위를 습포하는 것을 지시 받은 횟수대로 반복한다.

7. 연고제

1) 연고제는 적당한 점도를 갖는 반고형 약제로 피부나 점막에 발라 사용한다. 연고기제에 따라 유지제와 크림제로 구분된다.
2) 유지제는 건조한 경우뿐만 아니라 습한 경우에도 이용되지만, 크림제는 주로 건조해진 피부병에 이용된다. 구내염 등 입 안의 병에 이용되는 연고제도 있는데, 이는 점막에 잘 접착 될 수 있도록 만들어진 약이다. 또한 눈병에 이용되는 안연고도 있다.
3) 연고제 사용법
   ① 손을 깨끗이 씻은 후 환부를 잘 씻고 수건으로 가볍게 닦은 후 연고제를 적용토록 하고 1일 1~3회 정도 바른다.
   ② 부신피질 호르몬제의 장기적 오남용은 바이러스, 세균, 진균의 감염을 유발할 수 있으므로 주의한다. 항균제 및 항진균제(특히 무좀)는 증상이 개선되어도 처방일수까지 사용하도록 한다.
   ③ 가려움증, 발진 등 과민 증상이 나타날 때에는 사용을 중지하고 의사나 약사와 상담한다.
   ④ 연고제는 보관이 제대로 되지 않으면 굳거나 변색되는 경우가 있다. 뚜껑을 잘 닫아서 냉암소에 보관하고 사용 기한이 지난 것은 사용하지 않는다.

8. 패치제

1) Transdermal therapeutic system(TTS) 은 TTS 제제내의 방출조절막에 의하여 약물이 피부를 통하여 흡수되는데 제품이 파손되면 방출조절기능이 파괴되어 과량 또는 저용량이 흡수될 수 있으므로 파손된 제품의 사용을 금한다.
2) 샤워 후에 해당 부위에 붙이되 움직임이 많은 곳은 혈류량이 불규칙하여 흡수량이 일정치 않고 패치제가 떨어져나갈 위험이 많으므로 관절부위와 체모가 많은 부위는 피한다.
3) 제제마다 작용시간이 다르므로 약효시간에 맞추어 갈아 붙이되 피부자극, 국소반응을 예방하기 위해서 매번 부착위치를 바꾸도록 한다.
4) Fentanyl 패치인 경우 마약성 진통제이므로 본인 이외에 사용하지 말 것을 강조하고, 서방성 경피 흡수제로서 3일간 지속적으로 약물이 용출되므로 분할하여 잘라서 사용하지 않도록 한다.
5) 부착위치
   ① Nitroglycerin : 가슴부위, 상완부 내측 (내성 방지를 위해 12 시간 붙이고 12시간은 떼어 놓는다)
   ② Estrogen : 등 하부, 복부
   ③ Fentanyl : 상완이나 가슴부위

9. 좌제, 질제

1) 약물을 기제에 고르게 섞어 일정한 형상으로 성형하여 항문 또는 질 점막을 통해 흡수되는 제형이다.
2) 좌제는 항문에 넣는 약으로 입으로 약을 먹을 수 없는 영, 유아에게 사용이 용이하고 위액으로 분해되기 쉬운 약이나 위장 장애가 있는 약 등에 적용 가능하다.
3) 항문 좌제 사용법
   ① 우선 손을 잘 씻은 후 티슈 등으로 좌약의 밑부분을 잡고 항문에 투입한다. 허리를 약간 구부리거나 옆으로 누워 다리를 상체에 붙이는 자세로 하면 투입하기 쉽다. 삽입 후 밀려나지 않도록 약 1분 정도 항문을 누르고 있는다.
   ② 삽입이 어려운 경우는 물을 묻혀 사용하며, 좌제가 단단하지 않을 때에는 포장 그대로 냉장고에 넣어 굳은 후에 사용한다.
   ③ 곧바로 대변을 보고자 할 경우에는 사용하지 않는다.
4) 질 좌제는 질염 등 질에 병소가 있을 때 이용되는 제형으로 항생제, 항진균제, 소염제 등이 있고 질병에 따라 구분해서 사용된다. 사용법은 좌약을 항문에 투입하는 요령으로 질에 적용한다. 활동 시에는 약물이 체외로 배출되므로 취침 전 투여가 바람직하며, 하의 속옷에 1회용 패드 부착을 하도록 일러준다.

IX 주사제의 복약상담

Insulin이나 성장호르몬 제제 등은 환자가 직접 주사하게 되는 경우가 많다. 이들 자가 주사제제는 대부분 피하주사로 투여하게 되는데, 근육이나 정맥으로 투여할 경우 과도한 흡수로 이상반응이 나타날 수 있으므로 주의한다. 피하주사 시 상완, 대퇴, 복부 등에 주사하게 되고, 동일부위에 단기간 내 반복하여 주사하지 않아야 주사부위 이상반응을 줄일 수 있다. 이들 제제는 대부분 냉장보관 하여야 하며, insulin의 경우 개봉 후에는 실온에서 보관하도록 한다.

X 약물유해반응 (Adverse drug reaction, ADR)

의약품이 특정 목적으로 사용될 때 그 목적에 따른 작용을 주작용이라 하며, 이 치료 목적에 맞지 않는 작용을 부작용(side effect) 이라 한다. 부작용은 통상의 용량 및 과량투여에서 발현되지만 용인될 수 있는 것과 용인될 수 없는 것이 있으며, 후자는 유해반응(adverse reaction)이라 하며, WHO 정의에서의 부작용은 이 유해반응을 말하고 있다.

만성질환자가 알고 싶어하는 내용 중 가장 많은 비중을 차지하는 것이 유해반응에 대한 것이다. 복약상담할 때는 반드시 환자가 경험한 약물유해반응에 대해 물어보도록 한다. 이것은 다음 번 복약상담에 활용될 수 있고, 또한 환자의 체질에 따라 발생 가능한 약물유해반응을 예방할 수 있기 때문에 매우 중요하다.

약물유해반응에 대한 유형은 다음과 같이 분류해 볼 수 있다.

1. 약물유해반응의 유형

1) 부효과, 부반응(Side Effect)

약물 작용기전(인체에 작용하는 원리)에 의해 나타나는 이상반응이다. 상용량에서 약리작용상 발현되며 예측가능하다. 유익성과 유해성을 비교 검토하고 미리 예방 가능한 문제는 해결하면서 사용한다. (예: 눈의 조절기능 이상, 구갈, 환각, 비만, 초조함, 고창, 저혈압, 비염, 관절통, 설염, 불면, 부비동염, 서맥, 당뇨, 오심, 변비, 현훈, 신경과민, 항히스타민제 복용 시 졸림)

2) 독성작용, 독성반응(Toxicity Effect)

상용량이나 과용량에서 화학작용으로 생기며 기능장애나 구조적 손상을 유발한다. 용량과 관계가 있으므로 용량 감소로 해결 가능하다. 유해성이 있다고 할지라도 경우에 따라서 사용할 수 있다. (예: 무과립구증, 신부전, 탈모증, 근육통, 혈액이상, 신석화증, 발작, 골괴사, 디기탈리스독성, 신경증, 추체외로 증후군, 마비, 간경화, 비아그라의 두통)

3) 과민반응(Hypersensitivity Reaction)

특정 환자 군에서 상용량 이하에서 발생한다. 증상에 따라 투여하지 않거나 처치가 필요하다. 상용량이나 그 이하 용량에서 특정한 약품(알러젠)에 노출되었을 때 특이적인 증상과 과민성을 나타낸다. 이 때 증상은 간단한 피부발진에서부터 매우 심각한 기관지 수축, 저혈압, 아나필락시스 쇼크 등 다양하게 나타난다. (예: 페니실린 항생제의 과민반응, 알레르기, 호흡장애, 저혈압, 발진, 아나필락시스, 호중구 증가증, 혈관염, 혈청병, 용혈성 빈혈, 다형성 홍진, 소양증, 두드러기)

4) 체이적 반응(Idiosyncratic Effect)

상용량에서 약물, 단백질 기타 물질에 대한 개체적인 특이 반응에 속하며 정확한 기전은 밝혀지지 않았지만 약물 대사에서의 유전적인 차이에 기인되는 것으로 생각된다. 투여하지 않거나 처치(특이반응검사, 환자교육)가 필요하다. (예: 무과립구증, 발열, 신기능 이상, 간기능 이상, 발작, 간염, 간세포괴사)

2. 약물유해반응 발현의 위험성이 높은 경우

1) 치료역이 좁은 약물을 복용한 경우
2) Saturable kinetics 특성을 나타내는 약물을 복용한 경우
3) 타 약물 및 음식물과 병용 시 이상반응이 발현하는 약물을 복용한 경우

4) 이상반응에 취약한 사람이 약물을 복용한 경우
예) 고령자, 신생아, 면역이 억제된 사람, 당뇨인, 임신부, 과민증의 경력이 있는 사람
5) 노인 환자의 경우 multiple diseases, multiple medications, 나이에 따른 대사기능의 변화로 인하여 특히 이상반응 발현의 위험이 높다.

3. 약물유해반응의 임상적 양상

1) Anaphylaxis

약물에 노출된 지 수 분 이내에 시작되며, 코, 눈, 생식기의 소양증과 작열감이 전구증상이다. 두드러기, 혈관 부종, 후두경련, 기관지 경련, 저혈압, 부정맥, 실신, 설사, uterine cramping 등이 나타난다. 항히스타민제가 anaphylaxis 증상과 피하병변, 저혈압의 조절에 도움을 준다.

2) Serum Sickness

약물 투여 7-14 일 후에 주로 발생하며, 열, 권태감, lymphadenopathy가 나타난다. 그 외 관절통, 두드러기, 홍반상 피부 발진도 나타난다. 혈청 creatinine 상승, atypical lymphocytosis, 혈뇨, 단백뇨, ESR의 상승이 나타날 수 있다. 말초혈액의 호산구증은 관찰되지 않는다. 유발 약물로는 immune globulin 제제, sulfonamide, hydantoin, penicillin, cephalosporine 등이 있다. 경한 경우 항히스타민제 경구복용으로 1~2일 후에 회복된다. 심한 경우에는 prednisolone을 투여하며 서서히 감량한다.

3) Drug Fever

CNS에 직접 작용하여 체온 조절에 영향을 주거나 백혈구에서 내인성 발열물질 등을 유리시켜 발생하는 것으로 알려져 있다. 그 외 약리기전상 열이 발생할 수 있으며, 항암제 치료 시 과다한 암세포 파괴로 열이 날 수 있다. 발열 유형은 low grade 이면서 지속적이거나 간헐적이면서 변화가 심할 수 있다. 일반적으로 약을 중단하면 없어지고 재투여 시 다시 열이 난다. 치료 7~10일 정도 후에 나타나며, 가끔 발진과 호산구증이 동반된다. 의심되는 약물 중단 후 72시간 이내에 열이 사라지면 drug fever로 확진한다. 흔한 관련 약물로는 alprostadil, piperacillin, isoniazid, phenytoin, quinidine, sulfonamides, vancomycin, recombinant human interferon α 가 있다. Phenytoin의 경우에는 조직친화력이 크므로 열이 수일 동안 지속된다.

4) Malignant Hyperpyrexia

드물게 발생하지만 10%가 사망한다. 갑자기 체온이 상승하며 대사성 산혈증, 경직이 나타난다. 마취제나 탈분극성 근이완제가 원인인 경우 근육 붕괴도 일어난다.

5) Drug Induced Autoimmunity

약에 의해 많은 자가면역 질환이 생기는데 그 대표적인 것이 procainamide, hydralazine, isoniazid에

의해 유발되는 전신성 홍반성 루프스이다. 주 증상은 관절통, 근육통, 다발관절염이며 안면피진, 궤양, 탈모도 드물게 일어난다. 보통 약물을 시작한지 수 개월 후에 나타나며, 약물을 중단하면 곧 사라진다. Phenytoin, halothane에 의한 간염, methyldopa에 의한 용혈성 빈혈, methicillin에 의한 renal interstitial nephritis 등이 그 예이다.

6) 맥관염(Vasculitis)

혈관의 염증과 괴사가 특징이다. 피하 맥관염인 경우 크기와 수가 다양한 자반성 병변이 나타난다. 구진, 소결절, 궤양이나 대소수포성의 병변이 주로 하지에 발생한다. 유발약물로는 allopurinol, β-lactam계 항생제, sulfonamide, thiazide계 이뇨제, phenytoin 등이 있다.

7) Cutaneous Reactions

두드러기, 홍반, 구진 등의 경한 증상부터 다형 홍반, SJS (Stevens-Johnson Syndrome), toxic epidermal necrolysis 등의 심각한 증상까지 나타나며 이와 관련된 약물로는 phenytoin, carbamazepine, allopurinol, β-lactam계 항생제, sulfonamides가 있다. 다형홍반은 5일에 걸쳐 전신에 나타나며, 원인 약물을 중단하고 치료하지 않으면 병변은 1~3주간 지속된다. SJS는 피부뿐만 아니라 눈, 코, 입, 기관지, 생식기 점막에 영향을 미친다. 약 30%가 열, 권태감, 두통, 기침, sore throat 등의 전신증상을 나타내며, steroid의 투여는 사망률을 감소시킨다. TEN (Toxic Epidermal Necrolysis)은 가장 심각한 이상반응이며, 표피가 두꺼워지고 전신 증상을 동반한다. 발현은 빠르며 48시간 이내에 full-blown syndrome이 나타나고 steroid에 반응하지 않는다. 사망률은 30%이며 연령에 따라 증가한다.

4. 약물별 유해반응이 일반적 치료법

약물유해반응을 예방하기 위해서는 정확한 용량으로 적절한 기간 동안 투여하고, 처방된 약의 유해반응을 환자에게 알려 주어야 하며, 의무기록지에 환자의 약물 allergy를 기록해야 한다. 각 약물의 유해반응은 아래와 같다.

1) 대표적인 약물유해반응

(1) ACE Inhibitor

1~10%의 환자에서 마른 기침이 지속적으로 나타나며, 투여 3일 이내 또는 12개월 후에도 나타날 수 있다. 치료를 중단하면 1-7일 이내에 증상이 좋아지나 다시 투여하면 재발한다. ACE는 bradykinin과 substance P를 가수분해하는 효소이므로, ACE inhibitor는 이를 저해하여 염증이나 기관지의 과반응성을 유발할 수 있다. 다른 ACE Inhibitor로 전환하는 것은 효과적이지 않고, 베타차단제의 병용 투여도 피하는 것이 좋다.

(2) NSAIDs

NSAIDs 간에는 교차 내성이 있으므로 어떤 NSAIDs에 알레르기가 있다면 다른 NSAIDs의 투여에도 주의해야 한다. NSAIDs는 cyclooxygenase를 저해하여 기관지 확장효과가 있는 PG (Prostaglandin)을 감소시키고, lipoxygenase 경로의 대사를 증가시켜 기관지 수축인자의 형성이 증가하게 된다. 이로 인해 급성두드러기나 호흡부전, shock, 급성 기관지 수축 등이 일어날 수 있다. NSAIDs의 투여는 만성 특발성 두드러기 환자의 20-30%에서 증상을 악화시킨다. 천식이나 nasal polyposis가 있으면 immediate reaction을 유발할 위험성이 더 크다. Aspirin 과민성은 IgE 매개 반응이 아니기 때문에 skin test로 확인할 수 없다. Aspirin에 대한 과민성이 있는 경우, Acetaminophen, sodium salicylate, salsalate 또는 choline magnesium trisalicylate를 대신 투약한다. Aspirin 과민성 천식환자에게 ketorolac을 주사로 투여하면 치명적인 기관지경련을 유발할 수 있으므로 aspirin 과민성이 의심되는 환자에게는 주의해서 경구나 흡입으로 소량을 시도해 본다. Aspirin 과민성이 있는 환자는 이를 피하는 것이 가장 좋으며 교차반응성을 가지는 약물로는 tartrazine dye, indomethacin, phenylbutazone, fenoprofen, ketoprofen, diclofenac 등이 있다.

(3) Penicillins

Benzyl penicillin은 분자량이 적으므로 고분자량인 단백질과 주로 결합하여 면역 반응을 유발한다. 면역반응과 관련된 이상반응으로는 면역복합체 형성과 관련된 serum sickness, 적혈구와 결합한 penicillin에 항체가 생성되어 생기는 hemolytic anemia, penicillin에 T lymphocyte가 매개된 hypersensitivity로 생기는 contact dermatitis, IgE가 매개된 anaphylaxis가 있으며, 대개는 immediate 또는 type I hypersensitivity 와 관련 있다. Penicillin 투여 환자의 1/1,000~1/10,000 환자에서 anaphylaxis가 일어나며, penicillin과 교차내성을 지니는 약물은 cepha계, 다른 penicillin계 약물, imipenem이 있고, monobactam, aztreonam과는 교차내성이 약하다.

(4) Cephalosporins

Penicillin에 알레르기가 있으면 1세대 cepha계와 교차내성은 5~16.5%, 2세대와는 10~14.6%, 3세대와는 2%로 보고되고 있다.

(5) Sulfonamides

Hypersensitivity는 전 인구의 3%에서 발생하지만, AIDS환자는 60%에서 발생하며 일반적으로 치료 7-10일 후에 나타난다. Immediate reaction으로 나타날 수 있으나 주로 delayed cutaneous reaction이 나타나며, 열이 나고 그 후에 발진이 수반된다. 이러한 반응은 면역을 매개로 일어나며 반응성 대사체 hydroxylamine의 생성과 관련이 있다. 발진은 Stevens-Johnson syndrome이 나타날 수 있으므로 즉시 치료한다.

(6) Vancomycin

주사로 1시간 이내 투여하는 경우 흔히 산재성 홍반과 두드러기 등의 알레르기 유사반응이 나타난다.

이는 mast cell을 활성화시켜 histamine을 유리하는 "Red man Syndrome" 증후군을 말하는데 항히스타민제를 전처치하고 vancomycin 투여시 적어도 1시간 이상 최고 4시간까지 서서히 주입하면 예방할 수 있다.

(7) Insulin

인슐린은 다양한 알레르기 반응을 유발할 수 있는 완전한 항원이다. 인슐린은 인간, 돼지, 소가 기원인데 알레르기 반응은 이 모두에서 발생한다. 이 반응은 인슐린이나 인슐린에 첨가된 다른 물질이 원인이다. 환자의 대부분은 치료 수개월 후에 항 인슐린 항체를 가지게 된다고 한다. 인슐린 반응은 주사부위에 국한될 수도 있고 전신에 나타날 수도 있다. 국소 반응은 주로 주사 부위의 구진과 발적으로 나타나며 주사 직후나 주사 8~12시간 후에 발생한다. 이러한 반응은 보통 경하므로 치료를 요하지 않으며 인슐린을 계속 투여하여도 된다. 하지만 환자가 이러한 국소반응을 견디지 못하면 항히스타민제나 다른 기원의 인슐린 제제, 더 순도가 높은 것으로 대체한다. 드물게 인슐린에 의한 두드러기, anaphylaxis 등의 전신반응이 나타나기도 한다.

참고문헌

- 박기배 : 실전 복약지도와 약력관리, 약국신문 (2009)
- 약제학 분과회 : 조제와 복약지도, 신일북스 (2011)
- 신완균 : 처방조제와 복약지도 Q&A, 신일북스 (2007)
- Handbook of Clinical Pharmacy Lecture, 한국병원약사회 (2012)
- 장병원 : 약사법 약사행정, 신일북스 (2012)
- 약학정보원 http://www.health.kr

_07 이식약물 복약상담

Objectives 

- ▶ 장기이식환자에게 시행되는 복약상담의 필요성을 이해한다.
- ▶ 장기이식 및 거부반응의 개념을 이해한다.
- ▶ 장기이식 후 사용되는 약물요법 및 생활에서의 주의사항을 학습한다.
- ▶ 장기이식환자에게 적절한 복약상담을 시행할 수 있다.

I 장기이식 상담업무의 필요성 및 목적

장기이식(solid-organ transplantation)은 말기의 심장, 신장, 간, 및 폐질환을 앓고 있는 환자들에게서 생명을 구하는 중요한 치료방법이다. 국내에서는 1969년 신장이식, 1988년 간이식, 1992년 심장이식을 성공한 이래로 현재 신장, 간, 췌장, 심장, 소장, 폐에 대한 장기이식을 실시하고 있다. 이식 수술 후에 면역억제는 평생 동안 복용해야 하는 것이 필수적인데, 이식 후 장기적인 성공은 면역억제제의 복약순응도에 달려 있다 해도 과언이 아니다. 새로운 면역억제제의 개발과 더불어 이식 성공률과 환자의 생존율이 향상되고 있으나, 면역억제제의 사용에도 불구하고 발생하는 거부반응이나 약물의 유해반응은 이식 후 발생할 수 있는 대표적인 문제점 중의 하나로 여전히 이식환자의 삶의 질에 큰 영향을 미치고 있다.

장기이식환자에게 복약상담을 시행하는 목적은 면역억제의 필요성 및 약물요법에 대한 이해도를 증가시켜 복약순응도를 높이고, 면역억제로 인해 발생할 수 있는 감염 및 기타 약물유해반응에 대해서 미리 알고 적절히 대처하도록 함으로써 약물 사용으로 인해 발생할 수 있는 위험을 최소화하는 것이다.

II 장기이식 및 거부반응의 개념

1. 장기이식의 종류

이식은 이식 받는 공여자나, 조직에 따라 자가이식(autograft), 동조직이식(isograft), 동종이식(allograft), 이종장기이식(xenograft)으로 나뉘며, 현재 신장, 간, 췌장, 심장, 소장, 폐에 대한 장기이식을 실시하고 있다.

1) 신장이식

국내에서 가장 많이 실시되는 이식으로 뇌사자와 살아있는 사람의 장기를 모두 공여 받을 수 있으며, 1년 생존율이 90% 이상으로 높다. 신장이식은 만성 사구체신염, 당뇨병, 고혈압 등으로 인한 신부전으로 정상적인 신기능을 수행할 수 없는 환자에게 시행되며, 이전에는 수혈에서와 같이 ABO 혈액형이 적합하며 HLA계 조직형이 일치하는 사람의 장기를 공여 받았으나, 현재는 혈장교환술 등을 통해 ABO 혈액형 부적합 이식수술도 이루어진다.

2) 간이식

신이식 다음으로 국내에서 가장 흔하게 실시되는 이식으로 1년 생존율은 90% 정도이고 3년 생존율도 80%가 넘는다. 성인 간이식의 원인 질환은 B형 간염에 의한 간경화 혹은 간세포암을 동반한 경우로 각각 59.3%, 21.5%로 전체의 80%를 차지한다. 이식 수술은 뇌사 전간 이식과 간의 일부만을 이식하는 뇌사자 분할 또는 축소 간이식과 생체 부분 간이식이 있으며, 부분 간이식의 경우 이식편의 무게가 수혜자 몸무게 대비 0.8~1% 이상이 되어야 비교적 안전하다.

3) 폐이식

폐기종 또는 낭포성 섬유증과 같이 폐가 전반적으로 비가역적인 손상을 받은 경우나 선천성 심장질환으로 인하여 폐동맥 고혈압이 발생한 경우에는 점차 폐기능이 저하하여 생명이 위협받게 되는데 이런 경우 폐이식이 필요하다. 폐이식 방법으로는 살아있는 사람으로부터 장기를 기증받는 생체 폐부분 이식과 뇌사자로부터 기증을 받는 뇌사자 폐이식 수술로 나눌 수 있으며, 국내에서는 1996년 처음으로 뇌사자 폐이식 수술이 시행되었다. 생존율은 1년 생존율 76%, 5년 생존율 41%로 비교적 낮은 편이다.

4) 심장이식

심장 근육이 비가역적으로 손상되었거나 완치가 불가능한 선천성 심장 기형인 경우에 심장이식이 시행된다. 뇌사자로부터 기증을 받게 되며, 수술은 상대정맥, 하대정맥, 폐정맥을 남겨 놓고 폐동맥과 대동맥의 판막 바로 위를 절개하여 이곳에 새로운 심장을 이식하게 된다. 1년 생존율은 81%이고, 심장과 폐를 동시에 이식하는 경우도 있는데, 이때 1년 생존율은 58%이다.

5) 췌장이식

췌장이식은 췌장의 기능이 저하되어 나타나는 당뇨병 환자에게 시행된다. 이식수술은 전체 이식과 부분 이식법이 있으며 전체 이식은 40세 미만의 뇌사 기증자(B형 간염 보균자, 당뇨병, 감염이 있는 경우는 제외)와 혈액형과 HLA계 조직형이 맞는 경우 가능하며 가족으로부터는 부분 기증이 가능하다. 통상적으로 신이식과 함께 이루어지는 경우가 많으며, 이때 70%의 생존율을 나타내는데 센터에 따라 80%를 상회하는 곳도 있다.

2. 거부반응

1) 일반적인 개념

(1) 동종이식편 거부반응(allograft rejection)은 수혜자의 면역계로부터 공여자 조직적합성의 인식, 활성화된 림프구의 동원, 면역개시인자 기전의 가동, 마지막으로 이식편의 파괴 등과 같은 일련의 과정으로 나타나게 된다.

(2) 주요 조직적합 유전자 복합체(major histocompatibility complex, MHC)의 class I 과 II 항원들은 이식에 필요한 조직적합성에서 매우 중요하다. Class I 항원은 모든 유핵 세포에 발현되어 있는 반면 class II 항원은 주로 B 림프구, antigen-presenting cells (APCs), 혈관내피세포에 존재한다. T helper cell은 MHC type II 존재 하에서만 항원을 인식할 수 있으며, cytotoxic T cell은 MHC type I 항원 존재 하에서 항원을 인식할 수 있다. 림프구는 특이항원을 인식할 수 있는 유일한 세포로써 동종이식에서 매우 중요한 역할을 담당한다.

(3) T cell의 활성화는 T cell 수용체, MHC, 세포부착물질 등 간의 상호작용에 의해 이루어진다. Calcineurin이 활성화되면 interleukin-2 (IL-2)의 증식을 촉진하게 되고, IL-2는 T cell에서 방출되어 국소적으로 그리고 인체의 기타영역에서 T 림프구를 활성화시킨다. T-helper cell (TH)은 두 가지 경로로 분화되는데, TH1 세포는 IL-2, interferon-γ및 IL-12를 분비하여 세포 독성 효과를 나타내고, TH2세포는 B 세포와 면역글로불린의 증식을 자극하는 IL-4, -5, -10, -13을 분비한다.

(4) 이식된 조직의 거부반응은 시술 후 어느 시점에서든 발생할 수 있고 임상적으로 초급성 거부반응, 급성 세포성 거부반응, 체액성 거부반응, 만성 거부반응으로 나눈다.

2) 초급성 거부반응(Hyperacute Rejection)

(1) 공여자의 class I MHC, ABO 같은 혈관내피세포에 있는 항원에 대해 이미 존재하고 있는 수혜자의 항체가 결합하여 발생한다.

(2) 이식 후 수분에서 수시간 내에 발생한다.

(3) 신장이나 심장이식의 경우 ABO식 혈액형 적합여부와 교차시험(cross-matching test)을 실시하여 많이 관찰되지 않는다.

3) 급성 세포성 거부반응(Acute Cellular Rejection)

(1) 순환하던 T-cell이 혈관내피세포를 통해 동종이식편에 침투, 조직을 파괴한다.
(2) 통상적으로 이식 후 수개월 내에 발생하지만 동종이식편이 생존하는 동안 언제든지 발생할 수 있다. 이식 초기에 가장 많이 발생하는 거부반응으로 다른 거부반응에 비해 약물치료가 효과적이다.
(3) 신장 : 이식 후 최초 6개월 동안 약 20%의 환자에서 발생하며 혈청 크레아티닌 농도가 30%이상 급격히 상승한다. 생검을 통해 조직학적으로 진단하는데, 생검 표본에서 산재되어 있는 림프구 침윤을 확인할 수 있다.
(4) 간 : 이식 후 6일에서 6주 사이에 흔히 발생한다. 임상적 증상으로는 백혈구 증가, 담즙 색깔이나 양의 변화, 혈중 빌리루빈 농도의 상승, 간효소 상승 등을 들 수 있다.
(5) 심장 : 모든 거부반응의 90%가 이식 후 첫 6개월 이내에 발생한다. 급성 거부반응은 이식 후 환자 생존을 결정하는 주요한 인자이기 때문에 surveillance endocardial biopsy를 일정한 간격으로 실시한다. 생검 횟수는 매 3~12개월마다로 점차 감소한다.

4) 체액성 거부반응(Humoral Rejection)

(1) 공여자의 혈관성 내피세포에 존재하는 HLA 항원에 대한 항체에 의해 매개되는 거부반응으로 혈관성 거부반응(vascular rejection)이라고도 한다. 급성 세포성 거부반응과 달리 생검상 림프구 침윤이 없다.
(2) 세포성 거부반응보다 덜 발현되며 1주~3개월 내에 발생한다.
(3) 약물치료에 잘 반응하지 않는다.

5) 만성 거부반응(Chronic Rejection)

(1) B-림프구에 의한 면역 항체 생산 및 장기 조직의 섬유화에 의한 것으로 보인다.
(2) 이식 후 수개월에서 수년 후에 발생한다.
(3) 이식편 기능부전이나 사망의 주요한 원인이 되며 비가역적이다.

III 장기이식 후의 약물요법

1. 면역억제제

1) 면역억제제의 종류(그림 7-1 참고)

① Calcineurin inhibitors (CNIs) : cyclosporine (CsA), tacrolimus (FK506)
② Antiproliferative agents : azathioprine (AZA), mycophenolate mofetil (MMF)
③ mTOR (mammalian target of Rapamycin) inhibitors : sirolimus (SRL)
④ Glucocorticoid : prednisolone, methylprednisolone

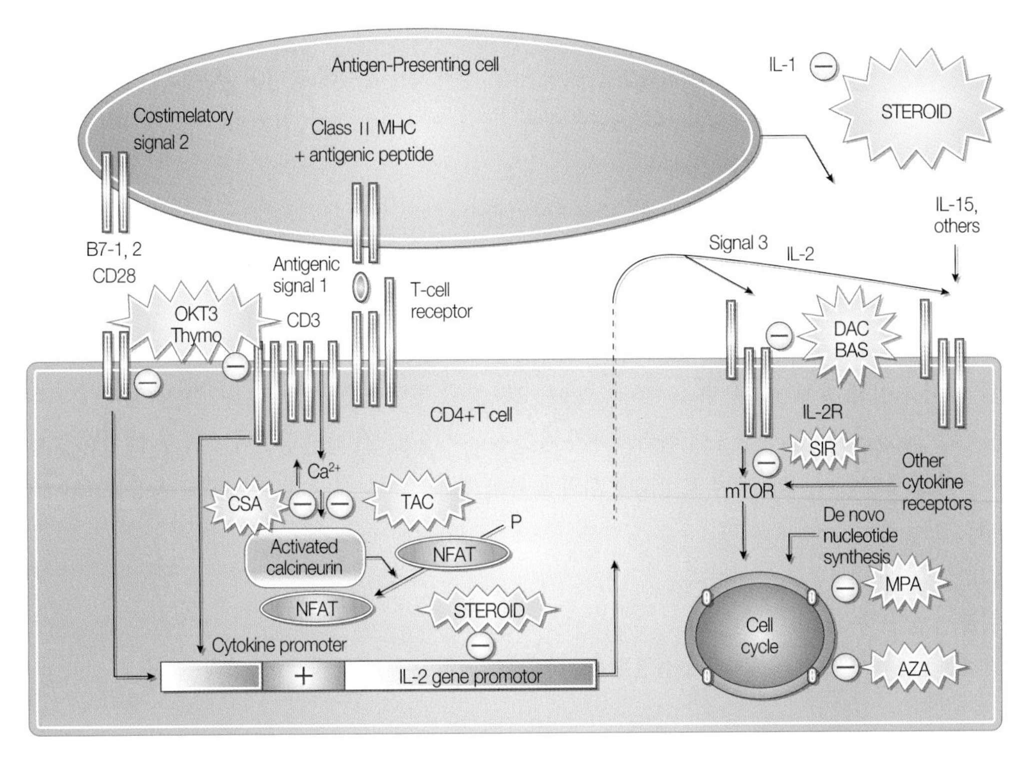

그림 7-1. **면역억제제의 작용기전**

* AZA, azathioprine; BAS, basiliximab; CSA, cyclosporine; DAC, daclizumab; TAC, tacrolimus; IL, interleukin; MPA, mycophenolic acid; SIR, sirolimus; TNF, tumor necrosis factor.

** Reference: Salazar TA, Aweeka FT. Transplantation. In: Herfindal ET et al, eds. Clinical Pharmacy and Therapeutics, 5th Ed. William & Wilkins, 1992:1528

⑤ Interleukin-2 receptor antagonists (IL2RAs) : basiliximab, daclizumab

⑥ Antilymphocyte antibodies : antithymocyte globulins (ATG®, Thymoglobulin®), muromonab-CD3 (OKT3)

2) Cyclosporine

(1) 작용기전

Cyclosporine은 세포내 단백인 cyclophilin과 복합체를 형성한 후 calcineurin의 작용을 방해함으로써 IL-2 등의 T-cell 분화에 필요한 cytokines의 생성을 억제하여 거부반응을 예방한다.

(2) 약동학적 특성

① 흡수 : 생체이용률 10~89%, 불규칙적이고 불완전하게 흡수되며, 음식, 담즙, 위장관 운동성에 의해 영향을 받음. 고지방식이(45 g fat) 섭취 후 30분 내에 복용 시 AUC 13%, Cmax 33% 감소. 우유와 함께 복용 시 과일 주스에 비해 흡수 증가. 경증의 설사 시 급격히 감소. 환자 개인 특성 및, 이식 장기의 종류에 따라서도 차이가 있음. Modified 제제는 rheumatoid arthritis 환자에서 conventional 제제

이식약물복약상담

에 비해 생체이용률이 23% 더 높음.

② 분포 : 단백결합 90%(주로 lipoproteins), 지방조직, 신장, 간, 췌장에 광범위 분포, 분포용적 3.9~4.5 L/kg (conventional), 3~5 L/kg (modified)

③ 대사 : 주로 CYP3A4에 의한 간대사

④ 배설 : 신배설 6% (0.1%만 미변화체), 주로 담즙 배설

⑤ 반감기 : conventional 19시간(10~27시간), modified 8.4시간(5~18시간)

(3) 용량 및 용법

수술 12시간 이상 전에 초기용량 10~15 mg/kg을 2회 분할 투여한다. 수술 후 1~2주 동안 계속 투여하고 그 후 cyclosporine 혈중농도에 따라 유지용량 2~6 mg/kg/day까지 감량한다. 1일 총 투여량은 항상 2회 분할로 투여한다. 블리스터 포장 개봉시의 독특한 향기는 정상적인 것이며, 캡슐은 통째로 삼켜야 한다.

(4) 부작용

신독성, 신경독성(진전, 두통, 말초신경병증), 고혈압, 고지혈증, 다모증, 치육비대, 간독성, 고요산 혈증 등

(5) 약물상호작용

Cyclosporine과 tacrolimus는 CYP3A4에 의한 간대사라는 공통적인 대사경로를 거치므로 동일한 약물상호작용을 나타낸다(표 7-1). CYP3A4 억제제는 약물혈중농도를 상승시키고 CYP3A4 유도제는 혈중농도를 감소시킨다. 마그네슘, 알루미늄, 또는 칼슘을 함유한 제산제는 약물흡수에 영향을 미칠 수 있기 때문에 적어도 2시간 간격을 두고 복용해야 한다.

표 7-1 Drug interaction : Cyclosporine, Tacrolimus의 약물상호작용

Increase absorption	Decrease absorption	Desrease metabolism	Increase metablolism
Cisapride	Octreotide	Clarithromycin	Carbamazepine
Erythromycin	Phenytoin	Diltiazem	INH
Grape fruit juice	Rifampin	Erythromycin	Nafcillin
Metoclopramide		Fluconazole	Phenobarbital
		Itraconazole	Phenytoin
		Ketoconazole	Rifampin
		Oral contraceptives	
		Nicardipine	
		Verapamil	

3) Tacrolimus (FK506)

(1) 작용기전

세포내 FK-binding protein-12 (FKBP-12)와 결합하여 tacrolimus-FKBP-12 복합체를 형성하여 calcineurin의 활성을 억제함으로써 lymphokine (interleukin-2, γ-interferon) 생성을 억제하여 T-림프구 활성화를 저해한다.

(2) 약동학적 특성

① 흡수 : 14~32%, 불규칙적, 음식과 15분내 병용 시 흡수감소, 일반식보다 고지방식의 경우 흡수감소에 대한 영향력이 큼.

② 분포 : 단백결합(albumin, α1 acid glycoprotein, 적혈구) 99%, 태반통과, 유즙분비

③ 대사 : 간대사 99%, CYP450 (3A)에 의해 주로 대사

④ 배설 : 주로 담즙으로 배설, 미변화 요배설은 1% 이내

⑤ 최고 혈중농도 도달 시간 : 경구 복용 시 1.5~3.5시간

(3) 용량 및 용법

보통 초기에는 1회 0.15 mg/kg 1일 2회, 이후 서서히 감량하여 1회 0.1 mg/kg 1일 2회 투여한다.

(4) 부작용

신경독성(진전, 두통, 말초신경병증), 신독성, 고혈당증, 고칼륨혈증, 저마그네슘혈증, 고혈압 등

4) Corticosteroids

(1) 작용기전

T-cell 수용체가 이식항원과 결합한 후 일어나는 면역반응이 진행되는 것을 막고, IL-1,-2,-3,-6, γ-interferon, tumor necrosis factor α(TNF -α) 등의 cytokines 활성화를 차단함으로써 T-cell의 분화를 억제한다.

(2) 약동학적 특성

① 흡수 : 생체이용률 높음(〉77.6%)

② 분포 : 분포용적 1.5 L/kg, 단백결합률 70~90%

③ 대사 : 간대사

④ 배설 : 신배설

④ 반감기 : 2~4시간

(3) 용량 및 용법

통상적으로 고용량의 methylprednisolone (250~1,000 mg)을 수술전후 시기에 정맥주사하고 수일 내 급격히 감량시켜서 경구 약제로 전환한다. 경구 약제는 위장관계 부작용을 최소화하기 위하여 식사와

함께 또는 식직후에 복용해야 한다.

(4) 부작용

고혈압, 고혈당증, 고지혈증, 체중증가, 불면증, 기분변화, 어린이의 성장지연, 골다공증, 위장장애, 부종, 여드름 등

5) Mycophenolate Mofetil

(1) 작용기전

선택적, 비상경적, 가역적인 inosine monophosphate dehydrogenase (IMPDH) inhibitor로써, de novo guanosine nuclelotide 합성을 저해한다. 림프구 분화가 de novo purine synthesis에 의존하기 때문에, 이로 인해 다른 세포보다 림프구에 대해 더 강한 억제 효과를 나타낸다. Mycophenolate mofetil은 mycophenolic acid의 morpholinoethyl ester형태의 prodrug으로써 가수분해되어 mycophenolic acid (MPA)로 변하는데, mycophenolic acid에 비해 경구 흡수율이 높다.

(2) 약동학적 특성

① 흡수 : 생체이용률 94% (Cellcept®), 72% (Myfortic®), 신장이식환자에서 초기 매우 낮은 혈중 mycophenolic acid 농도를 보이나 치료 20일 후 급격히 상승, 심장이식환자는 신장이식환자에 비해 더 빨리 높은 혈중농도에 도달, 음식에 의해서 약물 흡수가 지연되나 흡수량 자체는 영향을 받지 않으며 active metabolite의 Cmax는 40% 감소

② 분포 : 단백결합 97%, 신기능 감소환자에서 단백결합 감소

③ 대사 : Cellcept®는 간과 소장에서 mycophenolic acid (MPA)로 가수분해 됨, MPA는 장간재순환 (enterohepatic recirculation)됨.

④ 배설 : 신배설 93%, feces 6%, hemodialysis, peritoneal dialysis 안됨.

⑤ 반감기 : 16~18시간(Cellcept®), 8~16시간(Myfortic®)

(3) 용법

일반적으로 mycophenolate mofetil로서 1~2 g을 1일 2회 분할 투여하고 최대 1일 3 g (1.5 g씩 1일 2회)까지 임상적 사용이 가능하다. Mycophenolate sodium 180 mg은 mycophenolate mofetil 250 mg과 동등한 치료효과를 나타낸다.

(4) 부작용

설사, 복통, 오심, 구토, 백혈구감소증, 빈혈, 패혈증, 이식 후 림프증식성 질환(PTLD), 림프종 등

6) Azathioprine

(1) 작용기전

혈중에서 6-mercaptopurine으로 신속히 전환되며 purine 대사에 길항하여 DNA, RNA, proteins 합성을 억제한다. 세포매개성 과민반응을 억제하고 항체생성을 변화시킨다. 특히 B-cell보다는 T-cell의 분화를 억제하고, T-cell을 제거하여 T-cell의 효과를 억제한다.

(2) 약동학적 특성

① 흡수 : 경구 41~47%

② 분포 : 단백결합 30%, 태반 통과

③ 대사 : 주로 간의 xanthine oxidase에 의해 활성형인 6-mercaptopurine으로 대사, azathioprine과 mercaptopurine 모두 간과 적혈구에서 oxidation과 methylation됨.

④ 배설 : 신배설(대부분이 thiouric acid, 미변화체 10%), 혈액 투석으로 5~20% 정도 제거

⑤ 반감기 : azathioprine 12분, mercaptopurine 0.7~3시간, 말기 신부전 환자에서는 연장됨.

(3) 용량 및 용법

초기 3~5 mg/kg/day, 유지량 0.5~2 mg/kg, CrCl 20 ml/min 이하의 경우 1.5 mg/kg/day 를 초과해서는 안된다. 위장관계 부작용이 있을 경우 음식물과 함께 복용하면 부작용을 최소화할 수 있다.

(4) 부작용

백혈구감소증, 혈소판감소증, 빈혈, 오심, 구토, 탈모, 간독성, 췌장염 등

(5) 약물상호작용

Allopurinol은 xanthine oxidase를 억제하여 이 약의 대사를 저해하므로 병용투여시 이 약을 상용량의 1/3~1/4로 감량한다.

7) Sirolimus

(1) 작용기전

Cytosole 내에서 cytosolic FK-binding proteins (FKBPs : immunophilins), 주로 FKBP-12와 복합체를 형성한 후 sirolimus effector protein (SEP)에 붙어 SEP의 activity를 조절하여 cytokines의 생산을 막고 T-cell과 B-cell이 cytokines에 의해 활성화되는 것을 막아 세포분화를 저해한다.

(2) 약동학적 특성

① 흡수 : 27%, 고지방식이에 의해 감소, 일관되게 식사와 함께 투여하거나 또는 공복에 투여하면 variation 감소 가능

② 분포 : 분포용적 12 L/kg

③ 대사 : 간에서 주로 대사, CYP3A4와 p-glycoprotein (Pgp)의 기질

④ 배설 : feces 91%

⑤ 반감기 : 57~63시간

(3) 용량 및 용법

이식 후 가능한 빨리 투여를 시작하여야 하며, 부하용량(loading dose)은 유지용량의 3배를 투여, 신장 이식 환자에게는 부하용량 6 mg/day, 유지용량 2 mg/day가 권장된다. 1일 1회 복용하고 공복 또는 식후에 일정하게 복용한다. Cyclosporine과 함께 복용할 경우 sirolimus의 흡수가 높아져서 부작용이 발생할 가능성이 높으므로 cyclosporine 복용 4시간 후에 복용하도록 한다. 약을 부수지 않고 알약 그대로 복용하도록 한다.

(4) 부작용

고콜레스테롤혈증, 고지혈증, 혈소판감소증, 백혈구감소증, 고혈압, 발진, 빈혈, 관절통, 설사, 여드름 등

8) Interleukin-2 Receptor Antagonists (Basiliximab, Daclizumab)

(1) 작용기전

두 약물 모두 활성화된 T 림프구 표면에 있는 IL-2R의 alpha chain (CD25)에 결합하여 IL-2에 의해 매개되는 T-cell의 활성화 및 증식을 억제하게 된다.

(2) 약동학적 특성

① IL-2R의 alpha chain의 포화 기간 : basiliximab 36일, daclizumab 120일

② 분포 : basiliximab 8 L, daclizumab 5.3 L

③ 반감기 : basiliximab 7일, daclizumab 20일

④ 배설 : basiliximab 청소율 41 ml/hr

(3) 용법

① Basiliximab : 표준 총 용량은 40 mg으로 20 mg씩 2회 투여한다. 첫 번째 용량(20 mg)은 이식수술 전 2시간 이내에 투여하고, 두 번째 용량(20 mg)은 수술 후 4일째에 투여한다. 심한 과민증을 나타내거나 이식 받은 장기손상이 일어나면 두 번째 투여는 보류하도록 한다. 35 kg 미만인 소아의 표준 총 용량은 20 mg으로 10 mg씩 2회 투여한다.

② Daclizumab : 1 mg/kg을 이식수술 전 24시간 내에 첫 투여하고, 이후 14일 간격으로 총 5회 정맥 주사하거나 2 mg/kg을 이식 당일과 14일째 총 2회 정맥 주사한다.

(4) 부작용

Polyclonal antibody나 OKT3와 달리 약물주입관련 유해반응을 일으키지 않으며, 표준면역억제요법과 비교할 때 감염이나 악성종양의 위험을 더 증가시키지 않았다.

9) Polyclonal Antibodies (Antithymocyte globulins) - RATG (Thymoglobulin®)

(1) 작용기전

RATG는 human T thymocytes에 대해 토끼에서 얻은 polyclonal immunoglobulin mixture (IgM/IgG)로서 CD2, CD3, CD4, CD8 등과 같은 다양한 림프구 수용체와 결합하여 보체매개성 용해와 순환하고 있는 림프구를 고갈시킨다. 대부분 급성 거부반응의 치료에 많이 쓰이나, 재이식이나 사체이식 또는 췌장이식 등 거부반응이 나타날 확률이 큰 경우에 예방적으로 쓰이기도 한다.

(2) 약동학적 특성

① 분포 : 분포용적 0.12 L/kg

② 작용기간 : 림프구 감소증이 1년 이상 지속된다.

③ 반감기 : 30일

(3) 용량 및 용법

1~1.5 mg/kg/day를 면역억제 유도 시 5~10일간, 거부반응 치료 시 7~14일간 정맥 주사한다. 약물주입 관련 발열 유해반응은 첫 번째 용량을 투여할 때 가장 흔히 나타나며, 이를 최소화 하기 위해 acetaminophen, 스테로이드, 또는 항히스타민제를 주입 1시간 전에 투여할 수 있다. 또한 정맥염과 혈전생성을 예방하기 위해 high-flow vein을 통해 최소 4시간 이상 투여하는 것이 권장된다. RATG는 말에서 얻은 ATG보다 항원성이 낮아 사용 전 skin test를 하지 않아도 된다.

(4) 부작용

백혈구감소증, 빈혈, 혈소판감소증, 아나필락시스, 저혈압, 고혈압, 빈맥, 호흡곤란, 가려움증, 피부발진, 바이러스 감염증, 악성종양의 위험증가

(5) 약물상호작용

생백신에 대한 면역반응을 간섭할 수 있으므로 이 약을 생백신 투여 후 2개월 이내에 투여해서는 안된다.

10) Muromonab-CD3 (OKT3)

(1) 작용기전

Human T cell의 CD3에 대한 murine monoclonal antibody로써, 투여 후 수분 내로 T-cell 농도가 급격히 감소하며 투약을 중지하면 일주일 내로 T-cell의 기능은 정상화된다. 강력한 면역억제 효과와 부작용이 나타나므로 기존의 치료에 반응하지 않는 경우에 사용을 고려한다.

(2) 약동학적 특성

① 분포용적 : 6.5 L

② 반감기 : 18시간

(3) 용법

5 mg/day를 5~14일간 정맥주사

(4) 부작용

Cytokine-release syndrome(발열, 오한, 경직, 가려움, 혈압변화 등)이 투여 초기에 나타날 수 있다. 특히 capillary leak syndrome과 폐부종이 fluid overload가 있는 환자에게 나타날 수 있으므로 투여 전 환자의 몸무게가 평소의 3% 이상 증가하지 않았는지, 또한 흉부 X-ray로 폐 상태를 확인하여 이뇨제의 사용이나 투석여부를 결정하도록 한다. 이 외에 간성혼수(encephalopathy), 신독성, 감염, 이식 후 림프증식성 질환(PTLD) 등이 나타날 수 있다.

2. 장기이식의 약물요법

1) 유도요법

(1) 이식 초기에 나타나는 급성 거부반응은 결국 만성 거부반응의 발생률을 높이고 이식편의 기능저하와 손실로 이어질 수 있다. 이러한 초급성 및 급성 거부반응을 예방하기 위하여 고용량의 면역억제제를 사용하고, 신속하게 투여용량을 줄이면서 감염증이나 악성종양 등의 합병증을 최소화시킨다.

(2) 환자에 따라서 선택적으로 시행되며, interleukin-2 receptor antagonists나 antithymocyte globulin과 IV methylprednisolone을 사용한다.

(3) Antibody를 이용한 유도요법은 이식 초기에 충분한 면역억제효과를 제공하고 나이나 인종과 같은 위험인자와 상관없이 가장 강력한 면역억제를 제공한다. Cyclosporine이나 tacrolimus와 같이 신독성이 있는 calcineurin inhibitors의 사용을 지연시킬 수 있다는 점에서 의미가 있다.

2) 급성 거부반응의 치료요법

(1) 면역반응의 강도를 최소화 시키고 동종이식편에 대한 비가역적 손상을 예방하는 것이 목표이다.

(2) 치료요법

① Cyclosporine 또는 tacrolimus와 같이 현재 사용 중인 면역억제제의 용량증가

② Pulse corticosteroids 사용 후 단계적 용량감소

③ 추가적인 면역억제제의 추가

④ OKT3나 antithymocyte globulin과 같은 약물을 이용한 단기치료요법

3) 유지요법

(1) 유지요법의 목표는 약물과 관련된 독성을 최소화하면서 급성 및 만성거부반응을 예방하는 것이다.

(2) 이식환자의 장기간 관리에서 부작용을 최소화 하기 위해 6~12달 지난 후 점차적으로 면역억제제 용량을 감소시킨다.

(3) 이식 후 초기 3~6달 사이에 이식한 장기에 대한 면역반응이 심하게 나타나므로 대개 작용기전이 각기 다른 2~4가지 면역억제제를 함께 투여하며, 이후부터는 면역억제제의 용량과 종류를 줄여나간다.

(4) 이식장기의 종류나 형태(사체 및 생체), HLA mismatch의 정도, 이식 후 경과시간, 이식 후 합병증(급성 거부반응의 횟수 포함), 이전에 관찰된 면역억제 부작용, 복약순응도, 경제적 여건 등에 따라 유지요법이 개별화 된다.

① Monotherapy : CsA or FK506 단독

② Dual therapy : CsA/FK506/AZA/MMF+Steroid

③ Triple therapy : CsA/FK506+AZA/MMF+Steroid 또는 CsA+SRL+Steroid

④ Quadruple therapy : OKT3/RATG+CsA+AZA+Steroid

3. 기타 합병증의 관리

심혈관계 질환, 악성종양, 질환의 재발, 약물독성(주로 신장독성), 만성 거부반응과 같은 합병증이 이식 후 5년이 경과한 환자의 사망에서 주요한 원인이 되고 있기 때문에, 이들 합병증에 대한 예방 및 치료가 매우 중요하다.

1) 감염(Infection)

감염과 거부반응은 이식 후 첫 해에 면역억제와 관련되어 발생하는 가장 흔하면서도 상충되는 합병증이다. 감염의 위험은 면역 억제 강도와 직접적으로 관련이 있으며, 이는 급성 거부반응의 치료 시 뿐만 아니라 수술 후 첫 3개월 동안 가장 높게 나타난다. 이식 후 감염은 대개 원인균, 감염부위, 발병 시기에 따라 분류할 수 있다. 세균성 감염은 주로 요로, 상처부위, 혈관 접합부위에서 수술 후 첫 1달 이내에 자주 발생한다. 바이러스성 감염은 주로 CMV (cytomegalovirus)나 herpes에 의해 흔히 발생한다.

(1) Cytomegalovirus (CMV)

① 예방으로 고용량의 acyclovir (800 mg qid PO) 또는 valacyclovir (2,000 mg qid PO)를 사용하며, 신기능에 따른 용량조절이 필요하다. 그 밖에 ganciclovir, foscarnet, CMV immunoglobulin 등도 사용할 수 있다.

② 치료에는 ganciclovir 2.5 mg/kg을 12시간 간격으로 정맥주사하고 최소 7일간 투여하며, 호중구 감소증, 혈소판 감소증에 대한 모니터링이 필요하다. Ganciclovir에 반응하지 않는 경우 foscarnet을 사용할 수 있다.

(2) Herpes Simplex Virus (HSV)

① 예방으로 저용량의 acyclovir를 경구 투여하면 HSV 감염이 지연될 수 있으며 이미 감염된 경우는 정맥투여한다.

② Ganciclovir, famciclovir, valacyclovir, penciclovir 등 또한 사용할 수 있다.

(3) Pneumocystis Carinii Pneumonia (PCP)

① 예방으로 TMP/SMX (trimethoprim/sulfamethoxazole)를 저용량으로 사용하며 400/80mg 제형을 1주일에 3회 투여한다.

② Sulfa allergy가 있는 경우 aerosolized pentamidine이나 dapsone, atovaquone의 투여를 고려할 수 있다.

(4) 진균감염(Fungal Infection)

① Candida mucositis를 예방하기 위해 nystatin 또는 clotrimazole을 사용할 수 있다.

② 치료에 사용하는 fluconazole, itraconazole, ketoconazole은 CYP3A4를 저해하므로 CsA와 FK506의 혈중농도 모니터링이 필요하며 amphotericin B를 사용할 때는 신독성을 최소화하기 위해 CsA나 FK506 용량 감량 및 중단이 필요할 수 있다.

(5) Hepatitis B virus (HBV) Infection

① HBsAg(+)인 수혜자인 경우 이식 후 재발을 방지하기 위하여 예방적 약물요법을 실시한다.

② Lamivudine, adefovir, entecavir 중 한 가지 약물과 hepatitis B immunoglobulin (HBIG)을 함께 투여한다. Lamivudine에 저항이 생긴 경우에는 adefovir나 entecavir가 효과적이다.

2) 고혈압(Hypertension)

(1) Corticosteroids, cyclosporine, tacrolimus, 신장이식편의 기능장애 등으로 인해 이식 후에 고혈압이 초래될 수 있다.

(2) 식이변화, 금연, 체중감소, 운동 등 생활습관을 개선하고 혈압을 자가 모니터링 하도록 한다.

(3) 항고혈압제

① Calcium channel blockers는 이식 후 고혈압의 1차 약제로서 calcineurin inhibitors (CIs)에 의한 신독성 또한 개선시킬 수 있다. 그러나 diltiazem, verapamil은 CsA/FK506 대사를 저해시키고, nifedipine은 치육비대를 악화시킬 수 있으므로 병용 시 주의해야 한다.

② ACE inhibitors, angiotensin II receptor antagonists는 고칼륨혈증을 악화시키거나 사구체 여과율 (glomerular filtration rate)을 감소시킬 수 있으므로 혈중의 칼륨과 크레아티닌수치를 모니터링 해야 한다.

③ Beta-blockers는 면역억제제에 의해 발생하는 고칼륨혈증이나 고지혈증을 악화시킬 수 있으므로 2차 약제로 고려할 수 있다.

(4) Diuretics는 CIs-induced hypertension에 잘 반응하며, 특히 loop diuretics는 고칼륨혈증과 부종에 도움이 될 수 있다.

3) 고지혈증(Hyperlipidemia)

(1) Corticosteroids, CIs, diuretics, beta-blockers에 의해 악화될 수 있다. Tacrolimus보다는 cyclosporine에서 더 많이 나타나기 때문에 tacrolimus로의 전환을 고려하거나, sirolimus를 사용 중일 경우 사용을 중단한다.
(2) 운동요법을 시행하고 콜레스테롤이 많이 함유된 식품은 피하도록 한다.
(3) 치료약물로 niacin, gemfibrozil, bile acid binding resin, HMG-CoA reductase inhibitors를 사용할 수 있다. HMG-CoA reductase inhibitors는 cyclosporine과 병용 시 횡문근융해증 (rhabdomyolysis)이 발생하였다는 보고가 있고 간독성도 증가시키므로 주의하여 투여한다.

4) 이식 후 당뇨병(Post-transplantation Diabetes Mellitus)

(1) Corticosteroids와 CIs로 인해 혈당 조절이 잘 안될 수 있는데 tacrolimus가 cyclosporine보다 고혈당 위험을 높일 수 있다. 그 밖의 위험인자로 비만, 가족력, 나이(40세 이상), African-American인종, 사체 신장 이식, 이식 전 당뇨병력 등이 있다.
(2) 치료약물로 insulin, 경구용 혈당 강하제를 사용한다.
(3) 면역억제제의 용량이 감소함에 따라 회복될 수 있다.

5) 고칼륨혈증(Hyperkalemia)

(1) Cyclosporine이나 tacrolimus 또는 ACE Inhibitors, acidosis 또는 신기능 부전에 의해 악화될 수 있다.
(2) 칼륨이 많이 함유된 음식을 피하고, 고칼륨혈증을 일으킬 수 있는 약물 병용 시 주의한다.

6) 위장관계 부작용

(1) 면역억제제, 특히 steroid 사용에 의해 위장관계 부작용이 발생할 수 있으며, 이식환자에서 상부 위장관 출혈이 3~16% 정도 발생한다고 보고되었다.
(2) Ulcer의 예방요법으로 H_2-blockers, proton pump inhibitors, sucralfate 등을 사용할 수 있다.

7) 골다공증(Osteoporosis)

(1) Steroid 사용과 관련하여 발생할 수 있다.
(2) 예방 및 치료약물로 칼슘제제 및 vitamin D제제 또는 alendronate, risedronate와 같은 경구용 bisphosphate 제제를 사용할 수 있다.

8) 종양(Malignancy)

(1) 면역억제요법이 발전됨에 따라 급성 거부반응의 발생빈도가 낮아지고 이식환자의 생존율이 증가되어 면역억제요법에 대한 노출기간이 증가하고 있다. 이식환자의 종양 발생 위험도는 일반 모집단에 비하여 3~4배 높고, 이식 후 림프종, 이식 후 림프증식성 질환 (post-transplant lymphoproliferative disorders, PTLD), 카포시 육종, 신장암종, 자궁경부암, 간담즙성 종양, 항문성기암 등 비통상적으로 발생하는 악성종양에서 높은 유병률을 나타내고 있다.

(2) 피부암은 모든 악성종양의 38%를 차지하는 가장 흔한 종양이며, 과다한 햇빛노출과 azathioprine 복용과 관련이 있다.

(3) Cyclosporine이나 tacrolimus의 사용은 이식 후 림프증식성 질환과 관련이 있는 것으로 보인다.

(4) 예방

① 면역억제제의 용량을 최소화 하고 햇빛 노출을 피한다. 외출 시 양산이나 긴팔 옷 또는 자외선차단제(SPF 15이상)를 사용하도록 한다.

② 피부, 림프절에 대한 정기적인 자가검진을 실시한다.

IV 복약상담 내용

1. 면역억제제

1) 면역억제제의 복용 목적 및 필요성

(1) 우리 몸은 자신을 지키기 위해서 면역기능이라는 것을 가지고 있는데 이러한 면역기능이 신장이나 간, 심장 등의 장기이식 후에 새롭게 이식 받은 장기를 남으로 여기고 공격을 하여 거부반응을 일으키는 것에 대해 설명한다.

(2) 면역억제제는 면역세포 중 T-림프구를 억제하여 우리 몸의 면역기능을 떨어뜨림으로써 이식 받은 장기가 면역세포의 공격을 받지 않고 제 기능을 할 수 있도록 하기 때문에, 거부반응을 예방하기 위해서 꼭 복용해야 하는 약물임을 설명한다.

(3) 면역억제 기간이 평생임을 설명한다.

2) 면역억제제 조절의 중요성

(1) 면역억제 효과가 과한 경우 감염의 위험이 증가하고 효과가 적으면 거부반응의 위험이 증가하기 때문에 적절한 양을 복용해야 함을 설명한다.

(2) 약물의 혈중농도와 환자의 상태에 따라서 적절한 용량이 결정됨을 이해시킨다.

(3) 이식 후 초기 3~6달 사이에 이식한 장기에 대한 면역반응이 심하게 나타나므로 작용기전이 각기 다른 2~4가지 면역억제제를 함께 투여하며, 약물과 관련된 독성을 최소화하기 위해서 6~12달이 지난 후 점

차적으로 면역억제제 용량과 종류를 감소시킴을 설명한다.

3) 약명과 성상

(1) 복용하는 면역억제제들의 일반명과 상품명, 성상을 기억하도록 한다.
(2) 용량이 여러 가지 있는 경우에는 각 용량 별로 성상을 구분할 수 있도록 한다.

4) 복용방법

(1) 복용해야 하는 약의 용량을 확인하고, 항상 정해진 시간에 복용하도록 한다.
(2) 음식이 약물의 흡수 정도에 미치는 영향에 대해서 설명하여 복용시간을 지키도록 한다.
(3) Steroid를 하루 한 번 복용 시에는 아침 9시 이전에 복용하고, 위장장애를 줄이기 위해서 식 직후에 복용하도록 권장한다.
(4) Steroid 복용 시 용량이 서서히 감소되므로 각기 다른 용량의 처방이 함께 있을 경우에는 약 개수가 점차 작아지는 처방 순서대로 복용해야 함을 설명한다.
(5) 의사와 상의 없이 임의로 복용량을 조절하거나 복용을 중단하지 않도록 한다.

5) 복용을 잊었을 때 대처방법

복용을 잊은 경우에는 잊은 것이 생각난 즉시 1회분을 복용한다. 그러나 다음 약을 복용해야 하는 시간이 얼마 남지 않은 경우에는 잊은 약은 복용하지 않고 다음 약부터 정해진 시간에 복용한다. 절대로 한 번에 2회분을 복용하지 않도록 한다.

6) 발생할 수 있는 유해반응

흔히 발생하는 유해반응에 대해서 설명하고, 부작용이 나타나면 즉시 의사에게 알리도록 한다.
(1) CsA : 신독성, 고혈압, 고지혈증, 다모증, 치육비대, 간독성, 고요산혈증 등
(2) FK506 : 신독성, 신경독성, 고혈당증, 고혈압, 고칼륨혈증, 저마그네슘혈증 등
(3) SRL : 고지혈증, 백혈구감소증, 혈소판감소증, 신독성 등
(4) MMF : 설사, 오심, 복통 등 위장관계 독성, 백혈구감소증 등
(5) AZA : 백혈구감소증, 혈소판감소증, 오심, 구토 등 위장관계 독성, 간독성 등
(6) Steroids : 체중증가, 골다공증, 고혈당증, 부종, 여드름, 위장장애, 체형변화 등
(7) Antibodies : 발열, 백혈구감소증, 혈소판감소증, 바이러스 감염, 폐부종 등

7) 복용 시 주의사항(약물상호작용, 음식상호작용 등)

(1) 임신 또는 수유 중이거나 다른 질환을 앓고 있으면 의사에게 알려야 한다.
(2) 면역억제제가 다른 약물과 상호작용을 일으킬 수 있으므로 현재 복용하고 있는 약(비타민제나 한약, 건강식품 포함)에 대해서 의사에게 알려야 한다. 의사가 처방하지 않은 약물을 임의로 복용해서는 안

된다.

(3) 면역억제제 복용 중에 백신을 맞을 경우 백신의 효과가 감소되거나, 백신으로 인한 병증이 발생할 수 있으므로 백신 접종에 대해서는 의사와 상의하도록 한다.

(4) Cyclosporine, tacrolimus, sirolimus의 경우 자몽이나 자몽주스와 함께 복용하면 약의 혈중농도가 상승할 수 있으므로 자몽이나 자몽주스를 섭취하지 않도록 한다.

8) 보관방법

(1) 직사광선과 같은 직접적인 열을 피해 실온 보관한다.

(2) 어린이의 손에 닿지 않게 주의하도록 한다.

(3) 각 낱알포장은 약을 복용하기 직전에 제거하도록 한다.

2. 합병증 예방 및 치료에 사용하는 약물

장기이식환자에게 발생할 수 있는 합병증에 대한 설명과 합병증 예방 또는 치료 약물에 대해서 복약지도를 실시한다.

1) 감염

(1) 감염은 이식 후 첫 해에 면역억제와 관련되어 가장 흔히 발생하는 합병증임을 설명한다. 감염의 위험이 수술 후 첫 3개월 동안 가장 높기 때문에 3~6개월간 감염 예방을 위해 항바이러스제나 항생제를 복용함을 설명한다.

(2) 바이러스 감염은 주로 CMV나 herpes에 의해 흔히 발생한다.

① CMV를 예방하기 위해서 고용량의 acyclovir (800 mg qid PO) 또는 valacyclovir (2,000 mg qid PO)를 사용한다.

② HSV 예방을 위하여 저용량의 acyclovir가 투여됨을 설명한다.

(3) PCP를 예방하기 위하여 저용량의 TMP/SMX를 사용하여 400/80 mg(1정) 1주일에 3회 투여한다. 이 약이 피부를 태양빛에 더 민감하게 하므로 외출 시 자외선차단제를 사용하도록 한다. 복용하는 동안 약물의 배설을 원활하게 하기 위해서 물을 충분히 많이 마시도록 한다.

(4) 진균감염 예방

① Nystatin이나 clotrimazole을 사용할 경우 구강 내 candida mucositis를 예방하기 위해 사용함을 설명하고 nystatin은 복용 전에 잘 흔들어서 가능한 오랫동안 입에 머금고 가글 한 후 삼키도록 하고, clotrimazole은 씹거나 통째로 삼키지 말고 입에 물고 천천히 녹여서 복용하도록 한다.

② Itraconazole 캡슐은 음식과 같이 복용하면 흡수가 증가하므로 식 직후에 복용하고, 시럽은 음식에 의해 생체이용률이 감소하므로 공복에 복용하도록 한다.

2) 위장관계 부작용

(1) 예방요법으로 H_2-blockers, proton pump inhibitors가 사용됨을 설명한다.
(2) Sucralfate를 복용할 경우 tacrolimus의 흡수를 감소시키므로 투여간격을 두고 복용하도록 한다.

3) 종양

(1) 악성종양의 발병률이 일반인에 비해 높으며 그 중 피부암이 흔히 발생할 수 있다. 햇빛 노출을 최소화 하기 위하여 외출 시 양산이나 긴팔 옷 또는 자외선차단제(SPF 15이상)를 사용하도록 한다.
(2) 이식 후 림프증식성 질환의 발생에 대비하여 피부, 림프절에 대한 정기적인 자가검진을 실시 하도록 한다.

4) 고혈압

(1) Corticosteroids, cyclosporine, tacrolimus, 신장이식편의 기능장애 등으로 인해 이식 후에 고혈압이 초래될 수 있음을 알린다.
(2) 식이변화, 금연, 체중감소, 운동 등 생활습관을 개선하도록 한다.
(3) 혈압의 자가 모니터링 및 항고혈압제 복용 시 주의사항에 대해 설명한다.

5) 고지혈증

(1) Corticosteroids, CIs, diuretics, β-blockers에 의해 악화될 수 있음을 설명한다.
(2) 운동요법을 시행하고 콜레스테롤이 많이 함유된 식품은 피하도록 교육한다.
(3) Bile acid binding resin은 cyclosporine의 흡수에 영향을 줄 수 있으므로 병용 시 2시간 이상 투여간격을 두도록 설명한다.

6) 이식 후 당뇨병

(1) Corticosteroids와 CIs로 인해 혈당 조절이 잘 안될 수 있으며, 면역억제제의 용량이 감소함에 따라 회복될 수 있음을 설명한다.
(2) 치료약물로 사용되는 경구용 혈당 강하제, 또는 인슐린의 용법 및 주의사항에 대해 설명한다.

7) 고칼륨혈증

(1) Cyclosporine이나 tacrolimus 또는 ACE Inhibitors의 복용, acidosis 또는 신기능 부전에 의해 악화될 수 있음을 설명한다.
(2) 칼륨이 많이 함유된 음식을 피하도록 한다.

8) 골다공증

(1) Steroid 사용과 관련하여 발생할 수 있음을 설명한다.

(2) 치료약물로 bisphosphonate 제제를 사용할 경우 음식이 이 약의 흡수를 방해하기 때문에 아침 식사 최소 30분전 또는 음식 섭취 전후 2시간 간격을 두고 공복에 복용하도록 한다. 위로 쉽게 전달되도록 똑바른 자세로 물 한 컵과 함께 복용하고, 식도 자극 부작용을 예방하기 위해서 복용 후 최소 30분간 눕지 않아야 함을 교육한다.

3. 일반 생활에 대한 복약지도

1) 정기적인 외래 진료

면역억제제를 복용하는 동안 환자의 상황을 파악하고 발생 가능한 합병증을 미리 발견할 수 있도록 정기적으로 외래진료를 보아야 함을 설명한다.

2) 정기적인 혈액검사

환자의 상태를 파악하기 위해 혈액검사(백혈구, 빈혈, 간기능, 신기능, 전해질검사,약물농도 측정 등)를 실시하는데, 특히 약물농도 측정을 위한 채혈은 아침에 면역억제제 복용 전 실시하며 채혈 후에 잊지 않고 아침 약 복용을 해야 함을 설명한다.

3) 활력징후 및 체중의 자가측정 및 기록

매일 같은 시간에 체온, 혈압, 체중을 측정하여 기록한다.

4) 거부반응의 증상 및 조기발견

체온 상승, 소변량 감소, 체중 증가, 혈압 상승, 수술부위 통증 등의 증상이 생길 경우 이식 센터에 연락하도록 한다.

5) 식사 시 주의사항

(1) 고혈당과 고지혈증의 위험이 있으므로, 정상체중을 유지하고 콜레스테롤 섭취에 유의하도록 한다.

(2) 면역억제제로 인해 간독성이나 종양발생 가능성이 높으므로 술이나 담배를 금하도록 한다.

6) 감염의 예방, 발생시 증상 및 대처법

(1) 면역억제제의 복용으로 감염이 쉽게 될 수 있으므로, 손을 자주 씻고, 사람이 많은 곳, 특히 감염된 사람과의 접촉을 피하고 수술 후 6개월간 외출 시 마스크를 착용하도록 한다.

(2) 출혈위험이 증가하고 상처치유가 지연될 수 있으므로 격렬한 운동은 삼가며, 날카로운 도구를 사용할 때 주의하고, 칫솔질을 부드럽게 하는 등 멍들거나 다칠만한 상황을 피한다.

(3) 발열, 오한, 기침, 목이 아프거나 근육통이 있는 경우, 설사, 배뇨 횟수가 변하거나 배뇨시 통증이 있는 경우 이식센터에 연락하도록 한다.

7) 임신, 수유

(1) 면역 억제제는 임신 중 태아에 나쁜 영향을 줄 수 있다. 임신이 불가능한 것은 아니나, 이식 후 일정기간 동안은 임신을 피하는 것이 좋으며 그 이후는 의사와 상담하여 결정해야 한다.

(2) 약물이 유즙으로 분비될 수도 있으므로 수유할 때에도 의사와 상의해야 한다.

참고문헌

- 김현철 외 : 신장이식, 군자출판사 (2000)
- Charles F. Lacy et al : Drug Information Handbook 17th ed., Lexi-Comp (2008)
- Joseph T. Dipiro et al : Pharmacotherapy, a Pathophysiologic Approach Pharmacotherapy 7th ed., The McGraw-Hill Medical (2008)
- Mary Anne Koda-Kimble et al : Applied Therapeutics, the Clinical Use of Drugs 9th ed., Wolters Kluwer/Lippincott Williams & Wilkins (2009)
- Ronald W. Busuttil et al : Transplantation of the Liver 2nd ed., Elsevier Saunders (2005)
- 서울대학교병원 장기이식센터 http://www.transplant.or.kr

_08

호흡기약물 복약상담

Objectives 

▶ 천식, 만성폐쇄성폐질환, 알레르기성 비염의 특징을 알고 적절한 치료가 필요함을 이해한다.
▶ 호흡기약물 복약지도의 필요성을 파악하고 환자에게 적절한 복약지도를 시행할 수 있도록 한다.

I 호흡기약물 복약지도

1. 호흡기약물 복약지도의 필요성

최근 우리나라에서도 천식, 만성폐쇄성폐질환, 알레르기성 비염과 같은 호흡기 질환의 발병률 및 사망률이 증가하고 있다. 이러한 만성 호흡기 질환은 장기적인 치료를 요구하는 질환으로 환자의 자가 관리 능력이 매우 중요하며, 복약이행여부는 환자의 질병 치료에 큰 영향을 미친다.

호흡기 질환에 사용되는 여러 가지 약물 제형 중 흡입기는 최소 유효량의 약물을 기도로 직접 전달함으로써 빠르고 정확한 약물 치료 효과를 얻을 수 있고, 약물의 전신 이상반응을 최소화할 수 있어 천식 환자의 약물 치료에 있어서 중요한 위치를 차지하고 있다. 그러나 얼마나 올바르게 흡입기를 사용하느냐에 따라 약물 치료 효과가 결정될 수 있으므로 올바른 흡입기 사용에 대한 교육과 지속적인 평가가 중요하다.

호흡기약물 복약지도는 환자에게 호흡기 질환에 대한 정보를 주면서 흡입기 사용법을 교육하고 환자의 흡입기 사용을 평가함으로써 약물 치료효과를 높이는 것을 목표로 한다.

2. 호흡기약물 복약지도의 내용

1) 천식, 만성폐쇄성폐질환, 비염 등의 호흡기 질환에 대해서 이해하도록 한다.
2) 알레르기 질환의 경우 환경 관리가 필수적이므로 환경관리의 중요성을 강조하고 환경관리 방법을 숙

지하도록 한다.

3) 약물 치료의 목표를 분명히 하고 치료 계획, 약물의 효능, 이상반응을 알려주어 복약이행도를 높이고 이상반응 발생을 줄이도록 한다.
4) 올바른 흡입기, 보조흡입기의 사용법을 교육하고 실제 환자가 적용해보도록 한다.
5) 흡입기 관리 방법과 용량 확인방법을 알도록 한다.
6) 응급 상황 발생 또는 질환 악화 시 대처 방법을 교육한다.

II 천식

1. 천식의 정의

기관지 천식은 다양한 염증세포 및 구성 물질에 의한 기도의 만성적인 염증성 질환으로 만성적인 염증은 기도의 과민성을 증가시켜 천명(쌕쌕거리는 숨소리), 호흡곤란, 흉부압박감, 기침 등과 같은 다양한 증상을 유발한다. 이러한 증상이 반복적으로 발생하고 특히 야간이나 새벽에 심해지는 경향이 있으면 천식일 가능성이 높다.

2. 천식의 발생과 증상발현인자

천식의 위험인자는 천식을 발생시키는 유발인자와 증상을 일으키는 악화인자로 나눌 수 있다. 유발인자에는 유전적 요인과 같은 숙주인자가 포함되며 악화인자에는 환경적 요인이 포함될 수 있다. 이러한 인자가 어떻게 천식의 발생과 증상 발현에 영향을 주는지는 복잡한 상호 작용으로 얽혀 있다.(표 8-1)

표 8-1 천식의 발생과 증상발현인자

숙주인자	악화인자	
유전적 인자	항원	실내 : 집먼지 진드기, 동물, 바퀴벌레 등
비만		실외 : 꽃가루, 곰팡이 등
성별	감염	
	직업적요인	
	흡연	
	대기오염	
	음식	

3. 천식의 진단

1) 병력 및 임상증상

기침, 호흡곤란, 혹은 천명 등의 천식 증상이 저녁이나 이른 새벽에 악화되는 것이 반복적으로 나타날 때 천식일 가능성이 높다. 천식 진단의 중요한 병력은 다음과 같다.

(1) 증상(기침, 호흡곤란, 천명, 흉부압박감 등)의 반복성
(2) 증상을 악화시키는 요인의 유무
(3) 계절에 따른 증상 변동의 유무
(4) 저녁 혹은 이른 새벽에 증상 악화로 잠에서 깨는지 여부
(5) 치료약제 투여 후 증상 완화 여부
(6) 다른 알레르기 질환(알레르기성 비염, 아토피성 피부염)이나 가족력의 유무

2) 단순폐기능 검사

천식의 진단에 사용되는 폐기능 검사로 폐활량측정법(Spirometry)이 있으며 주로 간편하면서도 재현성이 있는 FEV_1 (Forced Expiratory Volume in one second: 1초간 노력성 호기량)을 사용한다. FEV_1 측정을 위해서 최대한 깊이 숨을 들이쉰 상태에서 강하고 길게 숨을 내쉬며, 이 중 처음 1초간 내쉰 공기의 부피를 확인한다. 같은 방법으로 최소한 2-3회를 시행한 후에 가장 높은 값을 선택한다. FEV_1과 FVC (Forced Vital Capacity: 노력성 호기량)를 측정하고 인종, 나이, 성별, 키 등을 고려한 예측치로 폐기능의 정상여부를 평가하는데, FEV_1, FEV_1와 FVC의 비율이 감소되어 있으면서 기관지 확장제 투여 후 FEV_1이 12% 이상 호전되면 기관지 천식으로 진단할 수 있다.

3) 최대호기량 측정(Peak Flow Meter, PFM)

환자 스스로 최대호기속도 측정기구를 이용하여 집에서 아침과 저녁에 PEF(Peak expiratory flow: 최대호기류)를 측정하게 하는 것으로, PEF 일중 변동치가 20% 이상이면 천식으로 진단을 내릴 수 있다. PEF는 기관지천식의 진단, 특히 직업성 천식의 진단에 유용하게 이용할 수 있을 뿐만 아니라 천식 환자의 중증도 판정, 장기적인 치료방침의 결정, 급성 천식 발작의 정도 평가 등에 유용하다.

(1) 최대호기속도 측정방법

① 최대호기속도 측정기의 윗부분에 마우스피스를 잘 끼운다.
② 눈금을 손가락으로 '0' 의 위치(L/MIN)까지 내린다.
③ 손가락이 눈금과 긴 홈통을 가리지 않도록 잘 잡는다. 이 때 최대호기속도 측정기의 뒷부분에 있는 구멍을 막지 않도록 한다.
④ 가능하면 일어서서 숨을 깊이 들이마신 다음 마우스피스 주위로 공기가 새지 않도록 이로 물고 입술을 오므린 후 최대한 강하고 빠른 속도로 분다.
⑤ 눈금표시 핀의 숫자를 확인하고 2번 더 반복하여 가장 높은 숫자를 기록한다.

$$\text{일중 PFF 변동치} = \frac{\text{최대 PFF - 최소 PFF}}{\frac{1}{2}(\text{최대 PFF + 최소 PFF})} \times 100\ (\%)$$

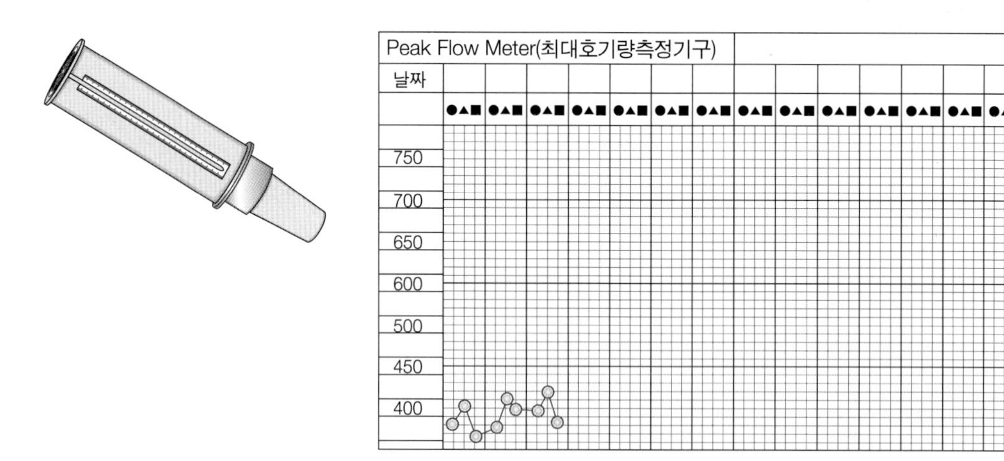

그림 8-1. **최대호기량 측정기구(PFM)와 기록지**

⑥ 필요 시 기구를 분리시켜 미지근한 물로 2~3분간 담근 후 기구를 흔들어 세척하고 완전히 건조시켜 사용한다.

(2) Zone system

2-3주간에 걸쳐 측정한 PEF 수치 중 개인 최고치에 해당하는 수치를 확인하여 천식 조절상태를 확인할 수 있다.

① Green zone : 개인 최고치의 80~100%, 천식이 잘 조절되고 있는 상태로 기존의 약물 치료를 유지한다.

② Yellow zone : 개인 최고치의 50~80%, 천식이 잘 조절되지 않는 상태로 치료의 재평가가 필요하다.

③ Red zone : 개인 최고치의 50% 미만, 천식이 조절되지 않는 상태로 즉각적인 병원 치료가 필요하다.

4) 기관지 유발 검사(Bronchoprovocation Test, 메타콜린 유발 검사)

기저 FEV_1을 측정한 후 저농도의 기관지 수축제(메타콜린, 히스타민)를 점차 농도를 높여가며 흡입시키면서 FEV_1의 변화를 관찰하는 것이다. 일반적으로 FEV_1이 기저치의 20% 이상 감소하는 최저 메타콜린의 농도, 즉 PC20이 8~25 mg/ml 이하인 경우 기관지 과민성이 있는 것으로 간주한다. 기관지 유발 검사는 민감도가 높아서 음성인 경우 천식이 아니라고 할 수 있지만 특이도는 상대적으로 낮으므로 이 검사가 양성이라고 해서 모두 천식이라고 진단해서는 안된다.

5) 피부단자시험(Skin Prick Test)

기관지 천식으로 진단되면 다음 단계로 천식의 원인이 되는 물질, 즉 항원을 찾아야 한다. 항원을 확인하는 방법으로 집먼지 진드기, 꽃가루, 곰팡이, 동물의 털 등 흔한 흡입성 항원으로 피부단자시험을 해서 원인이 되는 물질을 확인할 수 있다. 피부단자시험은 진단 목적으로 가장 흔히 사용되며, 간단하고 빠르고 경제적이며 예민도가 높으나 위양성과 위음성 반응의 가능성이 있기 때문에 유의해야 한다.

4. 천식의 중증도 분류

천식을 적절히 치료하기 위해서는 천식의 중증도를 파악하는 것이 중요하다. 일반적으로 천식의 중증도는 환자의 증상, 기류제한 및 폐기능에 따라 4단계로 나누며, 이에 맞추어 단계별로 치료하는 것이 권장된다.

표 8-2 천식의 중증도 분류

분류	증상	야간증상	FEV_1 또는 PEF
1단계 : 간헐성	주 1회 이하	월 2회 이하	예상치의 80% 이상
	발작 사이 무증상		변동률 20% 이하
	짧은 천식 악화		
2단계 : 경증 지속성	주 1회 이상이나	월 2회 이상 혹은	예상치의 80% 이상
	일 1회 이하	주 1회 이하	변동률 20-30%
3단계 : 중등증 지속성	매일 증상 있음.	주1회 이상	예상치의 60-80%
	발작 시 활동 및 수면 장애		변동률 30% 이상
4단계 : 중증 지속성	지속적인 증상	자주 발생	예측치의 60% 이하
			변동률 30% 이상

5. 천식 조절상태에 따른 치료지침

지속적인 천식 증상을 호소하는 환자에서 천식 조절 정도에 따라 2-3단계부터 시작하며 '조절', '부분조절', '조절 안됨' 으로 분류하여 치료 단계를 조절하고 적어도 3개월 이상 조절이 되면 치료 단계를 낮출 수 있다.

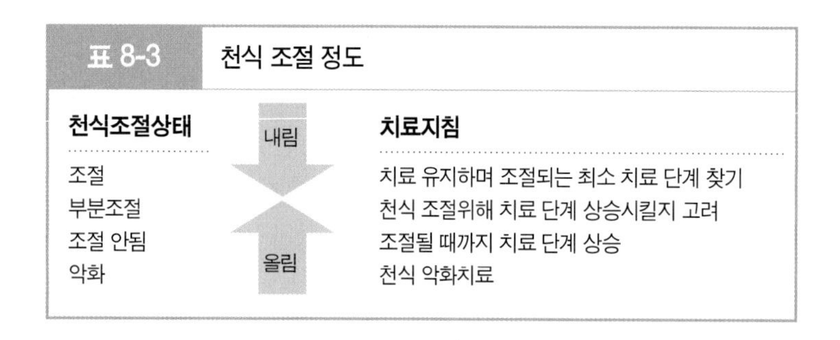

표 8-3 천식 조절 정도

천식조절상태		치료지침
조절	내림	치료 유지하며 조절되는 최소 치료 단계 찾기
부분조절		천식 조절위해 치료 단계 상승시킬지 고려
조절 안됨		조절될 때까지 치료 단계 상승
악화	올림	천식 악화치료

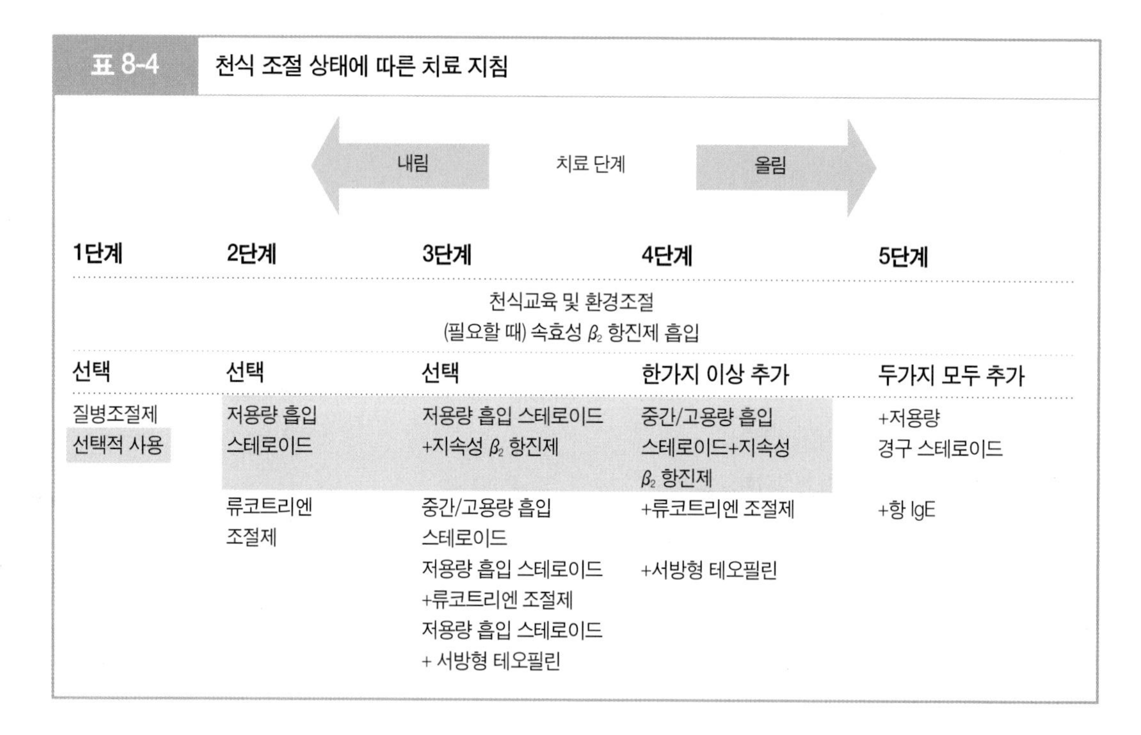

표 8-4 천식 조절 상태에 따른 치료 지침

내림 ← 치료 단계 → 올림

1단계	2단계	3단계	4단계	5단계
천식교육 및 환경조절 (필요할 때) 속효성 β_2 항진제 흡입				
선택	선택	선택	한가지 이상 추가	두가지 모두 추가
질병조절제 선택적 사용	저용량 흡입 스테로이드	저용량 흡입 스테로이드 +지속성 β_2 항진제	중간/고용량 흡입 스테로이드+지속성 β_2 항진제	+저용량 경구 스테로이드
	류코트리엔 조절제	중간/고용량 흡입 스테로이드	+류코트리엔 조절제	+항 IgE
		저용량 흡입 스테로이드 +류코트리엔 조절제	+서방형 테오필린	
		저용량 흡입 스테로이드 + 서방형 테오필린		

6. 천식의 치료

천식 치료의 목표는 천식의 증상을 조절하고 악화되지 않도록 유지하며, 천식 급성발작 발현의 예방, 운동을 포함한 정상 활동 유지, 정상 폐기능 유지, 비가역적 기도 폐쇄 예방, 천식 치료 약물의 이상반응 최소화, 천식으로 인한 사망 예방 등에 있다.

1) 환경관리 및 회피요법

천식의 유발인자가 파악되면 이를 피하는 것이 중요하며 악화인자에 대한 노출을 피하거나 감소시켜 천식의 증상 발생을 예방하거나 악화를 방지하고자 노력해야 한다.

(1) 집먼지 진드기 : 실내 습도를 40-50% 사이로 유지하고 실내에서 카페트를 없애고, 항원이 통과할 수 없는 천으로 이불, 베개 및 매트리스를 싼다. 매주 온수(55-60℃ 이상)로 이불 등을 세탁하고 열기나 햇빛

등에 건조시킨다.

(2) 바퀴벌레 : 집 안을 깨끗이 청소하고 살충제를 설치한다.

(3) 동물항원 : 개나 고양이 등의 애완동물을 집에서 기르지 않거나 애완동물이 주로 생활하는 공간이나 침실에 들어오지 못하도록 하고 자주 목욕시킨다.

(4) 꽃가루와 실외 곰팡이 : 대기 중 항원 농도가 증가하는 시기에는 되도록 외출을 삼간다.

(5) 실내 곰팡이 : 습기찬 곳을 없애거나 곰팡이가 있는 표면을 청소한다.

(6) 호흡기 질환 : 감기 등의 호흡기 질환은 천식 악화의 중요한 원인이 되므로 감염 환자와의 접촉을 피하고 인플루엔자 예방 접종을 한다.

(7) 흡연 : 환자는 물론 가족까지도 금연토록 권장하며 실내에서는 절대 금연한다.

(8) 운동 : 운동 유발성 천식의 경우 충분한 준비운동을 하거나 운동 전 적절한 약물을 사용한다.

(9) 약물, 음식, 기타 첨가물 : 증상 유발 인자를 피하도록 한다.

(10) 직업적 감작제 : 유발인자와의 접촉을 피하도록 한다.

2) 약물요법

천식에 사용되는 약물은 크게 두 가지로 구분할 수 있다. 기도의 염증 반응을 억제하고 천식 발작을 예방하는 질병 조절제와 기도 폐쇄 증상을 단시간에 완화시키는 증상 완화제가 있다. 여기에 해당되는 약물은 표 8-5와 같다.

(1) 질병 조절제

① 흡입 스테로이드

호산구, 림프구 등 염증세포의 이동과 활성화를 막고, 각종 염증 매개물질을 억제하는 강력한 항염증 작용이 있다. 흡입 스테로이드를 사용할 경우 폐 및 위장관을 통한 소량의 전신흡수는 불가피하지만 저용량을 쓸 경우에는 전신 이상반응의 위험이 거의 없다. 흡입용 스테로이드의 이상반응으로 목이 쉬거나 구강 칸디다증, 기침 등이 있는데 흡입 후 구강 세척을 하거나 보조흡입기를 사용함

표 8-5 천식약물의 분류표

질병 조절제	증상 완화제
흡입 스테로이드: Fluticasone, Budesonide, Ciclesonide	속효성 흡입 β_2 항진제: Salbutamol, Terbutaline
전신 스테로이드: Prednisolone, Methylprednisolone	전신 스테로이드: Prednisolone, Methylprednisolone
크로몰린제: Cromolyn sodium, Nedocromil sodium	항콜린제: Ipratropium, Oxytropium
지속성 흡입 β_2 항진제: Formoterol, Salmeterol	속효성 메틸잔틴: Aminophylline
지속성 경구 β_2 항진제: SR Salbutamol, Terbutaline	속효성 경구 β_2 항진제: Salbutamol
서방형 메틸잔틴: Theophylline, Aminophylline	
류코트리엔 조절제: Montelukast, Pranlukast, Zafirlukast, Zileuton	

표 8-6 흡입 스테로이드 동등 용량

	성 인		
약물	**저용량 (㎍/일)**	**중간용량 (㎍/일)**	**고용량 (㎍/일)**
Beclometasone dipropionate-HFA	100-250	250-500	〉500-1,000
Budesonide	200-400	400-800	〉800-1600
Ciclesonide	80-160	160-320	320-1280
Flunisolide	500-1,000	1000-2,000	〉2,000
Fluticasone	10-250	250-500	〉500-1000
Mometasone furoate	200	400-800	〉800
Triamcinolone acetonide	400-1,000	1,000-2,000	〉2,000

으로써 이러한 이상반응을 예방할 수 있다.

② 전신 스테로이드

작용기전은 흡입용 스테로이드와 동일하지만, 보다 다양한 세포에서 효과를 나타낸다. 경구 스테로이드 유지요법을 해야 하는 경우 전신 이상반응을 줄이기 위한 주의가 필요하고, 장기간 사용할 경우 정맥주사보다는 경구요법이 선호된다. 경구요법을 할 경우 상대적으로 mineralocorticoid 효과가 적고, 반감기가 짧으며, 근력 저하를 덜 일으키는 프레드니손, 프레드니솔론, 메틸프레드니솔론을 일차적으로 선택하도록 하며, 되도록 아침에 한번이나 격일로 복용하도록 한다.

전신용 스테로이드를 장기간 투여하면, 당대사 이상, 체중 증가, 혈압 상승, 골다공증, 백내장, 근육약화, 비만, 선조증 등을 일으킬 수 있다. 그러므로 흡입제를 우선 사용하여야 하며 경구 투여가 필요한 경우에도 최소한의 용량을 단기간 사용하여야 한다.

③ 크로몰린제

원인 항원에 노출되기 전 사용할 경우 조기 및 후기 반응으로 인한 기류 장애 예방 효과가 있으며, 운동, 찬 공기, sulfur dioxide에 노출 전 사용 시 급성 호흡곤란 예방에 사용된다.

Cromolyn sodium는 증상, 악화 빈도를 감소시키며, Nedocromil sodium의 경우 흡입용 스테로이드보다는 효과가 적지만 성인 천식환자에서 폐기능 호전 및 비특이적인 기관지과민성을 감소시킨다. 이상반응이 거의 없으며, 일부 환자에서는 Nedocromil sodium의 쓴맛에 대해 거부감을 나타내기도 한다.

④ 지속성 흡입 β_2 항진제

작용 기전은 기관지 평활근 이완, 점액섬모 운동에 의한 분비물의 제거 촉진, 혈관 투과성 감소, 비만세포와 호염기구로부터 염증매개물질의 분비 조절 기능이 있다. 12시간 이상의 작용시간을 가지며, 작용시간이 길기 때문에 야간 천식과 운동 유발성 천식의 예방에 효과적이다. 흡입용 스테로이드의 일일 유지요법에 지속성 흡입용 β_2 항진제를 추가하여 사용하면 증상 지수 및 폐기능이 호전되고, 야간 천식증상, 속효성 흡입용 β_2 항진제의 사용, 증상 악화 횟수가 감소되는 효과가 있다.

이상반응으로는 심혈관계 자극, 골격근 진전, 저칼륨혈증 등의 이상반응이 나타날 수 있으나 이는 경구요법보다는 적게 나타난다. 흡입용 스테로이드제와 지속성 흡입용 β_2 항진제의 병용투여가 보다 나은 효과를 나타냄에 착안하여 복합제형을 개발하게 되었다. 복합 제형은 흡입스테로이드 단독 사용보다 폐기능 수치를 향상시키고, 지속성 흡입용 β_2 항진제 단독 사용보다 염증을 개선시키는 장점을 지니면서 각각의 용량을 줄일 수 있어 부작용도 감소한다. 시판 중인 제제로는 세레타이드® (Fluticasone propionate+Salmeterol), 심비코트® (Budesonide+Formoterol)가 있다.

⑤ 지속성 경구 β_2 항진제

흡입용 스테로이드의 표준량으로 야간 증상이 효과적으로 조절되지 않을 경우 추가요법으로 사용할 수 있다. 이상반응으로 심혈관계 이상반응, 골격근 진전 등이 나타날 수 있다.

⑥ 서방형 메틸잔틴

기관지확장 효과는 phosphodiesterase 억제로 세포내 cAMP와 cGMP를 증가시켜서 나타난다. 기관지 확장 효과는 고농도(〉10 ㎍/L)에서 나타나는 반면 항염증작용은 저농도(5-10 ㎍/L)에서 나타나는데 정확한 기전은 아직 알려져 있지 않다.

일부 나라에서는 이상반응의 위험성과 약물농도 측정의 번거로움으로 인해 흡입용 스테로이드와 지속성 흡입용 β_2 항진제로 조절이 잘 되지 않는 경우에 사용하도록 권장하고 있다. 그러나 우리나라를 비롯한 많은 나라에서는 경제적인 이점과 야간증상 조절효과 때문에 보다 조기에 사용하는 경향이 있다.

이상반응으로는 구역, 구토 등 위장관 이상반응이 흔하며, 빈맥, 부정맥 등도 나타날 수 있다. 중독증상으로 간질이나 사망을 초래할 수도 있다.

⑦ 류코트리엔 조절제

Cysteinyl Leukotriene 1 ($CysLT_1$) 수용체 길항제인 Montelukast, Pranlukast, Zafirlukast는 기도 및 기타 세포에 있는 $CysLT_1$ 수용체를 차단하여 비만세포나 호산구로부터 유리되는 CysLT (LTC_4, LTD_4, LTE_4)의 작용을 저해한다. 반면, 5-lipoxygenase 저해제인 Zileuton는 모든 류코트리엔의 생성을 차단한다. 이런 기전으로 약간의 기관지 확장 효과와 알러젠, 운동, sulfur dioxide 등으로 유발되는 기관지 수축 경감작용, 항염작용이 있다고 알려져 있다. 경구약으로 중등증, 중증 천식에서 추가 약제로 사용될 수 있으며, 경증 지속성 천식에서 일차 약물로도 사용이 가능하다. 특히, 아스피린 과민성 천식, 운동유발성 천식 및 비용종과 병발된 천식 등에 효과적인 것으로 알려져 있다. 이상반응으로 Zileuton의 경우 간독성이 있다고 알려져 있어 복용 중 간기능검사가 필요하다.

(2) 증상 완화제

① 속효성 흡입 β_2 항진제

작용기전은 앞서 언급한 지속성 흡입용 β_2 항진제와 동일하다. 즉각적인 증상완화 효과를 나타내므로 간헐적 기관지 수축을 조절하는데 효과적이다. 증상조절을 위한 속효성 β_2 항진제 사용의 증가(〉3-4회/일)는 천식 악화를 시사하므로 항염증 유지요법을 포함한 치료단계의 상향 조절이 필요함을 의미한다. 마찬가지로 급성 악화 시에 속효성 β_2 항진제 치료로 효과가 충분치 않을 경우 경구용 스테로이드의 추가가 필요하다.

② 전신 스테로이드

경구 투여나 주사제로 투여하며, 경구제제로는 프레드니손, 프레드니솔론이 있으며, 하이드로코르티손, 메틸프레드니솔론은 경구 및 정맥주사 형태로 되어 있다.

세포내에서의 작용기전은 흡입용 스테로이드와 동일하나, 보다 다양한 세포에 약물 효과를 나타낸다. 투여 후 4-6시간 정도에 약효가 발현됨에도 불구하고, 중증 급성 천식발작 치료에 있어 매우 중요한 약물로 꼽히는데 이는 전신용 스테로이드의 사용이 천식 악화의 진행 방지, 응급치료 후 조기재발 감소, 천식으로 인한 이환율을 감소시키는 효과가 있기 때문이다. 급성 천식 악화 시 프레드니손, 프레드니솔론, 메틸프레드니솔론을 3-10일정도 유지를 하는 것이 일반적이다.

③ 항콜린제

작용 기전은 기도의 콜린성 신경말단으로부터 분비된 아세틸콜린의 영향을 차단하여 내인성 미주신경 지배를 감소시킴으로써 기관지확장 효과를 가진다. 또한 자극물질 흡입에 의한 반사성 기관지수축을 차단한다. 천식 치료에 있어서 흡입용 항콜린성 제제의 효과는 속효성 흡입용 β_2 항진제에 비해 약하며 일반적으로 효과 발현시간도 늦어(30-60분에 최고효과 도달) 1차적 기관지확장제로 사용하지 않는다. 빈맥, 부정맥, 진전 등의 이상반응이 있어 속효성 β_2 항진제를 사용하지 못할 경우, β_2-항진제와 병용하여 사용하거나 만성폐쇄성폐질환이 동반되어 있는 환자에서 사용할 수 있다. 이상반응으로 흡입 시 쓴 맛이 나고, 입이 마르는 증상이 있을 수 있다.

④ 속효성 메틸잔틴

종류로는 아미노필린, 테오필린이 있으며 경구 또는 주사제로 사용할 수 있다. 기관지 확장제이며, 일반적으로 흡입용 β_2 항진제보다는 기관지 확장효과가 약하며 작용발현 시간도 느리다. 적절한 용량의 속효성 β_2 항진제를 사용하고 있는 경우 속효성 테오필린의 추가에 의한 부가적인 기관지 확장 효과는 없는 것으로 보이지만, 호흡중추를 자극하고 호흡근육을 강화시키며 속효성 β_2 항진제 투여 사이에 기관지 확장 효과를 지속시키거나 연장시킨다.

⑤ 속효성 경구 β_2 항진제

다른 β_2 항진제와 마찬가지로 기도 평활근을 이완시키며, 흡입제를 사용할 수 없는 환자들에게 사용할 수 있다. 이상반응으로 β_2 항진제의 이상반응인 심혈관계 자극, 골격근 진전, 저칼륨혈증 등이 있으며, 경구 투여 시에 보다 두드러진다.

(3) 면역요법

항원 특이 면역치료(Specific Immunotherapy : SIT)의 정확한 작용기전은 아직 알려져 있지 않으나 천식 증상지수가 감소하고, 알러젠 특이 및 비특이 기관지 과민성 모두 감소되는 등 천식에서도 면역치료는 유용한 것으로 나타났다. 하지만 대상환자 선정 및 항원 결정의 기준이 아직까지 명확하지 않으며, 일반적으로 천식에서 흡입용 스테로이드에 비해 면역치료의 효과가 상대적으로 떨어지므로 면역치료는 이상반응의 위험과 장기간 주사요법의 시행, 주사 시 30분 정도의 관찰 필요 등의 불편함을 함께 고려하여야 한다.

국소 이상반응은 대부분 특별한 조치를 필요로 하지 않으나, 주사 직후 주사부위 국소 이상반응은 다음 주사용량 결정에 영향을 미친다. 전신 이상반응으로 비염 및 천식 증상이 나타날 수 있으며, 두통, 관절통 등의 비특이적인 증상 및 아나필락시스, 중증 천식 발작 등의 치명적 이상반응이 나타날 수도 있으며 이 경우 피하 에피네프린, 스테로이드 정맥주사 등의 약물치료와 면밀한 관찰을 요한다.

III 만성폐쇄성폐질환

1. 만성폐쇄성폐질환의 정의

만성폐쇄성폐질환은 유해한 입자나 가스의 흡입에 의해 발생하는 폐의 비정상적인 염증반응과 이와 동반되어 완전히 가역적이지 않으며 점차 진행하는 기류제한을 보이는 호흡기 질환이다. 만성폐쇄성폐질환의 증상은 기침, 가래, 운동 시 호흡곤란을 포함하며 증상의 급성악화를 자주 동반한다.

2. 만성폐쇄성폐질환의 진단

1) 증상

(1) 만성기침

간헐적이거나 매일 나타나고 때로는 하루 종일 나타나기도 하나 천식과는 달리 야간에만 나타나는 경우는 드물다.

(2) 만성 객담 배출

(3) 호흡곤란

지속적으로 호흡곤란 증세가 나타나고 점차 악화되는 특징을 보인다.

2) 폐기능 검사

천식에서 사용하는 단순 폐기능 검사를 통해 FEV_1과 FVC의 비율로 기류 제한 여부를 확인할 수 있다.

(3) 천식의 감별 진단

표 8-7 천식의 감별 진단

	만성폐쇄성폐질환	천 식
발병 시점	중년기에 시작	어린 시절에 발병, 주로 유년기 발병
발병 원인	장기간의 흡연력	천식의 가족력, 항원 등 다양함
증상 양상	매일 다양하게 나타남	증상이 느리게 진행
기도 폐쇄의 가역성	완전히 가역적이지 않음	가역적 기도 폐쇄

3. 중등도에 따른 만성폐쇄성폐질환의 분류

표 8-8 중등도에 따른 만성폐쇄성폐질환의 분류

단계	특징
제0기 : 위험시기	정상 폐기능 만성적인 증상(기침, 가래)
제1기 : 경증	$FEV_1/FVC < 70\%$ $FEV_1 \geq$정상 예측치의 80% 만성적인 증상(기침, 가래)의 동반 혹은 비동반
제2기 : 중등증	$FEV_1/FVC < 70\%$ 정상 예측치의 $50\% \leq FEV_1 < 80\%$ 만성적인 증상(기침, 가래)의 동반 혹은 비동반
제3기 : 중증	$FEV_1/FVC < 70\%$ 정상 예측치의 $30\% \leq FEV_1 < 50\%$ 만성적인 증상(기침, 가래)의 동반 혹은 비동반
제4기 : 고도중증	$FEV_1/FVC < 70\%$ $FEV_1 < 30\%$ 혹은 $FEV_1 < 50\%$이면서 만성 호흡부전 동반

4. 만성폐쇄성폐질환의 치료

1) 위험인자의 제거

(1) 흡연

① 금연상담

의사나 다른 의료 전문인들과의 상담은 금연 성공률을 높일 수 있다. 금연을 위한 3분 정도의 짧은 상담만으로도 5-10%의 흡연자가 금연을 하게 된다고 한다.

② 금연을 위한 약물치료

흡연하는 만성폐쇄성폐질환 환자들은 이미 니코틴 중독이 되어 있으므로 니코틴 대체제를 이용해서라도 금연을 하여야 한다. 금연을 시작한 환자들 대부분은 금연한 지 1-2일 이내에 다시 흡연을 하기 때문에 이를 예방하기 위하여 니코틴 대체제 사용이 필요하다. 니코틴 대체제로는 니코틴 껌, 패치, 흡입제, 정제 등이 있고, varenicline, 비정형 항우울제인 bupropion도 금연 보조제로 사용할 수 있다.

(2) 직업성 위험인자

(3) 대기오염

2) 약물요법

(1) 약물요법의 개요

① 질환의 중등도에 따라 치료를 단계적으로 강화시킨다.

② 현저한 부작용이 나타나거나 질환이 악화되지 않는 한 규칙적인 치료를 장기간 유지한다.

③ 환자의 치료 반응을 개인별로 자주 조절해주어야 한다.

(2) 기관지 확장제

경증의 만성폐쇄성폐질환에서 기관지 확장제를 규칙적으로 투여하더라도 폐기능 감소를 완화시키지는 못하며 예후도 변화시키지 못한다. 그래도 기관지 확장제는 만성폐쇄성폐질환 대증요법의 중심이다. 기관지 확장제 치료의 효과는 폐기능만으로 평가하여서는 안되며 증상의 호전, 일상생활 능력, 운동능력 및 증상 경감의 신속성 등을 함께 고려하여야 한다.

만성폐쇄성폐질환 치료에 흔히 사용되는 기관지확장제의 종류에는 β_2 항진제, 항콜린제, 메틸잔틴 등이 있다.

① β_2 항진제 : cAMP를 활성화시켜 기관지 평활근 이완 효과를 나타내며 여기에 속하는 대표적인 약물로는 salbutamol, terbutaline, formoterol, salmeterol이 있다. 주된 부작용으로는 빈맥 등 심혈관 부작용이 있다.

② 항콜린제 : 기도 평활근의 M3 수용체에 대한 아세틸콜린의 작용을 차단하여 기관지 확장 효과를 나타낸다. ipratropium과 tiotropium이 여기에 속하며 tiotropium은 24시간 이상 작용이 지속되어 1일 1회 용법으로 사용된다. 항콜린제는 심각한 부작용은 잘 나타나지 않으며 대표적인 부작용으로는 구강 건조증이 있다.

③ 메틸잔틴 : 잔틴 유도체의 독성은 용량 의존적이며, 치료농도 범위가 좁아서 면밀히 모니터링해야 할 필요가 있다. 가장 문제가 되는 독성작용으로는 심방 및 심실 부정맥, 대발작 간질 등이 보고되

어 있다. 특히 테오필린은 여러 인자에 의해 대사가 영향을 받으므로 수시로 혈중 농도를 검사하여 용량을 조절해 주어야 한다.

(3) 스테로이드

주로, 만성폐쇄성폐질환의 급성 악화 시 사용된다. 흡입 스테로이드를 규칙적으로 사용하였을 때 FEV_1의 지속적인 감소를 개선시키지는 못하지만, 증상이 있으면서 FEV_1이 50% 미만이거나, 폐기능에 관계없이 잦은 급성악화를 나타내는 환자들에게는 추천한다.

(4) 기타 치료

인플루엔자 백신은 만성폐쇄성폐질환 환자에서 심각한 병증과 사망을 약 50%까지 감소시킬 수 있는 것으로 알려져 있으며, 특히 고령의 COPD 환자들에게 효과적이다.

3) 비약물요법

(1) 호흡재활치료

(2) 산소요법 : 고탄산혈증의 여부와 관계없이 PaO_2가 55 mmHg 이하이거나 SaO_2가 88% 이하인 경우 혹은 PaO_2가 55mmHg과 60mmHg 사이이거나 SaO_2가 89%인 경우, 폐 고혈압, 울혈성 심부전을 암시하는 말초부종, 혹은 적혈구 증가증 (hematocrit $>$ 55%)의 소견이 있는 경우와 같은 고도중증 환자에게 적용된다.

5. 만성폐쇄성폐질환의 단계별 치료

중증도	제0기	제1기	제2기	제3기	제4기
	위험시기	경증	중등증	중등	고도중증
특징	만성증상 위험인자노출	$FEV_1/FVC < 70\%$ $FEV_1 \geq 80\%$ (추정치)	$FEV_1/FVC < 70\%$ $50\% \leq FEV_1 < 80\%$ (추정치)	$FEV_1/FVC < 70\%$ $30\% \leq FEV_1 < 50\%$ (추정치)	$FEV_1/FVC < 70\%$ $FEV_1 < 30\%$ 혹은 $FEV_1 < 50\%$면서 만성호흡부전 동반
	위험인자 회피; 인플루엔자 백신				
		필요시 속효성 기관지확장제 추가			
			한 가지 이상의 지속성 기관지확장제 치료 추가 호흡재활 추가		
				반복악화 시 흡입 스테로이드 추가	
					만성호흡부전시 장기산소요법 추가 외과 치료 고려

그림 8-2. 만성폐쇄성폐질환의 단계별 치료

IV 알레르기성 비염

1. 알레르기성 비염의 정의

알레르기성 비염은 임상적으로 항원에 노출된 후 IgE에 의해서 매개되는 비강 내의 염증 반응으로 정의된다. 대표적인 증상으로는 콧물, 코막힘, 코 가려움, 재채기 등이 나타난다.

2. 알레르기성 비염의 분류

그림 8-3. 알레르기성 비염의 분류

3. 알레르기성 비염의 진단

1) 비염의 증상 : 콧물, 코 막힘, 코 가려움, 재채기 등의 전형적인 증상을 보인다.
2) IgE 수치 확인
3) 피부단자시험
4) 항원 특이적 IgE 검사

4. 알레르기성 비염의 치료

1) 환경관리 및 회피요법

2) 약물요법

(1) 효능별 약물

표 8-9 효능별 약물 분류

		종류	부작용	주의사항
경구 항히스타민	1세대	Chloropheniramine, Hydroxyzine, Ketotifen, Mequitazine	졸림, 항콜린성 작용 나타남	경증에서 1차 치료제. 2세대 항히스타민제가 효능, 안전성면에서 우수하나 코 막힘 증상 개선에는 효과가 별로 없음
	2세대	Fexofenadine, Loratadine, Azelastine 등	대부분 졸림, 항콜린성 작용이 나타나지 않으나, azelastine은 졸릴 수 있고 쓴맛이 남	
비강용 항히스타민		Azelastine, Levocarbastine	부작용이 거의 나타나지 않으나, azelastine은 쓴맛이 날 수 있음	30분 이내에 효과가 나타날 정도로 작용발현시간이 짧음
비강용 스테로이드		Budesonide, fluticasone, Beclomethasone, Mometasone 등	부작용 발현이 적음	알레르기성 비염의 가장 효과적인 치료법으로 중등도 이상에서 1차 치료제. 코 막힘에 효과적임
전신 스테로이드		Dexamethasone, Hydrocortisone, Prednisolone, Deflazacort	전신 부작용이 유발될 수 있음	심각한 증상을 보일 때는 전신 스테로이드 사용이 필요하나 비강용 스테로이드로 변환하는 것이 권장됨
국소용 크로몰린제		Cromoglycate 등	부작용 발현이 적음	비강제제는 효과가 단시간 지속됨

(2) 비염 증상 치료효과

표 8-10 약물별 비염 증상 치료효과

		재채기	콧물	코 막힘	코 가려움
항히스타민	경구	++	++	+	+++
	비강용	++	++	+	++
비강용 스테로이드		+++	+++	++	++
비강용 크로몰린제		+	+	+	+
비충혈억제제	경구	-	-	+	-
	비강용	-	-	++++	-
항콜린제		-	++	-	-
류코트리엔 조절제		-	+	++	-

3) 면역요법

(1) 면역요법의 적응증

① 항히스타민제나 국소 약물로 증상을 조절되지 못하는 환자
② 약물요법을 더 이상 받고 싶어 하지 않는 환자
③ 약물요법에서 부작용을 보이는 환자
④ 장기간의 약물요법이 필요한 환자
⑤ 알레르기 계절이 너무 길거나 여러 가지 화분에 과민되어 있는 환자

(2) 면역요법의 치료방법

① 항원의 선택

피부단자시험과 항원 특이적 IgE을 통하여 확인된 항원을 비강유발검사를 통해 확진한다. 항원의 수가 많을수록 효과가 떨어지므로 항원의 수는 최소화하는 것이 좋고 여러 종류의 항원이 동시에 감작된 환자의 경우는 교차항원성을 고려하여 항원의 수를 줄일 수 있으며 항원의 수가 3-5개를 넘지 않도록 한다.

② 치료방법

피하주사 요법을 시행하려면 부작용에 대비한 응급 처치 시설이 필수적이며 농도를 올려가며 치료한다. 최근에는 설하 요법도 많이 사용되고 있으며 설하에 항원의 농도를 높여가며 투여하다가 유지 치료를 하기도 한다.

③ 종료기준

대개 3-5년 정도의 기간 동안 치료하며 증상이 소실된 후 약 2년을 더 치료한 후 종료하는 것이 대부분이다. 하지만 오랜 기간의 치료 후에도 유지 요법을 중단하면 다시 발생하는 경우가 보고되고 있어 평생 유지 요법 혹은 기간을 더 늘려 5년 후에는 3개월 간격의 치료를 권하는 경우도 있다.

(3) 면역요법의 부작용

① 국소 부작용 : 소양증, 부종
② 전신 부작용 : 비염이나 천식의 발작, 두통이나 관절염, 아나필락시스

V 흡입기

1. 흡입 치료의 특징

표 8-11 흡입 치료의 장점과 단점

흡입 치료의 장점	흡입 치료의 단점
약물의 효과가 빠르고 정확하다.	흡입기 사용이 어려워 교육이 요구된다.
전신 투여시보다 적은 양의 약물이 필요하다.	휴대가 불편하다.
전신 투여로 인한 이상반응이 거의 없다.	

2. 흡입기의 특성

1) 흡입 입자의 침착기전

(1) 관성충돌 : 입자가 흡기에 의해 기도를 통과해 들어갈 때 직진하려는 성질로서 기류속도가 빠르고 방향이 급격히 변하는 상부기도와 중심 기관지 부위에서 큰 입자들이 기도벽에 부딪치기 쉽다.
(2) 중력에 의한 침강 : 유속이 감소되는 소기관지를 서서히 통과하다 중력에 의해 주위 점막에 침착된다.
(3) 확산 : 말초기관지 또는 폐포 내까지 들어간 작은 입자는 브라운 운동에 의해 기도에 침착된다.

2) 입자 크기에 따른 호흡기계 도달 범위

(1) 5-10 ㎛ : 기관, 기관지
(2) 1-5 ㎛ : 하부기도
(3) 0.5 ㎛ 이하 : 호기로 방출

3. 정량분무식 흡입기(Metered Dose Inhalers, MDI)

1) 정량분무식 흡입기의 특징

한번 누를 때마다 일회 용량만 분무할 수 있도록 설계된 흡입기로 약물을 담고 있는 흡입기통, 약물 분사 장치인 추진기, 약액으로 구성되어 있으며, 약액은 약성분, 추진제, 계면활성제 등이 혼합된 현탁액이다. 최근에는 오존층 파괴를 줄일 수 있는 추진제의 개발로 HFA (Hydrofluoroalkane)가 사용되고 있다. 분사와 동시에 흡입하여야 하며, 흡입은 천천히, 깊게 30 L/min 정도의 속도로 흡입한다.

처음 분사될 때 입자크기는 45 ㎛ 정도로 크지만 추진제가 휘발된 후 약물의 입자크기는 2.8-5.5 ㎛이다. 일반적으로 사용되는 정량분무식 흡입기는 폐에 약 10-30%, 구강인두부에 약 80%가 침착하며 나머지는 기구에 묻거나 다시 호기된다.

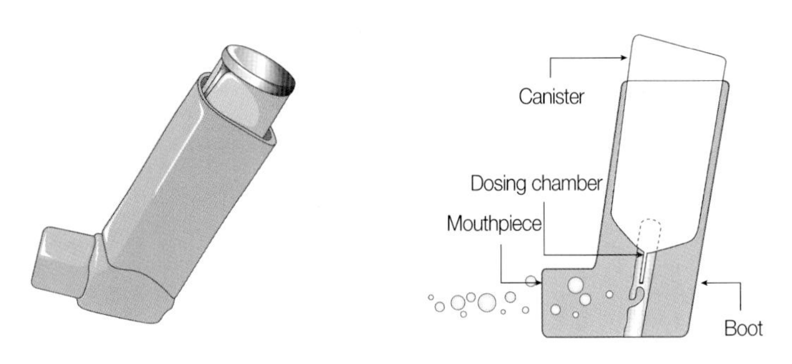

그림 8-4. **정량분무식 흡입기**

2) 보조흡입기

정량분무식 흡입기를 보조흡입기에 부착시키고 약물을 보조흡입기 내에 분사하여 흡입하면, 추진제가 휘발된 후의 약물을 흡입할 수 있어 입자의 크기를 줄여 줄 수 있을 뿐 아니라 방출되는 약물의 속도를 감소시켜주므로 구강인두부 내 약물 침착 정도를 줄인다. 또한 약물 분사와 동시에 흡입하는 능력이 부족하더라도 약물이 폐로 침착되는 것을 증가시킬 수 있어 흡입기의 효율을 높일 수 있다. 이러한 이유로 주로 스테로이드를 함유한 정량분무식 흡입기에 보조 흡입기를 사용한다.

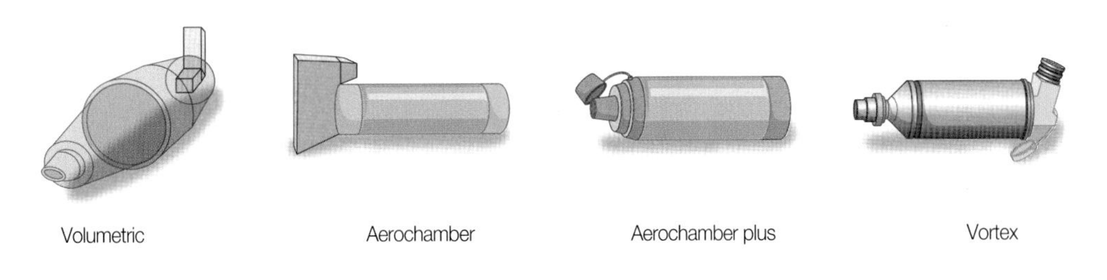

그림 8-5. **보조흡입기의 종류**

3) 흡입 방법

(1) Open mouth technique

흡입기를 입으로부터 손가락 2-3개 정도의 간격을 두고 분사하는 방법으로 분사와 동시에 흡입이 이루어져야 한다.

(2) Closed mouth technique

흡입기를 입에 물고서 사용하는 방법으로 구강 내 많은 양의 약물이 침착된다(그림 8-6).

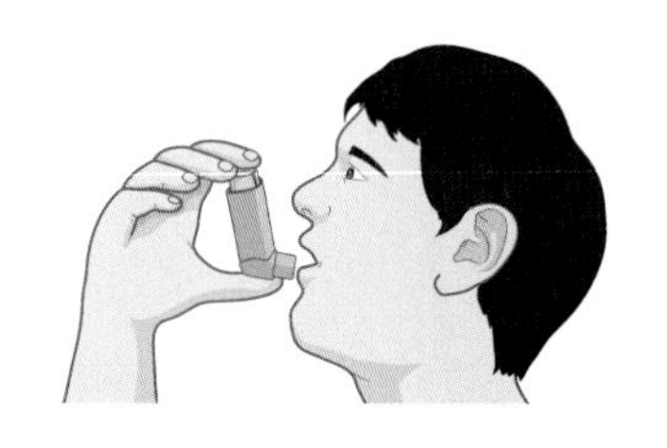
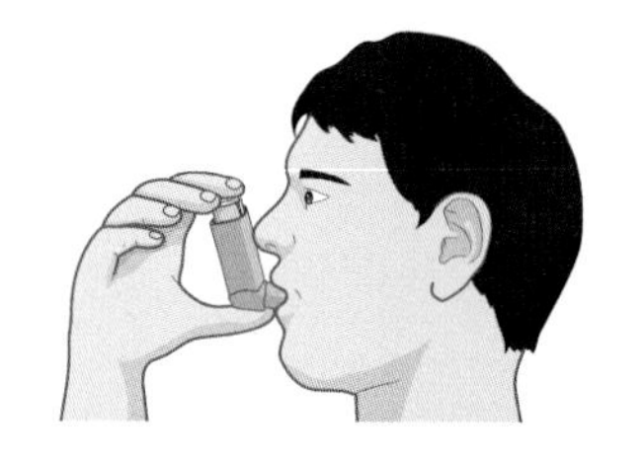
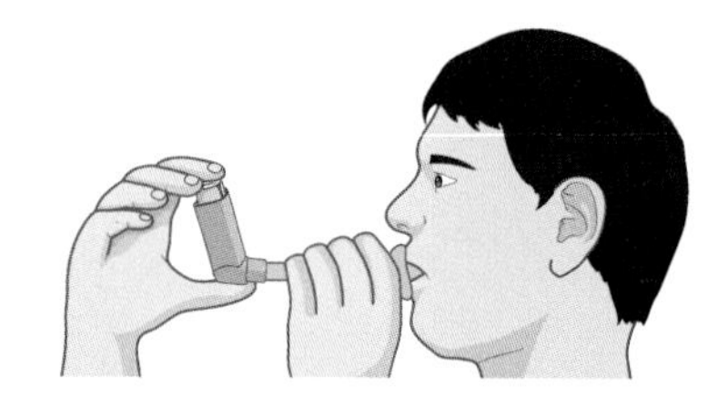

그림 8-6. MDI 흡입방법

(3) Spacers

보조흡입기에 끼워서 사용하는 방법으로 구강 내 침착을 줄이며 흡입기 분사와 동시에 흡입하는 어려움을 극복하여 폐로의 전달을 증가시킬 수 있는 장점이 있다.

4) 흡입기 사용방법

(1) 흡입기 뚜껑을 열고, 똑바로 세워서 4-5회 세게 위아래로 흔든다.

(2) 천천히 숨을 내쉰다.

(3) ① Open mouth technique : 입에서 약 4 cm 앞에 흡입기를 세운다.

② Closed mouth technique : 흡입기를 이와 입술로 문다.

③ Spacer : 흡입기를 흡입보조기에 끼우고 보조 흡입기를 이와 입술로 꼭 문다.

④ Spacer with mask : 소아의 경우 보조흡입기에 부착된 마스크로 코와 입을 씌운다.

(4) 용기를 눌러 약물을 분사하는 동시에, 숨을 입으로 천천히, 깊게(약 3-5초간) 들이마신다.

(5) 가능한 숨을 오랫동안(약 5-10초간) 멈추었다 천천히 코로 숨을 내쉰다.

(6) (1회 이상일 경우) 1분 이상 기다렸다가 다시 반복한다.

(7) 소염제 사용 시 구강 칸디다증이 생길 수 있으므로 사용 후 입안을 헹구어내며, 마스크 사용 시에는 얼굴도 함께 닦는다.

5) 용량 확인방법

흡입기마다 사용할 수 있는 횟수가 다르므로 사용 가능한 양을 확인하고 1일 사용량을 나누면 사용 가능한 일수를 알 수 있다.

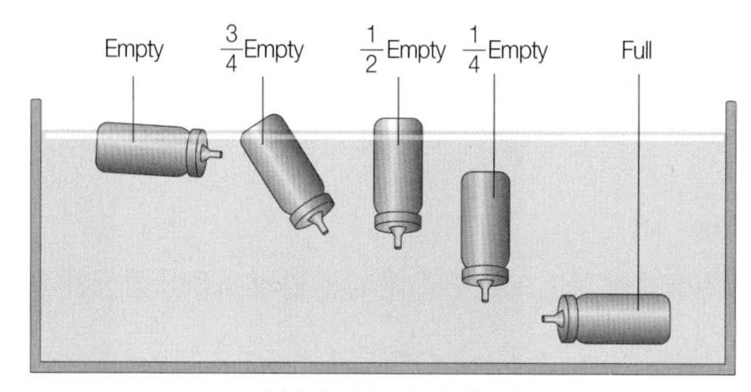

그림 8-7. MDI 용량확인법

흡입기의 용기를 물에 띄워 보았을 때 용기가 가라앉으면 약이 채워져 있는 것이고 물위에 뜨게 되면 약이 비어있는 것이다.

6) 세척방법

플라스틱 통은 흐르는 물에 주 1회 정도 닦고 건조시킨다. 보조흡입기는 주 2-3회 흐르는 물에 세척하며 필요 시 중성세제를 이용하여 닦고 건조시킨다.

7) 보관방법

직사광선 및 직사열을 받지 않는 30℃ 이하의 장소에서 보관하되 얼지 않도록 주의한다.

4. 분말흡입기(Dry Powder Inhalers, DPI)

1) 분말흡입기의 특징

약 성분과 부형제가 혼합된 형태로, 약물이 건조된 분말로 되어 있어 환자의 흡입력에 의해 폐에 전달된다. 추진제가 없으므로 분사와 동시에 흡입하지 않아도 되나 흡입 시 약 60L/min의 속도로 빠르고 세게 들이마셔야 한다.

2) 터부헬러(Turbuhaler)

약 분말을 담은 통에서 일정량을 정량하여 흡입하는 형태로, 부형제를 함유하고 있지 않고 약 성분만을 함유하고 있어 자극이나 냄새가 없으므로 흡입 시 흡입상태를 환자가 알 수 없는 특징이 있다.

(1) 흡입기 사용방법

① 흡입기를 똑바로 세운 상태에서 아래쪽 손잡이를 오른쪽으로 끝까지 돌렸다가 다시 왼쪽으로 돌리면 '딸깍' 소리가 나면서 1회 흡입용량이 준비된다.
② 숨을 천천히 내쉰 후 흡입기를 물고 숨을 빨리, 깊게 들이마신다.
③ 가능한 숨을 오랫동안(약 5-10초간) 멈추었다 천천히 코로 숨을 내쉰다.
④ 1회 이상일 경우 1분 이상 기다렸다가 ①부터 다시 반복한다.
⑤ 소염제 사용 시 구강 칸디다증이 생길 수 있으므로 사용 후 입안을 헹구어 낸다.

(2) 주의사항

① 용량이 극미량이므로 흡입 시 약물의 맛이나 느낌이 없을 수 있으나 설명된 방법에 따르기만 하면 약물은 흡입이 되므로 처방받은 횟수 이상으로 사용하는 일이 없도록 한다. 만약 약물이 나오는지 확인하고 싶은 경우, 얇은 검정 천으로 흡입기를 감싸고 흡입하면 실제 흡입되는 약물을 육안으로 확인할 수 있다.
② 흡입기를 흔들 때 나는 소리는 약물에 의한 것이 아니고 습기 제거를 위한 방습제 소리이므로 남아

있는 약물의 용량과는 관계가 없음을 환자에게 주지시킨다.

③ 습기에 민감하므로 흡입구에 숨을 내쉬지 않도록 하며, 사용 후에는 반드시 마개를 닫는다.

(3) 용량 확인방법

① 심비코트® (Symbicort®)

용량 표시창에 남은 숫자가 20 단위로 표시되고 적색 배경에 숫자 0이 창 중앙에 도달하면 흡입기를 다 사용한 것이다.

② 풀미코트® (Pulmicort®)

사용 중 용량 표시창의 위쪽에 나타나는 붉은 색 표시는 20회의 흡입량이 남아있음을 알려주며 붉은 색 표시가 맨 아래쪽에 도달하면 흡입기에 약물이 남아있지 않음을 나타낸다.

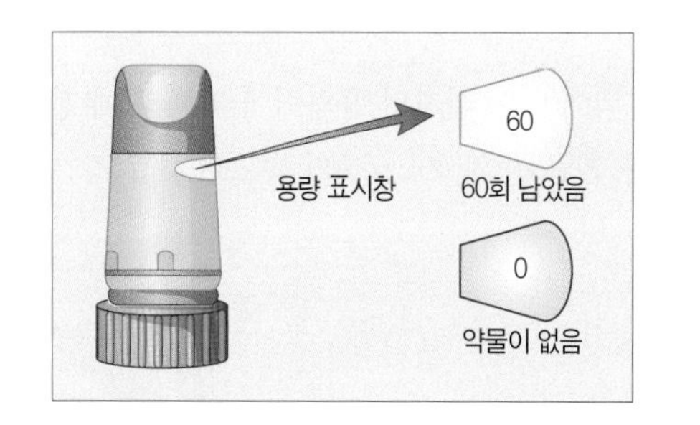

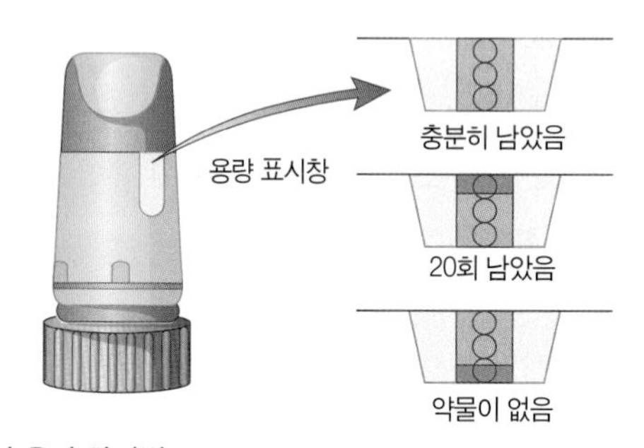

그림 8-8. **터부헬러 용량 확인법**

(4) 세척방법

흡입구 주변을 마른 티슈를 이용하여 수시로 닦아내되 절대로 물이나 다른 액체를 사용해서는 안된다.

3) 디스커스(Diskus)

약 분말을 담은 블리스터를 테이프식으로 말아놓고 하나씩 돌려가며 흡입하는 형태로 60회 사용할 수 있다. 각 블리스터에는 약물과 부형제가 들어 있다.

(1) 흡입방법

① 손잡이를 이용하여 '딱' 소리가 날 때까지 몸체를 회전시키면, 흡입구와 작동레버가 나온다.

② 작동레버를 오른쪽으로 끝까지 돌리면 포낭 속의 분말이 흡입구 부분에 위치하게 된다.

③ 숨을 천천히 내쉰다. 이 때 흡입구에 대고 숨을 내쉬지 않도록 한다.

④ 흡입구를 이와 입술로 물고, 숨을 가능한 빨리, 깊게 들이마신다.

⑤ 가능한 숨을 오랫동안(약 5~10초간) 멈춘다.

⑤ 천천히 코로 숨을 내쉰다.

⑥ 처방된 용량만큼 흡입이 끝나면 작동레버를 원위치로 옮기고 흡입구 부분이 오염되지 않도록 손잡이를 다시 돌려 놓은 후 보관한다.

⑦ 약물 흡입 후 입안을 물로 헹구어낸다.

(2) 용량 확인방법

총 60회 사용할 수 있는 흡입기로 용량 표시창에 60→59→58→⋯→0으로 남은 횟수를 표시해 준다.

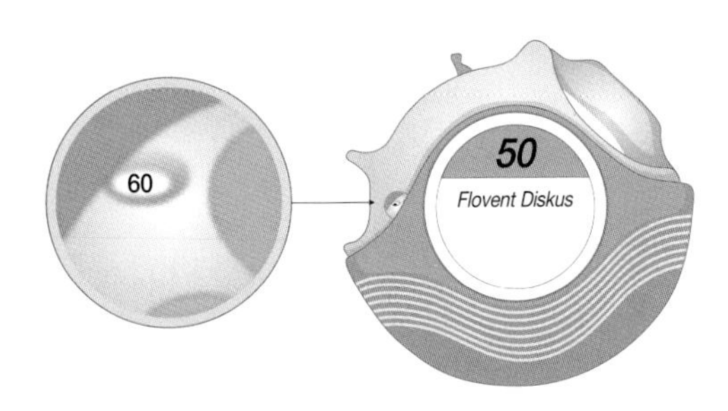

그림 8-9. 디스커스 용량 확인법

4) 핸디헬러(Handihaler)

흡입기와 흡입용 캡슐로 구성되어 있는 흡입기로 캡슐에 구멍을 뚫고 구멍을 통하여 약물을 흡입하는 제형이다.

그림 8-10. 핸디헬러

(1) 흡입방법

① 두 줄로 된 캡슐 포장을 가운데 점선을 따라 찢어 분리한다. 사용 직전에 캡슐이 완전히 보일 때까지 은박지를 벗긴다.

② 흡입기 뚜껑과 흡입구를 연다.

③ 스피리바® (Spiriva®) 캡슐을 흡입기 중앙 공간에 세워서 넣는다.

④ 흡입구를 '딱' 소리가 날 때까지 단단하게 닫는다. 이때 흡입기 뚜껑은 연 채로 둔다.

⑤ 흡입구 방향을 위로 한 채로 핸디헬러를 잡고 녹색의 천공 단추를 한 번에 완전히 눌렀다가 놓는다. 이렇게 하면 캡슐에 구멍이 뚫려서 숨을 들이마실 때 캡슐 내 분말이 방출된다.

⑥ 숨을 흡입구 밖으로 내쉰다.

⑦ 흡입구를 입술로 물고, 가능한 길게 숨을 들여 마신다. 그 후 입을 떼고 참을 수 있을 만큼 숨을 참는다. 마시는 것을 2번 반복한다.

⑧ 흡입구를 다시 열고, 다 사용한 캡슐을 버린다.

(2) 세척방법

한 달에 한번 청소할 때 뚜껑, 흡입구를 개방하고 천공 버튼을 눌러 몸체를 개방한 후 흐르는 물에 씻고 충분히 건조하여 사용한다.

5. 네뷸라이저

약액을 압력 또는 초음파를 이용해 기화시키고 이를 흡입하는 형태로 소아 또는 의식이 없거나 중증의 성인 환자에서 사용한다.

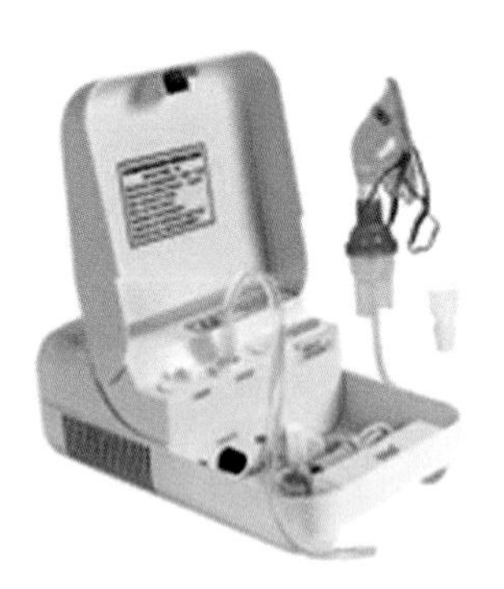

그림 8-11. 네뷸라이저

1) 네뷸라이저 구성

(1) 기구 본체
(2) 마우스피스 또는 마스크
(3) 튜브
(4) 약물 주입통 및 뚜껑

2) 사용방법

(1) 기구의 뚜껑을 연다. 전원이 꺼져있는지 확인하고, 콘센트에 연결한다.
(2) 손을 씻고 난 후, 튜브의 한쪽 끝을 배출구에 연결한다.
(3) 약물 주입통을 연결하고, 약물을 넣고 약물 주입통 뚜껑을 닫는다.
(4) 마스크, 또는 마우스피스를 약물 주입통 뚜껑에 연결한다.
(5) 약물 주입통과 튜브의 흡입구를 연결시킨다.
(6) 전원을 켠다.
(7) 이와 이 사이에 마우스피스를 물고 깊게, 천천히 입으로 들이마신 후, 마우스피스를 통해 천천히 내뱉는다. 마스크를 사용할 경우에는 입과 코를 마스크로 씌우고 천천히, 깊이 숨을 쉬고, 천천히 내뱉도록 한다.
(8) 약물이 더 이상 분무되어 나오지 않을 때까지(5-10분간) 흡입한다.
(9) 전원을 끈다.
(10) 소염제를 사용할 경우 드물게 칸디다증이 생길 수 있으므로 사용 후 입안을 물로 헹구어 내며, 마스크를 사용할 경우에는 얼굴도 함께 닦아야 한다.

3) 세척방법

청소방법은 기구의 종류에 따라 다를 수 있으므로 기구의 설명서를 참고한다. 튜브를 제외한 모든 부분을 매번 청소를 해준다.

(1) 모든 세트를 해체한다.

(2) 흐르는 온수에 30초간에 걸쳐 헹구어 세제를 제거한다.
(3) 그릇에 물과 식초(3 : 1)을 섞어서 사용하거나 의료용 소독제에 30분간 담그도록 한다.
(4) 흐르는 온수로 헹군 후 건조하여 보관한다.
(5) 기구 외부는 2-3일 간격으로 젖은 천을 이용하여 닦아주도록 한다.

6. 비강 흡입기

1) 사용방법

(1) 흡입기 사용 전에 코를 가볍게 푼다.
(2) 흡입기 뚜껑을 열고 한 손으로 똑바로 세워서 흔든다.
(3) 처음 사용 시나 몇 주 정도 지나도록 사용하지 않았을 경우 시험 분사하여 약을 충진한다.
(4) 고개를 약간 앞으로 숙이고, 흡입구를 한쪽 코에 삽입하고, 다른 손으로 반대편 코를 막는다.
(5) 숨을 천천히 코로 들이마시면서 약을 분사한다.
(6) 약 5초간 숨을 멈춘 후 입으로 천천히 내쉰다.
(7) 반대편 코에 대해서 위의 순서를 반복한다.
(8) 사용 후 입구를 휴지나 손수건으로 닦은 후 뚜껑을 닫아 보관한다.

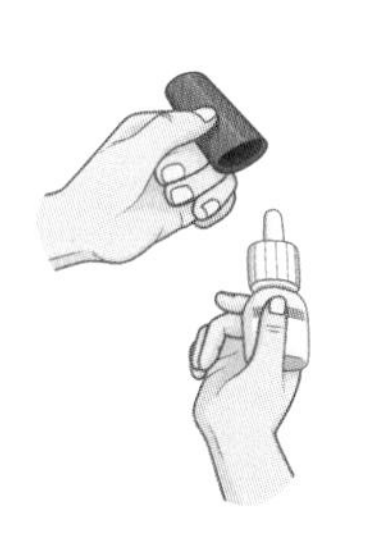

그림 8-12. 비강 흡입기 사용방법

2) 세척방법

(1) 하얀 노즐 부분을 빼내고 따뜻한 물에 담근다.
(2) 물기를 털어내고 건조시킨다. 이 때 지나치게 열이 있는 장소는 피한다.
(3) 하얀 노즐을 다시 병에 끼우고 뚜껑을 닫는다.
(4) 만약 노즐이 막혀있을 때에는 뜨거운 물에 담구어 두었다가 차가운 물로 헹구어 말린다.
(5) 막힌 노즐을 뚫기 위해 물건 등을 사용해서는 안 된다.

참고문헌

- ARIA (Allergic Rhinitis and its Impact on Asthma) http://www.whiar.org
- GINA (Global Initicative for Asthma, National Institutes of Health) 2012 http://www.ginasthma.com
- GOLD (Global initiative for chronic Obstructive Lung Disease) 2013 http://www.goldcopd.com
- National Heart, Lung, and Blood Institute http://www.nhlbi.nih.gov/guidelines/asthma/asthgdln.htm

_09

항응고약물 복약상담

Objectives 

- ▶ 응고기전 및 혈전증의 원인을 이해한다.
- ▶ Warfarin의 약리기전 및 약물동력학적 특징을 이해한다.
- ▶ Warfarin의 적응증 및 적절한 치료범위를 설명할 수 있다.
- ▶ Warfarin 복약지도를 할 수 있다.
- ▶ PT INR 결과를 보고 적절한 용량조절 및 검사일정을 정할 수 있다.

I 서론

Warfarin은 부정맥이나 판막이상 등의 심장질환이나 체내 혈액응고이상 질환을 가진 환자의 혈전색전증을 예방하기 위해 처방되는데, 환자마다 용량에 대한 반응이 달라 개별화(individualization)가 이루어져야 하며 치료실패 및 이상반응 예방을 위해 정기적으로 혈액응고 검사를 시행하는 등 세밀한 모니터링이 필요하다. 항응고약물 상담업무(Anticoagulation Service, ACS)는 항응고치료를 받는 환자의 보다 적절한 관리를 위해, 약물치료학 및 약물동력학에 대한 전문적인 지식을 지닌 약사가 Warfarin 복용 전반에 대한 교육과 혈액검사 결과에 따른 용량조절 및 이상반응 등을 모니터링 하는 것이다.

1. 삼성서울병원에서의 ACS 개발 연혁

1) Pilot Study (1995. 5. 1 - 7. 31)

순환기내과 환자를 대상으로 실시 : ACS (62명) vs. Control (117명)

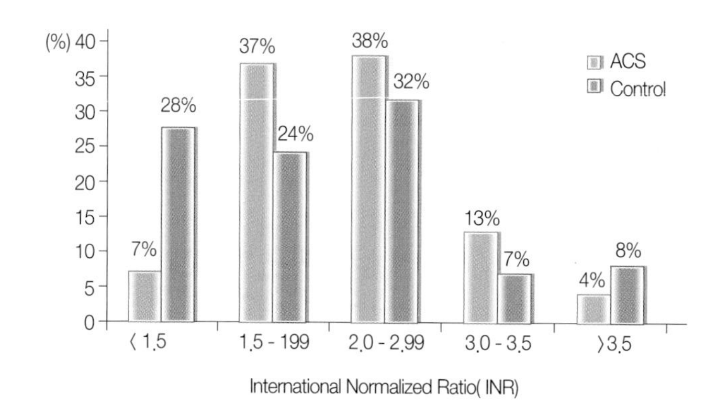

2) Extended Study (1995. 5. 1 - 1996. 4. 30)

(1) 순환기내과 및 흉부외과, 일반외과 환자를 대상으로 실시

(2) ACS 환자(230명) 중 82% vs Control (450명) 중 66%가 치료범위에 속함 (p 〈 0.01)

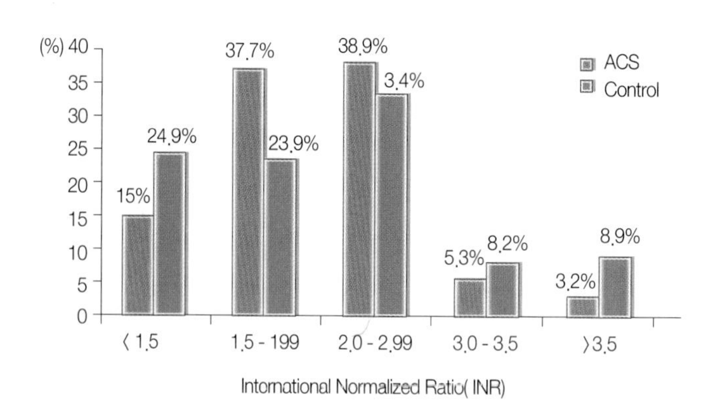

3) ACS 업무 현황

(1) 1995년 5월 국내 최초로 ACS 업무 시작

(2) 2013년 8월말 현재 1,316명의 외래 환자 및 병동 퇴원환자를 대상으로 서비스 제공 중

2. ACS의 운영 목적과 기능

1) ACS 운영 목적

ACS를 통한 Warfarin 복용환자의 모니터링은 다음의 내용을 목표로 한다.

(1) 혈전생성 방지에 충분한 치료 범위를 유지한다.

(2) 항응고치료 중인 환자를 지속적으로 관리함으로써 약물로 인한 이상반응을 최소화한다.
(3) 복약상담을 통해 환자가 치료에 긍정적으로 참여하도록 하여 안전하고 효과적이며 경제적인 항응고치료가 되도록 한다.
(4) 항응고약물 치료에 관여하는 의료진에게 약물자문업무를 수행한다.

2) ACS의 기능

(1) 약물 및 질환에 대한 환자 교육
(2) 혈액응고 검사 결과 확인
(3) 환자 상담(이상반응 발현여부, 약물상호작용, 복약이행률, 식이변화)
(4) Warfarin 용량결정 및 복용량 확인
(5) 다음 혈액응고 검사 일정 및 검사예약

3. ACS의 기대효과

환자의 경우, 항응고치료를 하면서 철저한 모니터링을 통해 적절한 치료효과를 유지하여 합병증 발생이 감소하게 된다. 또한 자세한 복약상담을 받으므로 복용약물 및 질환에 대한 이해도와 복약이행률이 향상되어 약사 및 의료진에 대한 만족도 증가가 예상된다. 이러한 환자만족도 증가는 환자의 병원에 대한 선호도 증가와 병원서비스 평가의 질적 향상을 가져와 병원의 수익성을 증가시키게 된다. 또한 Warfarin의 용량조절을 전문약사가 담당하므로 진료의사의 경우, 진료시간을 보다 효율적으로 활용하여 상대적인 진료시간이 절감되며, 이러한 진료시간 절감은 외래 진료가능 환자를 증가시켜 병원의 진료수익을 증대시킬 수 있다. 재원일수에 대한 효과로는 Warfarin 복용을 시작하는 환자의 경우, 약물의 안정화에 필요한 최소 재원일 전에 퇴원한 후 ACS를 통하여 용량조절 및 이상반응 모니터링을 받게 된다. 따라서 재원일수가 감소되며, 이러한 재원일수 감소는 병상 회전률을 증가시켜 병상수익률을 향상시킨다.

결론적으로 치료의 질을 향상시킴으로써 재원기간을 단축시키고, 치료실패 및 이상반응 예방을 통하여 재입원을 감소시킴으로써 환자 개인의 진료비 부담을 경감시키고, 병원 수입은 증가시키며, 국가적으로는 의료비 절감 효과가 나타날 수 있다.

II 응고와 혈전증 (Coagulation and Thrombosis)

1. 응고기전

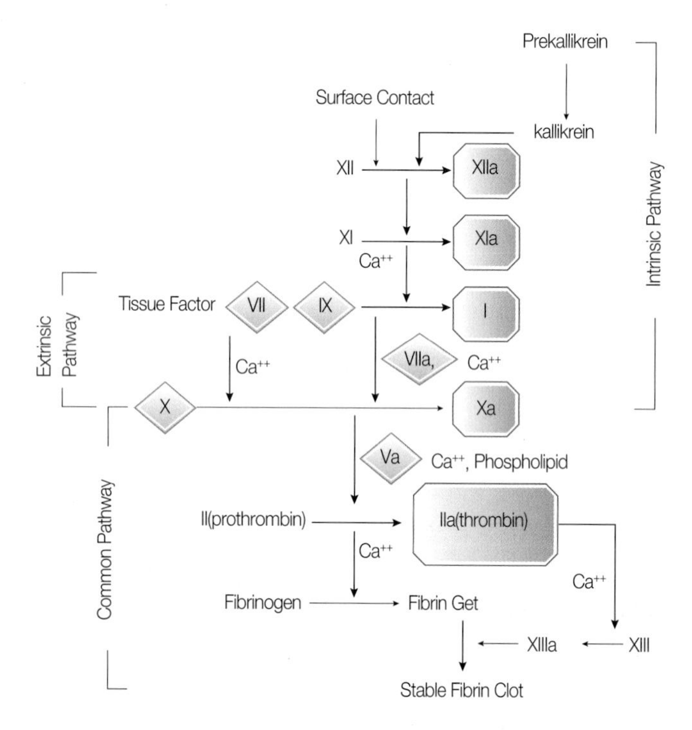

그림 9-1. 혈액 응고기전

2. 혈전증의 원인

1) 혈류이상(Abnormalities of Blood Flow)

- 심방세동(Atrial fibrillation)
- 좌심실부전 (Cardiomyopathy, CHF, MI)
- 운동실조/bed rest/paralysis
- 종양/비만/임신으로 인한 정맥 폐쇄

2) 혈관이상(Abnormalities of Surface in Contact with Blood)

- 혈관 외상
- 동맥경화증
- Chemical irritation (potassium, hypertonic solutions, chemotherapy)
- 판막부전(Heart valve disease) 또는 판막치환(Heart valve replacement)
- 심근경색증

- Indwelling catheters
- DVT/PE 기왕력
- 종양

3) 응고인자의 이상

- Protein C, S deficiency
- Antithrombin deficiency
- Antiphospholipid antibody syndrome
- Dysfibrinogenemia
- Homocysteinemia
- Estrogen therapy, 임신, 종양

III 항응고 약물(Warfarin) 요법

1. 항응고 약물(Warfarin)의 개요

1) 구조 (Structure)

3-(acetonylbenzyl)-4-hydroxycoumarin

- Stereoisomerism of warfarin
- 동량의 광학적 활성체인 R, S form
- S form이 R form 보다 5배 강력한 효과를 갖는다.

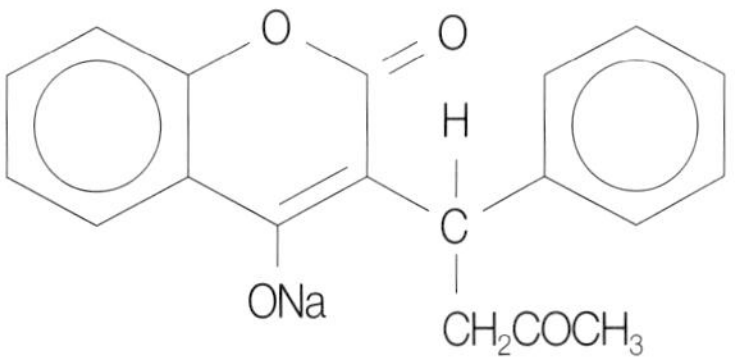

O O H C ONa CH_2COCH_3

2) 약리기전 (Pharmacology)

Vitamin K 의존형 응고인자(II, VII, IX, X)의 간 합성 저해

3) 약물동력학 (Pharmacokinetics)

(1) 흡수 : 위장관에서 빠른 속도로 흡수

(2) 분포 : 혈장단백과 결합하여 존재, 단백결합률 99%

(3) 대사

- 간 대사 : CYP450에 의해 산화됨
- S isomer : CYP450 2C9, 3A4에 의해 대사됨
- R isomer : CYP450 1A2, 3A4에 의해 대사됨

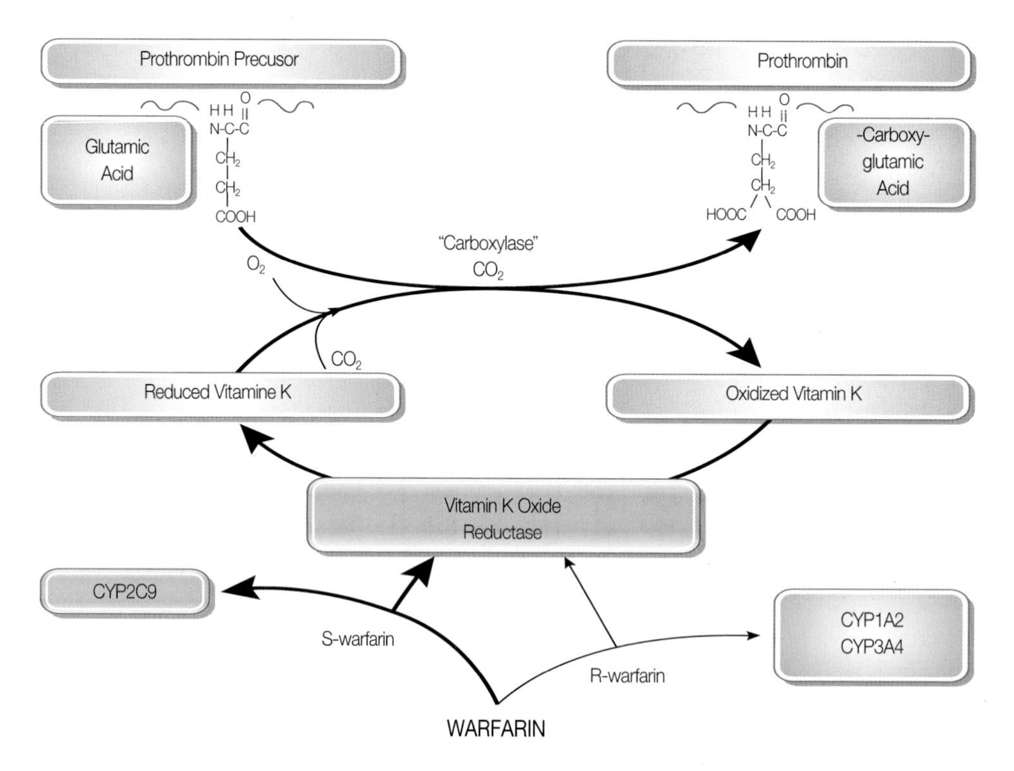

그림 9-2. Warfarin and Vitamin K cycle

(4) 반감기 : 36-42시간, 개인차가 큼

(5) 항응고효과 발현시간 : 36-72시간 이내

(6) 최대 효과 발현 시간 : 5-7일

4) 유전적 요인 (Genetic Factors)

(1) CYP2C9 genotype

① Warfarin 대사와 관련됨

② Wild type allel : CYP2C9*1

③ Genetic polymorphism

a. CYP2C9*2,*3,*4,*5

b. 상대적으로 저용량이 필요하며 steady-state까지 걸리는 시간이 지연됨.

c. Wild type 보다 INR이 증가될 가능성이 높으며, 출혈 부작용이 나타날 가능성이 증가됨.

(2) VKORC1 (Vitamin K Oxide Reductase Complex Subunit 1) Genotype

- Warfrin 민감도 및 저항성과 관련
- H1, H2 haplotypes (warfarin-sensitive haplotype) : 상대적으로 저용량이 필요함
- H7, H8, H9 haplotypes (warfarin-resistant haplotype) : 상대적으로 고용량이 필요함

표 9-3 Warfarin Pharmacogenetic factors

CYP2C9 genetic	CYP2C9*1	CYP2C9*2	CYP2C9*3	CYP2C9*4	CYP2C9*5
Ethinic group					
White	79-86	8-19.1	6-10	ND	ND
Indigenous	91	3	6	ND	ND
Canadian	98.5	1-3.6			
African American	95-98.3	0	1.7-5	0-1.6	0
Asian					
VKORC genetic					
Haplotype	H1 CCGATCTCTG	H7 TCGGTCCGCA			
Sequence	H2 CCGAGCTCTG	H8 TAGGTCCGCA			
		H9 TACGTTCGCG			
Ethinic group, %					
European	37	58			
African	14	49			
Asian	89	10			

ND=not determined

(3) Other genetic mutation

factor IX 활성도 감소 : 출혈경향 증가

5) Prothrombin Time (PT) test

(1) Monitoring anticoagulation intensity

(2) International Normalized Ratio (INR)

$$INR = \frac{\text{Patient } PT^{ISI}}{\text{Mean normal PT}}$$

* ISI (International Sensitivity Index)

(3) INR을 변화시키는 요인

① Lab error

② 환자의 복약이행률

③ 약물 상호작용

④ 질환 여부

⑤ 식이 및 생활 습관의 변화

2. 적응증 및 Target INR 범위

표 9-4 적응증 및 Target INR 범위

적응증	target INR	치료기간
Atrial fibrillation(AF)/Atrial flutter	2.0-3.0	chronic
Precardioversion(AF or flutter〉48hrs)	2.0-3.0	3주
Postcardioversion (in NSR)	2.0-3.0	4주
Cardioembolic Stroke risk factor가 있는 경우	2.0-3.0	chronic
(AF, CHF, 좌심실부전, mural thrombus, TIA/stroke/TE 이력)		
항응고치료를 하고 있었으나 혈전증이 재발된 경우	2.0-3.0	chronic
Left ventricular dysfuction		
ejection fraction〈30%	2.0-3.0	chronic
transient, following MI	2.0-3.0	3개월
항응고치료를 하고 있었으나 혈전증이 재발된 경우	2.0-3.0	chronic
Myocardiac infarction	2.0-3.0	3개월-chronic
Thromboembolism		
DVT	2.0-3.0	3개월-chronic
PE	2.0-3.0	3개월-chronic
Valvular disease		
aortic valve disease	2.0-3.0	chronic
mitral valve disease	2.0-3.0	chronic
rheumatic mitral valve disease	2.0-3.0	chronic
Valve replacement-bioprosthetic		
aortic / mitral valve	2.0-3.0	3개월
with atrial fibrillation	2.0-3.0	chronic
follwing systemic embolism	2.0-3.0	chronic
Valve replacement-mechanical		
aortic bileaflet	2.0-3.0	chronic
tilting disk	2.5-3.5	chronic
ball and cage/caged disk	2.5-3.5	chronic
mitral valve	2.5-3.5	chronic

3. 항응고약물 요법의 실제

1) Warfarin 치료의 시작

(1) 항응고 효과의 발현

투여 후 5-7일 이후

(2) 항응고 효과 발현이 지연되는 원인

① 긴 Warfarin 반감기

② 혈액응고인자의 기능 소실에 걸리는 시간이 다름.

Factor Ⅱ : 42-72시간

Factor Ⅶ : 4-6시간

Factor Ⅸ : 21-30시간

Factor Ⅹ : 27-48시간

Protein C : 9시간

Protein S : 60시간

(3) 고려할 인자

① 연령, 성별, 체중

② 질환 : 심부전, 간기능 및 신기능 이상, 갑상선기능항진증, 발열, 설사 등

③ 병용약물 및 식이

④ Pharmacogenetic factors

(4) 초기용량

① 환자의 인자를 고려하여 초기 1-2일간 5-10 mg 투여 후 INR에 따라 조절한다.

② 60세 이상이며 출혈 이력이 있거나 여성 환자, 다른 질환(심부전, 간기능이상, 판막치환술 등)을 갖고 있거나 영양실조 환자의 경우 초기용량은 5 mg을 넘지 않도록 한다.

2) Warfarin 치료의 지속

(1) 목표

① 환자마다 개별적으로 적절한 치료효과 유지

② 질환에 맞는 약물농도 유지

③ 적절한 치료효과 유지 및 이상반응 예방을 위한 검사 계획 설정

(2) 용량 조절시 고려해야 할 점

① 복약이행률

② 현재 복용중인 약물 및 추가된 약물
③ 질환
④ 식이 변화
⑤ 음주, 운동 등 최근의 생활습관 변화

(3) INR 결과에 따른 Warfarin 용량 조절 방법
- 목표 치료 범위가 2.0 〈 INR 〈 3.0 인 경우

표 9-5 INR 결과에 따른 Warfarin 용량 조절 방법

INR	용량 조절 방법
INR〈2.0	1주간 와파린 복용량의 10-15% 증량
3.0〈INR〈3.5	1주 와파린 복용량의 5-15% 감량
3.6〈INR〈4.0	1회 정도 중단 후 1주 복용량의 10-15% 감량
4.1〈INR	1-2회 정도 중단 후 1주 복용량의 10-15% 감량

(4) 용량 조절 후 PT 검사 간격

표 9-6 용량 조절 후 PT 검사 간격

복용초기, 퇴원후 안정화 될 때까지	주 2-3회
유지요법	
용량을 변경한 경우	1-2주 후
2주전 용량을 변경한 경우	2-4주 후
약효가 안정화된 경우	4-6주 간격으로

3) 이상반응

(1) 주된 이상반응 : 출혈(잇몸출혈, 코피, 혈뇨, 혈변 등)
(2) 드문 이상반응
① 피부 괴사 : 0.01-0.1%의 발현율, 급격한 protein C 감소로 인한 과응고상태 (Hypercoagulable state), 세정맥과 모세혈관에서의 미세혈전 생성에 의함.
② Purple toe syndrome : 주로 남성에게서 발현되며 cholesterol microembolization이 원인으로 추정됨.
③ 탈모 : 급성 또는 만성으로 나타날 수 있음.

(3) 출혈위험 인자

① 고령

② 항응고제 강도(3.0-4.5(22.4%) vs 2.0-2.5(4.3%))

③ 기저질환 : 고혈압, 뇌졸중

④ 약물상호작용

⑤ Warfarin 치료 초기 3개월

⑥ 위장관계 출혈 이력

(4) Warfarin 투여 금기

① 출혈상태

② Warfarin으로 인한 피부괴사 이력

③ 수술 예정자

④ 복약이행을 확인할 수 없는 환자

⑤ 임부

a. Warfarin은 태반을 통과하여 태아의 출혈이나 최기형성을 유발

b. Embryopathy : 임신 1기 동안에 Warfarin에 노출 시 nasal hypoplasia, stippled epiphyses 유발

c. 출혈 : 분만 시 태아에서의 항응고효과와 외상 등의 복합으로 신생아 출혈 위험

4) INR이 높은 경우 처치 가이드라인

표 9-7 INR이 높은 경우 처치 가이드라인

INR〈5, 출혈이 없는 경우	Warfarin을 1-2회 중단하여 INR이 치료범위에 들어오면 용량을 감량하거나 동일 용량 투여
5≤INR〈9, 출혈이 없는 경우	1-2회 Warfarin 중단하고 자주 INR 확인 후, INR이 치료범위에 들어오면 감량 투여, 환자가 출혈 위험성이 높은 경우 Warfarin 1회 중단 후 Vitamin K 1-2.5 mg을 경구투여 만일 긴급수술 등으로 신속한 교정이 필요한 경우 Vitamin K ≤5 mg 투여. 24시간 이후 측정한 INR이 여전히 높은 경우 Vitamin K 1-2 mg 추가 경구투여 고려
NR≥9, 출혈이 없는 경우	Vitamin K 2.5-5 mg을 경구 투여한 후 24-48시간 동안 INR을 면밀히 모니터링함. 필요시 추가로 Vitamin K을 투여. INR이 치료범위에 들어오면 용량설정을 다시함.
심각한 출혈이 있는 경우	Warfarin 중단후 Vitamin K 10 mg을 IV 투여하고 경우에 따라 fresh frozen plasma, prothrombin complex 또는 rVIIa를 투여. 환자 상태에 따라 12시간 마다 Vitamin K 반복투여 가능
Life-threatening bleeding	Warfarin 중단후 fresh frozen plasma, prothrombin complex 또는 rVIIa를 투여하고 필요시 Vitamin K 10 mg IV, INR 측정후 필요시 반복투여함.
Vitamine K 투여	출혈이 없으면서 INR이 상승된 경우, SC 보다는 경구 투여함.

5) 약물 상호작용 (SMC 처방가능 약물)

표 9-8 약물 상호작용 (SMC 처방가능 약물)

Drug	Severity	INR	Risk of Bleeding	Comments
Acarbose	Moderate	↑	↑	Unknown, but possibly by increasing warfarin absorption
Acetaminophen	Moderate	↑ or–	↑	Inhibition of warfarin metabolism or interference with clotting factor formation
Allopurinol	Moderate	↑	↑	Unknown
Amiodarone	Moderate	↑	↑	Decreased warfarin metabolism
Amitriptyline	Moderate	↑	↑	Decreased warfarin metabolism, increased warfarin absorption
Amoxicillin	Moderate	↑	↑	Unknown
Aspirin	Major	↑ or–	↑	Displacement of warfarin from plasma albumin, inhibition of metabolism of warfarin, direct hypoprothrombinemic effect of aspirin, gastric erosion
Atazanavir	Moderate	↑	↑	Competition for cytochrome P450 3A4-mediated metabolism
Atenolol	Moderate	↑	↑	Unknown
Azathioprine	Moderate	↓	↓	Impaired warfarin absorption, enhanced warfarin metabolism
Azithromycin	Moderate	↑	↑	Decreased warfarin metabolism
Benzbromarone	Moderate	↑	↑	Competitive inhibition of cytochrome P450 2C9-mediated (S)-warfarin metabolism
Bicalutamide	Moderate	↑	↑	Warfarin protein-binding displacement by bicalutamide
Bosentan	Moderate	↓	↓	Induction of cytochrome P450 3A4, and possibly 2C9, enzyme activity by bosentan
Capecitabine	Major	↑	↑	Down regulation of CYP2C9 isoenzyme by capecitabine
Carbamazepine	Moderate	↓	↓	Increased warfarin metabolism
Carbimazole	Moderate	↓	↓	Decreased metabolism of clotting factors
Cefazolin	Moderate	↑	↑	Decreased synthesis of vitamin K-dependent clotting factors
Celecoxib	Major	↑	↑	Competition for metabolism through cytochrome P450 2C9 enzymes
Chloral Hydrate	Moderate	↑	↑	Displacement of warfarin from protein binding sites
Chlorpromazine	Moderate	↓	↓	Unknown
Cholestyramine	Moderate	↓	↓	Decreased warfarin absorption, interference with enterohepatic recirculation
Cilostazol	Major	–	↑	Additive anticoagulation
Cimetidine	Moderate	↑	↑	Decreased warfarin metabolism
Ciprofloxacin	Moderate	↑	↑	Unknown
Clarithromycin	Moderate	↑	↑	Inhibition of warfarin metabolism

Drug	Severity	INR	Risk of Bleeding	Comments
Clomipramine	Moderate	↑	↑	Decreased warfarin metabolism, increased warfarin absorption
Clopidogrel	Major	–	↑	Additive anticoagulation
Cyclophosphamide	Major	↑	↑	Unknown
Cyclosporine	Moderate	↓	↓	Unknown, decreased anticoagulant and cyclosporine effectiveness
Danazol	Moderate	↑ or–	↑	Inhibition of warfarin metabolism and/or direct effect of danazol on coagulation and fibrinolytic systems
Diazoxide	Moderate	↑	↑	Displacement of warfarin from plasma protein binding sites
Doxycycline	Moderate	↑	↑	Unknown
Erlotinib	Moderate	↑	↑	Unknown
Erythromycin	Moderate	↑	↑	Decreased warfarin metabolism
Esomeprazole	Moderate	↑	↑	Unknown
Estradiol	Moderate	↑ or ↓	↑ or ↓	Unknown
Etodolac	Moderate	–	↑	Displacement of warfarin from protein binding sites, inhibition of platelet aggregation, gastric erosion
Etoposide	Major	↑	↑	Unknown
Ezetimibe	Moderate	↑	↑	Unknown
Fenofibrate	Major	↑	↑	Unknown
Fenoprofen	Moderate	–	↑	Gastric erosion, inhibition of platelet aggregation
Fluconazole	Moderate	↑	↑	Decreased warfarin metabolism
Fluorouracil	Moderate	↑	↑	Decreased synthesis of cytochrome P450 2C9 enzymes which metabolize warfarin
Fluoxetine	Moderate	↑	↑	Inhibition of warfarin metabolism
Flutamide	Moderate	↑	↑	Unknown
Fluvastatin	Moderate	↑	↑	Increased warfarin serum concentrations due to inhibition of CYP2C9-mediated S-warfarin
Fluvoxamine	Moderate	↑	↑	Inhibition of cytochrome P450 2C9 isozymes by fluvoxamine
Gatifloxacin	Moderate	–	↑	Unknown
Gefitinib	Moderate	↑	↑	Unknown
Gemfibrozil	Moderate	↑	↑	Decreased warfarin metabolism, displacement of warfarin from protein binding sites
Gemifloxacin	Moderate	↑	↑	Unknown
Glipizide	Moderate	–	–	Increased risk of hypoglycemia
Ifosfamide	Moderate	↑	↑	Unknown

Drug	Severity	INR	Risk of Bleeding	Comments
Imatinib	Major	↑	↑	Competitive inhibition of isoenzyme CYP3A4 and imatinib-provoked inhibition of CYP2C9 and CYP2D6-mediated warfarin metabolism
Imipramine	Moderate	↑	↑	Decreased warfarin metabolism, increased warfarin absorption
Indomethacin	Moderate	–	↑	Inhibition of platelet aggregation, gastric erosion
Isoniazid	Moderate	↑	↑	Unknown
Itraconazole	Moderate	↑	↑	Decreased warfarin metabolism
Ketoprofen	Major	–	↑	Inhibition of platelet adhesion and aggregation, gastric erosion
Ketorolac	Moderate	–	↑	Inhibition of platelet aggregation and gastric erosion
Lactulose	Moderate	↑	↑	Reduced intestinal absorption of vitamin K
Lansoprazole	Moderate	↑	↑	Unknown
Leflunomide	Major	↑	↑	Inhibition of CYP2C9-mediated metabolism of warfarin by leflunomide
Levamisole	Moderate	↑	↑	Decreased warfarin metabolism
Levofloxacin	Moderate	↑	↑	Unknown
Levonorgestrel	Moderate	↑ or ↓	↑ or ↓	Unknown
Levothyroxine	Moderate	↑	↑	Increased metabolism of vitamin K-dependent clotting factors
Liothyronine	Moderate	↑	↑	Increased metabolism of vitamin K-dependent clotting factors
Mefenamic Acid	Moderate	–	↑	Inhibition of platelet aggregation and gastric erosion
Meloxicam	Moderate	–	↑	Inhibition of platelet aggregation, gastric erosion
Mercaptopurine	Moderate	↓	↓	Unknown
Mesalamine	Moderate	↓	↓	Unknown
Mesna	Moderate	↑	↑	Unknown
Methimazole	Moderate	↓	↓	Decreased metabolism of clotting factors
Methylphenidate	Moderate	↑	↑	Inhibition of warfarin metabolism by methylphenidate
Methylprednisolone	Moderate	↑ or ↓	↑ or ↓	Unknown
Metronidazole	Moderate	↑	↑	Decreased warfarin metabolism
Minocycline	Moderate	↑	↑	Unknown
Moxifloxacin	Major	↑	↑	Unknown
Nabumetone	Moderate	–/↑	↑	Warfarin displacement from binding sites, gastric erosion, inhibition of platelet aggregation
Nafcillin	Moderate	↓	↓	Increased warfarin metabolism
Naproxen	Major	–	↑	Inhibition of platelet aggregation and gastric erosion
Nimesulide	Moderate	–	↑	Unknown
Norethindrone	Moderate	↑ or ↓	↑ or ↓	Unknown

Drug	Severity	INR	Risk of Bleeding	Comments
Nortriptyline	Moderate	↑	↑	Decreased warfarin metabolism, increased warfarin absorption
Omeprazole	Moderate	↑	↑	Decreased warfarin metabolism
Orlistat	Moderate	↑	↑	Unknown, may reduce the absorption of fat-soluble vitamins including vitamin K
Oxymetholone	Moderate	↑	↑	Unknown
Pantoprazole	Moderate	↑	↑	Unknown
Paroxetine	Moderate	↑	↑	Unknown
Pentosan Polysulfate sodium	Major	–	↑	Additive anticoagulation
Phenobarbital	Moderate	↓	↓	Increased warfarin metabolism
Phenytoin	Moderate	↑ → ↓	↑ → ↓	Displacement of warfarin from protein binding sites, increased warfarin metabolism
Phytonadione	Moderate	↓	↓	Antagonism of warfarin's mechanism of action
Piracetam	Moderate	↑	↑	Unknown
Potassium Iodide	Moderate	↓	↓	Decreased metabolism of clotting factors
Proguanil	Major	↑	↑	Interference with warfarin metabolism
Propafenone	Moderate	↑	↑	Decreased warfarin clearance
Propranolol	Moderate	–	↑	Unknown
Propylthiouracil	Moderate	↓	↓	Decreased metabolism of clotting factors
Quetiapine	Moderate	↑	↑	Competitive inhibition of cytochrome P450 3A4 and 2C9 by quetiapine
Rabeprazole	Moderate	↑	↑	Unknown
Raloxifene	Moderate	↑ or ↓	↑ or ↓	Unknown, loss of anticoagulation control
Ranitidine	Moderate	↑	↑	Decreased warfarin metabolism
Rifabutin	Moderate	↓	↓	Possible induction by rifabutin of warfarin metabolism
Rifampicin	Moderate	↓	↓	Hepatic enzyme induction causing increased warfarin metabolism
Ritonavir	Moderate	↓	↓	Altered warfarin metabolism
Ropinirole	Major	↑	↑	Competitive inhibition of CYP1A2-mediated warfarin metabolism and/or displacement of warfarin by ropinirole from protein binding sites
Rosuvastatin	Moderate	↑	↑	Unknown
Roxithromycin	Moderate	↑	↑	Inhibition of warfarin metabolism
Sertraline	Moderate	↑	↑	Unknown
Simvastatin	Major	↑	↑	Competition for cytochrome P450 3A4-mediated metabolism, increased risk of bleeding and an increased risk of rhabdomyolysis

Drug	Severity	INR	Risk of Bleeding	Comments
Spironolactone	Moderate	↓	↓	Diuresis-induced concentration of clotting factors
Streptokinase	Major	–	↑	Additive anticoagulation
Sucralfate	Moderate	↓	↓	Decreased warfarin absorption
Sulfamethoxazole	Major	↑	↑	Inhibition of warfarin metabolism, displacement of warfarin from protein binding sites
Sulindac	Moderate	–	↑	Inhibition of platelet function, gastric erosion, possible enhanced hypoprothrombinemic response
Tamoxifen	Major	↑	↑	Unknown
Telithromycin	Moderate	↑	↑	Decreased warfarin metabolism
Terbinafine	Moderate	↑ or ↓	↑ or ↓	Alteration of warfarin efficacy
Testosterone	Moderate	↑	↑	Unknown
Tetracycline	Moderate	↑	↑	Unknown
Thyroid	Moderate	↑	↑	Increased metabolism of vitamin K-dependent clotting factors
Tibolone	Moderate	↑	↑	Unknown
Ticlopidine	Moderate	–	↑	Inhibition of R-warfarin metabolism, inhibition of platelet aggregation
Tolterodine	Moderate	↑	↑	Competition for cytochrome P450 3A4-mediated metabolism
Toremifene	Moderate	↑	↑	Unknown
Tramadol	Moderate	↑	↑	Unknown
Valproic acid	·	↑	↑	Possible displacement of warfarin from plasma protein binding, resulting in transient increase in hypoprothrombinemic response
Vancomycin	Moderate	↑	↑	Unknown
Vitamin A	Moderate	–	↑	Unknown
Vitamin E	Moderate	↑	↑	Unknown
Voriconazole	Major	↑	↑	Inhibition by voriconazole of cytochrome P450 2C9-mediated metabolism

6) Warfarin 약효에 영향을 주는 식이

Vitamin K를 다량 함유한 식품(항응고 효과 감소)

(1) 녹색채소류 : 시금치, 상추, 브로콜리, 케일 등

(2) 콩류, 콩제품(두부, 두유, 청국장 등)

(3) 기타 : 양배추, 오이(껍질), 순무

7) 건강식품 또는 Herbal Medicine과의 상호작용

표 9-9 건강식품 또는 herbal medicine과의 상호작용

Food/Herb/Health Food	Severity	INR	Risk of Bleeding	Comments
감초(Licorice)	Moderate	–	↑	Inhibition of thrombin and platelet aggregation by licorice
계피(Cassia)	·	–	↑	May inhibit platelet aggregation
고추(Capsaicin)	Moderate	–	↑	Capsaicin may inhibit platelet aggregation and enhance fibrinolytic activity
고추냉이(Horseradish)	·	–	↑	Contain coumarin derivatives
구기자(Lycium)	Major	↑	↑	Inhibition of P-glycoprotein by Lycium barbarum tea, altered warfarin absorption, an anticoagulant effect of Lycium itself, or possibly inhibition of cytochrome P450 2C9
글루코사민(Glucosamine)	Moderate	↑	↑	Unknown
기나피(Cinchona)	Moderate	↑	↑	The quinine component of cinchona may decrease the hepatic production of vitamin K dependent blood clotting factors
노니쥬스(Noni Juice)	Moderate	↓	↓	Unknown, risk of acquiring warfarin resistance
녹차(Green Tea)	Moderate	↓	↓	Antagonism by vitamin K in green tea
단삼(Tan-Shen)	Major	↑	↑	Increased serum concentration and bioavailability of anti-coagulants
달맞이꽃(Evening Primrose)	Moderate	–	↑	Decreased thromboxane B2 synthesis resulting in additive anticoagulant effect
담배(Tobacco)	Moderate	↑ or ↓	↑ or ↓	Increase or decrease of warfarin metabolism
당귀(Angelica)	Moderate	↑	↑	Coumarin constituents in angelica may add to the effect of anticoagulants Inhibition of thromboxane formation and platelet aggregation by coumarin derivatives
대두(Soybean) Soy Isoflavones Soy Protein	Moderate	↓	↓	Soy isoflavones genistein and daidzein found in soy protein may alter drug absorption, metabolism, and biliary excretion by interacting with the p-glycoprotein efflux system and OATP drug transporter
대추(Jujube)	·	–	↑	Unknown
마늘(Garlic)	Major	–	↑	Additive anticoagulant effects : garlic may inhibit platelet aggregation through reduced thromboxane B2, increased fibrinolytic activity

Food/Herb/Health Food	Severity	INR	Risk of Bleeding	Comments
멘톨(Menthol-박하)	Moderate	↓	↓	Unknown
멜라토닌(Melatonin)	Moderate	—	↑	Unknown
민들레(Dandelion)	Moderate	—	↑	Vitamin A content of dandelion may potentiate anticoagulant therapy, inhibition of platelet aggregation by dandelion constituents
버드나무(willow)	·	—	↑	Contain salicylates
부추(Buchu)	Moderate	↑	↑	Additive anticoagulant effect
승마(Black cohosh)	·	—	↑	Reported to possess antiplatelet activity
생강(Ginger)	Moderate	—	↑	Additive antiplatelet effects: ginger may inhibit thromboxane B2 formation and thromboxane synthetase and increase prostacyclin levels
세네가(Senega)	·	—	↑	Reported to possess antiplatelet activity
셀러리(Celery)	Moderate	—/↑	↑	Antiplatelet effects and coumarin derivative content of celery
아니스(Anise)	Moderate	↑	↑	Coumarin constituents may add to the anticoagulant effect
아보카도(Avocado)	Moderate	↓	↓	Increased metabolism or reduced absorption by avocado
알로에 겔(Aloe gel)	·	—	↑	Reported to possess antiplatelet activity
알코올(Alcohol)	·	↑ or ↓	↑ or ↓	Alcohol intoxication can substantially increase the hypoprothrombinemic response to warfarin, but smaller amounts appear to have little effect. Chronic excessive alcohol use can enhance warfarin metabolism, resulting in reduced warfarin effect
양파(Onion)	·	—	↑	Reported to possess antiplatelet activity
울금(Curcumin-카레)	Moderate	—	↑	Inhibition of platelet aggregation by curcumin
월귤(Bilberry)	Moderate	—	↑	Additive antiplatelet effects
은행나무(Ginkgo)	Major	—	↑	Ginkgolide B may inhibit platelet activating factor (PAF) induced platelet aggregation
익모초(Motherwort)	Moderate	—	↑	Additive platelet aggregation inhibition
인삼(Ginseng)	Moderate	↓	↓	Unknown
자몽 쥬스 (Grapefruit juice)	·	↑	↑	Inhibits CYP 1A2 and CYP 3A4; reported to increase INR in patients taking warfarin; however, a clinical trial reported no influence in INR when consistent quantities of grapefruit juice were added to stable warfarin therapy
정향유(Clove Oil)	Moderate	—	↑	Cyclooxygenase inhibition by clove oil

Food/Herb/Health Food	Severity	INR	Risk of Bleeding	Comments
캐모마일(Chamomile)	Moderate	↑	↑	Additive anticoagulant effect
코엔자임 큐텐(Coenzyme Q10)	Moderate	↓	↓	Similar chemical structure of coenzyme Q10 and vitamin K2
콘드로이친(Chondroitin)	Moderate	↑	↑	Unknown
크랜베리(Cranberry)	Major	↑	↑	Unknown
크랜베리 쥬스(Cranberry Juice)	Major	↑	↑	Unknown
파파야(Papaya)	Major	—	↑	Papaya(containing papain) may damage the mucous membranes of the gastrointestinal tract, leading to increased bleeding if combined with anticoagulants
파슬리(Parsley)	·	—	↑	Contain coumarin derivatives
폴리코사놀(Policosanol)	·	—	↑	Reported to possess antiplatelet activity
호박씨(Pumpkin Seed)	Moderate	↑	↑	Unknown
화란국화(Feverfew)	Moderate	—	↑	Feverfew may inhibit platelet aggregation through reduced thromboxane A2 production, leading to additive anticoagulant effect
황금(Skullcap)	Moderate	—	↑	Inhibition of platelet aggregation and the conversion of fibrinogen to fibrin by skullcap
황기(Astragalus)	Moderate	—	↑	Astragalus may increase fibrinolysis, inhibiting synthesis of thromboxane A2 and increasing
DHEA (Dihydroepiandrosterone)	·	—	↑	May enhance fibrinolysis by reducing levels of plasminogen activator inhibitor (PAI-1) and tissue plasminogen activator antigen (TPA antigen)
St John's Wort (Hypericin)	Major	↓	↓	St. John's Wort-mediated induction of cytochrome isoforms P450 3A4 and 1A2 (mediates R-warfarin metabolism) and cytochrome P450 2C9

4. 새로운 항응고 약물의 개발

현존하는 항응고 약물의 한계점들로 인해 새로운 항응고 약물을 개발하기 위한 연구들이 끊임없이 진행되고 있다. 많은 약물들이 아직 2상, 3상 연구 중이며, 이미 상품으로 개발된 약물들도 있다.

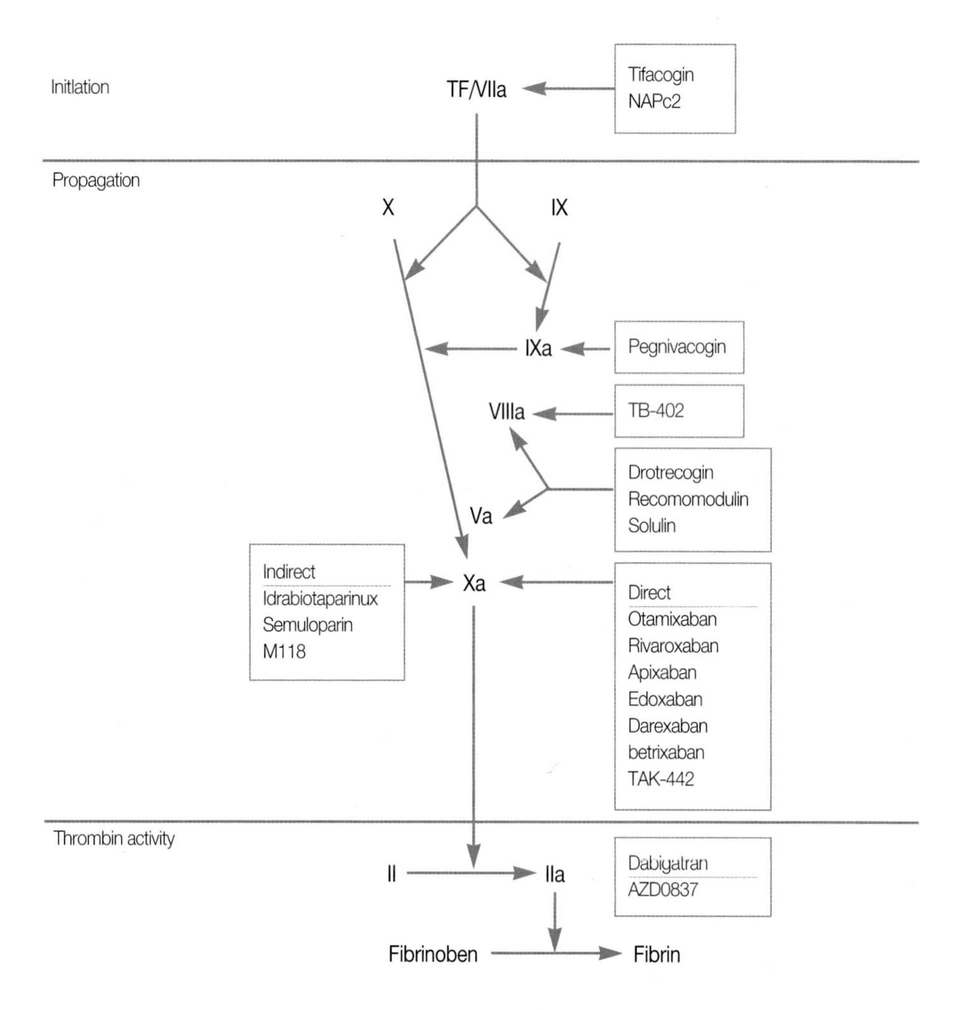

그림 9-3. Sites of action of new anticoagulants in development.

4 ACS 상담

1. ACS 상담 업무의 흐름

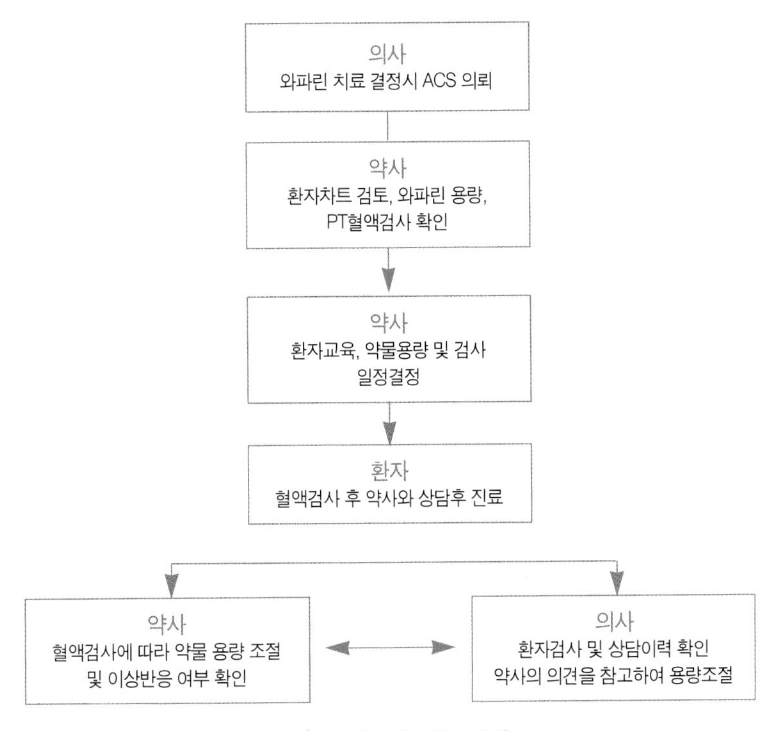

그림 9-4. ACS 상담 업무 흐름도

2. 환자 상담

1) 초진환자

(1) 약물명

환자가 복용하게 된 약이 Warfarin (항응고제)임을 말해주고 이름을 기억하도록 설명한다.

환자가 복용하는 와파린의 함량, 제형(모양 및 색상)을 확인하도록 하고, 다른 약과 섞여 있는 경우에도 와파린을 구별해낼 수 있어야 함을 설명한다.

(2) 적응증

환자가 와파린을 복용하는 이유와 대략적인 치료기간을 설명하고 와파린의 효과를 말해준다.

(3) 복용량

의사와 약사가 혈액검사 결과(PT test-INR수치)에 따라 결정함을 알려준다. 혈액검사 결과는 환자마다 다르게 나타나며 이에 따라 Warfarin의 복용량을 결정하므로 복용량은 환자마다 다를 수 있음을 설명한다. 또한 혈액검사의 결과에 변화가 있을 때에도 복용량이 변경될 수 있음을 알려준다.

(4) 복용시간 및 복용방법

① 취침 전 또는 오후 일정한 시간에 지시된 용법대로 복용하도록 하며, 환자가 복용하기 편한 시간으로 고정시켜 복용하도록 한다. 복약순응도 향상을 위해 달력을 적어줄 수도 있다.

② 복용을 못한 경우는 생각난 즉시 복용하도록 하고, 만약 다음 복용시간과 가까울 경우에는 복용하지 않고 빠진 날을 표시하여 다음 상담 시에 말하도록 한다. 절대 한꺼번에 2회분을 복용하지 않도록 설명한다.

(5) 혈액검사

① 피가 응고되는데 걸리는 시간을 측정하는 Prothrombin Time (PT test) 측정 검사이며, 검사 결과는 INR수치로 나타냄을 설명한다.

② 환자의 적정 치료범위의 INR수치를 알려주고, 앞으로 복용량도 이 치료범위의 INR이 유지되도록 조절할 것임을 알려준다.

③ Warfarin 복용시작 후, 처음 며칠 동안은 매일 PT test를 해야 하나, 외래 환자의 경우 매일 측정하는 것이 어려우므로 3-7일에 한번 정도 측정하게 될 것을 설명한다. 안정화된 이후에는 4-6주마다 측정한다.

④ 검사당일 공복은 필요 없으며, 검사결과는 검사 후 1시간 후에 확인하고 상담할 수 있음을 알려준다.

⑤ 질병상태, 식생활, 다른 약물과의 병용 또는 심한 신체활동 등 여러 가지 요인이 INR 결과를 변화시킬 수 있음을 알려준다. 따라서 약을 거르지 않았는데도 INR수치가 변한 경우에는 환자의 신체상태의 변화와 생활습관, 현재 복용하고 있는 약물 등에 대하여 반드시 의사, 약사에게 알리고 의논해야 함을 설명한다.

(6) 음식물과의 상호작용

① 비타민 K는 Warfarin의 작용을 감소시켜 혈액응고를 촉진하는 작용을 하므로 비타민 K가 다량 함유된 식품은 일정하게 복용하도록 한다.

② 시금치, 케일, 양배추, 브로콜리, 동물의 간, 마요네즈, 콩 및 콩제품 등에 비교적 다량 함유되어 있으나 아예 피해야 하는 것은 아니며, 단지 규칙적이고 균형 잡힌 식생활을 유지하는 것이 중요함을 설명한다.

③ 가능한 녹즙 등은 복용하지 않도록 하며, 한 가지 음식을 많이 먹거나 체중조절을 위한 식이요법 등 식생활을 갑자기 바꾸지 않도록 설명한다. 다른 건강식품 등을 복용하게 될 경우는 반드시 의사나 약사와 먼저 상의하도록 한다.

(7) 약물상호작용

① 처방약 이외의 약물 복용이 필요한 경우는 의료기관에 Warfarin 복용환자임을 말하고 약을 처방받도록 한다.

② 진통제를 복용해야 하는 경우 아스피린은 복용하지 않고 타이레놀을 복용하도록 하며, 종합감기약으로 시판되고 있는 약 또는 소화제나 변비약 등은 2-3회 복용하여도 무방하다.

③ 한약 또는 건강식품을 복용할 경우 Warfarin 효과가 감소 또는 증가할 수 있으므로 절대 복용하지 않도록 한다. 그럼에도 불구하고 한약이나 건강식품을 복용하고자 하는 경우에는 반드시 의사와 상의하도록 하며 필요시에는 와파린을 중단하고 항혈소판제로 변경할 수도 있다.

(8) 이상반응

① 출혈 증상으로 멍이 들거나, 코피, 잇몸출혈, 혈뇨, 혈변 등이 나타날 수 있음을 설명한다. 가벼운 경우는 ACS 담당약사에게 전화하고 PT 검사를 하여 약효를 확인해야 함을 설명하고 심각한 경우는 응급실로 가도록 한다.

② 다음과 같은 상황에서는 담당의사에게 문의하거나, 즉시 응급실로 가도록 설명한다.

a. 머리를 심하게 부딪혔거나, 심하게 넘어졌을 때
b. 코피 또는 상처로 인한 출혈이 멈추지 않을 때
c. 칫솔질을 할 때 평소보다 많은 출혈이 있을 경우
d. 생리기간 동안 평소보다 생리량이 많아지거나 생리기간이 길어질 경우
e. 소변이나 대변의 색이 평소보다 붉거나 검을 경우
f. 특별한 원인 없이 피부에 검거나 푸른 반점이 갑자기 나타날 경우
g. 심한 열, 구토, 기침, 설사가 있거나 피를 토하는 경우
h. 심한 두통이나 부종이 있을 경우
i. 어지러움, 호흡곤란, 또는 흉통이 있는 경우

(9) 기타

① 항상 규칙적이고 균형 잡힌 식생활을 하고, 신체활동을 매일 일정하게 유지하도록 한다.

② 음주도 약효에 영향을 줄 수 있으므로 과음은 피하도록 한다.

③ 가임기의 여성이 Warfarin을 복용하게 되는 경우에는 Warfarin이 최기형성이 있음을 반드시 알려준다. 복용 중에는 반드시 피임을 하도록 하며 임신이거나 임신 가능성이 있는 경우에는 즉시 Warfarin 복용을 중지하고 의사나 약사와 상의하도록 한다.

④ Warfarin 복용 중 여행을 갈 경우에는 여행하는 동안 복용할 Warfarin을 충분히 준비하도록 하며, 여행 중에도 가능한 평상시와 비슷한 식생활과 활동정도를 유지하도록 한다. 단기간 여행을 하는 경우에는 되도록 원래 복용시간과 비슷한 시간에 복용하도록 하며, 장기간 여행을 하는 경우에는 시차를 고려하여 복용시간을 바꿀 수 있도록 설명한다.

⑤ 근육주사나 침, 부항 등은 출혈성 이상반응을 증가시킬 수 있으므로 의료기관에 반드시 Warfarin 복

용 중임을 알려야 하며, 필요한 경우 의사나 약사와 상의하도록 한다.

⑥ 치과 치료를 받기 전에는 반드시 담당의사와 상의 하도록 하며, 치과에도 반드시 Warfarin 복용 중임을 알려야 한다.

2) 재진환자 - 모든 상담 시 확인해야 할 내용

(1) 복약이행률

용법 지시 달력, 복용을 하지 않은 경우 또는 잘못 복용한 적이 없는지 확인한다.

(2) 출혈 및 혈전생성 여부

① 코피, 멍, 잇몸출혈 등 이상반응 여부와 정도를 확인하고 가벼운 경우는 환자를 안심시키도록 한다. 만약 이상반응이 심하다고 판단되면 담당의사에게 연락하여 상의한다.

② 숨쉴 때 가슴이 뻐근하거나 팔 다리가 심하게 부은 곳은 없는지 확인한다.

(3) 처방약 이외의 병용약물 여부

다른 질환으로 인해 복용한 약물은 없는지, 특히 한약, 건강식품 등의 복용여부와 수량, 다음 방문 일자 등을 확인한다.

(4) 기타의 변화사항

기타 환자가 특별히 불편하게 생각하고 있는 것이 없는지 확인한다.

(5) 환자의 상태에 따라 다음 예약 일자를 정한다.

3. 용량조절

1) 복약이행률

(1) 복약이행률이 100%라면 INR 결과에 따라 용량을 조절한다. 용량 조절 범위는 1주일 총 용량의 10~20% 정도 이내로 한다.

(2) 복약이행률이 낮은 경우, 복용을 하지 못한 시기가 있는 경우에는 용량 조절에 참고한다.

2) 출혈/혈전 발현 경향

(1) 출혈이 심하거나 혈전생성의 경향을 보이면 의사에게 연락하여 대응 방법을 의논하도록 한다.

(2) 치료 범위 INR에서 출혈 경향이 있는 경우에는 연령 및 이상반응의 정도를 고려하여 INR수치를 낮은 쪽으로 유지하도록 용량을 조절하며, 경우에 따라 약물 중단 또는 응급치료 등을 고려한다.

(3) INR수치가 높으면서 출혈 경향이 있는 경우는 용량을 감소시킨다.

(4) INR수치가 낮으면서 출혈 경향이 있으면 환자의 연령, 질환상태 등을 고려하여 용량을 증가시키거나

같은 용량을 복용하도록 한다.

3) 병용약물

환자가 Warfarin의 약효에 영향을 미치는 다른 약물을 복용하여 INR이 증가 또는 감소한 경우에는 INR 수치와 다른 약물의 복용기간을 고려하여 용량을 조절한다.

4) 식생활 변화

비타민 K가 함유된 식품 (특히 케일, 시금치, 브로콜리, 양배추, 콩 등)을 다량 복용하였는지 또는 최근 식생활에 변화는 없었는지 확인하고 용량조절에 참고한다.

5) 음주

2~3일 내에 폭음을 한 경우에는 INR수치가 증가될 수 있으므로 과거에 용량이 안정화되었던 환자인 경우는 용량을 변화시키지 않을 수 있다.

6) 기타

환자에게 일어난 기타 변화 사항 등을 체크하여 INR수치 변화에 영향을 줄 수 있는 요인을 파악한다.

참고문헌

- Jack E. Ansell : Managing Oral Anticoagulation Therapy 3rd ed., Wolters Kluwer Health (2009)
- Joseph T. : Dipiro Pharmacotherapy 7th ed., The McGraw-Hill Companies, INC. (2008)
- Mary Anne Koda-Kimble et al : Applied Therapeutics 9th ed., Lippincott Williams and Wilkins (2008)
- ACCP guidelines : Antithrombotic Therapy and Prevention of Thrombosis 9th ed. Chest. 141(2) : 48S~801S (2012)

10

항암화학요법 복약상담

Objectives 

- ▶ 항암화학요법 상담업무의 목적과 필요성을 이해한다.
- ▶ 암 환자의 항암치료에 있어서, 최적의 항암화학요법이 이루어질 수 있도록 항암치료계획을 이해하고 자문, 모니터링 할 수 있는 지식과 기능을 함양한다.
- ▶ 항암화학요법과 관련된 부작용을 알고 각 부작용의 예방 및 대처방법을 학습한다.
- ▶ 항암화학요법을 받는 암 환자에게 적절한 복약상담을 시행할 수 있다.

I 항암화학요법 상담업무

1. 항암화학요법 상담업무의 이해

항암제의 복약지도를 위해서는 ▲ 암과 항암요법에 대한 전체적인 이해 ▲ 항암화학요법의 부작용 및 각 부작용의 예방 및 대처방법에 대한 이해 ▲ 상담을 받을 환자에 대한 이해 등이 이루어져야 한다. Regimen이란 보통 한 가지 이상의 항암제를 병합한 요법을 가리킨다. 좁은 의미에서는 사용되는 항암제의 이름과 용량, 투여횟수, 간격을 말하고 넓은 의미에서는 보조 약물의 투여 스케줄도 포함된다. 항암제 복약상담의 업무가 원활하게 이루어지기 위해서 약사는 무엇보다도 차트 상의 regimen을 정확히 파악하고 현재 환자의 상태에 대한 정보를 최대한 확보하여 환자 상담에 임해야 한다. 또한 복약지도 대상 질병과 그 치료방법을 이해하는 것이 반드시 필요하다. 질병의 원인, 위험인자, 스크리닝 방법, 진단, 병기, 예후, 치료법, 병기 별 치료법을 단계적으로 이해하여 환자의 상태를 파악하고, 이를 바탕으로 정확한 복약지도가 이루어져야 한다.

항암제 외에 항암화학요법의 부작용과 관련된 증상 관리를 위해 투약되는 약물과 생활요법에 대한 이해도 필요하다. 예를 들어 항암화학요법의 부작용은 항암제 투여 후 즉시 나타나거나 혹은 수일에서 수개월, 수년에 걸쳐 나타나기도 한다. 또한 부작용의 빈도가 비교적 흔하게 나타나는 것과 그렇지 않은 것들로 나눌 수도 있는데 이들 부작용들은 개인마다, 시기마다 나타나는 양상이 다르다. 이에 대한 대처방법을 숙지해 환자에게 알리고 미리 예방하도록 하여 환자의 치료 이행율을 높이고 삶의 질을 개선하는 것이 항암제 복약지도의 중요한 부분이라 할 수 있다.

2. 항암화학요법 상담업무의 자세

환자의 질환 진행 정도 및 현재 상태, 개인적인 환경, 항암제 투여의 목적, 약력 등을 알아야 하며, 전반적인 환자의 정보에 대해 업무적 목적 외에 다른 이에게 누설하지 않도록 유의한다. 항암화학요법 투여 목적이 완치가 아닌 생명 연장이나 증상 경감인 경우, 환자의 감정을 살피고 적절하고 쉬운 용어를 사용하여 상담에 임하도록 한다. 특히 환자의 병식(insight)를 파악하여 병식이 없는 경우 복약상담 시 질병에 대해 언급할 때 주의를 기울여야 한다. 또한 환자의 연령과 학력 및 인지도에 따라 말하는 속도를 조절하거나 적절한 용어를 선택해 개개 환자의 이해도에 맞춰 상담이 이루어지도록 한다.

우선 환자를 대할 때 상담하는 약사의 성명과 소속을 밝히며 간단한 인사로 상담을 시작한다. 첫 상담인 경우 치료의 계획과 일정을 소개하고 해당 항암제의 부작용에 관한 정보를 제공한다. 이 후의 상담은 부작용을 모니터링 하면서 환자와 증상을 공유하고 변경된 치료에 대한 교육을 중심으로 한다. 항암제의 부작용에 대해서는 과장하지 않으며 중요한 부작용에 대한 정보를 제공하는 것을 놓치지 않도록 한다. 약사는 복약상담을 통해 환자에게 이후의 치료를 지속시킬 수 있도록 하고 항암 치료에 대해 올바른 정보를 주는 것을 그 목표로 한다.

복약 상담 전 다음과 같은 확인 사항을 체크해야 한다(표 10-1, 10-2).

표 10-1 복약상담 전 확인사항

* 환자성명, 환자번호(ID), 나이, 성별, 입원실	* 진단명, 병기
* Medical history - 수술 여부, 동반질환	* Drug history - 항암제 용량, 투여일, cycle, 병용약물
* 키, 몸무게 - 체표면적(Body Surface Area)	* CBC, X-ray, PET, CT 등 검사결과 확인
* 처방내역 확인, 전산처방과 비교	* 환자가 호소하는 주요 부작용 파악
* 약제의 보험 여부	

표 10-2 환자 정보 파악

* 환자의 지식수준	* 본인의 질병상태에 대한 이해정도 및 범위
* 질환 및 치료과정에 대한 환자의 심리상태	* 환자와 보호자 간의 관계
* 의료진에 대한 신뢰도	* 치료방향에 대한 신뢰도

3. 항암화학요법 상담업무의 항목

항암화학요법 복약 상담 항목을 정리해 보면 다음과 같다(표 10-3).

표 10-3 복약상담 항목	
* 약물치료 목적	* 투여 스케줄
* 투여항암제의 종류, 용량, 용법	* 약물부작용
* 부작용 대처방법	* 통증조절
* 상호작용	* 주의사항
* 질문사항	* 연락처

II 항암화학요법의 치료 원리 및 부작용

1. 항암화학요법의 치료 원리

항암화학요법이란 약물, 즉 항암제를 사용하여 암을 치료하는 것으로 암세포의 각종 대사 경로에 개입하여 암세포에 대한 세포 독성을 나타내는 고전적 치료 방법과, 암의 발생 및 성장과정에 관여하는 특별한 분자의 활동을 방해하여 암이 성장하고 퍼지는 것을 막는 표적 치료 방법이 있다.

자세한 암의 특성 및 항암화학요법의 개요, 치료 원리에 대해서는 각론 III. 임상약제 업무, 제 14장 〈항암화학요법과 암환자 관리〉의 해당내용을 참고한다.

2. 항암화학요법의 부작용

1) 항암화학요법 부작용의 원인

암세포는 빠르게 증식하고 분열하는 특징이 있으므로 대부분의 세포 독성 항암제는 빠른 성장을 하는 세포를 사멸시키도록 개발되었다. 이러한 세포독성항암제 투여시 암세포 뿐만 아니라 빠르게 분열하고 증식하는 정상세포, 즉 골수에서 형성되는 혈액세포, 구강을 포함한 위장관의 상피세포, 모근 세포, 정자, 난자를 만들어내는 생식세포 등이 영향을 받게 된다. 따라서 항암화학요법 후 정상 세포의 손상으로 빈혈, 백혈구 및 혈소판 수 감소, 오심, 구토, 구내염, 탈모, 생식기능 장애 등의 부작용이 나타나게 된다. 세포 독성 항암제뿐만 아니라, 표적치료제 또한 과민반응, 발진 등의 부작용이 있을 수 있다.

때때로 환자들은 부작용이 생기지 않으면 약이 작용하지 않고, 부작용이 생기면 항암제가 잘 작용하고 있다고 생각하는 경우가 있는데 이는 잘못된 생각으로, 부작용의 유무와 치료 효과는 별개의 문제이다. 항암제의 종류에 따라 나타나는 부작용의 종류가 다르며, 같은 항암제를 같은 용량으로 투여하더라도 환자에 따라 부작용의 정도가 다르게 나타난다.

2) 항암화학요법 부작용의 기간

화학요법이 끝나면 대부분의 정상세포들은 빠르게 회복되기 때문에 대부분의 부작용들도 점차 사라지게 된다. 이러한 회복 시기는 항암제의 종류와 환자에 따라 차이가 있다. 대부분의 부작용은 일시적으로 발생하여 완전히 회복되지만, 어떤 부작용은 완전히 사라지는데 몇 개월 또는 몇 년이 걸리기도 한다. 항암제가 폐, 신장, 심장 또는 생식기관에 손상을 준 경우에는 영구적으로 부작용이 지속될 수도 있다.

III 항암화학요법의 일반적인 부작용 및 대처방법

항암치료 효과보다 부작용이 더 크게 나타난다면 의료진은 항암제의 투여 용량을 조정하거나 약물 종류의 변경 혹은 투여를 중단하는 등의 조치를 취하게 된다. 따라서 항암화학요법의 부작용을 이해하고, 적절하게 예방, 관리하는 것이 항암 치료의 효과를 최대화하고 환자의 삶의 질을 유지할 수 있게 한다.

1. 혈액학적 이상반응

골수 억제(myelosuppression, bone marrow suppression)는 항암화학요법 시 투여 간격 연장이나 용량 감소의 주 요인으로 백혈구, 적혈구, 혈소판 생성 감소로 인해 감염, 빈혈, 출혈 등이 있을 수 있다.

1) 백혈구 감소와 감염

보통 항암치료를 시작하고 약 10~14일이 지나면 백혈구 수가 가장 낮은 수치(nadir)로 감소하고, 이후 3~4주에 정상으로 회복된다. 백혈구 수가 감소된 동안 감염의 위험이 증가하게 되며, 이러한 감염은 구강, 피부, 폐, 비뇨기계, 항문 등 신체 어느 부위에서든 발생할 수 있다.

골수억제 및 감염은 항암제 투여 스케줄과 용량조절에 따라 성공적인 암 치료에 영향을 미치고, 심한 경우 영구적인 손상과 사망을 초래할 수 있다. 따라서 발열에 유의하여야 하며, 절대 호중구 수(Absolute Neutrophil Count, ANC)의 수치를 모니터링 하며 백혈구의 성장을 자극하는 주사(Colony Stimulating Factor, CSF)를 투여하거나 항생제를 사용할 수 있다.

감염이 의심되는 증상(표 10-4)이 있거나 구강 내 체온 측정시 38℃ 이상의 고열이 있는 경우 감염이 의심되므로 즉시 환자가 응급실로 방문하도록 지도한다. 병원 방문 후 의료진의 확인이 있을 때까지 해열

표 10-4 감염을 시사하는 주요 증상

* 춥고 떨리는 오한 증세나 식은 땀	* 상처나 정맥관 삽입 부위의 발적, 부종, 통증
* 배뇨 시 따끔거림이나 통증	* 심한 구내염이나 설사
* 심한 기침과 인후부의 통증	

제를 복용하지 않도록 한다.

2) 혈소판 감소와 출혈

혈소판 수치는 백혈구 수치와 함께 치료 과정 중 정기적으로 모니터링 되는 중요 혈액 수치 중 하나로, 100,000/m^3 미만일 경우 혈소판 감소증(thrombocytopenia)으로 정의한다. 혈소판 수치 20,000/m^3 이하가 되면 자발성 출혈(spontaneously bleeding)의 위험성이 높으며, 수혈이 필요하다.

다음과 같은 혈소판 수치의 저하가 의심되는 증상(표 10-5)을 주의 깊게 관찰하도록 환자에게 알린다.

표 10-5 혈소판 감소로 인해 출혈이 의심되는 증상

* 자신도 모르는 사이에 여러 곳에 멍이 들어 있는 경우	* 잇몸에서 피가 나거나 코피가 잘 멈추지 않는 경우
* 피부에 작고 붉은 반점들이 생기는 경우	* 생리기간과 관련 없이 질 출혈이 있거나 이전보다 생리기간이 현저히 길어지는 경우
* 소변에 피가 섞여 나오는 경우	
* 대변이 검게 나오거나 피가 섞여 나오는 경우	

3) 적혈구 감소와 빈혈

적혈구는 백혈구나 혈소판에 비해 비교적 반감기가 길기 때문에 빈혈은 항암치료 후 장기간에 걸쳐 발생되는 부작용이다. 적혈구 수치가 감소되면 신체의 각 조직은 활동에 필요한 충분한 양의 산소를 공급받지 못하여 허약감과 피로감을 느낄 수 있고 어지럼증이나 현기증, 숨이 차는 등의 증상이 동반된다.

적혈구 수치 및 빈혈 증상에 따라 수혈을 하거나 조혈제(erythropoietin)를 투여하기도 한다. 충분한 휴식을 취하고 힘든 운동은 가급적 피하도록 지도한다.

2. 위장관계 이상반응

1) 구토 (Emesis)

항암화학치료에 따른 오심과 구토는 환자의 삶의 질에 영향을 미칠 뿐만 아니라 이후의 항암화학치료에 있어 환자의 복약 순응도를 떨어뜨린다. 또한 대사 불균형, 식욕감퇴, 식도 손상, 상처치유 지연 등을 포함해 환자에게 육체적, 정신적으로 영향을 미치며 이후의 항암치료가 지연되는 원인이 될 수도 있다. 이러한 오심과 구토의 정도는 환자의 항암치료 약물의 종류, 용량, 투여계획 및 환자 별 특성에 따라 다르다.

(1) 용어의 정의 및 분류

① 오심(Nausea)

구토의 유무와 무관하게 토할 것 같은 느낌, 불쾌함을 인지하는 것으로 위장 긴장도 및 연동운동의 감소가 동반된다.

② 구역(Retching)

구토물의 분출은 없으나 호흡근과 복근의 수축이 일어난다.

③ 구토(Vomiting, Emesis) : 구강으로 장관의 내용물이 분출된다.

- 급성 구토(Acute Emesis) : 항암화학요법 이후 18~24시간 이내에 발생하며 4~6시간째 최대치를 나타낸다. 급성구토의 발생은 환자의 나이, 성별, 항암제 투여 시의 환경, 이전의 구토 발생 여부, 항암제의 용량 등에 따라 달라 질 수 있다.
- 지연성 구토(Delayed Emesis) : 항암화학요법 이후 24시간 이후에 발생하며 2~3일 후 최대치를 나타낸다. Serotonin 보다는 다른 neuroreceptor의 자극을 수반하며 흔히 substance P가 원인물질로 알려져 있다.

④ 심인성 구토(Anticipatory Emesis)

시각, 후각, 청각에 의해 유발되며 과거 부적절한 오심, 구토 조절 시 발생한다. 항암제 투여 전에 발생하며 neuroreceptor의 작용과는 관련이 없다. 6개월 이상의 치료기간, 구토 유발 고위험군 약제 사용, 불안장애 혹은 우울증 경력, 부적절한 항구토조절 경력이 위험인자로 작용한다.

⑤ 돌발성 구토(Breakthrough Emesis)

적절한 항구토 예방요법에도 불구하고 항암화학요법 투여 당일 구토가 발생하는 것으로 구조요법이 필요하다.

(2) 항암제의 구토 유발 가능성 정도

예방요법을 시행하지 않은 경우 오심 및 구토를 경험하는 환자의 빈도를 기반으로 하여 각 항암제의 오심, 구토 유발 빈도(frequency)와 정도(severity)는 표 10-6과 같이 분류한다(NCCN Practice Guidelines in Oncology V.1.2014 기준). 일반적으로, 복합 항암화학요법이 단일 약제 항암화학요법에 비해 구토 유발 가능성이 높으며, 고용량 항암화학요법시 구토 유발 가능성이 더 높다.

표 10-6 항암제의 구토 유발 가능성 정도

Level	Agent (Intravenous Chemotherapy)	
고위험군	• AC combination defined as either doxorubicin	• Dacarbazine
(90% 이상)	or epirubicin with cyclophosphamide	• Doxorubicin $\geq$ 60 mg/m^2
	• Carmustine $>$ 250 mg/m^2	• Epirubicin $>$ 90 mg/m^2
High emetic risk	• Cisplatin	• Ifosfamide $\geq$ 2 g/m^2/dose
($>$ 90 % frequency of emesis)	• Cyclophosphamide $>$ 1,500 mg/m^2	• Mechlorethamine
		• Streptozocin
중등도위험군	• Aldesleukin (IL-2) $>$ 12~15 mIU/m^2	• Daunorubicin
(30-90%)	• Amifostine $>$ 300 mg/m^2	• Doxorubicin $<$ 60 mg/m^2
	• Arsenic trioxide	• Epirubicin $\leq$ 90 mg/m^2

Moderate emetic risk (30- 90 % frequency of emesis)	• Azacitidine • Bendamustine • Busulfan • Carboplatin • Carmustine ≤ 250 mg/m^2 • Clofarabine • Cyclophosphamide ≤1,500 mg/m^2 • Cytarabine 〉200 mg/m^2 • Dactinomycin	• Idarubicin • Ifosfamide 〈 2 g/m^2/dose • Interferon α ≥ 10 mIU/m^2 • Irinotecan • Melphalan • Methotrexate ≥ 250 mg/m^2 • Oxaliplatin • Temozolomide
저위험군 (10-30%) Low emetic risk (10-30 % frequency of emesis)	• Ado-Trastuzumab emtansine • Amifostine ≤ 300 mg/m^2 • Aldesleukin (IL-2) ≤ 12 mIU/m^2 • Brentuximab vedotin • Cabazitaxel • Cafilzomib • Cytarabine 100-200 mg/m^2 • Docetaxel • Doxorubicin (liposomal) • Eribulin • Etoposide • 5-fluorouracil • Floxuridine • Gemcitabine • Interferon α 〉5 , 〈10 mIU/m^2	• Ixabepilone • Methotrexate 〉50, 〈250 mg/m^2 • Mitomycin • Mitoxantrone • Omacetaxine • Paclitaxel • Paclitaxel-albumin • Pemetrexed • Pentostatin • Pralatrexate • Romidepsin • Thiotepa • Topotecan • Ziv-aflibercept
최소위험군 (10% 미만) Minimal emetic risk (〈 10 % frequency of emesis)	• Alemtuzumab • Asparaginase • Bevacizumab • Bleomycin • Bortezomib • Cetuximab • Cladribine • Cytarabine 〈 100 mg/m^2 • Decitabine • Denileukin diftitox • Dexrazoxane • Fludarabine • Interferon α ≤ 5 mIU/m^2 • Methotrexate ≤ 50 mg/m^2	• Nelarabine • Ofatumumab • Panitumumab • Pegaspargase • Pertuzumab • Rituximab • Temsirolimus • Trastuzumab • Valrubicin • Vinblastine • Vincristine • Vincristine (liposomal) • Vinorelbine

(3) 오심 및 구토의 예방 및 치료 약제

① Serotonin (5-HT_3) receptor antagonists

- 위장관 및 구토 중추, chemoreceptor trigger zone (CTZ)에 존재하는 5-HT_3 수용체에 길항하여 항암제로 인해 유발된 오심, 구토를 억제한다.
- Granisetron, ondansetron, palonosetron, ramosetron, tropisetron이 주사 또는 경구제로 사용 가능하며, 이 중 granisetron의 경우 경피흡수제(transdermal patch) 형태로도 사용 가능하다.
- Palonosetron은 급성 구토뿐만 아니라, 중등도 구토 유발성 약물의 지연성구토의 예방에도 사용 가능하다. Palonosetron을 제외한 약제는 급성 구토에 효과적이며, 동등한 용량으로 투여 시 유사한 효능과 안전성을 가진다.

② Corticosteroid (Dexamethasone, Methylprednisolone)

- 작용기전은 명확하지 않다. Serotonin antagonist와 병용 시 상승효과가 있으며 지연성 구토 예방에 효과적이다.
- 단회성, 단기간 사용에 따른 부작용은 비교적 흔하지 않으나, 불안, 불면증, 식욕증가, 고혈당증, 딸꾹질, 체액저류 등의 부작용이 있을 수 있다.

③ Neurokinin-1 (NK-1) receptor antagonist (Aprepitant, Fosaprepitant)

- Serotonin antagonist 및 corticosteroid와 함께 사용하며 심한 구토를 유발하는 항암화학요법(예, High dose Cisplatin)에 의한 급성 및 지연성 구역 및 구토의 예방에 효과적이다.
- CYP450 3A4로 대사되며, 피임약, 와파린, dexamethasone 등의 약물과 상호작용이 있을 수 있으므로, 이에 대한 주의가 필요하다.

④ Dopamine antagonist (Metoclopramide, Domperidone) : Chemoreceptor trigger zone (CTZ)의 dopamine receptor를 차단하고, 위장운동을 촉진한다. 부작용으로 설사를 유발할 수 있으며, metoclopramide의 경우 추체외로 증후군(경련, 진전, 운동마비 등)과 같은 신경계 부작용과 연관되어 있다.

⑤ Bezodiazepine (Lorazepam) : 단독 사용시 항구토 효과는 거의 없으며, 다른 항구토제와 병용하여 사용한다. 심인성 구토 예방에 효과적이며, metoclopramide와 병용시 정좌 불능(akathisia) 부작용을 감소시킨다.

(4) 항구토제의 일반적 사용지침

① 구토의 다른 원인을 배제한다.

② 항암제의 구토 유발 정도와 환자의 특성을 파악하여 항구토제를 선정한다.

③ 이미 구토가 시작된 후 치료하는 것보다 예방하는 것이 더 효과적이다. 고도, 중등도 구토 유발 약제를 투여하는 경우 반드시 항암제 투여 전에 예방적 항구토제를 투여해야 한다.

④ 필요시 투여하는 것보다 정규 일정에 따라 투여하는 것이 더 효과적이며, 예방요법에도 불구하고 증상이 지속될 경우 복용 가능한 항구토제 처방이 필요하다.

⑤ 항구토제 사용시 유연성이 필요하며, 각 환자의 증상 발현양상 및 항구토제 사용에 대한 반응을 확

인하는 추적 관리(follow-up)가 이루어져야 한다.

2) 점막염(Mucositis)

(1) 정의

점막(mucosa) 중 주로 구강에서 항문까지의 소화관 강 내면세포의 염증반응을 말하며, 특히 구강 점막염(oral mucositis) 또는 구내염(stomatitis)은 미각변화, 구강건조, 구강 내 통증, 감염과 출혈까지 일으킬 수 있다.

(2) 항암제로 인한 점막염 가능성

항암제에 의한 점막 상피세포의 손상으로 항암제를 투여 받는 40-75%의 환자, 방사선 요법과 함께 조혈모세포이식 전처치를 받는 70-80%의 환자가 점막염을 경험한다. 일반적으로 항암화학요법 이후 5-7일이 되는 시점부터 증상을 경험하며, 연속투여방법(continuous infusion)이 단시간 투여방법(short infusion)에 비해 점막염 발생 가능성이 높다.

(3) 예방 및 치료

손상된 점막부위를 통해 입안의 세균이 이차감염을 일으킬 수 있으므로 입안을 청결하게 유지, 관리하는 것이 중요하다.

① 일반적 구강관리 : 부드러운 칫솔을 사용한 양치질, 치실 사용, 생리식염수, 중조를 이용한 구강세척을 시행한다.

② 감염 예방 : 국소적으로 chlorhexidine, benzethonium, benzydamine, nystatin 등으로 입안을 헹구어 낸다.

③ 통증 완화 : 국소 마취제로 lidocaine 가글을, 통증이 심할 경우 마약성 진통제 투약을 고려한다.

④ 경구 냉각수축요법(Oral cryotherapy) : 항암제 투여 전에 얼음 조각이나 냉수를 입에 물고 있도록 하며, 혈관수축을 통해 구강 점막내 항암제 영향을 줄여서 구내염의 빈도 및 중증도를 낮추는 방법이다

⑤ 기타 : sucralfate, colony-stimulating factor 가글, palifermin 등

3) 변비

변비는 배변의 빈도가 감소하는 것으로 복통과 복부팽만, 식욕부진, 오심, 구토를 동반할 수 있다. 항암제 중 vinca alkaloids, 특히 vincristine에 의해 많이 유발되며 적절하게 치료되지 않는 경우 장폐색(ileus)으로 진행될 가능성이 있다. 암환자들이 많이 사용하게 되는 마약성 진통제도 원인이 될 수 있다. 따라서 vinca alkaloids, 마약성 진통제를 사용하는 경우 예방약제를 반드시 사용하여야 한다.

예방 및 치료약물로는 주로 자극성 사하제(stimulant laxatives) 또는 삼투성 사하제(osmotic laxatives)인 magnesium이나 lactulose가 효과적이다. 배변 횟수가 줄고, 복통과 복부 팽만이 심해지는 등 변비가 악화되는 경우 장폐색을 의심해야 하며 반드시 의료진과 상담하거나 응급실을 방문해 상태를 확인할 수 있

도록 환자에게 설명한다.

4) 설사

설사는 물과 같은 변을 하루에 3~4회 이상 보는 경우를 말하며, 탈수와 함께 체내 전해질 수치의 불균형이 발생할 수 있다. 5-Fluorouracil, irinotecan 등의 항암제에 의해 유발될 수 있으며 연속 투여방법(continuous infusion)이 단시간 투여방법(short infusion)에 비해 발생 빈도가 높다.

증상의 정도에 따라 loperamide와 같은 지사제를 투여하거나 설사로 인해 빠져나간 수분과 전해질을 보충하기 위해 전해질 수액을 투여해야 할 수 있으므로 의료진과 상담하도록 설명한다.

3. 피부 독성

항암제 투여 후 흔히 발생할 수 있는 피부 변화로 발적 또는 홍반, 소양감, 건조감, 여드름 모양의 발진, 표피 박리, 광과민성, 손톱과 발톱의 변화 등의 증상이 나타날 수 있다. 일반적으로 피부 독성은 치명적이지 않으나 신체적, 정서적인 측면에서 환자의 삶의 질에 심각한 영향을 줄 수 있다. 반드시 의료진의 조치가 필요한 경우도 있으므로, 갑작스럽고 심한 발적이나 홍반, 가려움, 두드러기가 나타났을 때에는 즉시 의료진에게 알리도록 교육한다.

1) 탈모 (Alopecia)

모근 세포는 분화와 성장이 빠르므로 세포 독성 항암제의 영향을 받게 된다. 항암제가 투여 되면 모근 세포가 영향을 받아 두피 자극이 발생하며 머리카락은 얇고 건조해진다. 두피뿐 아니라 겨드랑이, 팔, 다리, 음부, 눈썹에서도 탈모 증상이 나타날 수 있으며 빠르면 치료 후 2~3주 안에 시작되어 대부분 1~2개월 후에 확연해 진다. 한 번의 항암치료로 완전한 탈모가 발생하지는 않으며 치료가 반복될수록 점차 심해지는 양상이다. 머리나 얼굴, 몸에서 탈모가 진행되면 변화된 자신의 모습을 받아들이기 어렵고 화가 나거나 우울해지면서 심한 스트레스를 받기도 하는데 이는 치료과정을 더 힘들게 느끼도록 한다. 그러나 항암제에 의한 탈모는 일시적인 부작용이며 약물 투여가 종료되면 대개 1~2개월 후부터 다시 자라 정상으로 회복된다는 것을 환자가 이해하고 적응할 수 있도록 도움을 주도록 한다. 치료기간 동안 가발이나 모자, 스카프 등을 사용하여 손상된 모발을 가릴 수 있으며 일부 minoxidil과 같은 약물을 사용해 볼 수도 있으나 효능은 미약하다.

표 10-7 탈모를 흔히 일으키는 약제 (Alopecia - severe)

* Amsacrine	* Cyclophosphamide	* Daunorubicin	* Docetaxel
* Doxorubicin	* Etoposide	* Ifosfamide	* Paclitaxel
* Vinblastine	* Vincristine		

2) 수족 증후군 (Hand-foot syndrome)

일부 항암제는 특별히 손과 발에 집중적인 피부 변화와 감각 장애를 나타내는 수족 증후군을 발생시킨다(표 10-8). 항암제 투여 후 수족 증후군의 초기 증상으로 손바닥과 발바닥의 피부가 붉어지면서 붓고 저릴 수 있다. 증상이 심해지면 손, 발톱 주위에 염증이 생기고 물집이 잡히면서 피부가 벗겨진다. 저림과 통증 등의 감각장애 정도도 심해질 수 있다.

표 10-8	수족 증후군 (Hand-foot syndrome)을 흔히 일으키는 약제		
* Capecitabine	* Cytarabine	* Docetaxel	* Doxorubicin
* 5-Fluorouracil	* Methotrexate	* Sorafenib	* Sunitinib

증상은 보통 투약 2~14일 후 손발의 이상감각과 저림으로 시작하여 수 일에 걸쳐 손바닥, 발바닥이 붉어지고 부으면서 피부가 벗겨지거나 통증을 동반하고 보통은 1~2주에 걸쳐 호전된다. 그러나 심할 경우 피부가 갈라지거나 궤양, 수포 등이 동반될 수 있고, 심한 통증으로 일상생활에 큰 지장을 초래할 수도 있다.

환자에게 손과 발을 자주 확인하도록 지도하며 증상이 심한 경우 의료진에게 알리도록 교육한다.

수족증후군이 나타난 경우 다음과 같은 관리방법이 도움이 될 수 있다.

- 손, 발바닥에 압력을 가하거나 피부 마찰을 일으키는 일, 무리한 운동을 피하고 꽉 끼는 신발을 신지 않도록 한다.
- 상처가 나지 않도록 주의하고 두꺼운 장갑, 양말, 슬리퍼를 착용한다.
- 보습성분이 함유된 로션이나 크림을 사용하고, 열에 노출되지 않도록 한다.
- 병변 부위를 찬 물에 부드럽게 담가주거나, 얼음팩을 15~20분씩 병변 부위에 대어주면 통증을 감소시켜 줄 수 있다(단, oxaliplatin 병용요법 환자는 주의한다).
- 진통제 및 스테로이드 연고 사용에 대해 의료진과 상담하도록 한다.

3) 피부 변색과 광과민성

항암제 치료를 받는 환자에 따라 피부에 색소침착을 경험할 수 있다. 국소적으로 항암제가 투여되는 혈관을 따라서 변색이 보이는 경우가 가장 흔하지만, 얼굴이나 입안 점막, 혀 그리고 더 넓은 부위에 광범위한 색소침착이 나타날 수도 있다.

또한 햇빛에 대한 민감성이 증가되면서 심한 경우 피부가 붉어지고 발진과 가려움증이 동반되기도 한다. 이런 경우는 장시간 직사광선에 직접 노출되는 것을 피하고 긴 소매 옷과 챙이 넓은 모자, 자외선 차단제 등을 이용하도록 한다.

4) 손 · 발톱의 변화

손 · 발톱이 검게 착색되거나 누렇게 변하며 표면에 줄이 생기고 딱딱해 질 수 있다. 또한 들뜨고 건조해져 쉽게 부서지기도 한다. 이러한 증상은 치료가 끝난 후 수 개월이 지나면 회복되지만, 염증성 변화시 의료진과 상담이 필요하다. 로션이나 오일을 이용해 건조하지 않게 하고 상처가 나지 않게 주의하도록 교육하며 손 · 발톱을 보호할 수 있는 장갑, 양말을 착용하도록 한다.

5) 피부 발진 및 소양증(가려움증)

항암제에 따라 피부 발진이나 각질, 건조감이 동반된 가려움증이 발생할 수 있다. 일부 표적치료제의 경우 여드름 양상의 피부 발진과 각질, 가려움증을 흔하게 유발한다. 증상의 정도에 따라 스테로이드 연고, 항히스타민제(antihistamine), 항생제가 처방되기도 한다.

4. 신경계 부작용

항암제에 의한 대표적인 신경계 부작용은 말초신경병증(peripheral neuropathy)으로 말초감각신경과 운동 신경이 영향을 받음으로써 손 · 발끝이 저리고 화끈거리며 무감각해지고 통증을 느끼거나, 움직임의 기능이 저하되어 운동 및 보행 장애가 나타나기도 한다. 일반적으로 치료가 끝나면 이러한 증상들은 완전히 회복된다. 그러나 약제의 종류 및 투여된 용량과 기간에 따라 치료가 끝난 후에도 수개월에서 수년까지 증상이 지속될 수 있다. 항암제에 의한 말초신경병증의 특별한 예방법은 없으며 치료 진행 중에 발생하는 경우 증상의 정도에 따라 약제의 용량을 감량하거나 투여를 중단하기도 한다. 통증 경감을 위해 amitriptyline이나 gabapentin 같은 약제를 투여하기도 한다.

자율신경계(Autonomic nervous system)에 영향을 주는 항암제는 내장신경에 영향을 미쳐 장의 운동기능이 저하되어 변비(constipation)를 일으키거나 뇨저류(urinary retention), 장폐색(ileus) 등을 일으킨다.

드물게는 중추신경계에 영향을 미쳐 조정기능과 균형감각에 장애가 발생할 수 있다(예: High dose cytarabine). 무기력, 의식수준 저하, 경련, 말을 하기 힘들어 하거나 말이 느려짐, 보행장애, 안구 움직임 장애, 세밀한 동작의 어려움 등이 나타날 수 있으므로 환자의 변화를 주의 깊게 관찰해야 한다.

표 10-9 신경계 독성을 일으키는 약제

* Busulfan	* Carboplatin	* Cisplatin	* Cytarabine
* Docetaxel	* 5-Fluorouracil	* Ifosfamide	* Methotrexate
* Oxaliplatin	* Paclitaxel	* Vinca alkaloids	

5. 특정 장기 이상반응

1) 심장독성(Cardiac Toxicity)

Anthracyclines, bevacizumab, high dose cyclophosphamide, trastuzumab 등 일부 항암제는 심근병증(cardiomyopathy), 부정맥(arrhythmia), 고혈압을 일으키는 등 심장기능에 영향을 미치게 된다. 이에 대비해 치료시작 전에 먼저 심장기능을 확인하거나 항암제를 투여하는 동안에 심장상태를 모니터링 할 수 있다. 고령 또는 소아환자, 여성, 가슴부위의 방사선 노출, 심장질환이 있는 경우 발생빈도가 커진다.

Anthracyclines으로 인한 심장 독성은 단시간 투여하거나, 1회 투여용량 및 축적용량이 클수록 발생위험이 증가한다. 이러한 심장독성을 예방하기 위해 환자에 따라 dexrazoxane이 처방되기도 한다.

항암치료가 시작된 후에 걷거나 계단을 오르는 등의 일상적인 활동에도 숨이 차거나 어지럽고 가슴이 두근거리며 통증이 있다면 반드시 의료진에게 상담하도록 한다.

2) 신장독성(Renal Toxicity)

항암제를 투여하면 약제가 배설되는 과정에서 신장이 일시적, 또는 영구적으로 손상될 수 있다. 규칙적인 혈액 검사로 신장 기능을 관찰하며, 신장기능이 손상된 경우 항암제의 용량을 줄이거나, 다른 항암제로 변경할 수 있다.

신장독성이 있는 항암제를 투여할 때는 대사물질의 배설을 유도하고 신장의 기능을 보호하기 위해서 충분한 수액(vigorous hydration) 및 이뇨제(diuretics)를 투여하고 적절한 전해질을 공급한다. 표 10-10에 cisplatin 투여시 신독성 예방 및 구토 방지를 위한 전처치가 소개되어 있다. Methotrexate를 투여하는 경우에는 충분한 수액 공급 및 뇨 알칼리화(urinary akalinization)를 통해 약물의 배설을 원활하게 한다.

표 10-10 Cisplatin의 신독성 예방 regimen의 예 (삼성서울병원)

Palliative Gemcitabine/Cisplatin for NSCLC

D1	Cisplatin 70 mg/m^2 + NS 150 ml MIV over 1 hr
D1, 8	Gemcitabine 1000 mg/m^2 + NS 100 ml MIV over 30 mins
	every 3 weeks

〈Premedication〉

D0 NS 1500 ml IV overnight hydration

D1 DNK2 1000 ml IV over 2 hrs (x2, pre, post hydration) (if Mg 〈WNL, mix $MgSO_4$ 1 amp)

Aprepitant 125 mg po 1 hr before Cisplatin

Ramosetron 1A + D5W 50 ml 30 min before Cisplatin

Dexamethasone 10 mg + D5W 50 ml 30 min before Cisplatin

20% Mannitol 70 ml IV full dripping

D2-D3 Aprepitant 80 mg PO qd

D2-D4 Dexa 8 mg PO qd

항암화학요법복약상담

3) 방광독성(Bladder Toxicity)

High-dose cyclophosphamide, ifosfamide 투여 시 체내에서 대사 되어 acrolein이란 물질이 생성되는데 이 물질이 방광에서 출혈성 염증을 일으킨다. Mesna (2-Mercaptoethanesulfonate sodium)를 예방적으로 투여하면 mesna와 acrolein이 포합체를 형성하여 무독화 되어 소변으로 배출된다.

혈뇨 증상은 항암제 투여 후 일주일 정도까지 나타날 수 있으므로 환자에게 이에 대해 알린다. 아랫배의 불쾌감, 배뇨 시 통증 또는 작열감, 빈뇨, 긴박한 뇨의 등의 증상이 있는 경우 방광염의 가능성이 있으므로 의료진과 상담하도록 한다.

한편, 방광독성과 상관없이 doxorubicin과 같은 일부 항암제는 소변색이 약물의 색깔처럼 변할 수 있으나 이는 일시적인 변화로 약물이 체내에서 모두 배설된 후에는 정상으로 회복된다.

4) 간독성(Hepatic Toxicity)

간독성은 항암치료 중 약물이 대사되는 과정에서 간 기능이 손상을 입은 것이다. 대부분 환자는 특별한 증상을 느끼지 못하지만, 간수치가 상승되거나 황달 증상이 나타날 수 있다. 이외에도 간 정맥폐색성질환(hepatic veno-occlusive disease), 만성간염의 재활성화가 나타날 수 있다.

간독성이 있는 항암제를 투여할 때는 치료진행과 함께 주기적으로 혈액검사를 시행해 간기능의 변화를 확인하고 간기능에 따라 항암제의 용량을 줄이거나, 다른 항암제로 변경하게 된다. 임의로 복용하는 약물이나 한약, 건강보조식품은 간기능에 영향을 미칠 수 있으므로 반드시 의료진에게 상담 후 복용하도록 설명한다.

5) 폐독성(Pulmonary Toxicity)

Bleomycin, busulfan, carmustine, gefitinib 등 일부 항암제에 의한 폐손상으로 폐기능 저하와 폐섬유증, 폐렴 등의 합병증이 유발될 수 있다. 주된 증상은 호흡곤란이며 마른 기침, 피로, 권태감 등이 동반되고 과민성 폐질환의 증상으로 발열과 호흡곤란이 발생하는 경우도 있다. Bleomycin으로 인한 폐독성은 축적용량과 관련성이 있으며 신장애, 방사선 치료와 병행시 발생 빈도가 커진다.

6. 기타 이상반응

1) 과민반응(Hypersensitivity Reaction)

환자에 따라 투여되는 특정 항암제에 대해 과민반응이 나타날 수 있다. 열감이나 오한, 경미한 두드러기나 가려움에서부터 호흡곤란과 혈압저하로 이어지는 과민성 쇼크와 같은 매우 위험한 상황까지 다양한 증상이 나타날 수 있다.

과민반응의 가능성이 높은 항암제를 투여하는 경우, 미리 소량의 시험용량을 투여하거나 피부반응검사를 시행해 발생 가능성을 예측해 볼 수 있다. 또한 이에 대비해 투여시 환자의 활력징후(vital sign)을 주기적으로 확인하거나 예방 약제를 투여하고 약물 주입속도를 단계적으로 올리는 등의 조치를 취하기도 한다.

갑작스런 오한이나 열, 호흡곤란, 가슴통증, 두드러기, 의식의 변화가 나타나는 경우 의료진에게 알리도록 한다.

2) 생식기능저하

항암화학요법은 생식기관에 영향을 줄 수 있다. 발생 여부와 정도는 항암제의 종류, 용량, 치료기간, 환자의 나이, 건강상태 등에 따라 다르다.

남성의 경우 치료에 의한 피로감, 정신적 스트레스에 의해 성욕감퇴나 발기부전을 경험할 수 있으며, 정자수와 운동능력의 감소로 일시적 또는 영구적인 불임이 유발될 수 있다. 여성의 경우 생리주기가 불규칙해지거나 일시적 중단 또는 조기 폐경, 불임이 발생할 수 있다.

일부러 부부생활을 피하지 말고 성생활은 정상적으로 가지되, 선천성 기형 위험이 있으므로 치료 기간 동안 피임을 해야 한다. 일반적으로 항암치료가 끝나고 의료진과 상의하여 임신 계획을 세우거나 치료 전에 미리 수정란 동결 보관이나 정자 동결 보관 등의 방법을 고려한다.

3) 이차적 종양(Secondary Malignancy)

항암 목적으로 투여한 항암제, 특히 alkylating agents, epipodophyllotoxins에 의한 이차적 종양의 발생 빈도가 큰 것으로 알려져 있으며 호르몬제, 방사선 치료도 원인이 될 수 있다.

4) 일혈(Extravasation)

일부 항암제는 정맥으로 투여되면서 혈관을 자극해 정맥염과 혈관의 경화를 일으키고 약물이 혈관 밖으로 새나가는 경우 혈관주위 조직에 염증이나 손상을 일으킨다. 따끔거림, 화끈거림, 가려움, 발적, 종창, 통증, 수포, 피부궤양, 감각이상 등의 증상이 나타나고, 심한 경우 피부괴사를 초래하여 피부이식을 시행해야 할 수도 있다.

(1) 피부손상 분류 (표 10-11)

① Vesicant : 일혈되었을 때 세포 손상과 조직 괴사를 일으킬 수 있는 약물
② Irritant : 주사 부위나 약물이 투여된 혈관을 따라 통증과 염증 반응을 일으킬 수 있는 약물

(2) 일혈 발생시 처치방법

① 즉시 항암제 주입을 중단한다.
② Cannula를 제거하기 전에 주사기를 연결하여 남아있는 항암제와 혈액을 흡인한다.
③ 해독제(Antidote) 사용이 가능한 경우 IV line을 제거하기 전에 주입하고, catheter/needle을 제거한다. 해독제로 dexrazoxane, DMSO, hyaluronidase, sodium thiosulfate을 사용해 볼 수 있다.
④ Compression therapy : vinca alkaloid, epipodophyllotoxins 일혈시에는 warm pack을 적용하고, 이외의 대부분 항암제 일혈시에는 cold pack을 적용한다.

표 10-11 일혈시 조직 손상의 정도에 따른 약제 분류

Vesicant	Irritant
Amsacrine	Bendamustine
Dactinomycin	Carboplatin
Daunorubicin	Carmustine
Doxorubicin	Cisplatin
Epirubucin	Dacarbazine
Idarubicin	Etoposide
Mitomycin	Floxuridine
Paclitaxel (weak)	Melphalan
Vinblastine	Mitoxantrone
Vincristine	Oxaliplatin
Vinorelbine	

IV 항암화학요법 복약상담의 실제

항암화학요법 복약상담의 실제 내용을 아래의 위암 환자의 고식(姑息)적 화학요법(palliative chemotherapy)시 처방 사례를 통해 확인해보기로 한다.

표 10-12 위암 환자의 고식(姑息)적 화학요법(palliative chemotherapy)시 처방 사례

Regimen - 〈Palliative Xeloda/CDDP for gastric cancer〉

D1-14	Capecitabine (Xeloda®) 1000 mg/m^2 po bid	
D1	Cisplatin 75 mg/m^2 + NS 150 ml MIV over 1 hr	every 3 weeks

처방내용

약 이름	용량	일수	복용방법
젤로다 500 mg	3 Cap	14	1일 2회 아침,저녁 식사직후에 3정씩 복용하세요.
젤로다 150 mg	1 Cap	14	1일 2회 아침,저녁 식사직후에 1정씩 복용하세요.
에멘드캡슐 80 mg	1 Cap	2	1일 1회 아침식후 30분에 1정씩 복용하세요.
덱사메타손정 0.5 mg	16 Tab	3	1일 1회 아침식후 30분에 1포씩 복용하세요.
모티리움 엠 정 10 mg	1 Tab	7	필요시 1정씩 복용하세요.
아티반정 0.5 mg	0.5 Tab	7	필요시 1포씩 복용하세요.
듀로제식디트랜스 25 mcg/h	7 EA	1	지시에 따라 붙이세요.

마그오캡슐 500 mg	1 Cap	21	1일 3회 8시간마다 1정씩 복용하세요.
아루사루민액 15 ml/pkg	1 PKG	7	필요시 1포씩 복용하세요.
헥사메딘액 100 ml/btl	2 BTL		지시에 따라 수회 양치하세요.

1) 젤로다 500 mg/150 mg (Capecitabine)

(1) 효능 : 항암제

(2) 용법 : 처방된 용량을 14일간 아침, 저녁 식후 30분 이내 복용

(3) 복약상담 : 항암치료를 위해 복용하는 약이므로 반드시 날짜를 지켜 정확한 용량을 복용할 수 있도록 하며, 복용을 잊거나 부작용으로 젤로다 복용을 지속하지 못할 경우에는 의료진에게 알리고 조정을 받도록 한다. 환자마다 복용량이 다르므로 1회 복용량을 주지시키고 항암치료는 3주 간격으로 받으나 처음 2주만 복용하는 약임을 설명한다. 부작용으로 설사, 구역, 구토, 구내염, 수족증후군 등이 발생할 수 있으며 이들 부작용의 발현 정도에 따라 다음 항암 치료시 용량조절이 필요할 수 있다. 38℃ 이상으로 열이 날 경우 해열제를 복용하지 않고 응급실을 방문하도록 설명한다.

2) 에멘드캡슐 80 mg (Aprepitant)

(1) 효능 : 진토제, 심한 구토를 유발하는(highly emetogenic) 항암화학요법에 의한 급성 및 지연성 구역 및 구토의 예방 목적으로 다른 항구토 제제와 병용하여 사용

(2) 용법 : 첫째 날 화학요법 치료 1시간 전에 이 약 125 mg 을 경구투여하고, 둘째 날과 셋째 날에는 이 약 80 mg 을 1일 1회 아침에 경구 투여

(3) 복약상담 : 항암치료 당일 에멘드 125 mg은 cisplatin 투약 1시간 전에 복용함을 설명하고, 에멘드 80 mg을 둘째, 셋째 날 아침에 1 캡슐씩 복용하도록 설명한다. 오심, 구토는 치료보다 예방이 효과적임을 설명하고, 음식섭취에 영향을 받지 않는 약물이므로 복약 순응도를 고려하여 덱사메타손정과 함께 식후에 복용하도록 한다.

3) 덱사메타손정 0.5 mg (Dexamethasone)

(1) 효능 : 진토제, 지연성 구토의 예방 목적으로 사용

(2) 용법 : 첫째 날 항암제 투여 전 10-12 mg 을 정맥주사하고, 둘째 날부터 3일간 8 mg 을 1일 1회 아침식후에 경구 투여

(3) 복약상담 : 위장장애 가능성이 있으므로 식후에 복용하고, 속쓰림이 심할 경우 제산제를 병용할 수 있다. 이 외 복용 기간 중 평소보다 혈당이 높아지거나 불면증, 체액저류 등의 부작용이 있을 수 있다. 당뇨가 있는 환자는 이 기간 중 혈당을 자주 체크하여 인슐린 등의 양을 조절할 수 있도록 한다. 딸꾹질이 심하게 나타날 경우 덱사메타손의 용량을 줄여보거나, chlorpromazine 또는 baclofen 등의 사용을 고려해볼 수 있다.

4) 모티리움 엠 정 10 mg (Domperidone)

(1) 효능 : 진토제, BBB (blood brain barrier) 외부에 위치한 CTZ (Chemoreceptor Trigger Zone) 및 위장관에서 도파민(dopamine) 수용체를 차단하여 항구토 효과를 나타냄.
(2) 용법 : 필요시 1일 1~3회 10 mg 복용
(3) 복약상담 : 1회 1정씩 오심, 구토가 느껴질 때(필요시) 복용을 권고한다(식사와 무관, 1일 1~3회까지). BBB를 통과하지 않으므로 추체외로계 반응(Extrapyramidal symptoms, EPS)과 같은 중추작용이 적다. 고령 및 신, 간기능에 따른 용량 조절이 불필요하다.

5) 아티반정 0.5 mg (Lorazepam)

(1) 효능 : Lorazepam의 항구토효과는 미미하나, 전향기억상실을 야기함으로써 예기성 구토의 예방에 효과적이고, 구토 증상을 악화시킬 수 있는 불안증을 감소시킴.
(2) 용법 : 필요시 domperidone과 함께 0.25 mg 복용
(3) 복약상담 : 진정작용으로 인한 졸음, 주의력, 집중력 저하가 나타날 수 있으므로 복용 중 운전 및 위험한 기계 조작을 하지 않도록 한다.

6) 듀로제식디트랜스 25 mcg/h (Fentanyl)

(1) 효능 : 마약성 진통제인 fentanyl을 72시간 동안 일정한 속도로 피부로 흡수되도록 한 경피흡수제(transdermal patch)로 만성 통증에 사용
(2) 용법 : 털이 없고, 움직임이 적은 편평한 신체부위(보통 가슴 윗부분이나 팔의 윗부분)에 72시간(3일)마다 교체하여 부착
(3) 복약상담 : Fentanyl 성분의 마약성 진통제로, 시간당 25mcg씩 방출되고 약효가 3일간 지속된다. 처음 패치를 붙이는 경우 약효가 완전히 나타나기 위해서는 12~24시간 정도가 걸리며, 패치를 제거한 후에도 약 17시간 후까지 약효가 지속된다. 통증 조절을 위해서 3일에 한번씩 정확한 시각에 교환하도록 설명한다.
패치 뒷면의 비닐을 떼어내고 가슴이나 팔 등 신체의 편평한 부위에 바로 부착해야 하며 피부에 붙인 후 완전히 부착되도록 약 30초간 손바닥으로 단단히 누르며 특히 가장자리를 주의하여 눌러준다. 만일 패치를 부착할 부위를 먼저 씻어야 할 경우에는 물로만 씻은 후 완전히 건조시켜야 한다. 패치를 붙인 부위가 전기장판이나 사우나 등 더운 곳에 노출되면 약의 흡수속도가 빨라져 부작용이 생길 수 있으므로 열을 가하지 않도록 주의하도록 한다. 부착 후 간단한 샤워는 가능하다.
부작용으로 구역, 구토, 변비, 입마름, 무력증, 현기증 등이 나타날 수 있으며 이러한 증상이 심하거나 지속될 경우, 불규칙한 맥박 및 호흡곤란의 증상이 나타날 경우 의사와 상의하도록 한다.

7) 마그오캡슐 500 mg (Magnesium oxide)

(1) 효능 : 염류성 하제로 대장 내로 과량의 수분이 유입되도록 하여 배변을 촉진

(2) 용법 : 1일 1~2 g 분복

(3) 복약상담 : 마약성 진통제가 변비를 유발할 수 있고, 이는 내성이 생기지 않는 부작용이므로 예방적으로 진통제와 함께 복용하도록 한다. 변이 묽어지거나 설사가 발생하면 복용을 중단한다. 마그오캡슐로도 조절되지 않는 심한 변비에는 bisacodyl 등의 자극성 하제의 사용을 고려한다.

8) 아루사루민액 15 ml/pkg (Sucralfate)

(1) 효능 : 점막 보호제(구강 및 위장관 점막을 코팅하여 보호하는 작용)

(2) 용법 : 1일 3~4회 식전 1시간 또는 공복에 복용

(3) 복약상담 : Dexamethasone 등에 의한 속쓰림이나 구내염이 심한 경우 또는 방사선 요법시 점막보호를 위해 처방된다. 다른 약물의 흡수를 저해할 수 있으므로 2시간 정도 시간간격을 둘 것을 권장한다. 변비가 생길 수 있으므로 다량의 물과 섬유소가 풍부한 음식을 많이 섭취하도록 한다.

9) 헥사메딘액 100 ml/btl (Chlorhexidin 0.1%)

(1) 효능 : 항암치료로 인한 구내염의 발생시 감염예방

(2) 용법 : 1회 15 ml의 가글액으로 1일 4회(양치후 및 취침전) 사용

(3) 복약상담 : 항암치료로 인한 구내염 발생을 완벽히 예방할 수는 없으나, 입안이 헐기 시작하면 입안을 소독해주는 것이 2차 감염예방에 도움이 되므로 사용을 권고한다. 양치 후 및 취침 전에 1분정도 가글액으로 소독한 후 뱉어내고 20~30분정도는 물로 헹궈내지 않는다.

참고문헌

- 국가 암정보센터(http://www.cancer.go.kr)
- 국립 암센터 편: 암정보, 국립암센터 (2004)
- 삼성서울병원: 암치유 생활백과, 청림라이프 (2012)
- 손기호: 복약 상담을 위한 의약품집, 군자출판사 (2009)
- Clinical Practice Guidelines in Oncology, National Comprehensive Cancer Network

_11

당뇨병 치료약물 복약상담

Objectives 

- ▶ 당뇨병 환자에게 시행되는 복약상담의 필요성을 이해한다.
- ▶ 당뇨병 치료의 비약물요법에 대해 이해하고, 약물요법에 대해 학습한다.
- ▶ 당뇨병 환자에게 적절한 복약상담을 시행할 수 있다.

I 당뇨병의 역학과 복약상담의 필요성

2010년 통계 기준으로 우리나라 성인 10명 중 1명이 당뇨병 환자이며(유병률 10.1%), 성인 10명 중 2명이 당뇨의 전단계인 것으로 나타났다. 또한 비만의 증가, 정적인 생활양식 등의 요인으로 당뇨병의 유병률은 향후에도 증가할 것으로 예상되고 있다. 당뇨병은 적절히 치료하지 않으면 당뇨병성 망막병증, 당뇨병성 신증 및 신경병증 등 여러 합병증을 가져올 수 있으므로 반드시 치료가 필요한 만성 질환이다. 당뇨병 환자의 대부분이(85.9%) 치료를 받고 있으며, 이들 중 75.4%는 경구 혈당강하제로 치료중인 것으로 나타났다. 당뇨병으로 진단받은 이후 환자의 상태에 따라 조절되는 경우도 있으나 경구 혈당강하제를 평생 복용해야 하는 경우가 많고, 인슐린 치료의 경우에도 정확한 사용법과 관리법이 필요하므로 이에 관한 약사의 역할이 필수적이라 할 수 있겠다.

당뇨병 치료약물 복약상담의 목적은 혈당조절의 필요성과 복용 약물에 대한 정보 제공을 통해 약물요법에 대한 이해도를 증가시킴으로써 복약순응도를 높이고, 약물 요법으로 나타날 수 있는 저혈당 등의 유해반응에 대처할 수 있도록 하는 것이라 할 수 있겠다.

II 당뇨병

1. 정의

당뇨병이란 인슐린 분비 또는 작용 이상에 의한 고혈당을 특징으로 하는 대사성 질환이다. 고혈당으로 인해 소변으로 당이 빠져 나가게 되며, 이때 포도당이 다량의 물과 함께 배설되므로 다뇨(polyuria), 다음(polydipsia)의 증상이 나타나게 된다. 또한 섭취한 음식물이 에너지원으로 적절하게 이용되지 못하고 소변으로 빠져나가게 되므로 다식(polyphagia)이 나타난다. 다뇨(polyuria), 다음(polydipsia), 다식(polyphagia) 이들을 당뇨병의 3대 증상이라고 한다.

2. 선별검사

당뇨병 선별검사의 목적은 당뇨병으로 진단될 가능성이 높은 대상을 찾아내는 것이다. 그러므로 진단기준에 따른 진단적 검사를 시행하기 전에 선별검사에서 양성소견을 보인 대상군에서 진단적 검사를 시행하는 것이 정확한 진단을 위해 중요하다고 할 수 있다. 당뇨병의 선별검사는 공복혈당, 경구당부하검사 혹은 당화혈색소로 한다.

1) 경구 당부하검사

한국인에서 당뇨병은 서양인에 비해 비비만형이 많고 인슐린 분비능이 상대적으로 작기 때문에 공복혈당만으로는 상당수의 당뇨병을 진단하지 못할 수도 있다. 특히 한국 노인의 경우 식후 고혈당만 있는 경우도 적지 않아 공복혈당만으로 진단할 경우 내당능장애뿐만 아니라 상당수의 당뇨병도 진단되지 않는 문제가 있다.

경구당부하검사에 대한 각 국가 혹은 국제기구의 권고안은 공복혈당장애가 있는 경우 공통적으로 검사를 권하고 있으나 그 구체적인 내용에는 약간의 차이가 있다. 우리나라에서 세계보건기구의 권고안에 기초하여 만든 경구당부하검사의 구체적인 방법은 표 11-1과 같다.

표 11-1 경구당부하검사 방법
1. 검사 전 적어도 3일 동안 평상시의 활동을 유지하고 하루 150 g 이상의 탄수화물을 섭취한다.
2. 검사 전날 밤부터 10시간 내지 14시간 금식 후 공복 혈장 혈당 측정을 위한 채혈을 한다.
3. 250-300 ml의 물에 희석한 무수 포도당 75 g이나 150 ml의 상품화된 포도당 용액을 5분 이내에 마신다.
4. 포도당을 마신 2시간 후에 당부하 후 혈장 혈당 측정을 위한 채혈을 한다(포도당 용액을 마시기 시작한 시간을 0분으로 한다).
5. 필요한 경우 당부하 후 30분, 60분, 90분 혈장 혈당을 측정할 수 있다.

경구당부하검사는 당뇨병의 전단계인 내당능장애를 진단하는데도 유용하다. 내당능장애는 공복혈당장애에 비해 그 수가 적지 않고, 심혈관질환이나 전체 사망률과의 관련성도 공복혈당장애보다 크며, 내당능장애에 대한 적절한 중재법이 당뇨병으로의 진행이나 심혈관질환의 발병을 예방할 수 있음이 증명되었다. 따라서, 경구당부하검사를 통해 당뇨병 뿐만 아니라 내당능장애를 진단하는 것도 임상적으로 의미가 있다고 할 수 있다.

2) 당화혈색소(HbA1c, Glycosylated Hemoglobin A1c)

혈액의 포도당이 적혈구의 Hb(혈색소)에 결합하여 당화헤모글로빈(Glycosylated Hb)이 되는 것을 말한다. 적혈구에 결합한 당분은 적혈구의 수명(약 120일)을 함께 하므로 HbA1c를 검사하면 지난 2-3달 동안의 평균 혈당 농도를 파악해 볼 수 있다. 공복 여부와 상관없이 검사가 가능하고, 혈당 상태를 판단하는데 편리하여 널리 사용 되고 있다. HbA1c 1% 상승은 평균혈당이 약 35 mg/dl 증가하는 것으로 볼 수 있으며, 당화혈색소 5.7-6.4% 에 해당되는 경우 당뇨병 고위험군, 6.5% 이상이면 당뇨병으로 진단하게 된다.

우리나라에서는 40세 이상 성인이거나 위험인자가 있는 30세 이상 성인에서 매년 선별검사를 실시하는 것이 좋다고 알려져 있다. 한국인에 적절한 제 2형 당뇨병의 위험인자는 표 11-2와 같다.

표 11-2 제 2형 당뇨병의 위험인자

▷ 과체중 (체질량지수 23 kg/m² 이상)
▷ 직계 가족 (부모, 형제자매)에 당뇨병이 있는 경우
▷ 공복혈당장애나 내당능장애의 과거력
▷ 임신성 당뇨병이나 4 kg 이상의 거대아 출산력
▷ 고혈압 (140/90 mmHg 이상, 또는 약제 복용)
▷ HDL 콜레스테롤 35 mg/dl 미만 혹은 중성지방 250 mg/dl 이상
▷ 인슐린저항성 (다낭난소증후군, 흑색가지세포증 등)
▷ 심혈관질환 (뇌졸중, 관상동맥질환 등)

공복혈당 또는 당화혈색소 수치가 아래에 해당하는 경우 추가 검사를 시행하도록 한다.

▷ 1단계 : 공복혈당 100-109 mg/dl 또는
당화혈색소 5.7-6.0%인 고위험군은 매년 공복혈당 및 당화혈색소 측정
▷ 2단계 : 공복혈당 110-125 mg/dl 또는
당화혈색소 6.1-6.4%의 경우 경구당부하검사 시행

3. 진단기준

다음 중 한 항목에 해당하면 당뇨병으로 진단한다.

- 공복 혈장 혈당 ≥ 126 mg/dl : 이 기준은 명백한 고혈당이 아니라면 다른 날에 검사를 반복하여 확인해야 한다.
- 당뇨병의 전형적인 증상(다뇨, 다음, 설명되지 않는 체중감소)와 임의 혈장 혈당 ≥ 200 mg/dL
- 3. 75 g 경구당부하검사 후 2시간 혈장 혈당 ≥ 200 mg/dl
- 당화혈색소 ≥6.5%

한국인 당대사 이상의 분류는 그림 11-1과 같다.

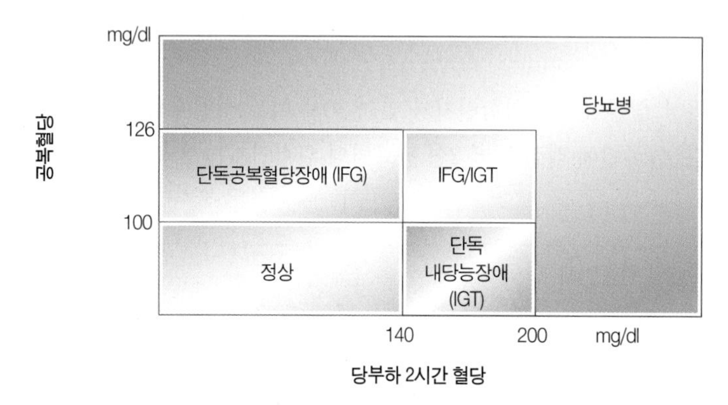

그림 11-1 공복혈당과 당부하 2시간 혈당을 기준으로 한 당대사 이상의 분류
* IFG : Impaired fasting glucose(공복혈당장애)
* IGT : Impaired glucose tolerance(내당능장애)

4. 분류

1) 제 1형 당뇨병

췌장 베타세포 파괴에 의한 인슐린 결핍으로 발생한 당뇨병이다. 자가 항체의 유무에 따라 면역 매개성 당뇨병과 특발성 당뇨병으로 구분된다.

2) 제 2형 당뇨병

인슐린 분비 및 작용의 결함에 의해 발생한 당뇨병이다. 제 1형과 2형의 특징을 비교해 살펴보면 표 11-3과 같다.

표 11-3 제 1형과 2형 당뇨병의 비교

	제 1형 당뇨병	제 2형 당뇨병
발병 원인	자가면역, 바이러스 감염 등의 원인에 의한 췌장 β세포 파괴로 체내 인슐린 합성이 불가능	다양한 원인에 의한 인슐린 분비의 상대적 부족 혹은 인슐린 저항성 형성으로 인한 결함
인슐린 분비	인슐린이 생산 되지 않음 (절대적 인슐린 부족)	소량 분비되거나 제대로 작용하지 않음 (상대적 인슐린 부족)
사용 약물	반드시 인슐린으로 치료	생활 습관 변화, 경구용 혈당 강하제, 인슐린
발병 양상	갑자기 발병하며 주로 젊은 연령에서 발병	서서히 진행되며 40세 이상 중년기 이후에 발병
체형	대개 마른 경우가 많음	비만 혹은 비만의 과거력이 있는 경우가 많음

3) 임신성 당뇨병(임신 중 진단된 당뇨병)

임신 중에 처음 시작되었거나 발견되는 당불내성(carbohydrate intolerance)으로 정의되나 최근에는 기왕의 당뇨병 여부와 구분하여 진단되고 있기도 하다. 임신성 당뇨병은 임신과 관련된 합병증으로 3-14%에서 발생하며, 임신 중에 발생하는 가장 흔한 내과적 합병증의 하나이다. 임신성 당뇨병은 임신성 고혈압, 분만 시 손상, 난산, 산모의 당뇨병 발생과 관련이 있고 거대아, 신생아 저혈당, 신생아 골절 및 신경 손상 등 주산기 합병증을 유발하며 장기적으로는 자녀의 비만과 당뇨병의 위험을 증가시킨다고 알려져 있어 관리가 매우 중요하다.

임신성 당뇨병의 선별검사로는 임신 24-48주에 2시간 75 g 경구당부하검사가 추천된다. 임신성 당뇨병의 진단은 공복혈당 92 mg/dl이상, 1시간 혈당 180 mg/dl이상, 2시간 혈당 153 mg/dl 이상 중 하나만 만족하면 된다.

4) 기타 당뇨병

(1) 베타세포 기능의 유전적 결함 : 염색체 12번, HNF-1α (MODY3), 염색체 7번, 글루코키나아제 (MODY2), 염색체 20번, HNF-4α (MODY1), 염색체 13번, IPF-1 (MODY4), 염색체 17번, HNF-1β (MODY5), 염색체 2번, NeuroD1 (MODY6), 미토콘드리아 DNA, 기타

(2) 인슐린 작용의 유전적 결함 : A형 인슐린저항성, 요정증(leprechaunism), Rabson-Mendenhall 증후군, 지방위축성 당뇨병, 기타

(3) 췌장 외분비 기능장애 : 췌장염, 외상/췌장절제술, 종양, 낭성 섬유증, 혈색소 침착증, 섬유결석형 췌장성 당뇨병

(4) 내분비질환 : 말단비대증, 쿠싱증후군, 글루카곤 분비선종, 갈색세포종, 갑상선과다증, 소마토스타틴 분비선종, 알도스테론 분비선종, 기타

(5) 간질환 : 만성 간염, 간경화

(6) 약물 유발 : 살서제(예, vacor), 펜타미딘, 글루코코르티코이드, 니코틴산, 갑상선호르몬, 디아족사이드

(diazoxide), 베타아드레날린성 촉진제, 티아지드, 비정형 항정신병 약물(olanzapine, clozapine, risperidone 등), 딜란틴, 알파-인터페론, 기타

(7) 감염 : 선천성 풍진, 거대세포 바이러스, 기타

(8) 드문 형태의 면역 매개 당뇨병 : 근육강직(stiff-man) 증후군, 항인슐린수용체항체, 기타

(9) 당뇨병과 동반될 수 있는 기타 유전적 증후군 : 다운 증후군, 클라인펠터 증후군, 터너 증후군, Wolfram 증후군, Friendreich 운동실조증, Huntington 무도병, Laurence-Moon-Biedl 증후군, 근육긴장퇴행위축, 포르피린증, Prader-Willi 증후군, 기타

5. 혈당 조절의 목표

연구 결과마다 차이는 있으나 적극적이고 엄격한 혈당조절은 합병증의 발생을 예방하며, 발생된 합병증의 진행 속도를 늦출 수 있는 가장 효과적인 방법으로 알려져 있다. 혈당 조절의 목표는 당화혈색소를 기준으로 결정하며 식전과 식후 2시간 혈당도 함께 사용하고 있다.

혈당조절의 목표는 환자의 상황에 따라 다를 수 있지만 저혈당이 오지 않는 상태에서 당화혈색소 6.5%이내를 유지하는 것을 목표로 한다. 그러나 환자의 나이, 당뇨 합병증의 진행 정도, 동반 질환, 저혈당 인지능력의 감소 등의 개별적인 위험요소들을 고려해야 하며, 위험요소가 없는 당뇨병 초기 환자의 경우 집중적인 혈당 조절을 요하는 반면, 위험요소가 많은 환자의 경우에는 혈당조절의 목표를 개별화하고 적극적인 치료로 인한 급격한 혈당변화를 피해야 한다.

III 당뇨병의 치료지침

1. 비약물요법

일반적으로 처음 당뇨병을 진단받은 환자에서는 적극적인 생활습관 개선이 우선적 치료 원칙이 된다. 영양과 운동요법 등을 통한 생활습관개선으로 2-3개월 내에 혈당조절 목표치에 도달하지 못하면 약물투여를 시작하게 된다.

1) 영양요법

당뇨병의 영양요법은 음식을 무조건 제한하거나 금지하는 것이 아니라 개인의 요구량에 맞게 음식의 양, 종류 및 섭취시간을 적절히 조절함으로써 음식 섭취를 통한 혈당상승을 최대한 억제하며 합병증을 예방하기 위한 것이라 할 수 있다.

혈당, 혈압, 지질의 조절 정도, 체중의 변화, 연령, 성별, 에너지 소비량 등을 충분히 고려하여 환자 개인의 섭취 에너지를 결정하고 그에 맞추어 영양소를 섭취하도록 한다. 이 때 과체중이나 비만한 제2형 당뇨병 환자에서 섭취 에너지를 제한하여 중등도(체중의 7%)로 체중을 감량하면 혈당과 인슐린 감수성을

개선시킬 수 있다. 영양소별 섭취 권고안은 다음과 같다.

표 11-4 당뇨병 환자의 영양소별 섭취 권고안

탄수화물	음식으로 섭취하는 탄수화물의 총 양이 종류나 형태보다 더 중요 총 에너지의 50-60%를 섭취 전곡류, 과일, 채소, 저지방 우유가 포함된 건강한 식사로 구성
단백질	신기능이 정상일 경우 총 에너지의 15-20%를 유지 단백뇨가 1 g/day 이상인 신장합병증을 동반한 경우 0.8 g/kg의 단백질 제한 식사가 필요
지방	총 에너지의 25% 이내 포화지방 섭취는 총 에너지의 7% 미만, 트랜스지방 섭취는 최소화, 콜레스테롤 섭취는 1일 200 mg 이하
식이섬유소	1일 20-25 g (12 g/1,000 kcal/day) 섭취
비타민/무기질	별도의 보충은 필요하지 않으나 결핍 혹은 제한적 식이섭취시에는 별도로 보충
나트륨	하루 4,000 mg(소금 10 g) 이내 고혈압, 신장합병증, 심혈관계 질환 동반한 경우 2,000-3,000 mg(소금 5-7.5 g) 이내로 제한
알코올	혈당조절이 잘 되는 경우에만 1일 1-2잔 범위로 제한

2) 운동요법

환자 상태 및 생활형태에 맞는 운동의 계획과 조절을 통해 인슐린 감수성 증가, 체중조절, 심혈관위험 감소, 근력과 작업능력의 향상, 삶의 질과 자신감 회복, 정신적 스트레스 감소 등의 효과를 가져올 수 있다.

운동에는 유산소 운동과 저항성 운동이 있으며 유산소 운동의 예로는 걷기, 자전거타기, 조깅, 수영 등이 있다. 저항성 운동은 근력을 이용하여 무게나 저항력에 대항하는 운동으로 역기 등 장비를 이용한 웨이트 트레이닝이 여기에 해당된다.

적어도 일주일에 150분의 중등도 강도(최대 심박수의 50-70%) 유산소 운동이나, 일주일에 90분 이상의 고강도 유산소 운동(최대 심박수의 70% 이상)을 실시한다. 운동은 일주일에 적어도 4일 이상 실시해야 하며, 1회의 유산소운동이 인슐린 감수성에 미치는 효과가 24-72시간 지속되기 때문에 연속해서 이틀 이상 쉬지 않도록 한다. 금기 사항이 없는 한 일주일에 3회 이상의 저항성 운동을 실시하며, 1회의 저항성 운동은 대근육군을 포함하여 점진적으로 8-10회 반복이 가능한 정도의 무게로 3차례 반복 실시한다.

환자가 증식성 망막병증이나 심한 비증식성 망막병증이 있는 경우에는 망막출혈이나 망막박리의 위험이 높으므로 고강도의 유산소 운동이나 저항성 운동은 금해야 한다. 또한 혈당이 지나치게 높은 상태에서의 운동은 오히려 당 대사를 악화시킬 수 있으므로 운동 전 혈당이 300 mg/dl 이상인 경우에는 운동을 연기해야 한다. 인슐린이나 인슐린분비 촉진제를 사용하는 경우 운동 전후의 혈당 변화를 알 수 있도록 혈당 측정을 시행하고 저혈당의 예방을 위해 적절하게 약제를 감량하거나 간식을 추가하도록 한다. 보통 운동 전 혈당이 100 mg/dl 미만인 경우에는 탄수화물을 섭취해야 한다.

임신성 당뇨병에서 운동은 혈당을 개선시킬 수 있고, 일부 임산부에서는 인슐린 치료를 대신 할 수도 있어 하루 30분 정도의 운동이 권장된다. 그러나 자궁출혈, 임신성 고혈압, 조기 양수막 파열 등의 임산부에서는 운동을 피해야 한다.

2. 약물요법

1) 경구 혈당강하제

당뇨병 치료를 위해서는 철저한 생활습관 조절이 필요하며, 2-3개월 내에 목표 당화혈색소에 도달하지 못하는 경우 약물 투여를 시작 하게 된다. 그러나 생활습관 개선으로 감소시킬 수 있는 당화혈색소치가 1-1.5% 정도이므로 당화혈색소 목표치를 6.5%로 정의한다면 초기에 당화혈색소가 7.5-8% 이상인 경우에는 생활습관 개선과 동시에 바로 약물을 투여하는 것이 필요하다. 경구 혈당 강하제는 그 작용기전에 따라 크게 다음의 5가지로 나눌 수 있다.

표 11-5 경구 혈당강하제의 작용기전 요약

분류	대표적인 작용 기전
Sulfonylurea계(non-sulfonylurea계 포함)	췌장 β세포에서 인슐린 분비 자극
Biguanide계	간에서 포도당 합성 억제
α-glucosidase inhibitor계	소장에서 포도당 흡수 억제
Thiazolidinedione계	말초의 인슐린 저항성 개선
Incretin 효과 증강제	

당뇨 환자에게 적절한 경구 혈당강하제 선택을 위해 고려해야 할 임상적 요소로는 나이, 당화혈색소치, 공복시 고혈당 정도, 식후 고혈당 정도, 비만여부, 대사증후군 여부, 인슐린 분비능, 간기능 및 신장기능 이상 여부 등이다.

경구 혈당강하제 단독요법의 경우 당화혈색소에 따라 2-3개월 간격으로 약제의 용량을 증량해 나가며, 당화혈색소가 목표치 6.5% 미만으로 도달한 경우에는 그 용량을 유지하거나 경우에 따라서 감량할 수 있다. 그러나 용량을 계속 증가시켜 최대용량에 이르렀음에도 불구하고 당화혈색소 목표치에 이르지 못한 경우에는 신속히 다른 기전의 약제 추가를 고려 해야 한다. 또한 환자의 임상적 특성을 고려하여 최대 용량에 이르지 않은 경우에도 다른 계열의 경구약제와 병합요법을 시작할 수도 있다.

(1) Sulfonylurea계

① 작용기전

췌장 β세포의 ATP-sensitive K^+ channel을 차단하여 양이온의 유출 감소로 탈분극이 일어나게 하여 외부로부터 칼슘이온 유입을 촉진하며, 이를 통해 상승된 췌장 β세포 내 칼슘 농도가 인슐린 분비를 자극한다.

② 약동학적 특성

표 11-6 Sulfonylurea계 약동학적 특성

	Duration of biologic effect (hr)	Usual daily dose (mg)	Dosing per day
1st generation sulfonylureas			
Acetohexamide	12~18	500~750	once or divided
Chlorpropamide	24~72	250~500	1
Tolbutamide	14~16	1,000~2,000	once or divided
2nd generation sulfonylureas			
Glipizide	14~16	2.5~10	once or divided
Gliclazide	24	40~240	1
Glyburide	20~24	2.5~10	1
Glimepiride	24	2~4	1

③ 용법
혈당강하효과가 최대로 나타나는 시간은 복용 후 2-3시간이므로 혈당이 가장 높게 나타나는 식후 2시간 혈당을 효과적으로 낮추기 위해 식전 30분에 복용, 약 복용을 잊었을 때는 생각난 즉시 복용하나 다음 복용 시간이 가까운 경우는 빠진 용량은 생략하고 다음 복용시간에 복용

④ 부작용
저혈당, 체중증가, 위장관계 장애, 간독성, 혈액학적 이상, 빈맥, 피부발진 등

⑤ 약물상호작용
a. Thiazide계 이뇨제는 당뇨 상태를 악화시킬 수 있으므로 병용시 주의
b. Sulfonamide, propranolol, salicylate, phenylbutazone, chloramphenicol, probenecid 및 alcohol과 병용시 혈당강하효과가 항진될 수 있음.

(2) Non-sulfonylurea계(Meglitinide유도체)

① 작용기전
Sulfonylurea계 약물과 동일하게 췌장 β세포의 ATP-sensitive K^+ channel을 차단하여 양이온의 유출 감소로 탈분극이 일어나게 하여, 외부로부터 칼슘이온 유입을 촉진하며 이를 통해 상승된 췌장 β세포 내 칼슘 농도가 인슐린 분비를 자극하게 된다. Suflonylurea계 약물에 비해 K^+ channel을 차단하는 복합체(SUR-Kir6.2)에 약하게 결합하고 빨리 떨어지는 특성이 있어 작용발현이 빠르고 지속시간

이 짧다. 또한 인슐린 분비 촉진에 sulfonylurea보다 당 의존적이어서 혈당이 낮을 때는 약효가 감소할 수 있다.

② 약동학적 특성

표 11-7 Non-sulfonylurea계 약동학적 특성

	Repaglinide	Nateglinide
약효 발현시간	15-60분 이내	20분 이내
약효 지속시간	4-6시간	4시간
반감기	1시간 이내	1시간 30분
대사	간대사(CYP3A4, CYP2C8)	간대사(CYP2C9, CYP3A4)
배설	분변배설	신배설

③ 용량 및 용법

a. Repaglinide : 초기용량 0.5-2 mg, 1주일 간격으로 용량조절. 최대용량은 16 mg/day. 환자의 식사패턴에 맞춰 1일 2~4회 분복 복용. 식전 15-30분에 복용하며, 식사를 하지 않을 경우 저혈당 예방을 위해 복용하지 않도록 함

b. Nateglinide : 1일 3회 120 mg 식전 복용. (목표 당화혈색소에 근접한 경우 60 mg tid 복용 가능). 식전 15-30분 복용하며, 식사를 하지 않을 경우 저혈당 예방을 위해 복용하지 않도록 함

④ 부작용

저혈당, 두통, 상기도감염, 어지럼증, 흉통, 위장관계 장애, 체중 증가 등

⑤ 약물상호작용

간 CYP2C8, 2C9, 3A4의 inducer와 inhibitor와의 병용을 피해야 한다. 대표적인 예는 표 11-8과 같다.

표 11-8 Meglitinide계 약물의 상호작용

	대표적인 약물
Meglitinide계 약물의 독성증가	Gemfibrozil, ketoconazole, fluconazole, delavirdine, nicardipine, pioglitazone, sulfonamide, macrolide 계
Meglitinide계 약물의 약효감소	Carbamazepine, phenobarbital, phenytoin, rifampin

(3) Biguanide계

① 작용기전

Biguanide계 약물 중 유일하게 시판되고 있는 약물은 metformin이 있으며, 약리기전은 정확히 알려져 있지 않으나, 간에서 당생성을 억제하고 말초조직에서 포도당의 유입을 증가 시키는 것으로 연구되어 있다.

② 약동학적 특성

a. 흡수 및 분포 : 식사와 함께 투여시 흡수량이 약간 감소하고 지연

b. 대사 및 배설 : 간 대사를 받지 않으며, 90% 신배설 (Scr 〉 1.5 mg/dl(남), 1.4 mg/dl(여)일 경우 투여 금기)

c. 반감기 : 4-9시간

③ 용량 및 용법

위장관계 부작용을 최소화 하기 위해 보통 저용량에서 시작하여 1-2주 간격으로 증량하게 된다. 1일 2회 500 mg 혹은 1일 1회 850 mg에서 시작하여 최대 2,550 mg/day까지 증량이 가능하다(소아의 경우 max. 2,000 mg/day). 하루 2,000 mg 이상의 용량이 필요할 경우 3번으로 나누어 투여하도록 한다.

④ 부작용

위장 장애(설사, 오심, 구토 등), lactic acidosis, 빈혈, 피부 발진, 소양감 등

⑤ 약물상호작용

a. Cimetidine과 metformin은 신세뇨관 분비과정에서 경합을 하므로 metformin의 농도가 증가할 수 있다.

b. 유산증의 위험 때문에 요오드가 함유된 조영제 사용시 복용 중단이 필요하다. 보통 조영제 사용 전 · 후 48시간 동안 복용 중단하며 신기능 확인 이후부터 재투여하게 된다.

⑥ 주의점

a. Metformin을 복용하는 환자의 30%에서 위장 장애가 발생한다고 알려져 있으며 이는 용량을 서서히 증가시키거나 식사와 함께 투여 함으로써 개선 될 수 있다.

b. 간질환, 신부전 환자, 알코올중독자의 경우 유산증의 위험 때문에 사용하지 않는 것이 원칙이다.

c. 비타민 B_{12}와 엽산의 장 흡수가 감소될 수 있으므로 신기능 저하 환자의 경우 보충이 필요하다.

(4) α-glucosidase inhibitor

① 작용기전

소장 상부의 점막세포에 존재하는 소화효소 α-glucosidase를 저해하여 당의 소화를 방해함으로써 혈중으로의 당흡수를 지연시켜 식후 혈당상승을 감소시킨다.

② 약동학적 특성

a. 흡수 : 〈 2% active 형태로, 〈 35% 대사체로 흡수되어 소장에서만 작용

b. 대사 및 배설 : 장의 박테리아와 소화 효소들에 의해 GI tract을 통해서만 대사되며, 신배설 및 분변배설

c. 반감기 : 2시간 이내

③ 용법

섭취한 음식물의 소화작용을 방해하므로 식사직전에 복용하는 것이 효과적

④ 부작용

위장장애(가스,복통,복부팽만,설사 등), 간독성, 두통, 발진, 가려움 등

(5) Thiazolidinedione계

① 작용기전

Peroxisome proliferator activated receptor (PPAR)에 선택적으로 강하게 결합하여 포도당의 이용과 흡수에 관여하는 단백질의 발현을 증가시켜 말초세포의 당 이용률을 증가시킨다. PPAR은 지질의 대사에도 관여하므로 중성지방 감소 및 HDL을 증가시키는 것으로도 알려있으며, 신세뇨관의 세포에도 풍부하게 존재하여 나트륨 재흡수를 증가시킴으로써 체액저류를 일으키기도 한다.

② 약동학적 특성

표 11-9 Thiazolidinedione계 약동학적 특성

	Rosiglitazone	Pioglitazone
Onset of action	유전자를 조절하므로 2-3개월이 지나야 완전한 효과 발현	유전자를 조절하므로 2-3개월이 지나야 완전한 효과 발현
반감기	3-4시간	3-4시간
대사	간 CYP2C8	간 CYP2C8, CYP3A4
배설	신 배설(~64%) 분변배설(~23%)	신 배설 (15~30%)

③ 용량 및 용법

a. 식사와 관계없이 1일 최대용량 이내에서 분복 가능

b. Rosiglitazone : 반드시 최소 용량에서 복용 시작. 4 mg qd or bid (max. 8 mg/day)

c. Pioglitazone : 15-30 mg qd (max. 45 mg/day)

④ 부작용

체액저류로 인한 부종, 체중증가, 상기도 감염, 심부전, 초기 빈혈, 간기능 이상, 배란유도, 두통, 피로 등

⑤ 약물상호작용

a. 경구용 피임제 : thiazolidinedione계 약물의 배란유도 작용으로 피임에 실패할 수 있으며, 경구용 피임제에 의해 당뇨가 악화 될 수 있으므로 다른 피임법을 사용 해야함.

b. Bile acid sequestrants : thiazolidinedione계 약물의 흡수를 낮춤.

c. CYP2C8 inducers and inhibiors

(6) 인크레틴 효과 증강제

① Incretin

장에서 분비되는 호르몬으로 식후 혈당이 급격히 상승하게 되면 혈당 의존적으로 insulin 분비를 촉진하며, glucagon의 분비는 억제함. GLP1과 GIP 2종류가 있는 것으로 알려져 있으며, 이들은 DPP-4에 의해 수분 내에 불활성화 된다.

a. GLP1 (Glucagon like peptide)

회장의 L-cell로부터 합성 · 분비되며, 당뇨환자들에게서 수치가 낮은 것으로 보고되어 있음. Gastric emptying time을 지연시키며, 식후 부적절한 글루카곤의 분비를 억제하고, 식욕 억제효과를 나타냄.

b. GIP (Glucose-dependent insulinotropic peptide)

공장의 K-cell에서 합성 · 분비되며, 췌장의 β세포와 adipocyte에 작용하여 인슐린 분비를 촉진하고 지질 대사에 관여한다고 알려져 있음.

② DPP-4 inhibitor

a. 작용기전 : 혈당 항상성 조절에 관여하는 GLP1과 GIP가 Dipeptidyl peptidase-4 (DPP-4)에 의해 분해되는 것을 억제하여, 췌장을 자극하여 인슐린을 합성 · 분비시키며, 글루카곤의 합성 · 분비를 억제시킨다.

b. 약물의 종류 및 특성

표 11-10 약물의 종류 및 특성

	Sitagliptin	Saxagliptin	Linagliptin
대사	소량만이 CYP3A4, 2C8에 의해 대사	CYP3A4와 3A5에 의해 5-hydroxy saxagliptin으로 대사	
배설	대부분 신배설	대부분 신배설	대부분 분변배설
반감기	12 시간	- Saxagliptin : 2.5 시간 - 대사체 : 3.1 시간	12 시간
용량	인슐린 혹은 인슐린분비 촉진제와 병용하여 100 mg qd	2.5-5 mg daily	인슐린 혹은 인슐린분비 촉진제와 병용하여 5 mg qd
기타	신기능에 따른 용량조절 필요	신기능에 따른 용량조절 필요	

c. 부작용: 두통, 설사, 어지럼증, 상부 호흡기 감염, 저혈당 등

③ GLP-1 receptor agonist (Exenatide, 바이에타®)

a. 작용기전 : GLP-1 receptor의 agonist로 작용해 DPP-4에 의해 불화성화 되는 것에 저항성을 가지게 함. 또한 포도당 의존적으로 인슐린을 분비시키며, 식후 글루카곤 분비를 억제하고, 음식물의

위배출을 억제한다.

b. 용량 및 용법 : 식전 5 μg bid 피하주사하며 1달 이후부터 10 μg bid까지 증량 가능. 식사 후 주사해서는 안되며 투여시 최소 6시간 이상의 간격이 필요함.

c. 부작용 : 저혈당, 체중감소, 위배출 억제로 인한 위장장애, anti-exenatide 항체생성 등

지금까지 살펴본 당뇨병 치료 약물을 표로 정리해 보면 다음과 같다.

표 11-11 당뇨병 치료 약물

		작용기전과 용법	HbA1c 감소 (단독요법)	부작용
인슐린 분비 촉진	Sulfonylurea	췌장 β세포에서 인슐린 분비 증가	1.0-2.0%	저혈당, 체중 증가, 관절통, 관절염, 요통, 기관지염
	Meglitinide	인슐린 분비증가 식후 고혈당 개선 하루3회 식전복용	0.5-1.5%	체중 증가, 저혈당, 변비, 상기도 감염, 부비동염
인슐린 감작제	Biguanide	간의 당생성 감소 말초 인슐린 감수성 개선 식사와 함께 복용 소량부터 시작	1.0-2.0%	체중증가와 저혈당 없음, 젖산증, 소화기 장애(식욕감퇴, 오심, 구토, 설사)
	Thiazolidinedione	근육, 간, 지방의 인슐린 감수성 개선	0.5-1.4%	체중 증가, 부종, 심부전, 혈색소 감소, 골절
α-glucosidase 저해제		상부위장관에서 다당류 흡수를 억제하여 식후 고혈당 감소, 하루 3회 식전 복용	0.5-0.8%	체중 증가 및 저혈당 없음, 소화 장애
DPP4 저해제		Incretin분해 억제, 포도당의존 인슐린분비, 식후 글루카곤 분비 억제	0.5-0.8%	체중 증가 및 저혈당 없음
GLP-1 Rc agonist		포도당의존 인슐린분비, 식후 글루카곤 분비 억제, 위배출 억제, 피하주사	0.5-1.0%	저혈당 없음, 체중 감소, 위장장애

2) 인슐린요법

(1) 인슐린

인슐린은 췌장의 β세포에서 합성되고 저장되는 호르몬의 일종이다. 췌장에서 proinsulin형태로 평균

200 unit이 저장되어 있다가 혈당이 100 mg/dl 이상이 되면 이황화 결합이 절단되면서 활성형 인슐린과 C-peptide로 분리되게 된다. 일반적으로 치료에 사용되는 인슐린 제제는 활성형 인슐린이며, C-peptide는 insulin A, B chain의 정확한 folding을 촉진하고 분리 전에 이황화 결합을 유지시키며 인슐린 분비능을 나타내는 지표로 사용되기도 한다.

인슐린은 탄수화물, 단백질, 지질 대사에 관여하며 특히 간에서의 포도당 방출을 줄이고 간 내 포도당 저장을 늘림으로써 혈당을 낮춰주는 작용을 한다.

체내 인슐린은 기저 인슐린과 식후 인슐린 두 종류로 나눌 수 있으며, 기저 인슐린은 24시간 동안 지속적으로 공복이나 식사와 상관없이 상대적으로 일정한 정도로 분비된다. 이를 통해 포도당을 이용해야 하는 뇌나 다른 조직의 포도당 기저 이용과 평형 유지에 관여하게 된다. 식후 인슐린은 간의 포도당 방출을 억제하면서 포도당의 이용과 저장을 촉진한다.

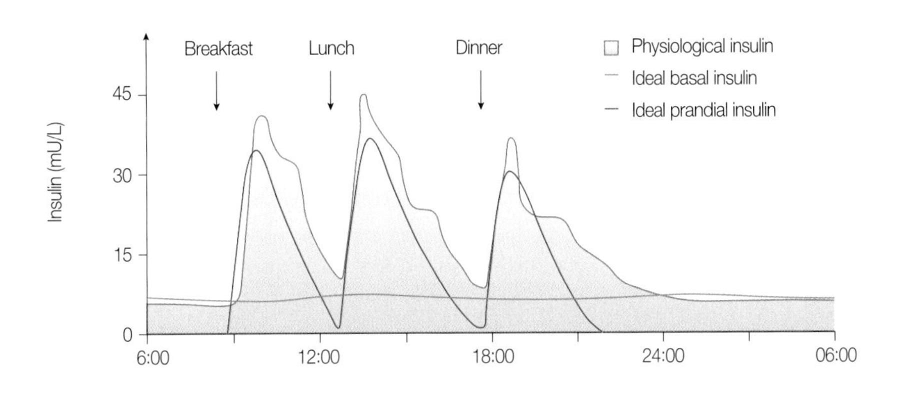

그림 11-2. 체내 인슐린의 분비

(2) 인슐린 사용 대상

충분한 경구 혈당강하제 사용에도 불구하고 3개월 이내에 혈당 조절 목표에 도달하지 못하면 조기에 인슐린 요법을 고려하며, 최대 용량의 경구 혈당강하제나 적절한 경구 혈당강하제 병용 투여에도 불구하고 당화혈색소 7.0%이상이면 인슐린요법을 시작 한다. 또한 당뇨병 진단 초기에도 증상이 있거나 당화혈색소 10% 이상인 경우 인슐린 사용을 고려할 수 있으며 심근경색증, 뇌졸중, 급성질환 발병시, 수술 시에도 인슐린요법을 시행한다. 임신을 준비중인 환자나 임신한 경우 경구 혈당강하제를 중단하고 인슐린 요법을 시행하며, 성인의 지연형 자가면역당뇨병(Latent autoimmune diabetes in adults, LADA) 및 제 1형 당뇨병과 감별이 어려운 경우에도 인슐린을 사용 할 수 있다.

(3) 인슐린의 종류와 특징

인슐린은 작용개시 시간 및 지속시간에 따라 다음과 같이 나눌 수 있다

① 초속효성(Rapid acting)

인슐린의 효과가 빠르게 발현되며 짧은 지속시간으로 식후 혈당 조절에 사용된다. 식사 5-15분전

표 11-12 국내에서 유통 중인 인슐린의 종류와 특성

인슐린 종류(상품명)	작용시작	최고작용	작용시간
식사 시 인슐린			
속효성 인슐린 유사체 (투명)			
- 인슐린 아스파르트 (NovoRapid®)	10-15분	1-1.5시간	3-5시간
- 인슐린 리스프로 (Humalog®)	10-15분	1-2시간	3.5-4.75시간
- 인슐린 글루리진 (Apidra®)	10-15분	1-1.5시간	3-5시간
속효성 인슐린 (투명)			
- 인슐린 RI (Humulin R®)	30분	2-3시간	6.5시간
기저 인슐린			
중간형 인슐린 (혼탁)			
- 인슐린 NPH (Humulin N®)	1-3시간	5-8시간	18시간까지
장시간형 기저 인슐린 유사체 (투명)			
- 인슐린 디터미어 (Levemir®)	90분	없음	24시간까지 (디터미어
- 인슐린 글라르진 (Lantus®)			16-24시간, 글라르진 24시간)
혼합형 인슐린			
혼합형 속효성 인슐린 - NPH (혼탁)			
- Humulin 70/30® (R:30/N:70)			
- Mixtard 30 Enoret® (R:30/N:70)	바이알 또는 펜형인휼린 안에 고정비율의 인슐린이 섞여 있는 형태		
혼합형 인슐린 유사체 - NPH (혼탁)	(속효성 인슐린 또는 속효성 인슐린 유사체와 중간형 인슐린		
- NovoMix 30, 50® (인슐린 아스파르트 - NPH)			
- Humalog Mix 25, 50® (인슐린 리스프로 - NPH)			

투여하며 식사량에 따라 조절하여 식사 직후에도 투여 가능하다. 투명한 액체로 현탁액이 아니다.

② 속효성(Short acting)

투명한 액체로 현탁액이 아니며, 응급시 정맥주사 투여가 가능하다.

③ 중간형(Intermediate acting)

Protamine과 zinc를 함유하는 현탁액으로 단계적으로 인슐린을 방출하며, 중간형부터를 기저 인슐린요법에 사용할 수 있다.

④ 장시간형(Long acting)

최고 작용시간이 없으며 1회 투여로 24시간까지 효과를 나타낸다. 저혈당 빈도에서 투여시간에 따른 차이가 없었으며 투여부위에 따른 흡수 속도 영향도 없다.

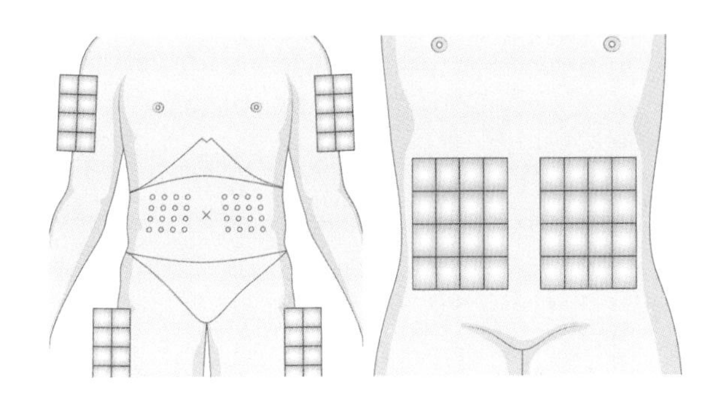

그림 11-3. 인슐린 주사부위 순환표

(4) 인슐린주사 방법과 주의사항

인슐린은 일반적으로 피하주사로 투여하며 복부 > 상완부 > 대퇴부 > 둔부 순으로 흡수가 빠르다. 이때 상완부는 피하지방층이 얇아 근육 내 주사될 위험이 크기 때문에 권장되는 주사 부위가 아니다. 관절 부위를 제외하고 신경과 혈관의 분포가 적고 피하조직이 충분한 곳에 주사하도록 하며, 배꼽반경 5 cm 이내는 피하고 매 주사시 마다 위치를 1-2 cm 이동 시키도록 한다. 동일부위에서 최소 2주~1달 정도 경과 후 다른 부위로 이동시키는데 이는 투여부위를 임의로 변경하게 되면 부위별 인슐린 흡수에 차이가 나므로 일관적인 혈당조절이 어려울 수 있기 때문이다.

마사지, 열, 운동 등으로 체온증가나 혈류증가를 유발시키는 경우 인슐린의 흡수가 상승되어 저혈당이 유발 될 수 있으며, 지방증식, 짧은 침, 흡연 등의 요인에 의해 인슐린 흡수가 지연 될 수도 있다.

인슐린 주사는 개봉 전에는 유효기간까지 냉장보관하여 사용하고, 개봉한 경우는 실온에서 보관하며 인슐린 주사별 개봉 후 유효기간을 확인하여 사용하도록 한다. 냉장보관 되어있던 인슐린을 바로 주사하게 되면 통증이 있을 수 있으므로 주의가 필요하며 사용 전 부드럽게 인슐린을 돌려주어 현탁액이 완전히 섞이도록 준비한다. 인슐린에 주사바늘을 부착하여 보관하면 현탁액이 침착되거나 온도차에 의한 팽창과 수축 등이 있을 수 있으므로 주사바늘은 반드시 사용 후 폐기하도록 한다.

(5) 부작용

① 지방비대증(Lipohypertrophy) : 같은 위치에 반복해서 인슐린을 주사함으로써 발생하며 인슐린의 동화작용으로 주사부위에 지방의 양이 증가되어 인슐린 흡수가 일정치 않게 될 수 있음.

② 지방위축증(Lipoatrophy) : 인슐린 항체에 의해 주사부위의 지방이 파괴되어 나타남.

③ Insulin 부종 : 국소(정강이, 발목, 눈 주위 등) 또는 전신 투여 24시간 내에 생기는 부종

④ 저혈당 증상

⑤ 알레르기 및 저항성

IV 당뇨병의 관리

1. 저혈당관리

1) 저혈당

저혈당이란 인슐린 또는 인슐린 분비촉진제로 치료 받는 사람에서 낮은 혈장 포도당 농도(〈70 mg/dl)로 인해 자율신경항진 또는 신경당결핍 증상이 발생하고, 포도당 투여 후에 이런 증상이 소실 되는것을 말한다. 저혈당의 증상과 정도에 따른 분류는 다음과 같다.

표 11-13 저혈당의 증상

자율신경항진 증상	빈맥, 식은땀, 불안감, 배고픔, 오심, 손떨림, 얼굴이 창백해지는 증상
신경당결핍 증상	집중이 안됨, 의식혼미, 기력약화, 어지러움, 시력변화, 말하기 힘듬, 두통

표 11-14 저혈당의 정도에 따른 분류

경증	자율신경항진 증상이 있으며 스스로 대처할수 있는상태
중등증	자율신경항진 증상과 신경당결핍 증상이 있으면서 스스로 대처할수 있는 상태
중증	다른 사람의 도움이 필요한 상태로 의식이 없어질 수도 있는 상태 대개 혈중 포도당 농도 〈 50 mg/dL

2) 제 2형 당뇨병환자에서 심한 저혈당 발생의 위험인자

① 심한 저혈당 과거력
② 현재 낮은 당화 혈색소(〈6.0%)
③ 저혈당 불감증
④ 당뇨병의 긴 유병기간
⑤ 자율신경병증 동반
⑥ 낮은 경제수준
⑦ 청소년
⑧ 스스로 저혈당을 감지하고 치료할 수 없을 정도의 노인 환자

3) 저혈당 치료

저혈당이 발생했을 때 환자가 의식이 있으면 어떤 형태의 탄수화물이든 15-20g의 포도당을 섭취하는 것이 가장 좋은 치료법이다(표 11-15). 혈당 회복은 음식의 탄수화물 함량 보다는 포도당 함량과 관련이

표 11-15 단순 당질 15-20 g에 해당하는 음식의 예

- 설탕 한 숟가락(15 g)
- 꿀 한 숟가락(15 g = 한 큰술)
- 주스 또는 청량음료 3/4컵 (175 ml)
- 요구르트 한 개 (65 ml)
- 사탕 3-4개

있다. 순수한 포도당이 가장 선호되는 치료방법이지만, 포도당을 포함하고 있는 탄수화물의 어떤 형태이든지 혈당을 올릴 수 있다. 그러나 음식에 지방이 같이 포함되어 있으면 혈당을 올리는 작용이 지연될 수 있다. 15 g의 포도당은 20분 안에 약 40 mg/dl의 혈당을 올릴 수 있으며 대부분의 사람에서 증상이 소실된다. 저혈당 회복 후에도 투여된 인슐린이나 인슐린 분비촉진제의 작용이 계속 남아있기 때문에 저혈당이 반복해서 발생할 수도 있으므로 치료 후 15분 째 혈당을 다시 검사하여 재치료가 필요한지 평가하도록 한다. 치료 후 15분째 혈당이 여전히 70 mg/dl 미만이라면 한번 더 포도당을 섭취하도록 하고 혈당이 정상으로 돌아오면 저혈당의 재발을 막기 위해 식사나 간식을 먹도록 한다. 이때, 저혈당에 대한 과잉치료는 반동성 고혈당과 체중 증가를 초래할 수 있으므로 주의가 필요하다.

의식이 없는 중증 저혈당 환자에게 정맥 주사가 가능하다면 포도당 10-25 g (50% 포도당 수액, 20-50 ml)를 1-3분에 걸쳐 투여해야 한다.

심한 간 질환 환자나 몇 시간 내에 많은 술을 마신 경우에는 혈당 상승 작용이 잘 일어나지 않는다. 저혈당에서 회복되면 환자 및 보호자와 저혈당의 유발 요인에 대해 상의하고 재발하지 않도록 적절한 교육을 시행해야 한다. 또한 장시간 운동이나 운전을 할 경우 저혈당 발생에 대비하여 포도당이 함유된 음식을 항상 소지할 수 있도록 한다.

2. 아픈 날의 관리

아픈 날에도 인슐린과 경구 혈당강하제는 계속 유지해야 한다. 컨디션이 좋지 않은 경우 스트레스 호르몬인 글루카곤, 에피네프린, 노르에피네프린 등이 분비되어 혈당을 상승시키고 케톤이 형성 될 수 있으므로 혈당을 더 자주 재고 탈수를 막기 위해 적절한 수분과 적당한 당질 섭취가 필요하다. 당뇨병 환자가 아플 때는 가급적 충분한 휴식을 취하고 몸을 따뜻하게 하며 운동은 삼가도록 한다. 하루 동안 열이 38.3도 이상이거나, 8시간 이상의 설사 지속, 4시간 이상 구토가 계속되고, 고혈당(300 mg/dl 이상)이 지속되는 경우에는 진료를 볼 수 있도록 한다.

참고문헌

- 대한당뇨병학회 : 2011 당뇨병 진료지침
- 한국약학대학협의회 약물학 분과회 : 약물학 신일북스(2009)
- 식품의약품안전청 : 자가투여 인슐린 주사제 안전하게 투약하기 (2012)
- Up to date : http://www.uptodate.com/home

part III

임상약제 업무

12장 임상약물동력학 업무
13장 임상영양요법
14장 항암화학요법과 암환자 관리
15장 중환자병동 임상업무

_12

임상약물동력학 업무

Objectives

- ▶ 임상현장에서 임상약물동력학 업무의 전반적인 흐름을 이해한다.
- ▶ 임상약물동력학 자문 업무에 있어 약사의 역할에 대해 이해한다.
- ▶ 임상약물동력학 대상약물의 특성을 이해하고 적절한 채혈시간을 파악한다.
- ▶ 임상약물동력학 계산에 사용되는 기본 방정식을 활용한다.
- ▶ 실제 사례(예제)를 이해하고 자문회신서를 작성할 수 있다.

I 임상약물동력학 업무

1. 정의

임상약물동력학(임상약동학) 자문이란 약물의 치료혈중농도가 약효 및 부작용 발현과 밀접한 연관성을 가진 약물 중 의료진의 자문요청이 있는 경우 해당약물 사용 시 약물의 혈중농도를 측정하고 측정된 약물농도에 대해 약동학적 원리를 적용하여 적정용량 및 투여간격을 산출해 최적의 투여계획을 수립하여 의료진에게 자문하는 업무이다. 유효혈중농도의 범위가 좁은 약물들이 대상이 되며 약효 및 부작용 등을 함께 모니터링 하여 환자의 치료효과를 최대화하고 독성발현을 예방함으로써 약물치료의 적정화에 기여한다.

2. 기대효과

1) 약물 치료 효과의 극대화

환자 개개인의 고유한 약동학적인 특성을 파악하고 이에 따른 약물 투여계획을 설정하여 적절한 혈중농도를 유지하도록 함으로써 치료효과를 보장한다. 또한, 환자의 질환이나 신기능 등 상태 변화를 고려한 최적의 약물 용량 · 용법을 찾아 자문하여 독성발현을 예방하고 효과적인 약물치료를 도모한다.

2) 약물 부작용의 최소화

임상약동학은 용량·용법뿐만 아니라 환자에 대한 모니터링과정에서 병용약물에 의해 변화될 수 있는 약물의 흡수, 분포, 대사, 배설 등의 약동학적 특성이나, 약효에 영향을 미칠 수 있는 약물과 음식, 약물과 질병상태 등의 상관관계를 검토하고 약물과량 투여에 의한 독성발현을 예방하며, 약물유해반응을 사전에 파악하여 안전한 약물요법이 이루어질 수 있도록 한다.

3) 의료서비스 질 향상과 의료비 절감

약물치료효과의 향상 및 약물의 안전한 사용을 통해 의료 서비스의 질적 향상을 도모하고, 입원기간을 단축시켜 환자의 의료비 부담을 절감하며 병원 수익에 기여한다.

II 임상약동학 업무의 흐름

1. 임상약동학 자문 및 혈중농도 측정

1) 자문처방입력(주치의) : 임상약동학 자문업무 대상약물에 대해 혈중농도채혈 처방을 내는 시점 혹은 자문이 필요한 경우 해당환자의 주치의가 병원의 처방시스템을 이용하여 임상약동학 자문을 의뢰한다.
2) 채혈(간호사/임상병리사) : 주치의의 처방에 따라 간호사/임상병리사는 지정된 채혈 시각에 채혈을 실시하고 실제 채혈된 시각 및 약물투약 시각을 명확하게 기록한 후 검체를 진단검사의학과(진검)로 이송한다.
3) 검체측정(진검) : 병동이나 외래에서 진검으로 이송된 검체를 접수하여 혈중약물농도를 측정한다.
4) 측정결과보고(진검) : 혈중약물농도의 측정결과는 전산을 통해 즉시 보고한다.

2. 임상약동학 자문 업무 진행(약사)

1) 자문의뢰 환자조회

전산 내 임상약동학 자문시스템에서 의뢰된 환자 명단을 실시간으로 조회한다.

2) Patient profile 작성 및 환자 처방 검토

대상 환자의 나이, 몸무게, 병동, 자문의뢰대상 약물, 임상상태, 질환, 기타 검사결과, 투약이력 등을 파악한다. 전자 챠트(Electronic Medical Record, EMR)를 이용하여 환자의 질병상태, 약물과 약물, 약물과 질병간의 상호작용 등을 파악한다.

필요에 따라 복약순응도 확인 등을 위해 입원환자와 직접 면담을 하거나 외래환자의 경우 전화를 통해 상담할 수 있다. 단, 이 경우 환자에게 충분한 사전 설명이 필요하다.

3) 약동학적 변수의 산출

혈중 약물농도 측정결과가 보고되면 투여시각과 채혈시각 및 투여용량, 환자 상태 등을 고려하여 다각적으로 현재의 약물투여계획을 분석하고 약동학적 이론을 적용해 개별 환자의 고유한 약동학적 파라미터를 산출하고, 이의 적절성을 평가 후 최적 용량 및 투여간격을 결정한다.

4) 임상약동학 자문 보고서 작성 및 자문회신

자문 결과는 전산 내 임상약동학 프로그램을 통해 임상약동학 자문 보고서를 작성하여 보고한다. 필요한 경우 해당 주치의나 담당 간호사에게 전화로 회신내용을 추가로 알릴 수 있다.

3. 임상약동학 자문회신 결과확인 및 처방변경(주치의)

자문회신 결과는 전산 검사결과조회 및 EMR상 의사처방화면의 '검사' 항목에서 text 형태로 조회하며 회신서를 받은 의사는 이를 바탕으로 약물처방을 조정하고 필요시 혈중농도채혈 및 임상약동학 자문처방을 입력한다.

4. 임상약동학업무 Follow-up

1) 추적관찰

임상약동학 자문을 실시했던 환자 중 임상상태가 매우 불안정하거나 신기능의 지속적인 변화를 보이는 등 세심한 주의가 필요한 경우 또는 환자상태의 변화로 약동학적 변화가 예상될 경우 필요시 주치의와 연락하여 임상약동학 자문을 유도한다.

2) 교육

약사, 주치의, 간호사 등을 대상으로 임상약동학과 관련된 정확한 채혈 시각, 약물투여방법 또는 약동학 대상 약물의 특이 사례, 약물농도의 약동학적 해석 및 투여계획 조정 등에 관하여 교육한다.

III 임상약동학 자문 대상약물

1. 항생제 : Aminoglycosides, Vancomycin

1) Aminoglycosides (AG)

Aminoglycosides 중 현재 amikacin, gentamicin, tobramycin의 세가지 약제에 대해 임상약동학 자문 업무를 수행하고 있다. AG의 경우 호기성 그람 음성균(aerobic G(-))에 우수한 항균효과를 나타내지만 유해반응(신독성과 이독성 등)으로 인하여 그 사용이 제한되는 약제이다. 따라서 환자가 AG를 투여 받는 동안 적정 범위의 혈중농도를 유지하도록 환자마다 개별적인 투여계획을 확립하는 것이 중요하다. 일반적으로 AG로 인한 신독성의 경우 여러 위험인자가 있으나 AG 투여기간과 최저혈중농도가 높게 유지되는 경우 빈도가 증가하는 것으로 보고 되어 있다. AG는 최고혈중농도(Cmax/MIC)가 높을수록 항균효과가 상승하는 농도 의존적 항생제(concentration dependent antibiotics)로, 최근에는 정상신기능을 가진 성인의 경우 extended interval AG dosing, 즉 1일 2~3회 분할 투여하던 용량을 1일 1회 투여하는 once daily AG method를 통해 효과를 높이고 부작용은 최소화 하려는 방법도 시행되고 있다. 다음은 AG의 key parameter 및 연령에 따른 분포용적을 나타낸 표이다(표 12-1, 12-2).

표 12-1 Key parameters : Aminoglycosides

Therapeutic serum concentrations		
	Conventional dosing	Once-daily dosing
Gentamicin, Tobramycin	Peak 5-8 mg/L, Trough 〈 2mg/L	Peak 20 mg/L, Trough undetectable
Amikacin	Peak 20-30 mg/L	Peak 54- 65 mg/ L
	Trough 〈 8 mg/L	Trough undetectable
Vd [a]	0.25 L/kg	
Cl		
Normal renal function	Equal to Clcr[b]	
Hemodialysis [c]	1.8 L/hr	
$t_{1/2}$		
Normal renal function	2-3 hr	
Functionally anephric patients	30-60 hr	

[a] Volume of distribution should be adjusted for obesity and/or alterations in extracellular fluid status

[b] Clcr : Creatinine clearance (ml/min)

[c] Hemodialysis clearance of 1.8 L/hr refers to low-flux hemodialysis, not high-flux or peritoneal dialysis

표 12-2 Volume of distridution by age group : Aminoglycosides

Age	Volume L/kg (Mean±SD)
Neonates	0.45±0.1 (0.35 ~ 0.55)
Infants	0.4 ± 0.1 (0.3~0.5)
Children	0.35 ± 0.15 (0.2~0.5)
Adolescents	0.3 ± 0.1 (0.2~0.4)
Adults and geriatrics	0.3 ± 0.13 (0.17~0.43)

2) Vancomycin

Vancomycin은 원내 병원성 감염의 높은 빈도를 차지하고 있어 문제가 되는 G(+)균인 Methicillin resistant *Staphylococcus aureus* (MRSA), Methicillin resistant coagulase negative *Staphylococcus* (MRCNS) 감염의 1차 선택약으로 glycopeptides계 항생제이다. 임상약동학 자문의 50%이상을 차지할 정도로 많은 빈도로 처방되는 약제로 주요 유해반응은 신독성, red man syndrome 등이 있다. 신독성의 경우 일반적으로 vancomycin 단독 사용 시 발생빈도는 높지 않은 것으로 보고되고 있으나 노인환자, 신기능이 불안정한 경우, 신독성을 가진 다른 약제들(예: amphotericin B, acyclovir, colistin, AG 등)과 병용 시 빈도가 증가하므로 주의를 요하게 된다. 특히 중환자실의 환자들이나 항암치료와 같은 면역억제상태의 환자들이 vancomycin을 투여 받는 경우 다른 신독성 약제들과의 병용이 빈번하므로 보다 세심한 모니터링이 요구되며, 이러한 신독성의 위험요소가 있는 환자의 경우 임상약동학 자문이 반드시 추천된다. Red man syndrome은 주입 시작 4~10분 후 혹은 주입이 끝난 직후 환자의 얼굴, 목, 상체에 홍조나 홍반성 발진(erythematous rash)을 보이는 것으로 보통 비특이적인 비만세포의 파괴로 생기는 non-IgE 매개성 알레르기 반응으로 분류된다. 이는 vancomycin을 권장주입속도(〈 10 mg/min) 보다 빠른 속도로 주입 시 빈도가 증가하므로 vancomycin의 투여속도를 감소시켜야 한다. 일부의 경우 권장 투여속도에서도 해당이상반응이 발생하는 경우가 있는데 이런 경우 주입시간을 더 천천히 조절하고, 투여 전 항히스타민제를 투여함으로써 예방할 수 있다. 다음 표는 vancomycin의 key parameter 및 연령에 따른 분포용적을 나타낸 표이다(표 12-3, 12-4).

표 12-3 Key parameters : Vancomycin

Therapeutic plasma concentration	
Peak	〈 40-50 mg/L
Trough	10-15 mg/L[a]
	15-20 mg/L[b]

F (oral)	< 5%
Vd[c]	Vd(L) = (0.17) (Age in years) + (0.22) (TBW in kg) + 15
Cl[d]	Equal to Clcr
$t_{1/2}$	6-7 hr(정상 신기능)

[a] Conventional treatment

[b] Patients with nosocomial infections or with systemic Staphylococcus aureus infections with MICs > 2.0 mg/L.

[c] The average volume of distribution for vancomycin is approximately 0.7 L/kg, and TBW represents total body weight including any excess adipose and/or third space fluid weight.

[d] For adult patients (older than 18 years of age).

표 12-4 Volume of distribution by age group : Vancomycin

Age	Volume L/kg (Mean ± SD)
Premature neonates	
27~30 weeks PCA	0.55 ± 0.02 (0.53~0.57)
31~36 weeks PCA	0.56 ± 0.02 (0.54~0.58)
> 37 weeks PCA	0.57 ± 0.02 (0.55~0.59)
Infants and full-term neonates	0.69~0.79
Infants (1 month~1 year)	0.69 ± 0.17 (0.52~0.86)
Children (2.5~11 years)	0.63 ± 0.16 (0.47~0.79)
Adults (16~65 years)	0.62 ± 0.15 (0.47~0.77)
Obese adults (>30% over IBW)	0.56 ± 0.18 (0.38~0.74)
Adults with severe renal impairment	0.90 ± 0.21 (0.69~1.11)
Geriatrics (≥ 65 years)	0.76 ± 0.06 (0.70~0.82)
Critically ill adults (42~76 years)	1.69 ± 2.19 (-0.50~3.88)

2. 천식치료제 : Theophylline

Theophylline은 기관지 평활근 확장작용을 가지며 천식, 만성폐쇄성폐질환, 무호흡, 서맥 등에 사용된다. Theophylline 분포용적은 0.5 L/kg로 거의 일정하다(표 12-5). 하지만 환자의 질환상태(울혈성 심부전, 간질환 등), 약물 및 흡연력 등과의 상호작용에 의해 약물 클리어런스의 변화가 많아 주의가 요구된다. 표 12-6은 병용약물로 인한 theophylline 클리어런스의 영향을 나타내는 것으로, 절대적인 수치 자체로 계산에 활용하기보다는 factor가 1보다 큰 경우 약물의 클리어런스 증가를 의미하며 1보다 작은 경우는 theophylline의 혈중농도를 증가시키는 작용을 한다는 것에 염두하여 환자의 약동학을 고려해야 한다. 각 약물 간 상호작용의 기전이나 발현시기, 작용 정도에 대해서는 반드시 개별적인 정보검색을 통해 숙지하고 필요한 경우 자문회신서에 이를 포함시켜 상호작용을 가진 약물을 증량 혹은 중단하는 경우 theophylline 약동학 자문을 재의뢰하거나 약용량을 조절하도록 주치의에게 사전에 정보를 제공한다.

경구 제형의 경우 제형 및 개인의 흡수 정도의 차이로 인해 흡수약동학적 산출이 어려우나, theophylline에 ethylenediamine염을 결합해 주사제로 개발된 aminophylline의 경우 정확한 약동학적 변수의 산출이 가능하다. 따라서 주사제에서 경구로 또는 경구에서 주사제로 제형을 변경할 경우 salt form을 반드시 고려하여 계산해야 한다.

표 12-5 Key parameters : Theophylline

Therapeutic concentrations	5-15 mg/L
F	100 %
S	Aminophylline anhydrous 0.8 Aminophylline hydrous 0.84 Aminophylline monohydrate 0.91 Theophylline 1
Vd	0.5 L/kg
Cl	0.04 L/kg/hr
$t_{1/2}$	8 hr

표 12-6 Theophylline의 클리어런스에 영향을 미치는 약물들

Drug	Clearance factors(* 0.04 L/hr/kg)
Allopurinol (≥600 mg/day)	0.8
Cimetidine	0.6 (0.5~0.8)
Disulfiram	0.8
Erythromycin	0.7
Fluvoxamine	0.3
Interferon, human alpha 2a and 2b	0.2~0.7
Furosemide	0.7
Mexiletine	~ 0.6
Moricizine	1.5
Phenobarbital	1.2
Phenytoin	1.6
Propafenone	0.7

Propranolol	0.6
Quinolone (ciprofloxacin etc.)	0.7 (0.3~0.8)
Rifampin	1.3 (to 1.8)
Terbinafine	0.85
Ticlopidine	0.65
Zafirlukast	0.2

3. 심혈관계 약물 : Digoxin

Digoxin은 일반적으로 lean 또는 ideal body weight를 바탕으로 투여량을 결정하며 유효혈중농도의 범위가 매우 좁으므로 각별한 주의가 필요하다. Digoxin은 제품이나 제형에 따라 생체이용률이 다를 수 있어 이를 고려해야 하며, 약물을 사용하는 동안 hypokalemia가 지속될 경우 digoxin이 유효혈중농도를 유지하더라도 심근에 대한 digoxin의 약효증가로 인한 부작용 발현이 증가할 수 있으므로 potassium 수치가 적정선을 유지하도록 함께 모니터링 해야 한다.

표 12-7	Key parameters : Digoxin
Therapeutic range	
CHF	0.5-0.9 mcg/L
Non CHF	0.5-2 mcg/L for atrial fibrillation and ventricular rate control
F	Tablets 0.7
	Elixir 0.8
	Soft gelatin capsule 1
S	1
Vd	(3.8) (weight in kg) + (3.1) (Clcr in ml/min)
Cl(ml/min)	
Patients with CHF	(0.33) (weight in kg) + (0.9) (Clcr in ml/min)
Non-CHF patients	(0.8) (weight in kg) + (Clcr in ml/min)
$t_{1/2}$[a]	2 days

[a] The t1/2 is longer in patients with renal failure and in patients receiving amiodarone.

4. 항전간제 : Carbamazepine, Phenytoin, Phenobarbital, Valproic acid

항전간제들의 경우 실제 혈중 농도와 약효가 완벽한 상관성을 보이지는 않으므로 환자의 임상상태와 함께 혈중농도를 모니터링하는 것이 중요하다. 또한 이들 약물은 단백결합률이 높아 동일한 total 혈중농도를 보이는 환자 간에도 free level이 다를 수 있어 약물에 따라 실제 약효와 연관성이 더 높은 free drug level을 측정하여 용량을 조절하기도 한다.

또한 다른 약제들과의 상호작용이 많은 약물들이므로 반드시 환자의 다른 약물을 정확히 파악하고 이들과의 상호작용에 대해서도 정확한 평가를 해 두는 것이 중요하다.

1) Carbamazepine

Carbamazepine은 autoinduction되므로 3~7일 간격으로 단계적으로 증량한다.

표 12-8	Key parameters : Carbamazepine
Therapeutic plasma concentration	4-12 mg/L
F	Tablets 0.8
S	1.0
Vd[a]	1.4 L/kg
Cl[a,b]	Monotherapy 0.064 L/kg/hr Polytherapy 0.1 L/kg/hr Children(monotherapy) 0.11 L/kg/hr
$t_{1/2}$	Adult monotherapy[b] 15 hr Adult polytherapy[b] 10 hr

[a] The values for volume of distribution and clearance are approximations based upon oral administration data and estimate of bioavailability.

[b] The clearance and half-life values represent adult values after induction has taken place. Polytherapy represents a patient receiving other enzyme-inducing anticonvulsants (e.g., phenobarbital, phenytoin).

2) Phenytoin

Phenytoin은 비선형 약물속도론의 특성을 따르므로, 투여량을 증가시킬 경우 비례적으로 항정상태의 혈중 농도가 상승하지 않고 급격하게 변화하게 된다. Phenytoin은 제품에 따라 생체이용률이 매우 다르므로 변경시 혈중약물농도를 측정하여 세심한 추적관찰이 필요하다. 통상 albumin수치가 낮거나 말기신부전과 같은 요독증을 보이는 환자에서는 free drug level의 비율이 정상 수치의 환자들에 비해 현격히 달라져 total 및 free drug level 측정이 권장되고 있다.

표 12-9	Key parameters : Phenytoin
Therapeutic plasma concentration	10-20 mg/L
F	1
S	Capsule, injectable preparation : 0.92

	Suspension, chewable tablet : 1
Vd	0.65 L/kg
Cl(adult value)	Vm 7 mg/kg/day, Km 4 mg/L
$t_{1/2}$	Concentration dependent

3) Phenobarbital, Valproic acid

Phenobarbital과 valproic acid는 일정범위 내에서는 1차 속도로 배설되므로 혈중농도를 바탕으로 한 약용량 조절이 용이하다. 하지만 valproic acid의 경우도 과량을 투여하는 경우 1차 속도론을 따르지 않을 수 있어 주의를 요한다.

항전간제의 경우 혈중농도가 치료유효농도 내에 있도록 하는 것이 추천되나 환자의 임상상태나 발작의 조절 등을 충분히 고려하여 임상약동학 자문을 하는 것이 필요하다.

표 12-10 Key parameters : Phenobarbital

Therapeutic plasma concentration	15-40 mg/L
F	1
S	0.9
Vd	Neonates 0.9 L/kg (0.7-1.0) Children and adults 0.7 L/kg (0.6-0.7)
Cl	Children 0.008 L/kg/hr Adults and neonates 0.004 L/kg/hr Elderly (> 65years) 0.003 L/kg/hr
$t_{1/2}$	Children 2.5 days, Adults 5 days

표 12-11 Key parameters : Valproic acid

Therapeutic plasma concentration	50-100 mg/L
F	Extended-release tablets 0.8-0.9 All other forms 1
S	1
Vd	0.14 (0.1-0.5) L/kg
Cl	Children 13 ml/kg/hr, Adults 8 ml/kg/hr
$t_{1/2}$	Children 6-8 hr, Adults 10-12 hr

5. 면역억제제 : Cyclosporine, Tacrolimus

Cyclosporine과 tacrolimus는 calcineurin 저해제로 분류되는 대표적인 면역억제제로 장기 및 골수이식 환자들에서 사용되며 재생불량성 빈혈과 같은 면역질환에서도 사용된다. 경구제형의 경우 개체들 간의 생체이용률 뿐 아니라, 한 개체 내에서도 생체이용률이 다양하게 나타나는 약제로 정확한 생체이용률의 산출이 쉽지 않아 trough 농도를 측정하여 용량을 조절한다. 두 약물 모두 약물상호작용이 많은 약제로 병용 약물에 의한 영향에 주의하여야 한다.

1) Cyclosporine

Cyclosporine은 cyclic peptide 면역억제제로 고형장기의 거부반응을 방지하거나 골수이식환자의 이식편대숙주반응을 예방하는데 사용된다. 생체이용률이 개체 및 제형 간의 편차가 심하고 분석법에 따라 유효혈중농도가 다르므로 주의가 필요하다. 이전에는 ELISA나 MEIA법을 이용한 분석법이 이용되었으나 최근 들어 비활성 대사체들의 농도간섭 효과를 줄인 LC/MS/MS를 이용한 측정법이 의료기관들마다 도입되고 있다.

표 12-12 Key parameters : Cyclosporin

Therapeutic plasma concentration	150 - 400 mcg/L [a]
F	30 % (range 8-60%)
Vd	3-5 L/kg
Cl	5-10 ml/kg/min
$t^{1/2}$	6-12 hr

[a] As with therapeutic range, pharmacokinetic parameters will vary, depending on the biologic fluid, assay procedure used and types of transplantation.

2) Tacrolimus

Tacrolimus는 cyclosporine과 구조는 상이하나 유사한 작용기전과 이상반응을 나타낸다. 음식물이 흡수에 영향을 주므로 가능한 공복의 일정한 시간에 복용하도록 한다. Cyclosporine과 마찬가지로 최근 들어 LC/MS/MS를 이용한 측정법이 사용된다.

표 12-13 Key parameters : Tacrolimus

Therapeutic plasma concentration	5-20 mcg/L [a]
F	25 %
Vd	1 L/kg (range : 0.85-1.94 L/kg)

Cl	0.04-0.083 L/kg/hr
$t_{1/2}$	8-12 hr (range : 4-41 hr)

[a] Whole blood trough concentration. Target concentrations may vary with the organ(s) transplanted and transplant center-specific immunosuppression protocols.

IV 약물별 적정치료농도 및 채혈시각

1. 적정혈중농도

각 적응증에 맞게 약물을 원하는 부위로 충분한 농도에 도달하도록 적절한 target을 설정하는 것은 약동학 업무에서 가장 중요한 부분 중에 하나이다. 측정 장비의 차이, 장비 검출 한계의 차이, 항생제의 경우 해당 병원에서 검출되는 균들의 특성을 고려 시 해당 기관들 간 적정범위를 다르게 산출할 수도 있다. 또한 동일한 약제라 해도 해당 질환에 따라 target range가 다를 수 있어 이에 대한 정확한 이해가 요구된다.

2. 적정채혈시각

약물을 투여한 후 어느 시점에 채혈하여 투여 용량 · 용법의 적정성을 평가하고 용량을 재설정하는가에 대한 해답은 약물의 고유 반감기나 환자의 배설기능에 의해 변경된 반감기 혹은 환자의 상황을 고려해 각각 다르게 적용될 수 있다. 일반적으로 신기능이 안정된 환자들의 경우 최대한 항정상태에 근접한 지점(통상 반감기의 4~5배 경과한 시점)에서 채혈하도록 권고하고 있다. 반감기가 길어 항정상태에서 최고 혈중농도와 최저 혈중농도의 차이가 적은 약물들은 투여직전 즉, 최저혈중농도에 해당하는 시각에 채혈하고, 반감기가 짧아 최고와 최저 혈중농도의 차이가 큰 약물들은 두 혈중약물농도를 모두 채혈하는 것이 추천된다. 독성이 의심될 경우는 즉시 채혈하도록 한다. 투약시각도 간호사의 업무상 빠르거나 늦게 투약될 수 있고, 정주 시 infusion pump를 사용하지 않을 경우 약물의 투여속도가 일정하지 않을 수 있으므로 정확한 약동학 평가를 위해 채혈 시 다음 사항이 반드시 준수되도록 해당 의료진을 대상으로 적절한 교육이 권장된다.

1) 정확한 약동학적 분석과 자문을 위해 약물투여시각과 채혈시각을 정확하게 기록한다.
2) Routine monitoring의 경우 다음 약물 투여직전에 채혈한다.
3) 독성이 의심되는 경우 즉시 또는 최고 혈중약물농도가 예상되는 시간에 채혈한다.
4) AG와 vancomycin은 최고 및 최저혈중농도가 치료 효과와 독성에 직접 영향을 끼치므로 peak와 trough를 각각 채혈한다.

3. 약물별 설정 농도 및 채혈시간

1) 항생제

표 12-14 항생제

CPS대상약물	치료혈중농도(mcg/ml)		적정채혈시간	
	Peak	Trough	Peak	Trough
Amikacin	20~30	〈8	투약종료 후 0.5 hr	투여직전
Gentamicin Tobramycin	5~10	〈2		
Vancomycin	20~40	10~15 (15~20*)	투약종료 후 1 hr	

*pneumonia, meningitis, osteomyelitis 등

(2) 천식치료제

표 12-15 천식치료제

CPS 대상약물	치료혈중농도 (mcg/ml)	적정채혈시간		
		최고혈중농도 도달시간	정규채혈	항정상태 도달시간
Theophylline	8~20	지속형) 투여 후 4 hr 속효성) 투여 후 1~2 hr	투여직전	투여시작 2일 후
Aminophylline	8~20	정주) 항정상태 도달 후 필요시) loading dose 투여 후 1 hr	투여직전	투여시작 2일 후

(3) 심혈관계 약물

표 12-16 심혈관계 약물

CPS 대상약물	치료혈중농도 (ng/ml, 전혈)	적정채혈시간		
		독성 의심시	정규채혈	항정상태 도달시간
Digoxin	0.8~2.0	즉시 또는 정맥주사 후 4 h 경구투여 후 6~8 h	투여직전	투여시작 5~7 일 후

(4) 면역억제제

표 12-17 면역억제제

CPS 대상약물	치료혈중농도 (mcg/ml)	적정채혈시간		
		최고혈중농도 도달시간	정규채혈	항정상태 도달시간
Cyclosporine	75~250	경구 투약 후 1.5~2 hr	투여직전	투여시작 2~3 일 후
Tacrolimus	5~20	경구 투약 후 1~3 hr		

(5) 항전간제

표 12-18 항전간제

CPS 대상약물	치료혈중농도 (mcg/ml)	적정채혈시간		
		최고혈중농도 도달시간	정규채혈	항정상태 도달시간
Carbamazepine	4~12	지속형 투약 후 4~6 hr	투여직전	투여시작 2~12일 후
Phenytoin	10~20	경구 투약 후 1.5~3 hr 주사 후 1~2 hr		투여시작 8~50일 후
Phenobarbital	15~40	경구 투약 후 1~3 hr 주사 후 2 hr		성인 : 투여 후 10~25일 소아 : 투여 후 8~15일
Valproic acid	50~100	경구 투약 후 3~8 hr 주사 후 1 hr		투여시작 2~3일 후

V 임상약동학 자문업무시 각 단계별 고려사항

1. 정보 수집 및 분석

1) 자문의뢰 목적 및 해당 환자에 대한 상태 파악

환자와 관련된 정보들 즉, 키, 몸무게, 나이, 성별, 인종 등의 기본사항과 환자의 질병상태에 관련된 SOAP (subjective, objective, assessment, plan) 노트를 작성하고 환자의 각종 검사수치, 즉 CBC (complete blood count), 혈중 알부민, 간기능 및 신기능 검사, 미생물배양검사 등을 검토한다. 필요한 경우 협진기록 등을 참조하고, 환자 챠트나 검사수치만으로 환자의 병태생리학적 상태 또는 임상약동학 자문 의뢰의 목적 등에 대한 명확한 파악이 어려울 경우에는 주치의와 사용목적에 대해 논의하여 올바른 약동학적 자문이 될 수 있도록 한다.

2) 자문의뢰 약물의 투여 시각과 방법 및 채혈시각에 대한 검토

약물을 환자에게 투여한 시각 및 스케쥴을 EMR과 같은 차트를 통해 파악한다. 약물 투여의 기간은 약물의 혈중농도가 항정상태에 도달하였는가를 평가하는데 중요하다. 항정상태에 이르지 않은 시각에 채혈된 약물농도를 바탕으로 약 용량을 증감할 경우 투여계획 설정에 큰 오류가 있을 가능성이 있다. 또한 약물의 실제 투여시간 및 infusion하는 약물의 경우 주입시간에 대한 정보를 정확히 파악해 내는 것이 정확한 약동학 평가를 위한 기본이다. 또한 간호사나 임상병리사가 기록한 채혈 시각이 정확히 기록 되었는지 여부를 투약스케줄 및 검체접수 시간 등을 고려하여 정확히 파악하도록 한다. 또한 보고된 혈중농도 값이 예측치와 상이한 경우 이를 그대로 약동학 평가에 이용해서는 안되며 채혈 방법 또한 정주약물의 경우 투여한 쪽과 반대쪽에서 채혈되었는지 또는 부득이하게 반대쪽에서 채혈이 어려워 약물이 투약된 곳에서 채혈할 경우 채혈 전 충분히 flushing 되었는지 여부를 확인해야 한다. 특히 분포가 오래 걸리는 약물의 경우 정확한 채혈시각 명기가 필수적이며 약물 분포가 완료된 후 채혈하도록 의료진을 대상으로 충분한 교육이 필요하다. 투약시각도 간호사의 업무상 빠르거나 늦게 투약될 수 있고, 정주시 infusion pump를 사용하지 않을 경우 약물의 투여속도가 때마다 다를 수 있으므로 혈중 약물농도의 약동학적 해석 시 이에 대한 충분한 정보를 얻도록 해야한다.

3) 환자의 복약이행도

약사와 환자간의 신뢰를 바탕으로 올바른 약 복용의 필요성과 임상약동학 자문의 중요성을 환자에게 인지시켜 정확한 복약이행도를 파악해야 한다. 외래에서 theophylline, digoxin 또는 phenytoin 등을 장기 복용중인 환자의 복약 이행률을 확인하고자 임상약동학 자문을 의뢰하는 경우가 있다. 외래환자들의 경우 복약이행률이 입원환자에 비해 좋지 않은 경우가 많아 주어진 처방대로 복용하지 않았을 가능성이 높다. 만약, 환자가 약을 제대로 복용하지 않아 낮아진 혈중 약물농도를 바탕으로 투여용량을 증량시킨다면 심각한 약물 유해반응을 야기할 수 있으므로 정확한 복약이행률의 파악이 중요하다.

4) 약물-약물, 약물-음식물 상호작용

병용 중인 약물이나 음식물로 인하여 치료영역이 좁은 약물의 체내 동태에 변화를 일으킬 수 있으므로 상호작용을 잘 파악해야 한다. 제산제나 cholestyramine과 함께 병용하여 약물의 흡수가 지연 또는 감소되거나, 간 대사 효소를 유도 또는 저해하는 약물은 간의 약물 대사능력에 변화를 주기도 한다. 또한 함께 투여중인 약물이 단백결합률을 변화시켜 임상약동학 자문 대상 약물의 분포나 배설에 영향을 주기도 하므로 이에 대해 반드시 고려하여 정보를 파악해야 한다.

5) 약물의 투여경로

약물의 투여경로에 따라 생체이용률이 현저히 달라지는 약물을 숙지하여 임상약동학 자문에 반영해야 한다. 예를 들어, phenytoin 정제를 산제로 조제하여 L-tube feeding중인 환자에게 투약할 경우, 각 환자마다 약물 흡수가 불규칙하고 문헌에 따라 차이는 있으나 약 75%까지도 약물의 흡수가 감소될 수 있으므로 반드시 고려해야 한다. 경구용 vancomycin은 거의 흡수가 되지 않으므로 MRSA의 치료목적으로 사용될 수 없으나 Clostridium difficile로 인한 위막성 대장염 치료의 경우 경구로 처방된다. 이 경우 체내흡수가 거의 되지 않으므로 혈중약물농도 측정이 필요하지 않다. MRSA 치료를 위해 주사로 투여하던 환자에서 경구로의 제형전환 목적으로 처방을 내는 경우 잘못된 처방이므로 반드시 처방오류에 대한 정정이 있어야 한다.

2. 기타 고려사항

1) 약물제형에 대한 정확한 이해

제형의 전환이 필요할 경우, 동일 약품 중에서도 제형간의 생체이용률이 현저히 달라지는 약물이 있으므로 이를 고려하여 투여량과 간격을 결정해야 한다. Digoxin의 예를 살펴보면 현재 국내 사용 중인 제형에는 주사제, 정제, 엘릭서가 있다. 제약회사마다 약간의 차이는 있으나 생체이용율은 각각 1.0, 0.7, 0.8 정도이다. 따라서 digoxin 정주 0.25 mg 1일 1회 투약 후 다른 제형으로 변경할 경우 동 치환용량은 이론적으로 정제는 약 0.357 mg, 엘릭서는 약 0.313 mg이 해당 한다.

2) 약인성 유해반응

혈중 치료유효농도를 유지하고 있으나 약물로 인한 이상반응이 드물게 발현하는 경우가 있다. 이런 약인성 유해반응이 의심될 경우, 유해반응의 발현이 환자의 질병상태나 사용 중인 다른 약물, 기타 인자 등과 관련성이 있는지 여부를 신중히 판단해야 한다. 약인성 이상반응이 명확한 경우에는 혈중약물농도가 치료영역 내에 있어도 투여량을 조절할 수 있으며 경우에 따라서는 주치의와 상의하여 약물 투여를 중단할 수 있다.

3. 약동학적 변수의 산출

투여된 약 용량과 혈중 약물농도를 환자의 병리생태학적인 상태를 고려하여 약동학적으로 해석한다. 일반적으로 선형 약물속도론을 따르는 약물의 경우 약동학적 변수인 소실속도정수, 분포용적, 클리어런스 등을 산출하고 비선형 약물속도론을 따르는 약물의 경우는 최대대사속도와 Km을 산출한다. 산출된 파라미터를 활용하기 전에 산출된 파라미터가 환자의 상태 및 문헌에서 제시되고 있는 population범위를 고려해 합리적인 수치인지를 평가하고, 설명하기 어려운 파라미터의 경우 계산상의 오류 또는 기타 이전의 정보수집과정에서 오류가 있었는지 재점검하는 과정이 필요하다.

4. 환자 고유의 약동학 파라미터를 이용한 새로운 투여계획의 설정

환자의 혈중농도로부터 구해진 환자 고유의 약동학 파라미터를 활용하여 현재 약물투여계획을 평가하고 필요시 새로운 투여계획을 설정한다. 이 경우 새로이 설정된 투여계획이 환자의 신기능이나 연령 및 체중을 고려하여 통상적인 상용량 범위 내의 값인지 다시 한번 확인하는 과정이 필요하다. 또한 투여간격의 경우도 실제 투여하기 편한 간격을 설정하는 것이 실제 투약과정에서 오는 혼선을 최소화 할 수 있다. 환자에 따라서는 이례적으로 많거나 적은 용량의 약물투여가 필요한 경우가 있으나 얻어진 데이타를 기반으로 종합적으로 분석하여 다시 한번 새로운 투여계획을 평가해 보는 것을 습관화 하도록 한다. 이는 계산하는 과정의 오류를 최소화하고 계산에만 의존하는 경우 발생하기 쉬운 과용량 혹은 저용량의 투여를 줄일 수 있어 합리적이고 안전한 약물요법을 위한 기본이라고 할 수 있다.

5. 임상약동학 자문보고서 작성 및 전달과 추적관찰

임상약동학 자문 보고서에는 환자의 질병명, 자문이 의뢰된 약물의 투약이력, 환자 개별적으로 구해진 약동학적 파라미터, 측정된 혈중약물농도의 평가, 현재 투여계획 평가 또는 투여계획 조정, 추천되는 다음 채혈 시각 등을 언급하여 작성, 보고한다. 환자가 위급하거나 혈중약물농도의 빠른 해석이 필요할 경우 직접 구두나 전화로 주치의에게 알린다. 자문 보고 후 추천된 약용량과 용법으로 변경되었는지, 약물로 인한 독성의 발현, 환자의 질병상태의 변화나 검사치의 유의한 변화가 있는지의 여부를 주기적으로 추적관찰한다.

VI 약물동력학에 사용되는 기본방정식

1. 선형 약동학

신뢰도 높은 약동학적 파라미터를 산출하는 기본은 적절한 수식을 적용하는 것이다. 일반적으로 혈중 약물농도 해석과 약물투여계획의 평가와 수립에 필요한 약물동력학적 변수는 다음 수식을 이용하여 산출한다. 여기에서는 항정상태에 도달시 약동학적 파라미터를 구하는 식을 소개하였다.여기서는 복잡한 경구용 제제의 계산식은 생략하였다. 식에 대한 자세한 사항은 관련 문헌을 참조한다.

$\tau \le 1/3$ of $t_{1/2}$ → Continuous infusion model

〉 1/3 of $t_{1/2}$ → Intermittent infusion =〉 if tin $\le$ 1/6 of $t_{1/2}$ → Bolus infusion model

〉 1/6 of $t_{1/2}$ → Short infusion model

1) Continuous infusion model

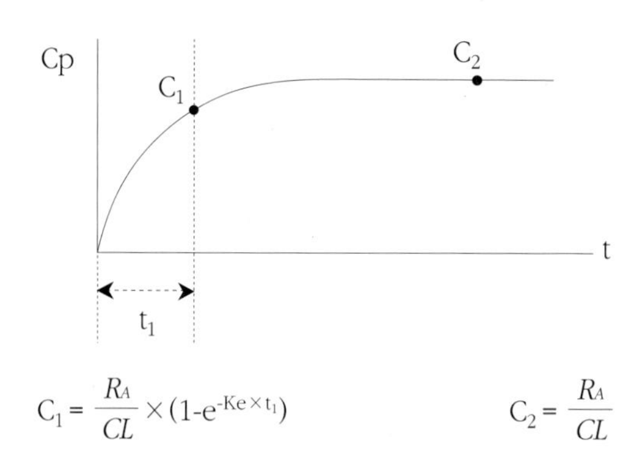

2) Bolus model (항정상태)

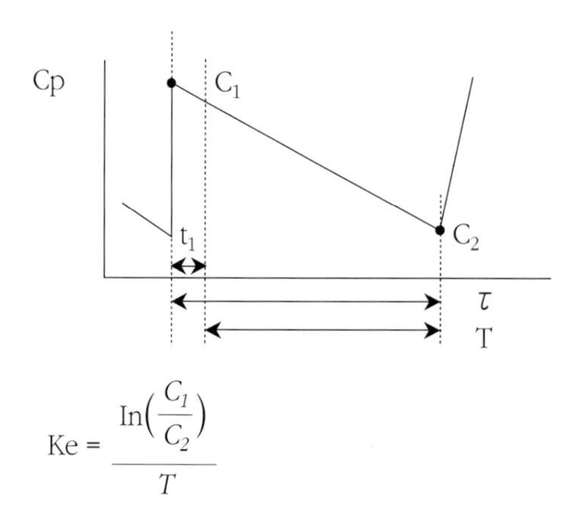

3) Short infusion model (항정상태)

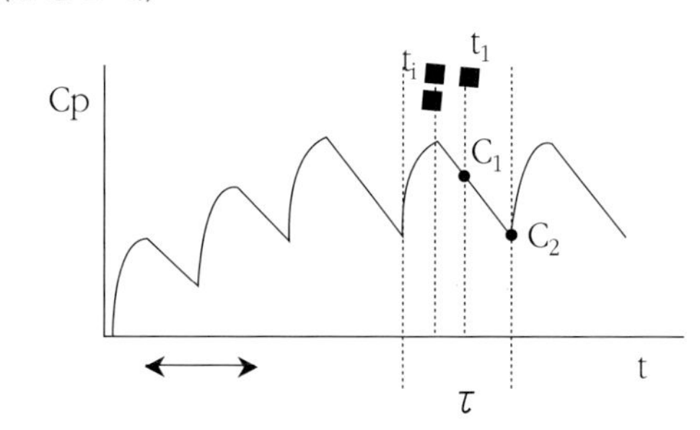

$$Ke = \frac{In\left(\frac{C_1}{C_2}\right)}{\tau - t_1 - t_1}$$

$$C_1 = \frac{Dose \times e^{-Ke \times t_1}}{Ke \times Vd \times t_i} \times \frac{1-e^{(-Ke \times t_1)}}{1-e^{(-Ke \times \tau)}} \qquad C_2 = C_1 \times e^{-Ke \times (\tau - t_i - t_1)}$$

2. 비선형 약동학

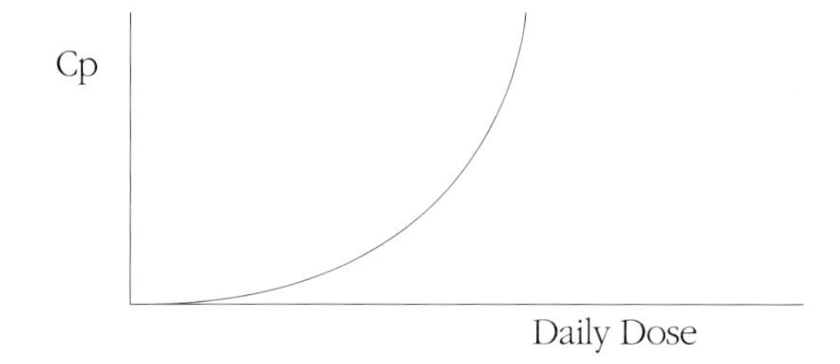

Ke	소실속도정수
Vd	분포용적
CL	클리어런스
R_A	투여속도
Km	Vmax/2일 때의 혈중약물농도

$$R_A = \frac{Vmax \times Cp_{ss,ave}}{km + Cp_{ss,ave}} \qquad Cp_{ss,\ ave} = \frac{Km \times R_A}{Vmax - R_A}$$

VII 임상약동학 업무의 실제

예제) P.M 은 60세의 남자환자(166 cm/60 kg)로 endotracheal aspiration culture 결과에서 Methicillin-resistant Staphylococcus aureus가 검출되어 vancomycin을 투여하였다. Vancomycin은 1000 mg을 12시간 간격으로 7 am, 7 pm에 투여하였다. 투여시작 3일째 vancomycin 최저혈중농도(7 am)와 최고혈중농도(9 am)를 측정과 함께 임상약동학 자문이 의뢰되었다. 측정된 vancomycin 최고혈중농도는 27.42 ㎍/ ㎖이었으며 최저혈중농도는 10.64 ㎍/㎖이었다.

C.C) dyspnea, fever, onset : 1 month ago

PI) Previous healthy

2011. 08.02 Early gastric cancer 진단
2011. 08.22 Subtotal gastrectomy, done
2013. 02.12 Fever, chilling sense, dyspnea 로 O O 병원 입원
RLL pneumonia septic shock으로 ICU 입원하여 치료
2013. 02.13 Further management 위해 △병원 ER refer
Septic shock with respiratory failure로 further management위해 ICU 입원함.

DDχ.) Ventilator-associated pneumonia

Lab (2/13)
: WBC 13 x 10^3/㎕, RBC 3.18 x 100^3/㎕, Hgb 9.5 g/㎗, PLT 90x 10^3/㎕ , Seg 78%, ESR 61 mm/h, CRP 10.5 mg/㎗, Total protein 5 g/㎗, Albumin 3 g/㎗, Total bilirubin 0.4 mg/dl, AST 11 U/ ℓ , ALT 8 U/l, ALP 72 U/ ℓ , BUN 31 mg/㎗, Scr 0.7 mg/㎗

Cx.【검사명】Gram Stain and Culture, Bacteria

==

【검체】(Endo)Tracheal Aspiration- Organism : Staphylococcus aureus, many.

==

Isolate : #01

Organism : Staphylococcus aureus, many.

Antibiotics	MIC	Susceptibility
Cefoxitin Screen	Pos	+
Benzylpenicillin	〉=0.5	R
Oxacillin	〉=4	R
Gentamicin	〉=16	R
Habekacin	〈=1	S
Ciprofloxacin	〉=8	R
Inducible Clindamycin Resistance	Neg	-
Erythromycin	〉=8	R
Telithromycin	〉=4	R
Clindamycin	〉=8	R
Quinupristin/Dalfopristin	〈=0.25	S
Linezolid	2	S
Teicoplanin	〈=0.5	S
Vancomycin	〈=0.5	S
Tetracycline	〉=16	R
Tigecycline	0.5	S
Nitrofurantoin	32	S
Fusidic Acid	〉=32	R
Mupirocin	〈=2	S
Rifampicin	〈=0.5	S
Trimethoprim/Sulfamethoxazole	〈=10	S

Vancomycin 투약스케쥴

날짜	약	doasge	투여시각	채혈	혈중농도
2/13	vancomycin	1 g q12hrs	7:00 pm (#1)	x	x
2/14	vancomycin	1 g q12hrs	7:00 am (#2)		
			7:00 pm (#3)		
2/15	vancomycin	1 g q12hrs	7:00 am (#4)	7:00 am (trough)	10.6 mcg/ml
			7:00 pm (#5)	9 :00 am (peak)	27.4 mcg/ml

1) 상기 환자의 SOAP note를 작성하시오.
2) 환자의 신기능을 평가하고 약동학 population 파라미터를 산출하시오.
3) 환자의 vancomycin target range를 설정하고, 주어진 혈중농도를 이용하여 환자의 약동학 파라미터 (Vd, K, CL, $t_{1/2}$)를 산출하시오.
   ① 구해진 파라미터를 population값과 비교하여 적합성 여부를 평가하시오.
4) 환자의 현재 약물투여계획의 적정성을 평가하고 새로운 투여계획을 설정하시오.
   ① 새로운 투여계획의 약용량이나 투여간격의 적합성을 평가하시오.
5) 상기 환자의 vancomycin 임상약동학 자문보고서를 작성하시오.

참고문헌

- APhA : Drug information handbook 21st edition, LEXI-COMP (2012~2013)
- Burton et al : Applied Pharmacokinetics and Pharmacodynamics 4th ed., Lippincott Williams and Wilkins (2006)
- John E. Murphy : Clinical pharmacokinetics 4th edition, ASHP (2007)
- Joseph T. DiPiro et al : Concepts in clinical pharmacokinetics, ASHP (2005)
- Larry A. Bauer : Clinical Pharmacokinetics Handbook International ed., The McGraw-Hill Companies, INC. (2006)
- Michael E. Winter : Basic clinical pharmacokinetics, 5th edition, Lippincott Williams and Wilkins(2010)

_13

임상영양요법

Objectives 

▶ 환자의 영양상태 평가 방법과 영양요법의 기초 지식을 습득한다.
▶ 정맥영양요법의 원리와 실제 임상에서의 적용을 학습한다.
▶ 영양집중지원팀에서의 약사의 역할을 이해한다.

음식 섭취후 체내 흡수되는 영양소의 수와 종류는 매우 많고 다양하다. 섭취한 음식물을 잘게 잘라 소화액과 섞어 영양소를 흡수하고 배설하는 과정은 화학공장에 비유될 정도로 매우 복잡하고 인위적인 보완이 매우 어렵다.

여러 이유로 경구 섭취가 어렵거나 불가능할 경우, 환자의 심각한 영양 불량 상태는 질병의 예후를 나쁘게 하고 병원비용을 증가시킨다는 연구가 많이 알려져 있다. 이에 임상영양요법 전문가로서의 약사는 환자의 영양 상태를 호전시켜 치료효과를 극대화하고 의료비 절감에 기여한다.

I 영양 상태 평가

음식 섭취 후 여러 원인들로 인해 영양소의 흡수나 소화에 장애가 있거나, 체내 필요한 영양 요구량이 영양 공급량에 비하여 매우 증가될 경우 영양결핍(malnutrition)이 발생할 수 있다.

영양 결핍은 체내 내장 단백(visceral protein), 혈장 단백(plasma protein; albumin, globulins, transferrin, and other transport proteins), 면역글로불린(immunoglobulins), 혈액응고인자 등의 체내 합성을 줄여 순환되는 혈장량과 혈액 성분을 변화시킨다. 또한 사고나 수술로 인한 손상이나 체내 염증에 대한 방어 기능을 떨어뜨려 환자의 치료 효과를 감소시키고 이로 인하여 재원 일수와 치료 비용의 증가를 야기할 수도 있다. 따라서 환자의 영양 상태를 파악하고 영양학적으로 문제가 있는 환자를 가능한 빨리 선별하여 적극적인 영양요법을 시행함으로써 영양 결핍을 개선시켜야 한다.

1. 영양 상태 스크리닝(Nutritional Screening)

영양 상태 스크리닝은 영양요법(nutrition care)의 첫 번째 단계로 병원에 내원하거나 입원한 모든 환자를 대상으로 EMR이나 여러 스크리닝 도구를 이용하여 영양 불량 상태의 환자를 선별하는 것이다.

1) 임상적인 평가(Clinical Evaluation)

식욕결핍, 구토 및 설사와 식사량 감소, 최근 섭취량의 변화 등 최근 nutrition history를 파악하여 영양 결핍이 될 수 있는 임상적 원인을 평가한다.

표 13-1 Nutritional history screen

Mechanism of deficiency	If history of	Suspect deficiency of
Inadequate intake	Alcoholism	Calories, protein, thiamin, niacin, folate, pyridoxine, riboflavin
	Avoidance of fruit, vegetables, grains	Vitamin C, thiamin, niacin, folate
	Avoidance of meat, dairy products, eggs	Protein, Vitamin B_{12}
	Constipation, hemorrhoids, diverticulosis	Dietary fiber
	Isolation, poverty, dental disease, food idoiosyncrasies	Various nutrients
	Weight loss	Calories, other nutrients
Inadequate absorption	Drugs (especially antacids, anticon-vulsants, choletyramine, laxatives, neomycin, alcohol)	
	Malabsorption (diarrhea, weight loss, steatorrhea)	Vitamins A, D, K, calories, protein, calcium, magnesium, zinc
	Parasites	Iron, vitamin B_{12} (fish tapeworm)
	Pernicious anemia	Vitamin B_{12}
	Surgery	
	Gastrectomy	Vitamin B_{12}, iron, folate
	Intestinal resection	Vitamin B_{12} (if distal ileum), iron, others as in malabsorption
Decreased utilization	Drugs (especially anticonvulsants, antimetabolites, oral contraceptives, isoniazid, alcohol)	
	Inborn errors of metabolism (by family history)	Various nutrients

Increased losses	Alcohol abuse	Magnesium, zinc
	Blood loss	Iron
	Centesis (ascetic, pleural taps)	Protein
	Diabetes, uncontrolled	Calories
	Diarrhea	Protein, zinc, electrolytes
	Draining abscesses, wounds	Protein, zinc
	Nephrotic syndrome	Protein, zinc
	Peritoneal dialysis or hemodialysis	Protein, water-soluble vitamins, zinc
Increased requirements	Fever	Calories
	Hyperthyroidism	Calories
	Physiologic demands (infancy, adolescence, pregnancy, lactation)	Various nutrients
	Surgery, trauma, burns, infection	Calories, protein, vitamin C, zinc
	Tissue hypoxia	Calories (inefficient utilization)
	Cigarette smoking	Vitamin C, folic acid

from Morgan S. L., Weinsier R. L., Fundamentals of Clinical Nutrition, 2ed, 175, 1998

2. 영양 상태 평가(Nutritional Assessment)

영양 상태 평가는 영양상태 스크리닝을 통해 선별된 영양 불량 환자를 대상으로 영양 요법의 목표와 방법을 결정하고 모니터링하기 위한 단계이다.

영양 상태 평가는 신체 계측으로 환자의 체단백과 체지방의 저장 상태를 파악하고, 혈중 생화학적인 지표(biochemical indices) 측정 결과와 최근 환자의 몸무게 변화, 환자의 영양력(nutritional history)과 치료력(medical history) 등을 종합적으로 파악해야 한다.

1) 신체계측치(Anthropometric Measurement)

쉽고 값싸게 체지방 저장 상태를 판단할 수 있으나 측정하는 사람에 따라 결과치가 다르고 환자의 수화상태에 영향을 받으므로 정확하지 않아 최근 영양 상태 평가에서 차지하는 비중이 감소하였다.

(1) 말초지방저장 측정

체내 지방량의 50%정도가 피하에 존재하므로 상박부 중앙(mid-upper arm)의 triceps skin fold (TSF)를 caliper로 직접 측정하여 말초지방저장 상태를 평가한다. 매우 서서히 변화가 일어나므로 영양 상태의 급성 변화를 알 수 없다.

(2) 말초단백저장 측정

체내 단백질의 60%는 근육에 존재하며 영양결핍 시에는 근육에서 단백질의 분해가 일어나므로 상박부 중앙의 둘레를 줄자로 측정한 mid-arm circumference (MAC)로 평가한다.

근육저장상태를 나타내는 지표로서 mid-arm muscle circumference (MAMC)를 계산해 평가할 수도 있다.

$$MAMC = MAC\ (cm) - [0.314 \times TSF\ (mm)]$$

2) 생화학적인 지표(Biochemical Indices)

(1) 알부민(Serum Albumin) 3.5~5.2 g/dl

간에서 생성되며 영양상태 평가 시 가장 널리 이용되는 지표이다. 알부민은 체내 분포용적이 크고 반감기가 2~3주로 길어 장기간의 영양 상태를 나타내는 지표로 이용된다. 그러나 간기능, 수화상태, 약물, 수술, 전신 염증 반응 증후군 (systemic inflammatory response syndrome, SIRS) 등의 요인에 의해 영향을 받아 수치가 변화하므로 최근에는 감염이나 질병의 위중도(severity)를 반영하는 지표로 사용되기도 한다.

(2) 트랜스티레틴(Transthyretin, Prealbumin) 19~40 mg/dl

과거 전기영동법(electrophoresis)으로 검출시 알부민보다 먼저 검출된다 하여 프리알부민으로 불리우기도 한 트랜스티레틴은 레티놀(retinol, 비타민 A)과 트리아이오도타이로닌(triiodothyronine, T3)을 모두 운반하므로 transthy(roxin)retin(ol)로 명명되었다. 반감기가 약 2~3일로 간에서 합성되어 혈중 존재하고 간기능 저하, 임신, 화상, 단백질 부족, SIRS시 저하된다. 반대로 신기능 저하시에는 배설이 감소되어 증가된다. 단기간의 영양 상태의 변화 및 단백섭취를 반영하므로 초기 영양상태 평가 및 적절한 영양공급에 유용한 지표이나 환자 상태에 따라 수치변환의 경향을 확인해야 한다.

(3) 트랜스페린(Transferrin) 200~400 mg/dl

반감기가 약 8~10일로 알부민에 비해 짧고 체내 저장량이 많다.

(4) 총임파수구(Total Lymphocytes Count, TLC) 20~40%

총임파수구를 이용하여 면역상태 및 영양결핍상태를 확인할 수 있으나 감염, 면역억제제와 같은 영양 외적인 영향을 고려해야 한다.

$$TLC\ (cells/mm^3) = WBC\ (cells/mm^3) \times lymphocytes/100$$

3) 체중 변화 (Weight Change)

영양섭취가 불충분할 경우 체내 단백과 지방이 에너지원으로 소모되어 나타나므로 체중의 변화는 가장 간편하게 이용할 수 있는 지표이다. 이상체중, 평소체중과 최근의 체중변화를 이용해 영양 결핍의 심각도를 판단할 수 있다. 체중의 감소뿐 아니라 증가도 영양 상태의 문제를 나타낸다.

(1) 성인

① 이상체중 (Ideal Body Weight, IBW)

a. 체질량지수(Body Mass Index, BMI) 이용법

- 남자 : IBW (kg) = 키(m)^2 × 22
- 여자 : IBW (kg) = 키(m)^2 × 21

b. 체질량지수(Body Mass Index, BMI)

- 체질량지수는 체중 및 체지방량과의 상관관계가 크므로 체중상태 평가뿐만 아니라, 건강상의 위험여부 및 비만의 판정에도 많이 이용된다. 통상적으로 정상 BMI는 18.5-24.9 kg/m^{2}으로 정의되며, 한국인은 18.5-22.9 kg/m^{2}이 정상이다.
- BMI (kg/m^2) = 체중(kg)/신장(m)^2

c. BMI에 따른 비만 분류

표 13-2 BMI에 따른 비만 분류

Obesity class	BMI, kg/m^2
Underweight	〈18.5
Normal	18.5-24.9
Overweight	25-29.9
Obesity, class I	30-34.9
Obesity, class II	35-39.9
Obesity, class III	≥40

d. Broca 변형법

- 150 cm 이하 : IBW (kg) = (키 cm - 100)
- 150~160 cm : IBW (kg) = (키 cm - 150) × 0.5 + 50
- 160 cm 이상 : IBW (kg) = (키 cm - 100) × 0.9

e. Hamwi 공식 이용법

- 남자 : 처음 5 feet, 106 lb에 1 inch 초과 시 6 lb를 더한다.
- 여자 : 처음 5 feet, 100 lb에 1 inch 초과 시 5 lb를 더한다.

② 이상체중 백분율(Percent of Ideal Body Weight, %IBW)

a. 현재체중(Actual Body Weight, ABW)을 이상체중과 비교하여 영양결핍의 정도를 평가한다.

b. % IBW = ABW/IBW × 100

c. 80-90% : mild malnutrition

d. 70-79% : moderate malnutrition

e. 〈 70% : severe malnutrition

③ 평소체중 백분율(Percent of Usual Body Weight)

a. 현재체중을 평소체중(Usual Body Weight, UBW)과 비교하여 영양결핍의 정도를 평가한다.

b. % UBW = ABW/UBW × 100

c. 85-90% : mild malnutrition

d. 75-84% : moderate malnutrition

e. 〈 75% : severe malnutrition

④ 체중감소의 심각도(Severity of Weight Loss)

a. 최근 일정기간 동안의 체중변화율을 통해 체중감소의 심각도를 알 수 있다.

b. 체중변화율 = [(평소체중 - 현재체중) ÷ 평소체중] × 100

⑤ 체중을 나타내는 약어 정리

a. ABW : Actual Body Weight

b. BMI : Body Mass Index

c. CBW : Current Body Weight

d. IBW : Ideal Body Weight

e. UBW : Usual Body Weight

f. PIBW : Percent of Ideal Body Weight

(2) 소아

소아에게 영양 공급이 적절하지 않으면 성장에 문제가 발생하므로 성장의 속도를 이용해 영양 상태를 평가한다. 단기간에 걸쳐 영양 공급이 부족하면 체중 증가가 더디거나 변화가 없고 장기간에 걸쳐 영양공급이 부족하면 키의 성장에 영향을 미친다.

표 13-3 체중감소의 심각도(Severity of Weight Loss)

Time	Significant loss	Severe loss
1 week	1 ~ 2%	〉2%
1 month	5%	〉5%
3 months	7.5%	〉7.5%
6 months	10%	〉10%

소아의 성장 곡선(Growth chart)에서 10th percentile 이하는 영양부족을 나타내고 90th percentile이상은 영양과다로 평가한다.

① 키 (Height)

만성 영양 상태 평가에 사용된다.

② 체중 (Weight)

a. Weight for age

영양상태를 평가하며 소아의 현재 나이를 바탕으로 50th percentile의 몸무게를 IBW로 하여 현재 체중을 비교한다.

b. Weight for height

현재 환아의 키에 해당하는 50th percentile의 몸무게를 IBW로 하여 현재 체중을 비교한다.

c. Waterlow classification

③ 체중변화 (Weight change)

성인에서의 기준과 동일하다.

a. Acute nutrition status = actual weight × 100 / (50th percentile weight for height)

b. Chronic nutrition status = actual height × 100 / (50th percentile height for age)

④ 머리 둘레 (Head circumference)

생후 36개월까지의 영양 상태를 반영하며 키나 체중을 바탕으로 한 수치로, 영양 상태에 의한 변화가 늦게 나타난다.

⑤ Z-score

a. Z-score = (실제값 - 중간값)/표준편차

b. 소아 성장곡선에서 중간값을 기준으로 표준 편차로 환산한 단위로 키와 체중에 적용한다.

c. -2~+2 사이가 정상이다.

표 13-4 소아의 영양 불량 상태 분류

Grade of malnutrition	Weight for age (%)	Weight for height (%)
Normal	〉95	〉90
Mild	90~95	81~90
Moderate	85~89	70~80
Severe	〈85	〈70

Gomes et al. J of Trop Pediatrics, 1956;2:77

II 영양 상태의 분류(Nutritional Assessment)

1. 영양 지표를 이용한 영양 상태 구분

영양 상태를 판단하는 절대적인 수치는 없으므로 아래 표 13-5에서와 같이 종합적인 평가를 통해 영양 상태를 판단한다.

표 13-5 영양 지표를 이용한 영양 상태 분류

Indicators	Malnutrition		
	Mild	Moderate	Severe
체지방 (Fat reserves)			
TSF (Percentile)	25~15th	15~5th	〈5th
체단백 (Somatic protein)			
% IBW (%표준체중)	80~89	70~79	〈70
% UBW (%평소체중)	85~90	75~84	〈75
Weight loss (%)	〈5%/mo	〉5%/mo	〉2%/wk
	〈10%/6mo	〉10%/6mo	
MAMC (%)	81~90	70~80	70
내장단백 (Visceral protein)			
Albumin (g/dl)	2.8~3.2	2.1~2.7	〈 2.1
Transferrin (mg/dl)	150~200	100~149	〈100
면역기능 (Immune competence)			
TLC (총임파구수, cells/mm^3)	1200~1500	800~1200	〈 800

from Scott A.Shikora, Nutrition Support,theory and therapeutics, 35, 1997

2. 영양결핍의 국제질병분류기호 ICD-CM code (International Classification of Disease, 9th Revision Clinical Modification)

현재 체중상태 및 체중감소정도와 albumin에 따라 영양결핍의 상태를 분류하여 질병분류기호를 부여한다.

표 13-6 영양 결핍과 관련된 ICD-9 code

Type	Code	특징	Weight loss 및 % IBW	Albumin
Kwashiorkor	260	영양결핍에 의한 부종, 피부와 머리카락의 색소침착이상(+)	≤ 10% loss	〈 2.5 g/dl
Marasmus	261	Semistarvation, 심한 영양불량	20% loss & 〈 80% IBW or 〈 70% IBW	≥ 2.5 g/dl
Severe PCM	262	영양결핍에 의한 부종, 피부와 머리카락의 색소침착이상(-)	〉 10% loss (〈 60% IBW)	〈 2.5 g/dl
Moderate malnutrition	263.0	Mixed marasmus with hypoalbuminemia	〉 15% loss (60 ~ 75% IBW)	≤ 3.2 g/dl
Mild malnutrition	263.1	Mixed marasmus with hypoalbuminemia	10~15% loss (75 ~ 90% IBW)	≤ 3.2 g/dl
Other PCM*	263.8	1. Not depleted but reduced or septic Wt loss 〈 5%, albumin ≤ 3.2 g/dl 2. Moderate Wt loss planned major surgery Wt loss 〉 10%, albumin 〉 3.2 g/dl 3. Moderate depletion with mild Wt. loss Wt loss 〉 5%, albumin ≤ 3.2 g/dl 4. Inability to eat ≥ 7 days (actual or predicted)		

* PCM : Protein-Calorie Malnutrition

from J ADA,AProposedrevisionofcurrentICD-9-CMmalnutritioncodedefinitions,1996

3. 영양결핍의 분류

1) Marasmus형

만성적으로 총열량 섭취가 부족하여 발생하며, 신체적 스트레스가 없는 단순한 영양불충분에 의한 것으로 체단백(somatic protein)과 지방 저장은 감소하여 외관상 환자는 약간 마른 신체구조를 보이고 쇠약해 보이나 albumin 등의 내장단백은 정상이다.

2) Kwashiorkor형

비교적 단기간에 걸쳐 발생되며 단백질의 결핍이 원인이다. 섭취 에너지량은 충분하나 단백질이 부족한 경우 내장단백이 소모되어 낮은 albumin으로 인해 부종 상태를 보이거나, 패혈증, 수술, 화상, 외상 등의 신체적 스트레스로 인해 비정상적인 대사 변화로 내장단백이 소모되어 저항력 저하, 상처치료의 지연, 면역체계의 손상 등이 올 수 있다.

3) Marasmic Kwashiorkor형 = Protein-Energy Malnutrition (PEM)

단백열량결핍의 복합적인 형태로 감염 등의 합병증 발생의 위험이 높으므로 적극적인 영양요법이 필요하다.

표 13-7 Malnutrition Type별 특징

구 분	Marasmus	Kwashiorkor	Marasmic kwashiorkor
Nutritional setting	Calorie & protein ↓	Protein ↓	Calorie & protein ↓, stress
Clinical setting	Prolonged starvation, anorexia, chronic illness, elderly	Liquid diets, long-term dextrose IV & NPO	Catabolic stress without nutrition support
Time course to develop	Months to years	Weeks to months	Days to weeks
Clinical features	Starved appearance, Wt/Ht ↓ anthropometrics ↓	May look well-nourished or obese, edema, ascites	Moderately to severely starved, anthropometrics ↓
Lab. findings	Normal visceral proteins	Visceral proteins ↓ TLC ↓, anergic	Immune function ↓ visceral proteins ↓
Mortality rate	Low	High	High

NPO : Nulli(Non) Per Os, TLC : Total Lymphocytes Count

III 영양요구량 산정

영양공급의 목적은 영양결핍을 보정하고 더 이상의 영양결핍이 진행되지 않도록 하여 체중을 증가시키고 상처치유를 원활히 하며, 내장단백량을 유지시켜 면역기능을 향상시키는 데 있다. 따라서 적당한 에너지와 단백요구량을 산출해 보급하는 것이 필요하다.

1. 수액요구량(Fluid Requirements)

수액 요구량은 개인에 따라 다르나 환자의 나이, 수화 상태, 체중, 환경과 기초질환 등 환자의 임상상태와 질병상태에 따라 조절하며, 구토, 설사, 누공, 배액 등의 손실이 큰 경우와 신질환 및 심장질환 등으로 인해 수액을 제한해야 하는 경우를 고려해야 한다.

1) 수분 요구량

(1) 〈 10 kg : 100 ml/kg

(2) 10~20 kg : 1,000 ml + 50 ml/kg over 10 kg

(3) 〉 20 kg : 1,500 ml + 20 ml/kg over 20 kg

2) 평균 수분 요구량 = 30~35 ml/kg/d + amount lost

2. 에너지 요구량(Energy Requirements)

1) 성인에서의 에너지 요구량

각 환자에게 필요한 에너지 요구량은 기본 대사 요구량, 생리적 활동, 스트레스, 동화작용 및 환경에 따라 달라질 수 있다. 환자 개인 별로 간접열량측정기(indirect calorimetry)를 이용하여 기초 대사량을 산출하는 것이 가장 정확하나, 이 기계를 사용할 수 없는 경우엔 여러 가지 공식을 이용하여 환자의 기초 대사량을 계산하고, 스트레스 및 활동정도에 따른 요구량을 더해 구할 수 있다.

(1) 기초 대사량(Basal Energy Expenditure, BEE)

① Harris-Benedict equation : 가장 고전적

a. BEE (man)= 66.47 + 13.75 Wt (kg) + 5.0 Ht (cm) - 6.76 (age)

b. BEE (woman)= 655.1 + 9.56 Wt (kg) + 1.85 Ht (cm) - 4.68 (age)

② Penn State University equation : 인공호기(mechanical ventilation) 중환자에게 이용

a. 60세 미만

- Restinc metabolic rate (RMR) (kcal/d) = MSJ (0.96) + Tmax (167) + VE (31) - 6212

b. 60세 이상

- RMR (kcal/d) = MSJ (0.71) + Tmax (85) + VE (64) - 3085

* MSJ = Mifflin-St Jeor equation (below); VE=minute ventilation (L/minute); Tmax= maximum temperature

c. Mifflin-St Jeor equation

Man (kcal/day) = 5 + 10 × Weight (kg) + 6.25 × Ht (cm) -5 × Age (y)

Woman (kcal/day) = -161 + 10 × Weight (kg) + 6.25 × Ht (cm) -5 × Age (y)

(2) 일일 에너지 요구량(Total Energy Expenditure, TEE)

TEE = BEE × activity factor × stress factor

① Activity factors

a. Confined to bed 1.1~1.2

b. Ambulatory 1.2~1.3

② Stress factors

a. Maintenance 1.0~1.2

b. Surgery minor 1.0~1.1, major 1.1~1.2

c. Trauma 1.2~1.4

d. Cancer 1.1~1.45

e. Infection fever 1.0 + 0.3/℃, peritonitis 1.2~1.5

f. Burns 20% of BSA 1.0~1.5, 20-40% 1.5~1.85, 〉 40% 1.85~2.0

g. Respirator 1.75

2) 소아에서의 에너지 요구량

(1) 나이에 따른 열량 요구량(Estimated Energy Needs)

표 13-8 나이에 따른 열량 요구량(Estimated Energy Needs)

Age range (years)	Killocalories (kcal/kg)
0~1	90
1~7	75~90
7~12	60~75
12~18	30~60
〉 18	25~30

(2) BMR (Basal Metabolic Rate)을 이용한 에너지 요구량

- 남아 : BMR × 1.6~1.75
- 여아 : BMR × 1.5~1.65

표 13-9 나이에 따른 Basal Metabolic Rate (BMR)

	Age range (years)	BMR (kcal/day)
Male	0~3	60.9 Wt (kg) - 54
	3~10	22.7 Wt (kg) + 495
	10~18	17.5 Wt (kg) + 651
Female	0~3	61.0 Wt (kg) - 51
	3~10	22.5 Wt (kg) + 499
	10~18	12.1 Wt (kg) + 746

3. 탄수화물 요구량(Dextrose Requirements)

가장 저렴하고 주된 에너지원이며, 성인, 소아, 유아에서의 요구량이 다르다. 성인에서 ketosis를 막으면서 신경세포와 조혈세포에 필요한 탄수화물을 공급하는 최소필요량은 하루 100~150 g이다. 또한 정상 성인에서 당신생(gluconeogenesis)을 억제하는 산화속도는 2~3 mg/kg/min이고 중환자나 스트레스 상태에서는 최대 5 mg/kg/min까지 투여하는 것이 좋으며, 5 mg/kg/min이상에서는 지방으로 전환된다. 유소아는 성장발달로 인해 요구량이 커서 신생아 및 유아에서는 6 mg/kg/min에서 시작해 10~14 mg/kg/min이고, 16세 이하의 소아에서는 6~9 mg/kg/min이다.

4. 단백 요구량(Protein Requirements)

1) 성인에서의 단백요구량

24시간 Urine urea nitrogen (UUN)을 측정해 양의 질소평형을 유지하기 위한 단백요구량을 결정하거나(2~4 g/day positive), 스트레스 정도에 따른 체중 당 필요량을 정한다. 나이 및 질환에 따라 요구량이 다르다.

(1) Recommended Daily Allowance (RDA) for healthy adults : 0.8 g/kg/day

표 13-10 성인에서의 단백 요구량

Status	Protein (g/kg/day)
Maintenance	1.0~1.2
Moderate stress	1.3~1.5
Severe stress	1.5~2.0
During steroid therapy	2.0

(2) 신부전이나 간부전 환자에게는 단백질 양을 제한하여야 한다.

a. Hepatic failure	0.8~1.0 g/kg/day	
b. Renal failure	No dialysis	0.8~1.0 g/kg/day
	Dialysis	1.0~1.2 g/kg/day
	CAPD	1.2~1.5 g/kg/day

(3) 질소평형(Nitrogen Balance)

질소평형은 개개인의 단백질 공급과 이용의 적절성을 평가한다. 단백 원료와 아미노산 조성에 따라 질소함량은 차이가 있으나 대부분의 경우 질소함량은 16%이다.

질소평형의 목표치는 0 또는 +2 ~ +4 g/day 이다.

N balance (g/day) = N intake - N output

= (24 hr protein intake ÷ 6.25) - (24 hr urinary nitorgen (보통, urea) + 2~4*)

* 2~4 = obligatory N loss (대변, 피부, 체액, 기타)

(4) Non protein calorie-Nitrogen ratio (NPC:N)

단백질 이용을 최적화하기 위해서는 적당한 칼로리가 필요하다. 통상적으로 NPC:N 의 비가 150:1이면 적절하며(신생아의 경우는 200:1), 스트레스 상태에서는(critically ill patients) 단백이용이 증가되므로 100:1이 적절하다.

2) 소아에서의 단백요구량

표 13-11 소아에서의 단백요구량

Age (years)	Protein (g/kg/day)
Infants	2.5~3.0
1~7	1.5~2.5
8~12	1.5~2.5
13~18	1.0~1.5

5. 지질 요구량(Fat Requirements)

고칼로리 공급이나 수분제한 시의 중요한 칼로리원으로 등장성이므로 말초정맥으로 투여가능하다. 필수지방산(Essential Fatty Acid, EFA)의 결핍방지를 위해 1일 열량 요구량의 4~10%를 투여토록 하며, 열량원으로 사용할 때에는 1일 열량 요구량의 25~40%를 투여하고 최대 60%를 넘지 않도록 한다(Max. 성인 2.5 g/kg/day, 소아 4 g/kg/day).

Lipid 투여 시에는 투여속도가 0.11 g/kg/day를 넘지 않도록 하며 실온에서 투여시 오염될 경우 candida 등의 병원균이 증식되어 전신 감염이 우려되므로 24시간 이상 투여하지 않는다. Lipid 투여시 성인은 혈중 triglyceride 농도가 400 mg/dL 이하, 소아는 280 mg/dL 이하를 목표로 한다.

보통 소아의 경우에는 0.5~1.0 g/kg/day로 시작하여 혈중 triglyceride를 확인하면서 0.5 g/kg/day씩 3 g/kg/day까지 증량한다. 중환자는 면역체계에 영향을 미치지 않는 1 g/kg/day로 제한한다.

6. 전해질 및 미네랄 요구량(Electrolytes & Mineral Requirements)

표 13-12 전해질 및 미네랄 요구량

전해질	성 인	Infants/Children	Neonates
Na	1-2 mEq/kg	2~5 mEq/kg	2~5 mEq/kg
K	1-2 mEq/kg	2~4 mEq/kg	2~4 mEq/kg
Mg	10~30 mEq/d	0.3~0.5 mEq/kg	0.3~0.5 mEq/kg
Ca	10~20 mEq/d	0.5~4 mEq/kg	2~4 mEq/kg
P	10~45 mM/d	0.5~2 mM/kg	1~2 mM/kg

현재의 유지 용량 및 검사결과를 확인하고, 요구량을 변화시키는 질병이나 약물, 처치 등의 유무에 따라 환자의 전해질 공급량을 정한다. 아래의 표는 일반적인 일일요구량이며 환자의 상태에 따라 공급량이 크게 달라질 수 있다.

7. 비타민 요구량

비타민은 정상대사 및 세포기능의 유지를 위해 필수적이며, 요구량은 질병상태와 대사기능상태에 따라 다르다. 간기능 및 신기능 장애시 공급량을 감소시키거나 생략한다.

표 13-13 비타민 요구량

Vitamin	1일 성인요구량	MVI® 5ml	Tamipool® 5ml
지용성			
Vitamin A (IU)	3,300	10,000	3,300
Vitamin D (IU)	200	1,000	200
Vitamin E (IU)	10	5	10

Vitamin K (IU)	150	-	-
수용성			
Vitamin C (mg)	200	500	100
Thiamine (mg)	6	50	3.81
Riboflavin (mg)	3.6	12.7	3.6
Niacin (mg)	40	100	40
Pyridoxine (mg)	6	15	4.86
Vitamin B12 (mcg)	5	-	5
Folic acid (mcg)	600	-	400
Pantothenic acid (mg)	15	25	15
Biotin (mcg)	60	-	60

8. 미량원소 요구량(Trace Elements Requirements)

미량원소는 인체에 매우 적은 양이 존재하지만 여러 대사경로와 동화작용, 면역방어 체계 및 기타 특정한 세포의 기능을 유지하기 위해 반드시 필요하다. 신대체 요법 중인 중증신장애가 있을 경우 Cr, Se는 신장으로 배설되므로 조절이 필요하다. Cu, Mn은 담관으로 배설되므로 total bilirubin 10 mg/dl 이상 또는 direct bilirubin 2 mg/dl 이상일 때는 축적될 수 있으므로 감량하거나 사용을 제한한다.

표 13-14 미량원소 요구량

	Neonates (<3 kg) Preterm (mcg/kg/day)	Neonates (3~10 kg) term (mcg/kg/day)	Children (10~40 kg) (mcg/kg/day)	Adolescents (>40 kg)	Pediatric
Zn	400	50~250	50~125	2~5 mg	0.2 mg/kg/d
Cu	20	20	5~20	200~500 mcg	20 mcg/kg/d
Se	2	2	1~2	40~60 mcg	2 mcg/kg/d(Max. 30 mcg)
Cr	0.2	0.2	0.14~0.2	5~15 mcg	0.2 mcg/kg/d
Mn	1	1	1	40~100 mcg	5 mcg/kg/d

IV 정맥영양(Parenteral Nutrition, PN)

경구나 경관영양(enteral feeding, EN)으로 충분한 영양을 공급받지 못하는 환자들에게 적절한 칼로리와 영양 요구량을 산출하여 말초 및 중심정맥을 통해 공급하여 질소 평형 및 내장단백의 유지, 상처 치유, 체중 증가 등의 효과를 기대할 수 있다.

1. PN의 적응증

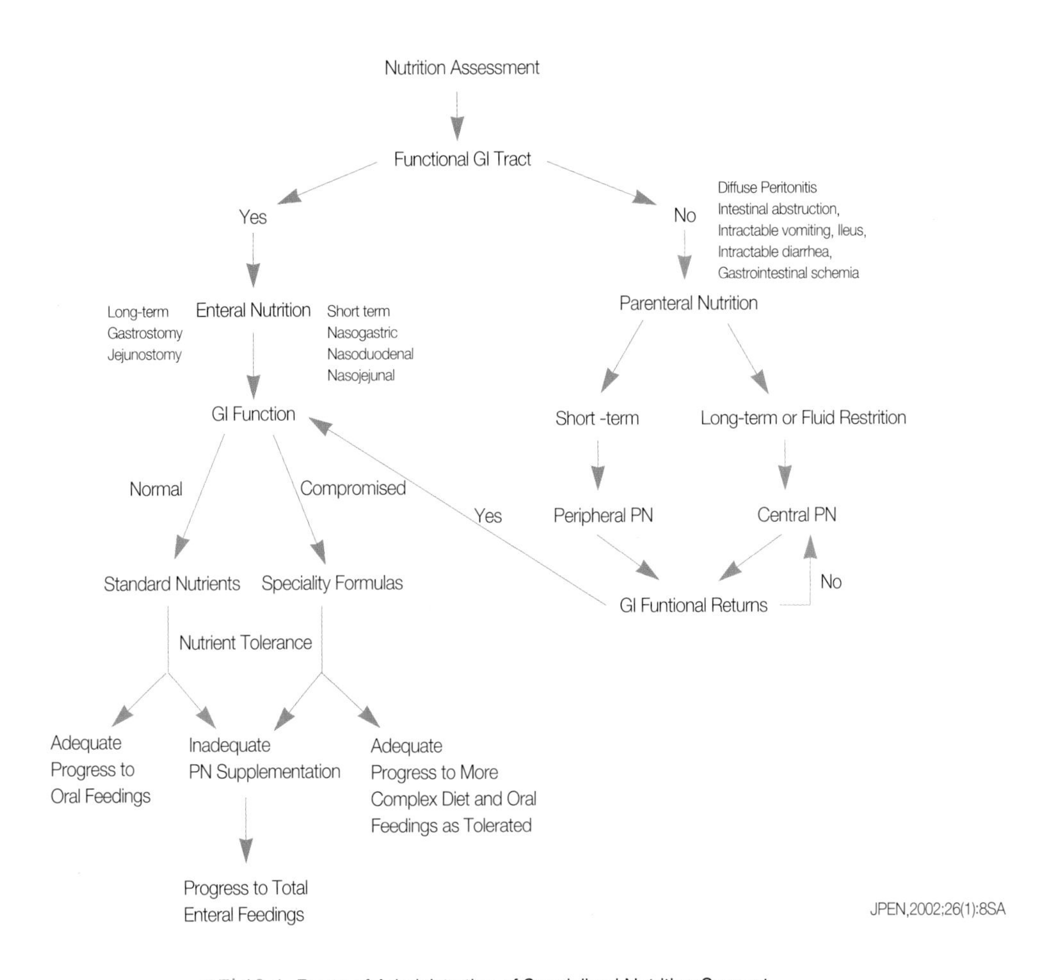

그림 13-1. Route of Administration of Specialized Nutrition Support

(1) 환자가 위장관 장애(enterocutaneous fistula, severe Crohn's disease 등)로 인해 경구 또는 경관(tube)을 통해 음식물을 섭취할 수 없는 경우

(2) 환자가 경구 또는 경관(tube)을 통해 음식물을 섭취할 수는 있으나 동화상태(anabolic state)를 유지하기에 충분하지 않을 경우

2. 영양소의 종류 및 대사

1) Carbohydrates solutions

(1) 종류

① Dextrose

PN에 주로 사용되는 당질은 포도당으로 dextrose monohydrate는 3.4 kcal/g, dextrose nonhydrate는 3.85 kcal/g의 에너지를 낸다.

포도당제품의 농도는 5~70%가 있으며, 주입부위, 열량 요구량, 내당성(glucose tolerance)에 따라 농도를 결정한다. 가장 저렴하고 주된 에너지원으로서 총 열량의 40~60%가 적절하고, 주입전후, 주입하는 동안 혈당(glucose level) 확인이 필요하다. 과잉의 탄수화물 투여로 인한 당질불내성(glucose intolerance), 과잉의 이산화탄소 생산, 지방생성(lipogenesis), 간독성 등을 방지하기 위해 산화속도는 5 mg/kg/min가 적당하다.

② Glycerol

1 g당 4.32 kcal이며, 아미노산과 동시에 사용 시 단백질절약효과(protein sparing effect)가 있다. 성인에서의 안전성자료는 있으나 유소아에서의 안전성과 유효성은 확립되지 않았다. 주로 뇌수술 후 뇌압 조절을 위해 영양 공급과 무관하게 사용되므로 PN에서 열량과 탄수화물 공급량 산출시 고려해야 한다.

③ Sorbitol

1 g당 4 kcal이며, 천연에 존재하는 hexitol 또는 sugar alcohol이다. 인슐린 의존성이 아니기 때문에 고혈당의 발생없이 이용되나, 유산산증(lactic acidosis), 고뇨산혈증(hyperuricemia), liver adenosine triphosphate결핍, 고빌리루빈혈증(hyperbilirubinemia) 등의 독성이 있다.

④ Fructose

1 g당 3.75~4 kcal이며, 천연에 존재하는 monosaccharide이다. Glucose에 비해 대사속도가 빠르며, 내당성이 저하되는 수술 후에도 이용률이 우수하며, 인산화 및 glucose로의 전환 과정에서 인슐린을 필요로 하지 않는다.

(2) 대사

포도당은(C6) 해당작용(glycolysis)을 거쳐 2분자의 pyruvate (C3)와 4 ATP, 2 $NADH_2$가 된다. 생성된 pyruvate는 산소공급이 충분한 상태에서는 mitochondria의 Tricarboxylic acid cycle (그림 13-2)에서 완전 산화되어 CO_2와 H_2O가 되고, 산소공급이 불충분한 혐기적 상태에서는 lactate 또는 ethanol이 된다.

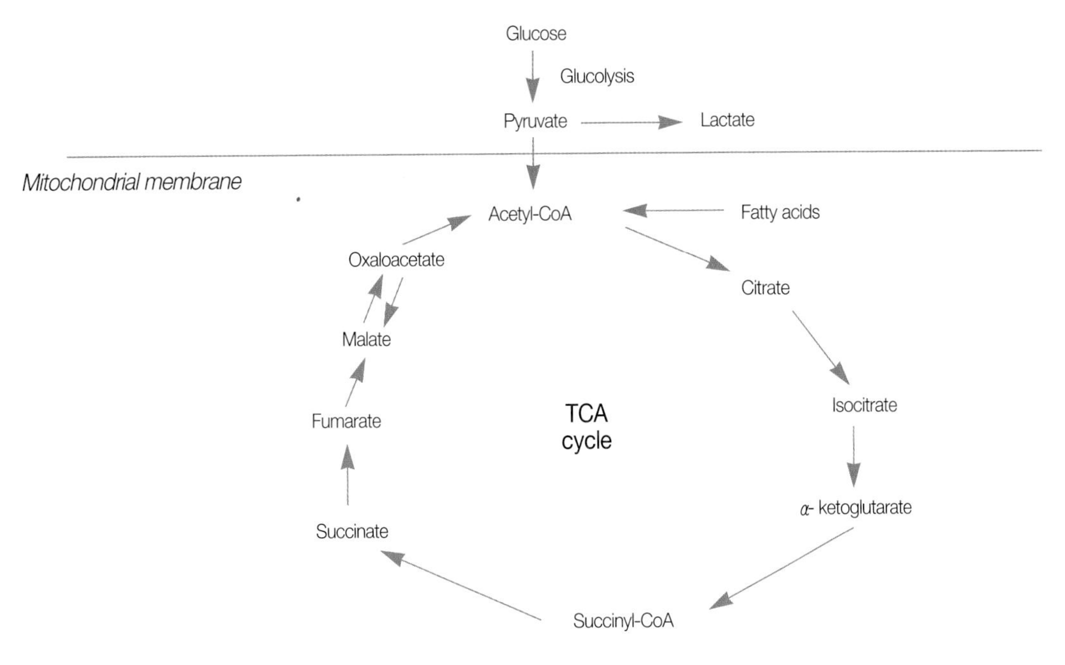

그림 13-2. Tricarboxylic acid (TCA) cycle

2) Amino acids solutions

(1) 종류

① Crystalline amino acids

PN에서는 가장 일반적인 단백공급원으로서 제공되며, 필수아미노산, 비필수아미노산, 조건부 필수 아미노산으로 분류된다.

② Standard amino acids solutions

필수 아미노산과 비필수 아미노산의 mixture로서 3~15%의 제품이 있다.

③ Modified amino acids

특정질환이나 연령별로 요구되는 아미노산을 함유한 제품이 있다.

a. 신장애용 아미노산: 필수지방산을 많이 함유하고 있다. 말기신장애 환자에게서 혈액투석을 시작하는 기간을 연장시키는 데 효과가 있다고 알려져 있으나 투석중인 환자에게는 특별한 장점이 없다.

b. 간장애용 아미노산: 지방조직과 근육에서 산화되는 valine, isoleucine, leucine의 분지형 아미노산(branched chain amino acids , BCAA)이 많이 함유되어 있다. 말기 간장애 시 분지형 아미노산과 방향족 아미노산(aromatic amino acid, AAA)의 균형이 깨져 방향족 아미노산이 brain-blood barrier를 통과하여 false transmitter로 작용하므로, 분지형 아미노산과 방향족 아미노산의 균형을 유지하여 hepatic encephalopathy를 호전시킬 수 있다. 간기능 개선의 효과는 없으므로 비용-효과적인 측면을 고려하여 hepatic encephalopathy grade II 또는 III이상에서만 사용하도록 권고한다.

c. 신생아용 아미노산: 미숙아를 포함한 신생아는 성인과 달리 대사가 완전하지 않아 histidine, tyrosine, cystein 등의 아미노산은 많이 공급하고 triptophan등의 아미노산의 함량은 감소되어 있는 조성이 필요하다.

d. Glutamine: L-glutamine은 소장 점막 및 면역 시스템에서 빠르게 분열하는 세포에 에너지원으로 사용되며 체내에서 합성되는 아미노산이나 systemic inflammatory response syndrome, 심한 스트레스나 감염 상황에서 대사 속도가 크게 증가하는 조건부 필수 아미노산이다.

(2) 대사

아미노산의 산화과정의 첫 단계는 아민(amine)기를 α-케토산에 전달하는 transamination과 조효소의 도움으로 아민기를 떼어내는 deamination이며, deamination된 아미노산은 TCA회로의 여러 물질로 변환되고 산화되어 에너지를 생성하게 된다. 즉 alanine 등은 pyruvic acid를 거쳐 acetyl-CoA로, aspartic acid 등은 fumaric acid로, valine 등은 succinic acid로, arginine은 glutamic acid을 거쳐 TCA회로로 들어간다.

3) Lipid emulsions

(1) 구조

Glycerol backbone에 세 개의 fatty acid로 이뤄진 triacylglycerol이다.

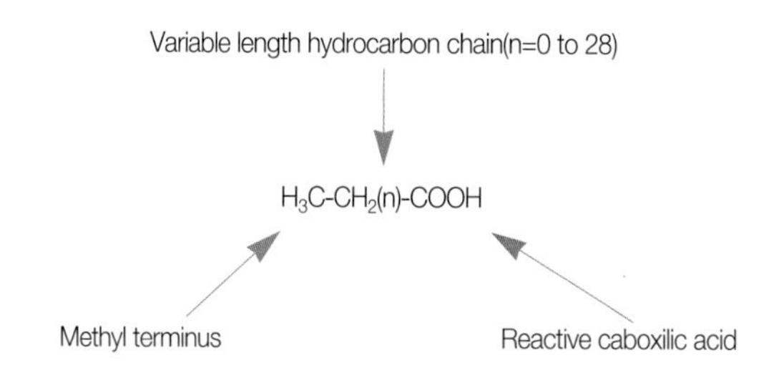

그림 13-3. Fatty acid 구조

(2) 종류

① 탄소 수에 의한 분류

Lipid emulsion은 탄소 수 2~30개로 구성되어 있으며 탄소 수 4개 미만은 short chain fatty acid(SCFA), 탄소 수 6~12개는 middle chain fatty acid (MCFA, middle chain triglyceride, MCT), 탄소 수 14개 초과는 long chain fatty acid (LCFA, long chain triglyceride, LCT)로 분류한다.

② 탄소 이중결합 수에 의한 분류

탄소 이중결합의 수에 따라 이중결합이 하나도 없는 lipid는 포화지방산(saturated fatty acid, SFA), 이중결합 1~2개 lipid는 monounsaturated fatty acid (MUFA), 3개 이상 이중결합을 가진 lipid는 불포화지방산(Polyunsaturated fatty acid, PUFA)으로 나눈다.

③ 탄소 이중결합의 위치에 따른 분류

Methyl기의 탄소를 1번으로 하여 이중결합이 있는 탄소의 번호를 n- 또는 ε- 로 표시한다. 중요하게 취급되는 lipid군은 n-9, n-6, n-3이다.

④ 필수지방산 linolenic acid는 18:2n-6, α-linolenic acid는 18:3n-3로 나타낸다.

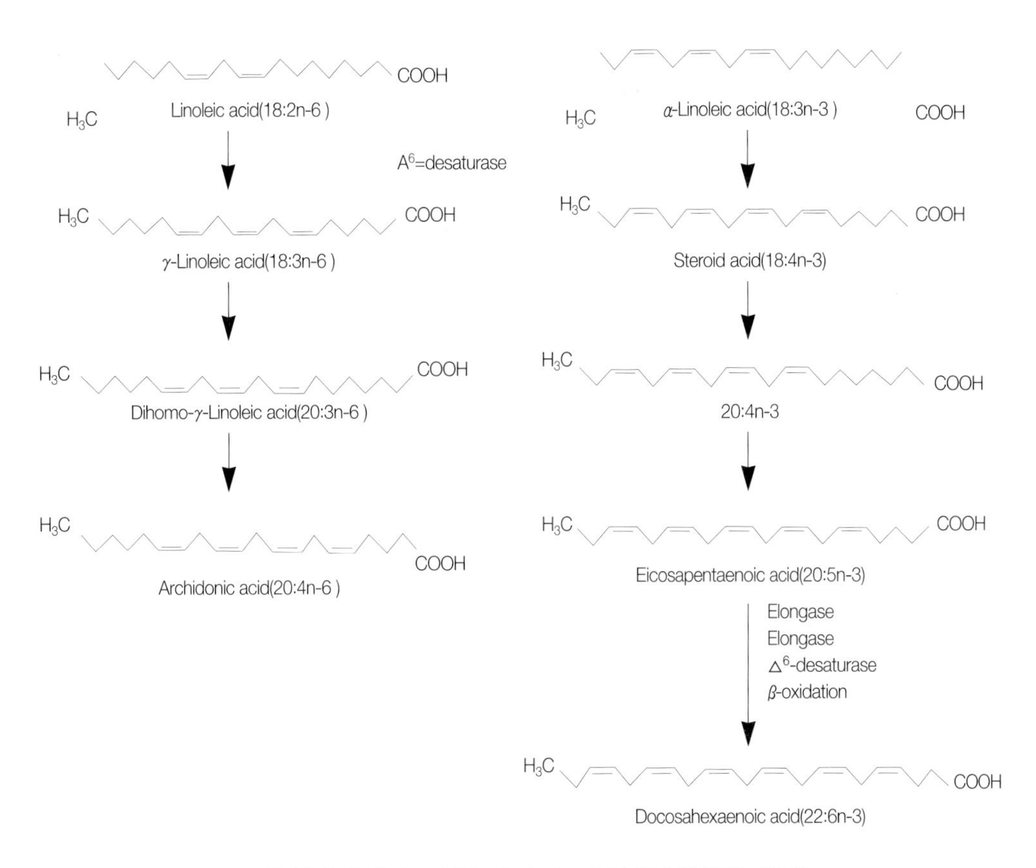

그림 13-4. linolenic acid와 α-linolenic acid로 체내 합성되는 PUFA

(3) Lipid 제품별 특징

① Long chain fatty acid (LCFA)

탄소수 14이상으로 linoleic acid (18:2 n-6), linolenic acid (18:3 n-3) 등이 해당된다. Soybean oil 또는 safflower와 soybean oil의 mixture에서 만들어지며, 10%와 20%농도의 제품이 있다. 유화제로 egg yolk phospholipid, 삼투압을 조절하는 등장화제로 glycerol이 함유되어 10%는 1.1 kcal/ml, 20%는 2 kcal/ml의 칼로리를 낸다. Phospholipid로서 15 mM/L의 phosphorus가 함유된 것을 고려해야 한다.

② Medium chain fatty acid(MCFA)

탄소수 6~12로 caprylic acid (C 8:0), capric acid (C 10:0) 등이 있다. Coconut oil, palm kernel oil에서 유래하며, lipase가 필요하지 않아 가수분해가 빠르며, mitochondria로 들어갈 때 carnitine transport system이 필요 없어 쉽게 산화된다.

③ Mono unsaturated fatty acid (MUFA)

LCT중 하나로 이중결합이 하나이다. Olive oil이 대표적이며 면역 체계를 교란하지 않는 것으로 알려져 있다.

④ Omega-3

탄소 이중결합의 위치가 3번에 있는 LCT로 염증반응성 매개체인 eicosanoid 생성을 감소시키고 eicosapentaenoic acid와 docosahexaenoic acid는 EPA-derived eicosanoid 생성하여 endotoxin stimulated monocyte에 의한 TNF-α, IL-1 β, IL-6 등의 pro-inflammatory cytokine 생성을 억제한다. Host immune system에 의한 bacteria killing 에 positive effect를 나타낸다.

(4) 대사

지방은 지방산(fatty acid)과 글리세롤(glycerol)로 가수분해되고, 지방산은 지방산 산화 효소에 의하여 활성 아세트산으로 된 다음 TCA회로에서 산화된다. 글리세롤은 인글리세르알데히드로 전환된 다음 해당 과정에 투입되어 pyruvate을 거쳐 TCA회로에서 완전히 산화된다.

(5) Lipid제제의 장점

① Glucose tolerance 증진

② Nitrogen balance 촉진

③ 간에서 albumin과 같은 protein 합성 촉진

④ 체내에서 합성되지 않는 필수 지방산 공급

⑤ Hypermetabolic stress patients에서 열량원으로서 쉽게 사용

⑥ CO_2 생성감소: glucose-intolerant patients에 적합

⑦ 등장액으로 말초정맥을 통한 투여 가능

4) Electrolyte Solutions

PN 시작전 전해질 공급량과 혈중검사결과를 확인하여 환자에게 개별화된 전해질 공급량을 결정한다. 일부 아미노산 제제에도 전해질이 함유되는 경우가 있으므로 조제 시 유의하도록 한다.

표 13-15 PN에 사용되는 전해질 제품 및 함량

Electrolyte	Salt	Composition per ml
Sodium	Sodium Chloride	Na 2 mEq
	Sodium Acetate (Acetate is converted to bicarbonate in a 1:1 ratio)	Na 1 mEq
Potassium	Potassium Chloride	K 2 mEq
	Potassium Phosphate	K 1 mEq, P 1 mM
Calcium	Calcium Gluconate (Gluconate salt is preferred: more stable in solution)	Ca 0.5 mEq
Magnesium	Magnesium Sulfate	Mg 0.8 mEq
Phosphate	Potassium Phosphate	K 1 mEq, P 1 mM

5) Vitamin Solutions

비타민은 정상대사 및 세포기능의 유지를 위해 필수적이며, 요구량은 특별한 질병이나 특별한 약물요법 시 변경한다. 수용성 및 지용성 비타민으로 나누어지며 복합제제인 MVI®, Tamipol®과 단일 비타민제제가 있다. 복합제제는 열, 일광에 약하므로 주입직전에 혼합해야하고, 비타민 K가 포함되어 있지 않으므로 주 1회 따로 투여하도록 권장한다. 신부전, 간부전 시 축적될 수 있으므로 감량하거나 사용을 제한한다. 국내에서는 소아용이 별도로 시판되지 않으므로 성인용을 체중별로 용량을 조정해 조제한다.

6) Trace Elements Solutions

몇몇 미량원소들은 대사 경로에 관여하는 효소들의 활성을 선택적으로 조절하므로 지방과 탄수화물, 아미노산을 정상적으로 대사시키기 위해 필요하며, 성인은 주로 복합제제인 후르트만®과 selenium, zinc 관독제제를 사용해 조제한다.

표 13-16 미량원소 : 성인 1일 권장량 및 PN조제용 복합제제 함량

Trace Elements	성인 1일 권장량(IV)	Furtman® 0.75 ml/L
Zn	2.5~4.0 mg	3.75 mg
Cu	0.5~1.5 mg	0.75 mg
Cr	10~15 ㎍	7.5 ㎍
Mn	0.15~0.8 mg	0.375 mg

임상영양요법

3. PN 투여경로

1) 삼투압 계산법

PN의 삼투압, PN예상투여기간, PN의 목적에 따라 중심정맥과 말초정맥으로 투여경로를 정한다. PN 내 영양소의 함량에 따라 삼투압를 계산할 수 있다.

표 13-17 영양소별 삼투압

Nutrients	Osmolarity
Amino acid	100 mOsmol/%
Dextrose	50 mOsmol/%
Sodium (as chloride, acetate, or phosphate)	2 mOsmol/mEq
Potassium (as chloride, acetate, or phosphate)	2 mOsmol/mEq
Calcium gluconate	1.4 mOsmol/mEq
Magnesium sulfate	1 mOsmol/mEq
Lipid emulsion	1.7 mOsmol/g

2) 중심정맥용 PN (Central Parenteral Nutrition)

중심정맥으로 고농도의 dextrose와 amino acid를 투여하는 방법으로 필요한 영양분을 적은 양의 수액으로 장기간 공급할 수 있으나 감염, catheter에 의한 외상, 대사이상 등의 합병증이 나타날 수 있는 단점이 있으므로 주의가 필요하다. 주입방법은 시작할 때는 서서히 증가시켜 48~72시간에 걸쳐 예정된 최대 속도 및 농도에 도달하도록 하고, 중단할 때는 2~4시간 동안 중단하며, 갑자기 PN을 중단할 경우 10% dextrose로 공급한다.

3) 말초정맥용 PN (Peripheral Parenteral Nutrition)

말초정맥을 통해 주입 시는 900 mOsm/L 이상에서 정맥염 발생의 위험성이 커지므로 충분한 영양분을 투여하고자 할 경우 많은 양의 수액이 필요하다. 대부분 부족한 에너지를 지방유제로 공급하며, 이때 전체 칼로리의 60%이상이 되어서는 안된다. 성인의 경우 말초정맥 위치를 2~3일에 한번 교체하여야 하므로 2주 미만의 단기간 사용 시 적절하다. 소아는 PN공급기간동안 말초정맥 위치의 교체없이 사용한다.

4) Calcium-Phosphate 침전

Calcium-phosphate 침전이 생기면 카테터 폐색, 정맥색전증, 폐색전증 등이 유발되며, 침전촉진인자는 calcium-phosphate의 높은 농도, pH 상승, 아미노산의 낮은 농도, 주위온도의 증가, 낮은 주입속도이다.

5) PN의 보관 및 유효기간

미생물에 의한 오염(contamination) 위험 때문에 PN은 조제 후 즉시 사용하는 것이 좋으며, 24시간 이상 투여하지 않도록 한다. 또한 일부 아미노산과 비타민의 빛에 의한 함량변화를 감소시키기 위해 보관이 필요할 경우는 냉장 보관해야 한다. 유효기간은 차광실온 상태에서는 24시간, 냉장상태에서는 48시간까지 안정하다.

4. 합병증 및 모니터링

1) 합병증

(1) Technical Complications

- 기흉(pneumothorax)
- 혈흉(hemothorax)
- 공기색전증(air embolism)
- 카테터 색전증(catheter embolization)
- 정맥혈전증(venous thrombosis)
- Catheter occlusion
- Improper tip location
- 정맥염(phlebitis)
- Cardiac tamponade

(2) Infectious Complication

- Catheter-related sepsis
- Catheter infection

(3) Metabolic Complications

표 13-18 PN 투여시 합병증

Complication	Possible cause/Prevention/Therapy	Predisposing factors
Hypervolemia	Renal failure, cardiac failure, excess fluid intake	Fluid intake ↓, diuretics
Hypovolemia	GI fluid losses, osmotic diuresis	Fluid Intake ↑
Hyperglycemia	Stress, corticosteroids, pancreatitis, DM, peritoneal dialysis	Dextrose intake ↓ (rate of infusion or concentration ↓), substitute fat,insulin infusion

Hypoglycemia (rare)	Abrupt withdrawal of dextrose, insulin overdose	Dextrose intake ↑, exogenous insulin intake ↓
Excess CO_2 production /repiratory insufficiency	Excess total calorie intake, excess carbohydrate intake	Total calorie intake ↓, carbohydrate intake ↓, balance calories as fat and dextrose
Hyperlipidemia (triglycerides ↑)	Stress, pregnancy, familial hyperlipidemia	Fat intake ↓, discontinue fat intake
Abnormal LFTs (AST, ALP, bilirubin ↑)	Stress, infection, cancer, excess intake of total calories, deficiency of essential fatty acids & trace minerals,	Total calorie intake ↓, carbohydrate intake ↓, fat intake ↓, provide fatty acids & trace minerals, change to cyclic infusion schedule
Hypernatremia	Dehydration, total body sodium overload, free water loss secondary to diabetes insipidus	Fluid intake ↑, restrict sodium intake
Hyponatremia	GI losses, diuretics, fluid overload (dilutional),	Fluid intake ↓, use concentrated nutrition regimen
Hyperkalemia	Metabolic acidosis, renal insufficiency	Potassium intake ↓
Hypokalemia	GI losses, diuretics, anabolism, refeeding syndrome	Potassium intake ↑
Hypercalcemia (rare)		Calcium intake ↓
Hypocalcemia	Hypoalbuminemia, chronic renal failure	Calcium intake ↑ (only with CRF)
Hypermagnesemia	Renal failure	Magnesium intake ↓
Hypomagnesemia	Diarrhea, malabsorption, anabolism, Cisplatin, Amphotericin B	Magnesium intake ↑
Hyperphosphatemia	Renal failure	Phosphorus intake ↓
Hypophosphatemia	Phosphate binding diuretics, sucralfate, anabolism, refeeding syndrome	Medication D/C, Phosphorus intake ↑
Metabolic acidosis	Diarrhea, high-output fistulae,	Acetate ↑ & chloride ↓ in PN
Metabolic alkalosis	Gastric losses	Chloride ↑ & acetate ↓ in PN, IV hydrochloric acid

(4) Gastrointestinal Complications

- 지방간(fatty liver) : PN시작 후 1~3주 내에 간효소의 수치가 증가
- 담즙울체(cholestasis) : total bilirubin, ALP 증가
- 위장관 위축(gastrointestinal atrophy)

표 13-19 PN 투여시 모니터링

Parameters	Initial period	Stable
Weight	daily	daily
Input/ Output	daily	daily
Glucose	every 6 hours	daily
Electrolyte	first 3 days	twice a week
Ca/P/Mg	baseline	weekly
TP/albumin/TG	baseline	weekly
BUN/Cr	baseline	every 2 day till stable, team twice a week
LFT	baseline	weekly
CBC/PLT	baseline	weekly
PT	baseline	weekly
N balance	24~48 hours after full rate	weekly

V 사례

진행성 위암으로 전체 위절제를 받았던 47세의 여자 환자가 20여일 전부터 발생된 복통 및 복부팽만을 주소로 입원하였다. 검사결과 장폐색으로 2주이상의 위장관을 통한 영양공급이 어려울 것으로 예상되어 PN 자문을 의뢰하면서 중심정맥관(peripherally inserted central catheter, PICC)을 삽입하였다. 입원 당시 환자의 키는 163 cm, 체중은 48 kg이었으며, 평소체중은 53 kg로 약 1달 동안 5 kg이 감소하였다. 의뢰 당시 검사결과는 다음과 같다.

WBC 5,670, Hematocrit 35.7, Hemoglobin 11.5, Platelet 443K
Total protein 6.3, Albumin 3.5, BUN 2.8, Serum creatinine 0.56
Total bilirubin 0.6, AST 42, ALT 37, ALP 87, Cholesterol 111,
Na 135, K 4.4, Cl 100, Ca 9.2, P 3.8

1. PN 적응증 : 장폐색

1) 영양상태 평가

(1) Anthropometry

Ht 163 cm, ABW 48 kg

: Adm. Wt 48 kg, PIBW 86% (IBW 55.8 kg)

: UBW 53 kg (PUBW 91%)

: Wt loss 5 kg/약 1개월(9.4%)

Status of body fat & somatic protein

: TSF 12.5 ㎜ (〈 5 percentile), MAMC 18.2 cm (5~15 percentile)

(2) Nutrition related problems

약 1개월간 거의 금식

(3) Malnutrition type : other PEM (ICD-9-code 263.8)

현재체중은 이상체중의 86%이며 체중감소가 1달 동안 9.4%로 심하고, TSF 및 MAMC도 감소되어 있는 영양결핍상태에서 intestinal obstruction으로 장기간 NPO가 될 가능성이 크므로 PN을 공급하는 것이 추천된다.

2) PN 자문(UBW 53 kg기준)

(1) 수분요구량

1,500 ml + 20 ml × (53 kg - 20 kg) = 2,160 ml

투여약물이 Famotidine과 Ceftizoxime밖에 없으므로 PN volume은 1일 2 L를 공급

(2) 에너지 및 영양소요구량

BEE = 655 + (9.6 × 53 kg) + (1.8 × 163 cm) - (4.7 × 47 years) = 1236 kcal/day

TCN = BEE 1,236 kcal/day × activity factor 1.2 × stress factor 1.2

= 1,780 kcal/day

Amino acids : 70 g/day (1.3 g/kg/day)

Dextrose : 360 g/day (산화속도 4.7 mg/kg/min)

Lipid : 25 g/day (0.5 g/kg/day)

→ NPC = 1,474 kcal/day (28 kcal/kg/day)

Total calorie = 1,754 kcal/day (33 kcal/kg/day)

NPC : N = 132 : 1

• PN Formula via central line (PICC)

Dextrose 18% Amino acids 3.5% 2L

Electrolytes : Na 80 mEq/L, K 30 mEq/L, P 5 mM/L, Ca 5.625 mEq/L, Mg 6.25 mEq/L

Trace elements : Zn 2.5 mg/L, Cu 0.5 mg/L, Mn 0.25 mg/L, Cr 0.005 mg/L

Multivitamins : 5 ml (1 vial)/day

Heparin : 1,000 IU/L

(3) 주석

PN은 2 L/day로 투여하고(infusion rate 83 ml/hr over 24 hours) 부족한 칼로리 공급을 위해 20% lipid 제제를 이틀에 한번 투여한다.

4) PN 조제 ml 계산

Dextrose 360 g → 50% 포도당을 이용해 조제 = 720 ml

Amino acids 70 g → 8.5% 아미노산제제를 이용해 조제 = 824 ml

2 L중 Electrolytes : Na 160 mEq, K 60 mEq, Ca 11.25 mEq, Mg 12.5 mEq, P 10 mM

2 L중 trace elements : Zn 5 mg, Cu 1 mg, Mn 0.5 mg, Cr 0.01 mg

→ 복합제제 Furtman® 1 ml에 Zn 5 mg, Cu 1 mg, Mn 0.5 mg, Cr 0.01 mg함유

Multivitamins 1 vial/day → 5 ml

Heparin 2,000 IU → 2 ml

Total volume 2 L를 맞추기 위해 water for injection 353 ml 추가

VI 경장영양(Enteral Nutrition, EN)

영양결핍환자에서 소화관은 정상이나 구강섭취가 어려운 경우 충분한 영양공급을 위해 경장영양을 한다. 경장영양은 장점막 사용에 따른 물리적인 기능유지에 긍정적인 영향을 주고 단백질 합성촉진, 상처 회복 향상 및 패혈증 발생 감소 등의 면역학적 · 생리적 장점이 있으므로 환자의 위장관이 정상이고 튜브 설치에 어려움이 없으면 PN보다 우선하여 고려되어야 한다.

1. 경장영양의 적응증

표 13-20 EN 적응증

General guideline	Specific clinical setting
EN should be a part of routine care	Protein-calorie malnutrition with inadequate oral intake of nutrients for the previous 5 days
	Normal nutritional status with less than 50 % of required nutrient intake orally for the previous 7~10 days
	Severe dysphagia
	Major full-thickness burns
	Massive small bowel resection in combination with administration of PN

	Low-output enterocutaneous fistulas
EN would usually be helpful	Major trauma
	Radiation therapy
	Mild chemotherapy
	Liver failure and severe renal dysfunction
EN is of limited or undetermined value	Intensive chemotherapy
	Immediate postoperative or poststress period
	Acute enteritis
	Less than 10 % remaining small intestine
EN should not be used	Complete mechanical intestinal obstruction
	Ileus or intestinal hypomotility
	Severe diarrhea
	High output external fistulas
	Severe acute pancreatitis
	Shock
	Aggressive nutritional support not desired by the patients or legal guardian, and when such action is in accordance with hospital policy and existing law
	Prognosis dose not warrant aggressive nutritional support

2. 경장영양액의 종류

경장영양액은 환자 각자의 영양필요량과 임상적 상태에 따라 공급 농도, 양, formula 종류 등을 조절하는 것이 필요하며, 병원에서 직접 조제하는 혼합액화 영양액과 시판되는 상업용 영양액이 있다.

1) 혼합액화 영양액(Blenderized Formulas)

일상식품을 혼합, 분쇄시켜 액화시킨 영양액으로 위장관 기능은 정상이나 구강내 문제가 있거나 삼키기 어려운 환자에게 적용된다. 비교적 가격이 저렴하나 오염되기 쉬우며, 입자가 너무 크고 농도가 진해지기 쉬워 적응력이 떨어지고 관이 막힐 우려가 있다.

2) 상업용 영양액(Commercially Available Formulas)

상업용 영양액은 병원제조 영양액에 비해 영양소 성분이 명시되어 있고, 삼투압과 농도의 균일성(consistency)이 조절되어 있으며, 보관과 준비가 용이하고 세균에 오염되지 않아 안전하다는 장점이 있다.

(1) 표준 영양액(Standard Formula)

정상적인 소화 흡수 기능이 유지되는 환자에게 사용하는 가장 기본적인 영양액으로 필요한 에너지 및 영양소의 대부분을 공급할 수 있다. 대부분 유당이 제외되어 있고 비교적 등장성이며 잔사가 적다. 대부분 1 kcal/ml이나 1.1~2 kcal/ml로 농축된 형태도 있고 단백질 함량이 높은 고단백 제제나 섬유소가 함유된 제제도 이에 속한다.

(2) 가수분해 영양액(Hydrolyzed Formula)

최소한의 소화 흡수과정만 필요하도록 단백질 급원은 단쇄 펩타이드나 아미노산 형태로, 당질은 글루코스나 덱스트린류로, 지방은 중쇄중성지방과 소량의 필수지방산으로 구성된 영양액이다. 흡수불량증이나 크론씨병, 위장관 누공 등 위장관의 기능이 완전하지 못한 경우나 대장의 잔사량을 최소화시켜야 하는 경우에 적합하다. 영양소 분자량이 작아 삼투압이 높으므로 이로 인한 복부 불편감, 오심, 구토, 설사 등의 부적응증이 발생할 수도 있다. 일부 가수분해 영양액의 경우 지방 함량이 매우 낮아 필수지방산이 결핍될 수 있으므로 이 경우 정맥으로 지방을 공급해야 한다. 이는 표준 영양액에 비해 덜 생리적인 것으로 단기간 사용하도록 하고 환자 상태가 개선됨에 따라 가능하면 빠른 시일 내에 표준 영양액으로의 전환을 고려해야 한다.

(3) 특수질환 영양액(Special Formula)

환자의 질병이나 대사적 장애 등에 따라 특정 영양소가 조정된 영양액이다. 간질환 영양액의 경우 대부분 분지형/방향족 아미노산 비율을(BCAA/AAA) 높게 만든 것으로 고가이지만 이의 임상적 효과에 대해서는 아직 명확하지 않으므로 사용 시 이를 충분히 고려해야 한다.

신장질환 영양액은 전해질 함량을 낮추고 단백질 함량을 조정하거나 필수 아미노산과 열량 비율을 높인 제품이다. 과대사나 스트레스 환자용 영양액은 단백질 함량을 높이고 분지형 아미노산의 비율을 높인 것이다. 당뇨 환자용 영양액은 혈당 조절을 위해 탄수화물 비율을 낮추거나 섬유소를 함유시킨 제제이다. 이외에도 지방 비율을 높인 폐질환 환자용 영양액, 소아 영양액, 면역성분을 첨가한 영양액 등이 있다.

(4) 영양보충 급원(Modula)

한가지 이상의 영양소로 구성된 것으로 경관 영양액의 성분이나 에너지의 농도를 조절하기 위해 고안된 제품이다. 종류로는 당질 보충제, 단백질 보충제, 지방 보충제 등이 있다.

표 13-21 영양보충 급원

당질 보충제	단백질 보충제	지방 보충제	섬유소
폴리코즈(Polycose)	프로모드(Promod)	MCT oil	실리움덱스
멕시줄(Maxijul)	멕시프로(Maxipro)		이지화이버
카로리-s(Calorie-s)	프로패스(Propass)		

3. 경장영양 투여경로 및 방법

1) 경관급식(Tube Feeding)의 투여경로

경관급식의 투여경로는 환자의 상태(특히 흡인위험의 여부)와 예상 투여기간에 따라 결정된다.

표 13-22 EN 투여경로

예상기간	흡인위험의 여부	명 칭	특 징
단기투여 (4주 미만)	없음	비위관 (nasogastric tube)	Tube삽입이 비교적 쉽다. 흡인위험이 높고 환자에게 불편감을 준다.
	있음	비십이지장관 (nasoduodenal tube)	흡인위험은 적다.
		비공장관 (nasojejunal tube)	영양액의 주입속도, 삼투압 농도에 따라 부적응 발생 가능성이 있고, 환자에게 불편감을 준다.
장기투여 (4주 이상)	없음	위조루술 (gastrostomy)	환자의 불편감이 적고, 관의 지름이 커서 관이 막힐 가능성이 적다. 수술과정이 필요하나, PEG (Percutaneous Endoscopic Gastrostomy)의 경우는 수술과정 없이 저렴한 비용으로 시술이 가능하다.
	있음	공장조루술 (jejunostomy)	흡인위험과 환자의 불편감이 적다. 관의 지름이 작아 관이 막힐 우려가 있고 수술과정이 필요하나, PEJ (Percutaneous Endoscopic Jejunostomy)의 경우는 수술과정 없이 저렴한 비용으로 시술이 가능하다.

2) 투여방법

(1) 단회 주입(Bolus Feeding)

적절한 주입 용기(예: syringe)를 사용하여 하루에 여러 차례에 걸쳐 영양액을 주입하는 방법이다(예, 1,500 kcal/1,500 ml/day : 250 ml/1~5분간 × 1일 6회).

짧은 시간동안 과량의 영양액이 주입되며, 주입속도가 빨라 흡인과 위장관 부적응의 가능성이 크므로 중환자나 경관급식의 부적응을 보이는 환자에게는 적합하지 않다. 비교적 경관급식에 적응을 잘하고 위장관 기능이 정상이며 자유로운 보행이 가능한 환자 또는 회복기의 환자에게 적용될 수 있다. 주입이 용이하고 시간소요가 적으며 비용이 적게 드는 장점이 있다.

(2) 지속적 주입(Continuous Feeding)

지속주입은 중력을 이용하거나 주입펌프를 이용하여 20~24시간에 걸쳐 천천히 영양액을 주입하는 방법이다(예, 1,500 kcal/1,500 ml/day : 75 ml/1hr × 20시간).

경관급식 초기, 볼루스 주입이나 간헐적 주입에 적응하지 못하는 환자, 영양불량이 심하거나 중환자,

볼루스 주입으로는 혈당 조절이 안 되는 당뇨 환자의 경우 적용되는 방법이다. 흡인의 위험과 위잔여물을 최소화하고 구토, 설사 등 위장관 부적응이 가장 적은 것이 장점인 반면 장시간 영양액 주입에 따라 환자 활동의 제약이 따르고 주입 펌프나 피딩백 등 관련된 기기의 비용 부담이 따른다는 단점이 있다.

(3) 간헐적 주입(Intermittent Feeding)

단회 주입에 비해서는 속도가 느리지만 지속주입에 비해서는 빠른 방법이다.

중력을 이용하여 1일 3~5회로 나누어 1회 2~3시간 동안 주입하는 방법이다(예, 1,500 kcal/1,500 ml/day : 300 ml/2 hr×1일 5회). 지속주입에 비해 주입속도가 빨라 흡인과 위장관 부적응의 발생 가능성이 다소 높으나 경제적이고 주입시간 이외에는 환자의 행동이 자유로워 질 수 있다는 장점이 있다.

(4) 주기적 주입(Cyclic Feeding)

8~16시간에 걸쳐 펌프를 사용하여 다소 빠른 속도로 지속 주입하는 방법으로 나머지 시간 동안 환자가 경관급식으로부터 자유롭다는 장점이 있다. 따라서 경관급식을 장기간 공급받을 수 없는 환자나, 경관급식에서 구강섭취로 이행하는 전환급식(transitional feeding)시기의 환자에게 구강섭취가 증가되도록 하는데 도움이 된다. 비교적 단시간에 요구량만큼의 영양소를 공급하기 위해 다소 빠르게 주입되어야 하므로 영양액을 농축시켜 제공하는 것이 필요할 수 있고 위장관 부적응의 가능성이 다소 높다.

4. 합병증과 모니터링

1) 합병증

(1) 위장관계 부작용 (30~38%)

복통, 고창, 구역, 구토, 설사, 흡수불량, 위장관 출혈, 장폐색, 식도 역류

(2) 기계적 부작용(2~10%)

비염, 중이염, 인후염, 식도염, 폐흡인, 식도 궤양, 경관 이탈, 경관 막힘, 천공, 위잔류량 증가

(3) 대사 및 감염 부작용

수분 불균형, 당불내성, 전해질 불균형, 고삼투압, 미생물 오염

2) 모니터링

표 13-23 EN 투여시 모니터링

Parameters	Initial period	Stable
Weight	daily	daily
Input/ Output	daily	daily
GI function	daily	daily
Glucose	daily	2~3 per week (DM : daily)
Electrolytes	daily	2~3 per week
BUN/Cr	daily	2~3 per week
P	2~3 per week	1~2 per week
LFT	1~2 per week	1~2 per week
Ca/Mg/transferrin	weekly	1~2 per week
24 hr UUN	weekly	1~2 per week
Albumin	weekly	q month

참고문헌

- 신완균 외 : 임상영양학 제 2판, 신일상사 (1996)
- 신현택 : 정맥주사 및 영양요법의 기초, 신일상사 (1993)
- John L. Rombeau et al : Enteral and Tube Feeding 3rd ed., W. B. Saunders Company (1997)
- John L. Rombeau et al : Parenteral Nutrition 3rd ed., W. B. Saunders Company (2001)
- Kathleen M. Teasley-Strausburg, et al : Nutrition Support Handbook, Harvey Whitney Books Company (1992)
- Lubos Sobotka et al : Basics in Clinical Nutrition Edited for ESPEN Courses 2nd ed., Galen (2000)
- Russell J. Merritt et al : The ASPEN Nutrition Support Practice Manual, ASPEN(1998)
- Danny O. Jacobs et al : Guidelines for the Use of Parenteral and Enteral Nutrition in Adult and Pediatric Patients. JPEN. 26 (2002)

_14

항암화학요법과 암환자 관리

Objectives 

- ▶ 암세포의 특성과 항암화학요법의 원리를 설명하고 항암화학요법의 종류와 치료 후 반응평가 용어를 정의할 수 있다.
- ▶ 작용기전에 따라 항암제를 분류하고 주된 부작용을 설명할 수 있다.
- ▶ 항암제의 처방감사 지침과 조제시 유의사항을 학습한다.

I 암의 특성

1. 암(Cancer)이란?

인체 세포의 정상적인 세포 주기(cell-cycle)에 이상이 생겨 세포가 정상적으로 분화되지 못하고, 어느 정도 분화한 후 성장이 정지되어야 하는데도 불구하고 성장을 조절할 수 없이 커지는 것을 종양(tumor) 또는 신생물(neoplasia=new+growth)이라고 한다. 즉, 종양이란 새로운 성장이라는 뜻으로 조직의 자율적인 과잉 성장이며, 이는 개체에 대해서 의의가 없거나 이롭지 않을뿐더러 정상조직에 대해서 파괴적인 것을 말한다. 종양은 임상 및 병리형태학적으로 양성종양(benign tumor)과 악성종양(malignant tumor)으로 구분(표 14-1)하며, 이 중 악성종양을 통상적으로 암(cancer)이라 한다.

2. 암의 특성

1) 클론성(Clonality) : 정상조직은 여러 유전적 특성을 지닌 모세포로부터 분화된 다양한 세포들이 모여 이루어지지만, 암조직은 단일세포에서 유래된 암세포가 분열증식하여 악성 클론을 형성한다.
2) 자율성(Autonomy) : 정상세포는 인체에서 분비되는 여러 조절인자에 의해 그 분열 혹은 증식이 조절되어 일정한 크기가 되면 더 이상 성장을 하지 않지만 암세포는 이러한 조절 인자에 대한 의존도가 거의 없어 스스로 무제한으로 분열 증식한다.
3) 역형성(Anaplasia) : 정상세포는 분화 과정을 거쳐 원래 계획된 세포로 되는데 암세포는 이러한 분화가

되지 않고 미분화 상태로 존재하게 된다.

4) 전이성(Metastasis) : 정상세포는 어떤 특정 장기에만 존재하나 암세포는 원래의 장기에서 벗어나 다른 장기로 옮겨 갈 수 있다.

표 14-1 양성종양과 악성종양의 비교

특징	양성	악성
성장속도	천천히 자람	빨리 자람
세포분열상	적음	많음
핵염색소	정상	증가
분화도	양호	낮음
성장형태	확대 팽창하면서 성장	주변 조직으로 침윤하면서 성장
피막	있음	없음
조직의 파괴	적음	많음
혈관침범	없음	흔함
전이	없음	흔함
개체에 대한 영향	인체에 거의 해가 없으나 주요기관에 압박을 가하거나 폐쇄시 문제	치료하지 않으면 사망
예후	좋음	진단시기, 진행정도, 전이여부 등에 따라 다름

II 항암화학요법의 개요

1. 항암제의 작용기전

항암제란 암세포의 각종 대사 경로에 개입하여 DNA의 복제, 전사, 번역 과정을 차단하거나 핵산 전구체의 합성을 방해하고 세포분열을 저해함으로써 암세포에 대한 세포 독성을 나타내는 약제를 말한다.

2. 항암제의 분류

항암제는 그 작용기전과 화학 구조에 따라 표 14-2와 같이 분류할 수 있다.

표 14-2 항암제의 분류

Alkylating Agents

Nitrogen mustards
- Bendamustine
- Chlorambucil
- Cyclophosphamide
- Ifosfamide
- Melphalan
- Mechlorethamine

Platinum analogues
- Carboplatin
- Cisplatin
- Oxaliplatin

Nitrosoureas
- Carmustine
- Lomustine
- Streptozocin

Triazenes
- Dacarbazine
- Temozolomide

Alkyl sulfonates
- Busulfan

Ethyleneimines
- Thiotepa

Enzyme Inhibitors (Topoisomerase II Inhibitors)

Anthracyclines
- Daunorubicin
- Doxorubicin
- Epirubicin
- Idarubicin

Epipodophyllotoxins
- Etoposide (VP-16)
- Teniposide (VM-26)

Miscellaneous
- Mitoxantrone

Enzyme Inhibitors (Topoisomerase I Inhibitors)

Camptothecins
- Irinotecan
- Topotecan

Antimicrotubules

Folate antagonists
- Methotrexate
- Pemetrexed
- Pralatrexate

Pyrimidine analogues
- Azacytidine and Decitabine
- Capecitabine
- Cytarabine (ara-C)
- Fluorouracil (5-FU)
- Gemcitabine

Purine analogues
- Cladribine
- Fludarabine
- Mercaptopurine (6-MP)
- Pentostatin
- Thioguanine (6-TG)

Miscellaneous

- Bleomycin
- Omacetaxine

Hormonal Agents

Antiestrogens

- Megestrol acetate
- Tamoxifen citrate

LH-RH analogues and antagonists

- Degarelix
- Goserelin
- Leuprolide

Miscellaneous hormonal agents

- Abiraterone acetate
- Enzalutamide
- Estramustine

Aromatase Inhibitors

- Aminoglutethimide
- Anastrozole
- Exemestane
- Letrozole

Antiandrogens

- Bicalutamide
- Flutamide
- Nilutamide

Targeted Therapies

Monoclonal Antibodies

- Alemtuzumab
- Brentuximab vedotin
- Bevacizumab
- Cetuximab
- Ibritumomab
- Ipilimumab
- Ofatumumab
- Rituximab
- Trastuzumab
- Tositumomab
- Panitumumab
- Pertuzumab

Tyrosine kinase inhibitors (EGFR/HER2)

- Erlotinib
- Gefinitib
- Lapatinib

Multitargeted TKIs (Tyrosine Kinase Inhibitors)

- Axitinib
- Bosutinib
- Cabozantinib
- Dasatinib
- Imatinib mesylate
- Nilotinib
- Pazopanib
- Ponatinib
- Regorafenib
- Sorafenib
- Sunitinib
- Vandetanib

Miscellaneous Targeted Agents

- Bortezomib
- Carfilzomib
- Crizotinib
- Denileukin Diftitox
- Everolimus
- Temsirolimus
- Immunomodulators (Thalidomide & Lenalidomide)

- Vemurafenib
- Vorinostat
- Vismodegib
- Ziv-aflibercept

3. 세포주기(Cell-Cycle)

세포주기는 세포가 휴지기에서 벗어나 두 개의 세포로 분열하는 일련의 과정을 말한다.

① 휴지기(G0, resting phase) : 세포가 특정 기능을 수행할 수 있도록 계획되는 시기로서 세포분열이 일어나지 않는다. 세포는 외부로부터 성장인자나 호르몬의 자극을 받아 G0 phase로부터 G1 phase로 도입하게 된다.

② 합성전기(G1 phase) : RNA와 단백질이 합성되는 시기로 G1 후기에는 DNA 합성에 필요한 많은 효소가 합성된다.

③ 합성기(S phase) : DNA 복제에 필요한 핵산의 합성이 일어난다.

④ 합성후기(G2 phase) : DNA 복제에 대한 검증이 일어나는 시기로서 분열에 필요한 mitotic apparatus를 생성한다.

⑤ 세포분열기(M phase, mitosis) : 복제 후 두 개의 딸세포로 분리되는 시기로서 prophase, metaphase, anaphase, telophase를 거쳐 mitosis가 일어나게 된다.

4. 작용하는 세포주기에 따른 항암제의 분류

1) 세포주기 비특이적 항암제 (Non-Cell Phase Specific Agents)

휴지기(G0)를 제외한 세포주기 전반에 걸쳐 세포독성을 나타내고, alkylating agents, antitumor antibiotics 등이 해당된다. 세포독성 효과는 투여한 용량에 비례한다.

2) 세포주기 특이적 항암제 (Cell Phase Specific Agent)

특정 세포주기의 phase에 작용하는 항암제로 antimetabolites, taxane, vinca alkaloids, camptothecins 등이 해당된다. 특정 세포주기에만 작용하므로 "continuous infusion" 으로 투여하는 방법이 유리하다.

3) 표적치료제 (Targeted Therapies)

세포분열단계를 방해하거나, 세포의 성장, 전이 등을 촉진시키는 신호를 차단함으로써 암세포에만 특이적으로 항암효과를 나타내고자 하는 것으로 monoclonal antibodies, tyrosine kinase inhibitors 등이 해당된다.

5. 종양분획과 항암제

종양을 구성하고 있는 세포는 증식 양상에 따라 3개의 집단으로 구분할 수 있다.

① A집단 (Proliferating clonogenic cells) : 분열증식하고 있는 암세포군

② B집단 (Temporarily non-proliferating clonogenic cells, G0 cells) : 일시적인 휴지상태의 암세포군

③ C집단 (Permanantly non-proliferating non-clonogenic cells) : 분열증식능력을 상실한 영구적 휴지 세포군

항암제에 의하여 파괴될 수 있는 암세포는 분열증식하고 있는 A집단에 국한되며, B, C집단의 세포는 항암제에 대한 감수성이 거의 없다. 전체 암세포와 A집단 세포와의 비를 성장 분획 (growth fraction)이라 하며 이 성장 분획이 큰 종양일수록 항암화학요법의 효과가 좋다.

6. 항암제의 용량 결정

항암제의 용량은 fixed dose 또는 환자의 체중을 기준으로 결정되기도 하나 대부분 환자의 체표면적 (Body Surface Area, BSA, m^2) 을 근간으로 계산된다. 따라서 milligram/m^2, gram/m^2, 또는 unit/m^2 단위로 표시되며(예: 100 mg/m^2), 체중 대신에 BSA를 이용하는 이유는 다음과 같다. 첫째, BSA는 약물의 활성 및 독성에 대한 종(species)간 비교를 보다 정확히 반영한다. 둘째, BSA는 약물의 배설과 관련된 장기인 신장과 간으로의 혈류를 결정짓는 심박출량(cardiac output)과 좀더 밀접한 관련성을 가진다. BSA는 nomogram을 이용하거나 다음과 같은 formula를 통해 계산할 수 있다.

1) Mosteller formula

$$\text{BSA (m}^2) = \sqrt{(\text{height (cm)} \times \text{weight (kg)}/3600)}$$

2) Dubois & Dubois formula

$$\text{BSA (m}^2) = 0.007184 \times \text{weight (kg)}^{0.425} \times \text{height (cm)}^{0.725}$$

3) Haycock formula

$$\text{BSA (m}^2) = 0.024265 \times \text{weight (kg)}^{0.5378} \times \text{height (cm)}^{0.3964}$$

4) Gehan & George formula

$$\text{BSA (m}^2) = 0.0235 \times \text{weight (kg)}^{0.51456} \times \text{height (cm)}^{0.42246}$$

7. 항암화학요법의 종류

1) 유도화학요법(Induction chemotherapy)

진행성 암에 대하여 1차적으로 투여되는 화학요법으로 관해율이 유도화학요법의 효과를 판정하는 가장 중요한 지표가 된다.

2) 공고화학요법(Consolidation chemotherapy)

유도화학요법으로 완전관해에 도달한 경우 이를 유지하고 완치율을 높이기 위해 반복적으로 투여하는 방법이다.

3) 강화화학요법(Intensification chemotherapy)

유도화학요법으로 완전관해에 도달한 환자의 관해 상태를 유지하기 위해 고용량의 항암제를 투여하거나 골수/조혈모세포이식을 시행하는 방법이다.

4) 유지화학요법(Maintenance chemotherapy)

완전관해에 도달한 환자에게 재발을 막기 위해 저용량의 항암제를 장기간 투여하는 방법이다.

5) 보조화학요법(Adjuvant chemotherapy)

국소종양을 근치적 목적으로 수술 또는 방사선치료를 시행한 후 완치율을 높이기 위해 투여되는 화학요법으로 국소 요법만으로는 재발 가능성이 높은 경우에 시행한다.

6) 선행화학요법(Neoadjuvant chemotherapy)

1차 화학요법(Primary chemotherapy)이라고도 하며 국소종양에 대해 근치적 목적으로 수술이나 방사선치료를 시행하기 전에 투여하는 화학요법으로 후두암, 골육종, 항문암, 방광암, 유방암 등에서 장기 보존 효과가 있는 것으로 확인 되고 있다.

7) 동시화학요법(Concomitant chemo/radiotherapy)

국소종양에 대해 방사선 치료와 화학 요법을 동시에 시행하여 국소종양에 대한 방사선 치료의 효과를 증강시키기 위한 목적으로 식도암, 폐암, 항문암 등에서 시행되고 있다.

8) 국소화학요법(Regional chemotherapy)

척추강 주입, 동맥내 주입, 복강내 주입과 같이 신체의 특정 부위에 항암제를 투여하는 방법으로 종양이 있는 부위에서는 높은 항암제 농도를 유지하면서 정상 조직에 대한 손상을 줄이려는 목적으로 시행되는 화학요법이다.

9) 구제화학요법(Salvage chemotherapy)

완치를 목적으로 투여한 화학요법에 실패하였거나 재발한 환자에게 이차적으로 시행되는 치료를 통칭하는 것이다.

10) 고식적 화학요법(Palliative chemotherapy)

완치가 어려운 환자에서 증상을 조절하고 생존 기간을 연장시키거나 삶의 질을 개선하기 위해 투여되는 화학요법이다.

8. 항암화학요법에 대한 반응의 평가

〈Response Evaluation Criteria in Solid Tumors, RECIST 기준〉

1) 완전관해(Complete Remission, CR) : 임상적으로 발견된 모든 종양의 증거가 소실되고 새로운 병변의 출현이 없는 상태가 4주 이상 유지되는 경우
2) 부분관해(Partial Response, PR) : 'target lesions' 의 최대장경의 합이 30% 이상 감소되고 기타 병소의 악화나 새로운 병변의 출현이 없는 상태가 4주 이상 지속되는 경우
3) 불변(Stable Disease, SD) : CR, PR이나 PD에 해당하지 않고 새로운 병변의 출현이 없는 경우
4) 진행(Progressive Disease, PD) : 'target lesions' 의 최대장경의 합이 가장 적을 때보다 20%이상 증가하거나 새로운 병변이 나타난 경우를 말한다.

III 항암화학요법 처방검토 지침

1. 약사의 항암처방 검토 업무

세포독성 항암제의 오투약은 치명적인 결과를 초래할 수 있으므로 이를 예방하기 위해서 처방(prescription), 조제(preparation) 및 투여(administration)의 모든 단계에서 확인을 거치는 team approach system이 반드시 필요하다.

약사는 처방과 투약의 중간 단계에서 항암화학요법의 모니터링 업무를 하게 되며 National Institutes of Health Clinical Center에서 제시하는 지침(Guidelines for Checking Antineoplastic Drug Orders)을 참고할 수 있다(표 14-3).

우선 처방된 환자의 이전 투약 기록(pharmacy chemotherapy record)을 찾아 확인하고, 항암화학요법 주기를 기준으로 정확한 투약일인지 확인하며, 새로 등록된 환자는 투약 기록지를 작성한다. 다음으로 가장 최근의 신장과 체중을 기준으로 체표면적을 계산하고, 프로토콜내 각각의 항암제와 전처치약물, 항암보조약물의 종류와 용량 및 투여 경로, 희석할 수액의 종류와 희석 농도, 투여 시간(infusion time) 등이 적

정한지 확인한다. 최근 실시한 검사 결과 및 환자의 상태(performance status, PS)를 고려한 용량조절여부 등을 확인하고 필요시 용량조절지침(dose adjustment criteria)을 제시한다. 약국 내 투약기록지를 근거로 이전의 용량 조절 관련 사항, 과민 반응이나 약물 축적용량(cumulative dose) 등을 검토하고 새롭게 변경된 사항을 기록한다. 시험용량(test dose)을 투여해야 하거나 약물의 피부 반응(skin test) 여부를 확인해야 하는 경우 따로 조제하도록 한다. 회진에 참여함으로써 의료진과의 정보 교환이 용이하며 환자상태 변화에 따른 처방 변경에 신속히 대처할 수 있게 되고, 치료와 관련된 원내지침 결정시 적합한 약물 정보를 제공하게 된다. 또한 임상 약사는 저널 및 사례 발표 모임이나 임상 강좌에 참여 하며 의사, 약사, 간호사 등 원내 의료진 교육 활동을 하고 환자나 보호자 복약 상담을 하기도 한다.

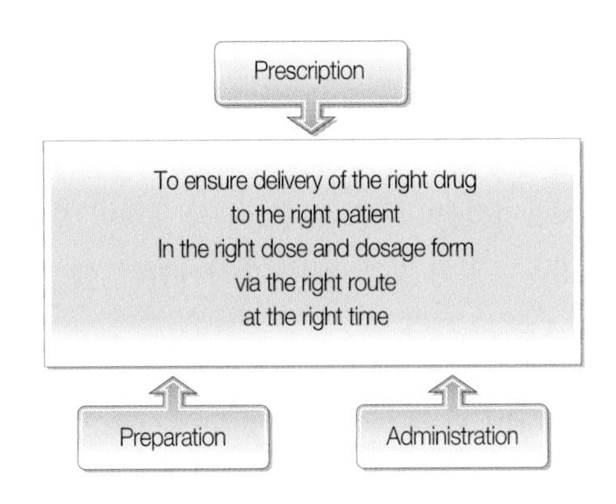

그림 14-1. 항암화학요법의 삼중감사 (Triple Checking Procedure)

표 14-3 Guidelines for Checking Antineoplastic Drug Orders at the National Institutes of Health Clinical Centers

- The order includes the protocol number. (so the appropriate treatment and drug supply can be determined)
- All drugs that should be ordered have been. Ancillary medications (e.g., Dexamethasone, Filgrastim) that are part of the protocol should also be checked. Judgment should be used to ensure that other supportive care medication (e.g., antiemetics) are ordered when appropriate, even if they are not specifically outlined in the protocol.
- The timing of drug administration within the chemotherapy cycle is appropriate.
- The dose is consistent with the dose specified in the protocol.
- The height and weight recorded in the MIS are the most recent values.
- The reason for major deviations of the pharmacist-calculated dose from the ordered dose (10% or greater for adults, 5% or greater for pediatric patients) is determined.
- The latest laboratory test values are satisfactory according to the protocol.
- The patients' pharmacy chemotherapy record (work card) is checked for any comments related to prior dosage modification, cumulative dosage limits (e.g., for Doxorubicin), expected changes in treatment, or other information.
- The administration route, diluent, infusion time, and infusion device are consistent with protocol specifications.
- The proper number of doses or days of therapy is ordered. Any deviation from the protocol specifications that have not been previously approved should be confirmed by contacting the prescriber, attending or senior physician, research nurse, or principal investigator. Notes should be made on the work card to reflect any current or future changes in treatment.

2. 항암화학요법 처방검토의 실례

1) R-CHOP regimen : NHL (Non-Hodgkin's Lymphoma)의 완치를 목적으로 하는 화학요법

D1 Rituximab 375 mg/m^2 IV

D1 Cyclophosphamide 750 mg/m^2 IV

D1 Doxorubicin 50 mg/m^2 IV

D1 Vincristine 1.4 mg/m^2 (최대량 2 mg) IV

D1-5 Prednisolone 100 mg/day divided by 3 dose

Q 3 weeks

(1) 항암제의 용량은 대부분 체중과 신장을 nomogram에 대입하거나 계산식 (page 326 중 항암제의 용량 결정 참조)으로 구한 체표면적(BSA)을 기준으로 계산되므로, 투여하는 항암제의 용량은 환자마다 각각 다르다. 그러므로 환자의 체표면적을 기준으로 항암제의 용량이 정확하게 계산되었는지 확인한 후 항암제의 제형, 함량에 맞게 최종 용량이 결정되었는지 감사한다. 예를 들어, 이 환자의 BSA가 1.5 m^2 라고 한다면, 실제 투여용량은 다음과 같다.

Rituximab 375 mg/m^2 × 1.5 m^2 = 563 mg IV

Cyclophosphamide 750 mg/m^2 × 1.5 m^2 = 1,125 mg IV

Doxorubicin 50 mg/m^2 × 1.5 m^2 = 75 mg IV

Vincristine 1.4 mg/m^2 × 1.5 m^2 = 2 mg IV (최대량 2 mg)

Prednisolone 40 mg - 30 mg - 30 mg PO

이 때 주의해야 할 점은, Vincristine의 경우 실제 계산된 용량은 2.1 mg이지만, neurotoxicity를 고려하였을 때 일주일에 투여 가능한 최대용량이 2 mg이기 때문에 실제 투여량은 2 mg을 초과하지 않는 용량으로 결정된다는 것이다. 또한 R-CHOP에서 Prednisolone은 항암제로서 사용되며 5일간 경구로 투여한다. 고용량이지만 1주일 이내로 단기간 투여되므로 일반적으로 tapering 과정은 필요하지 않으며, 항암효과를 극대화하기 위하여 약은 3번에 나누어 분복한다. 이 때 100 mg을 3번으로 나누게 되면 용량은 33.3 mg이나, 약품제형(5 mg/tab)을 고려한 투약편리성을 위해 40 mg - 30 mg - 30 mg으로 나누어 투여하도록 한다.

(2) 조제 전 반드시 환자의 임상경과수치를 모니터링하여 골수기능과 간기능, 신기능 등을 확인하고, 용량조정이 필요하거나 투약이 불가능한 상태는 아닌지 확인해야 한다. R-CHOP regimen은 간기능에 따라 용량조절이 필요한 Doxorubicin, Vincristine을 포함하고 있으므로, 특히 간기능에 이상이 있을 경우 그에 따라 용량조절이 되었는지 확인이 필요하다. 만약 간기능을 고려한 용량조절이 이루어지지 않았을 경우에는 의료진에게 연락하여 환자상태를 알리고, 적합한 용량으로 결정하도록 한다.

(3) Rituximab 투여시 fever, chills과 같은 주입시 반응이 나타날 수 있으므로 antihistamine과 acetaminophen 650mg의 전처치 약물이 처방되었는지 확인한다.

(4) 모든 처방 감사를 마친 후에, 정맥주사 하는 항암제는 투여시간과 약물의 안정성을 고려하여 적절한

수액을 결정하고 무균조작에 의하여 조제한다. 통상 항암제를 투여하는 첫 날을 day 1이라 하므로 day 1에 Rituximab, Cyclophosphamide, Doxorubicin, Vincristine의 주사 항암제를 투여받게 되며, Prednisolone은 경구로 1~5일까지 투여하게 된다.

(5) 3주 간격으로 투여하는 schedule에 따라 3주 후 재투여시에는 지난 cycle의 이상반응, 특히 골수기능 억제가 회복되었는지 임상검사치로 확인하고, 간기능이나 신기능을 확인하도록 한다. 특히 간독성이나 신독성을 나타낼 수 있는 항암제 투여시에는 좀 더 면밀히 관찰하는 것이 필요하다. 또한 항암제 투여 중 환자의 체중변화가 빈번히 나타날 수 있으므로, 체표면적 변화로 인한 용량변화가 크지 않은지도 반드시 확인하도록 한다.

2) FP regimen : Esophageal cancer의 고식(姑息)적 화학요법 (Palliative chemotherapy)

D1-4 Fluorouracil 1,000 mg/m^2 IV

D1 Cisplatin 60 mg/m^2 IV

Q 3 weeks

(1) 체중 68 kg, 키 170 cm인 환자의 경우, nomogram에 의해 계산된 체표면적은 1.79 m^{2}로 이 환자에게 투여될 실제 항암제 용량은 다음과 같이 계산되었고,

Fluorouracil 1,000 mg/m^2 × 1.79 m^2 = 1,790 mg IV

Cisplatin 60 mg/m^2 × 1.79 m^2 = 107.4 mg IV

약품 제형 및 약가, 조제 편리성 등을 고려하여 결정된 최종 투여량은 fluorouracil 1,800 mg, cisplatin 100 mg이었다.

(2) 용량이 올바른지 확인한 후에는, 환자의 골수기능, 간기능 및 신기능을 고려하여, 모든 임상수치가 정상임을 확인한 후 조제, 투여하도록 한다.

(3) FP regimen은 3주 후에 두 번째 항암화학요법을 받도록 한다. 이때 두 번째 cycle에 처방된 항암제 용량을 확인하여 변경사항이 없는지 확인한다. 만약 용량이 변경되었을 경우, 변경사유와 적절성을 확인하고, 이를 위해 환자차트 및 임상결과치를 확인한다. 이 환자의 경우에는 WBC (White Blood Cell) 2,540, seg. neutrophil 55%, ANC (Absolute Neutrophil Count) 1,397로 아직 골수기능이 완전히 회복되지 않았음을 확인하였다.

(4) 이 경우, 투여계획을 연기해서 full dose로 투여하는 방법과, 항암제 용량을 감량하여 원래 투여 날짜에 투여하는 방법을 고려해볼 수 있는데, 이 환자의 경우에는 감량하는 방법을 시행하기로 했음을 확인하였다. 즉, 첫 번째 항암 치료 후 골수기능이 정상화되지 않았기 때문에, 두 번째 cycle에는 flurouracil을 1,800 mg에서 1,350 mg으로 약 25% 감량하여 투여하였다. Cisplatin은 다른 항암제에 비해 골수기능 억제 이상반응이 적기 나타나기 때문에 감량하지 않고, full dose로 투여하는 것을 확인하여 조제, 투여하였다.

3) Original CCG321P2 : Neuroblastoma의 항암요법

D1 Cisplatin 60 mg/m^2+ NS 150 ml IV over 8 hr

D3, D6 Etoposide 100 mg/m^2+ NS(×3)____ml IV over 2 hr

D3 Doxorubicin 30 mg/m^2 IV

D4, D5 Cyclophosphamide 30 mg/kg+NS 50 ml IV with MESNA

D4, D5 MESNA 30 mg/kg #3+NS 50 ml over 30 min (-15 min, 3 hr, 6 hr)

(1) 3세 미만 소아는 체표면적(BSA)을 기준으로 항암제를 투여할 경우 과도한 독성이 발생하므로, 체표면적 기준 용량(dose/m^2)을 체중 기준 용량(dose/kg)으로 변환한 뒤 감량 투약한다. 이때 감량 폭은 연령에 따라 달라질 수 있으며, 체표면적 1 m^{2}은 체중 30 kg에 해당하므로 이를 기준으로 체중 기준 용량(dose/kg)으로 변환한다. 생후 8개월 환자(키 76 cm, 몸무게 9 kg, 체표면적 0.443 m^2)의 경우, 계산된 용량은 표 14-4와 같으며, 1세 미만의 영아(infant)이므로 kg base로 전환하여 최종 투여량을 결정하였다.

표 14-4 소아환자의 항암제 용량계산 실례

체표면적 기준	체중(kg) 기준 (30 kg = 1 m^2)
Cisplatin 60 mg/m^2 × 0.443 = 26.6 mg	Cisplatin 60 mg/m^2 ÷ 30 × 9 = 18 mg
Etoposide 100 mg/m^2 × 0.443 = 44.3 mg	Etoposide 100 mg/m^2 ÷ 30 × 9 = 30 mg
Doxorubicin 30 mg/m^2 × 0.443 = 13.3 mg	Doxorubicin 30 mg/m^2 ÷ 30 × 9 = 9 mg
Cyclophosphamide 30 mg/kg × 9 = 270 mg	Cyclophosphamide 30 mg/kg × 9 = 270 mg

(2) 조제 전 환자의 검사결과수치를 모니터링하여 골수기능(ANC〉1000, PLT〉100K)과 간기능, 신기능 등을 확인하고, 용량조정이 필요하거나 투약이 불가능한 상태는 아닌지 확인한다. Etoposide와 Doxorubicin은 간기능에 따라 용량을 조절하는 약이므로, 간기능에 이상이 있을 경우 그에 따라 용량조정이 되었는지 확인한다. 또한 doxorubicin의 경우 축적용량에 의한 심독성이 우려되므로 치료 전에 심기능 검사결과가 정상범위인지 확인한다.

(3) 모든 처방 감사 작업이 완료된 후, 정맥 주사하는 항암제 투여시간과 약물의 안정성을 고려하여 적절한 수액의 양과 종류를 결정하고 무균조작에 의하여 조제한다. 또한 배합금기나, 희석 농도범위의 제한이 있는 약물의 경우 수액의 종류나 수액 양을 조절하여 조제할 수 있도록 하고, 투여경로(IV, IM, SC, IT)나 infusion time이 정확한지 확인한다.

(4) 각 약물의 특성을 고려하여 보조요법(supportive care : hydration, 진토제 등)의 처방은 적절한지 확인한다.

(5) 항암화학요법 스케줄에 따라, 다음 cycle 투여시 지난 cycle의 이상반응, 특히 골수기능이 회복되었는지 임상검사수치로 확인하고, 간기능과 신기능을 확인한다.

IV 소아암 및 소아항암치료의 특징

우리나라에서는 매년 1,000~1,200여명이 새롭게 소아암으로 진단받고, 소아 10만명당 약 10명의 소아암 환자가 발생하는 것으로 알려져 있다. 전세계적으로 암종별 발생빈도는 유사하며 주로 5세 미만과 청소년기에 호발한다. 1세 미만에서 잘 발생하는 종양은 신경모세포종, 윌름스종양, 망막세포종 등이며, 2~5세 사이에서는 급성림프모구백혈병, 비호지킨림프종, 신경아교종 등이 호발한다. 청소년기에는 골종양, 연부조직육종, 호지킨병, 생식세포종양 등의 발생빈도가 증가한다.

암종별 발생빈도는 급성백혈병이 소아암의 약 30%로 가장 많고, 그 다음으로 뇌종양이 높은 발생빈도를 보인다. 신경모세포종, 윌름스종양, 망막세포종, 골종양 등의 고형종양은 성인에서는 거의 발생하지 않는 암종이며, 조직학적으로도 성인은 암종(Carcinoma, 상피세포성)인 것이 많은 것에 비해 소아는 대부분 육종(Sarcoma, 비상피세포성)형태인 것이 특징이다.

소아암은 발생원인은 성인에 비해 환경적인 요인(방사선 노출, 특정 약물, 바이러스 감염 등)과 관련되는 경우는 매우 드물고, 스스로 인체 내에서 성장시기에 자생하는 것으로 알려져 있다. 소아암의 원발 부위는 실질 조직(전신조직/조혈모기관, 림프계, 신경계, 뼈/근육)인데 이 실질조직은 우리 몸의 90% 이상의 세포가 분포하는 곳이며 세포가 급속히 분열하여 성장 발육하는 과정에서 자연적인 돌연변이 세포가 암으로 발전된다. 그러므로 소아암은 대부분 조기 진단이 어렵고, 위험요인 예방이나 스크리닝이 어렵다. 성인암과 달리 소아암의 진행은 매우 빠르므로 가급적 빠른 치료가 요구되고, 세포 독성 항암제 치료에 대한 반응이 좋은 편이다.

참고문헌

- 박재갑 외 : 종양학, 일조각 (2003)
- 서울대학교 의과대학 편 : 종양학, 서울대학교 출판부 (1996)
- 하정은 외 : 항암요법제의 임상약동력학, 군자출판사 (2004-2005)
- Ramaswamy G. : The Washington Manual of Oncology, LWW (2002)
- Clinical Practice Guidelines in Oncology, National Comprehensive Cancer Network (2004)
- Barry R. et al : A continuous improvement approach for reducing the number of chemotherapy related medication errors. Am J Health-Syst Pharm. 57 : S4~9 (2000)
- Michael R. et al : Preventing medication errors in cancer chemotherapy. Am J Health- Syst Pharm. 53 : 737~746 (1996)

_15

중환자병동 임상업무

Objectives

- ▶ 중환자군의 특성을 이해하고 중환자실업무의 전체적인 흐름을 이해한다.
- ▶ Medical chart의 구성을 이해하여 중환자의 병력, 약력, lab 결과 등의 정보를 체계적으로 수집하고 이를 토대로 patient medication profile을 작성한다.
- ▶ 환자 질환별 약료와 관련된 goal을 이해하고, 적절한 문헌을 활용해 근거 중심의 약물 선택, 투여 용량, 용법, 투여경로 등을 포함한 적합한 약물치료를 계획하고 평가한다.
- ▶ 부적절한 약물요법, 약물오류 및 약물부작용이 확인되었을 경우 의료진에게 중재하고 이를 기록하여 데이터베이스화 한다.
- ▶ 중환자의 특성을 고려한 임상약동학자문 및 임상영양요법 자문을 한다.
- ▶ 회진에 참여하여, 환자의 약료와 관련된 의견을 공유하거나 적절한 정보를 제공하는 등 팀 의료의 일원으로서의 중환자병동 약사의 역할을 이해한다.
- ▶ 컨퍼런스에 참여하여 중환자치료와 관련된 최신지견을 습득하고 타 의료진과 임상정보 및 약물요법에 대한 의견을 교환할 수 있다.
- ▶ 중환자에서의 약물효과와 이상반응 등의 특징이 일반병동환자와 다르게 나타나는 경우 기록하여 추후 연구활동에 참고하고, 약료 실천에 대한 임상사례를 정리하여 발표할 수 있다.

I 중환자병동 임상업무 개요

1. 업무 정의

중환자병동 임상업무는 중환자실 입실 환자를 대상으로 각 환자에게 시행되는 약료 전반에 대해 투여 적절성, 효과 및 부작용을 지속적으로 모니터링하고 적절히 중재하여 약물 치료의 효과를 극대화하고 부작용을 최소화 함으로써 치료결과 향상에 기여하는 병동약사 업무 중 하나이다. 일반병동 환자와 구분되는 중환자의 특성을 고려하고, 심도 있는 임상약학 지식을 바탕으로 근거중심의, 환자별 특화된 약료를 제공한다.

2. 중환자 및 중환자실에 대한 이해

중환자란 생리적으로 불안정하고 스스로의 보상능력이 제한된 장기부전(organ failure) 환자 또는 장기 부전의 발생 위험이 있는 환자로서 중환자 관리팀에 의한 종합적이고 집중적인 치료가 필요한 환자군이다.

하지만 대다수 종합병원의 중환자실은 재정 및 인력의 제약으로 인해 제한된 수의 병실을 운영 중일 뿐만 아니라, 불필요한 중환자실 체류는 병원감염발생의 위험인자가 되므로 '중환자에 대한 정의' 에 따라 중환자실 전담의사나 담당 임상의가 환자의 종합적인 상태를 파악하고 대한중환자의학회의 우선 순위 모델을 고려하여 아래와 같이 입실대상을 결정한다.

1) Ventilatory support가 필요한 환자
2) 전문적인 circulatory support가 필요한 환자
3) Active bleeding control이 필요한 환자
4) 지속적인 신대체요법을 받아야 하는 환자
5) 심폐소생술 시행 후의 환자
6) 각종 시술 후 합병증이 예상되는 환자

회복할 수 없는 중증질환으로 소생가능성이 없는 환자(말기 암 등), 중환자실 치료가 별다른 이득이 없는 환자, 비가역적 뇌손상 환자 등은 입실 우선순위에서 제외된다.

중환자병동을 출입하며 업무를 할 때에는 원내 감염관리를 위한 각종 주의 표시를 숙지하여 상황에 맞는 감염 예방 방법을 택하고, 병상간 이동시나 차트, 컴퓨터 등을 만진 후 반드시 비치된 알코올젤로 손을 소독하는 것을 습관화 한다.

3. 중환자병동별 임상 약제업무에서 고려할 공통적 항목

성인, 소아, 외과계, 내과계 중환자실 환자의 약료에서 공통적으로 검토되이야 하는 항목이 존재하며 이와 같은 항목을 검토하는데 있어서 각기 환자군의 특성을 고려하여 특화된 약물검토가 이루어 질 수 있다. 약물의 적절한 선택이 그 첫 단계인데, 약물유해반응을 최소로 하면서 효과를 극대화 시키고 가장 합리적인 약가로 투여할 수 있는 약제를 선택한다. 약제 선택에 있어서는 각 과의 협진 내용과 회진시 상의한 내용을 바탕으로 한다. 적절한 약제가 선택되면 환자의 상태와 허가사항에 맞는 용량인지 검토하며 이때 신기능, 간기능 등의 장기부전을 고려하여 적절히 조절된 용량이 처방될 수 있도록 의사와 상의한다. 중환자 병동 환자는 동시에 10가지 가량의 약제가 투여되는 poly-pharmacy case가 많은데, 동시투여시 적합성, IV compatibility, 약물간 상호작용 등에 문제가 되는 것이 없는지 검토한다. 또한 이미 일어난 약물유해반응에 대하여 보고하고 분석하여 동일한 환자에게 동일한 약물유해반응이 재발생하지 않도록 관리한다. Parenteral Nutrition(PN)을 중심으로 한 임상영양요법과 Therapeutic drug monitoring (TDM)을 시행하며 그 외에도 약제관련 연구, 의료진 교육활동, 회진 및 컨퍼런스 참여를 통해 최신지견을 공유하고 약제 정보를 제공하며 중환자실 내 프로토콜 정립에 참여한다.

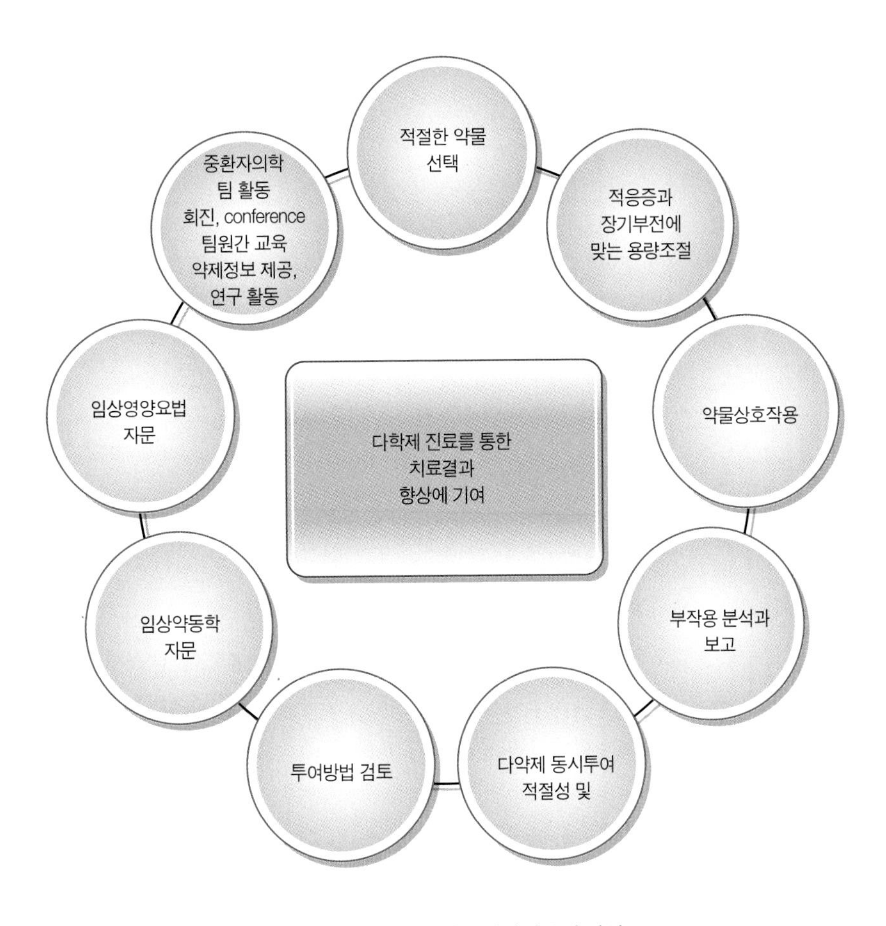

그림 15-1. 중환자병동 임상업무의 범위

II 성인 중환자 임상 약제 업무

1. 내과계 중환자실(Medical Intensive Care Unit) 임상 약제 업무

1) 환자군 특성

내과계 중환자실은 호흡부전(respiratory failure)과 shock의 임상상태를 가진 환자가 많은 비율을 차지하므로 이러한 진단 하에서 병태생리를 이해하고 약물요법을 포함한 전반적인 치료법에 대해 파악할 필요가 있다.

내과계 중환자의 큰 부분을 차지하는 sepsis 환자에서 일어나는 약동학적 변화는 감염된 세균 및 진균으로부터 유래된 내독소(endotoxin)가 혈관 내피세포에 영향을 주는 다양한 매개인자를 분비시키면서 시작된다. 이들은 혈관 수축이나 이완을 일으킴으로써 혈류의 불균형한 분포를 일으키고, 내피 세포의 손

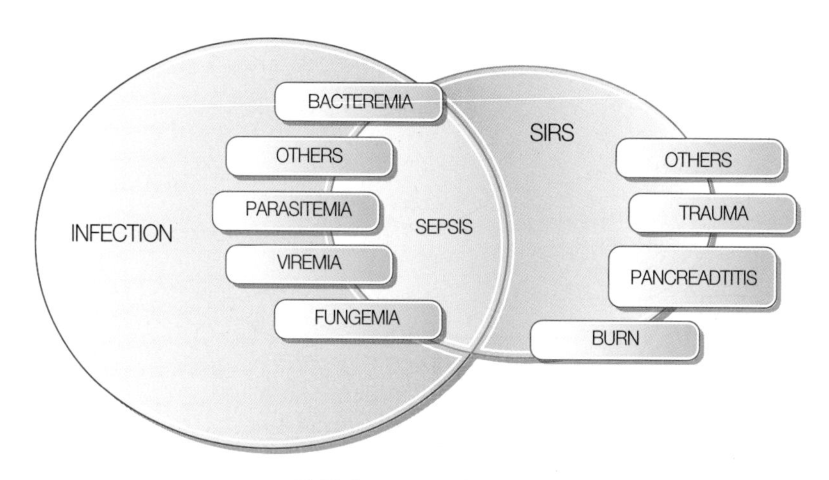

그림 15-2. Infection, SIRS, Sepsis

상, 모세혈관의 투과성을 증가시키는 capillary leak syndrome을 일으키고 체액을 혈관으로부터 세포간질 쪽으로 이동하게 하여 친수성 약물의 분포용적(Vd)을 증가시키고 혈중 농도를 감소시킨다. 친수성 약물은 기계호흡, 저알부민혈증(증가된 모세혈관 유출), 체외 tube, 수술 후 배액, 화상 등에서 역시 Vd가 증가하는 반면, 친유성 약물은 adipose tissue에까지 분포하기 때문에, 그 변화의 정도가 친수성 약제만큼 크지 않다는 특징을 가진다.

Shock이 유발하는 장기부전 또한 약동학적 파라미터들을 변화시킨다. 신기능 부전은 신장으로 제거되는 약물의 배설을 감소시켜 혈중농도를 상승시킬 수 있으므로 약에 따라서 적절한 감량이 필요할 수 있다. 간기능 부전은 신기능 부전에 비하여 용량조절 지침이 잘 정립되어 있지는 않지만 약물의 대사 및 배설에 영향을 주므로 상황에 맞는 용량조절을 고려한다. 심장기능이 떨어진 경우에도(eg. cardiogenic shock) 각 장기의 관류 저하와 미세혈관의 순환 부전을 일으켜 신장이나 간을 포함한 다중 장기부전으로 이어질 수 있으며, 이 경우 항생제의 제거율을 감소시키고 반감기를 연장시켜 상승된 항생제 농도에 의한 독성을 일으킬 수 있으므로 주의한다.

한편, 중환자실의 환자는 적절한 수준의 진통, 진정(sedation)을 필요로 하며 특히 인공호흡기를 사용하는 환자가 느끼는 통증이 간과되지 않도록 한다. 섬망(delirium)이 나타난 경우에는 적절한 약물로 처치하는데, 이에 대해 Clinical practice guidelines for the management of Pain, Agitation, and Delirium in adult patients in the intensive care unit (*Crit Care Med. 2013 Jan;41(1):263-306*)을 기반으로 만든 ICU PAD protocol을 따른다.

2) 약제 관련 중요 사항

(1) 인공호흡기, 지속적 신대체요법(CRRT), 체외막 산소화요법(ECMO)

① 인공호흡기 치료를 받고 있는 환자의 스트레스 야기성 위장관 출혈의 위험성을 감소시키기 위해 proton pump inhibitors, H_2 antagonist, coating agents 중 한 개를 사용하여 stress ulcer prophylaxis를 시행한다.

② CRRT를 시행하는 경우에는 creatinine clearance 가 아닌 CRRT에 의한 약물배설을 고려하여 용량을 정해야 한다.

③ ECMO 시행 환자의 약제관련 특이사항은 항응고요법의 시행 부작용으로 heparin을 사용하지 못하는 경우 nafamostat나 factor Xa inhibitor와 같은 대체약제를 고려해 볼 수 있다.

(2) 심부정맥혈전(DVT) 예방 지침에 따라 금기사항이 없는 경우 low molecular weight heparin, heparin 등의 약제를 통한 DVT 예방을 실시하고, 약제사용이 금기인 경우에는 IPC (intermittent pneumatic

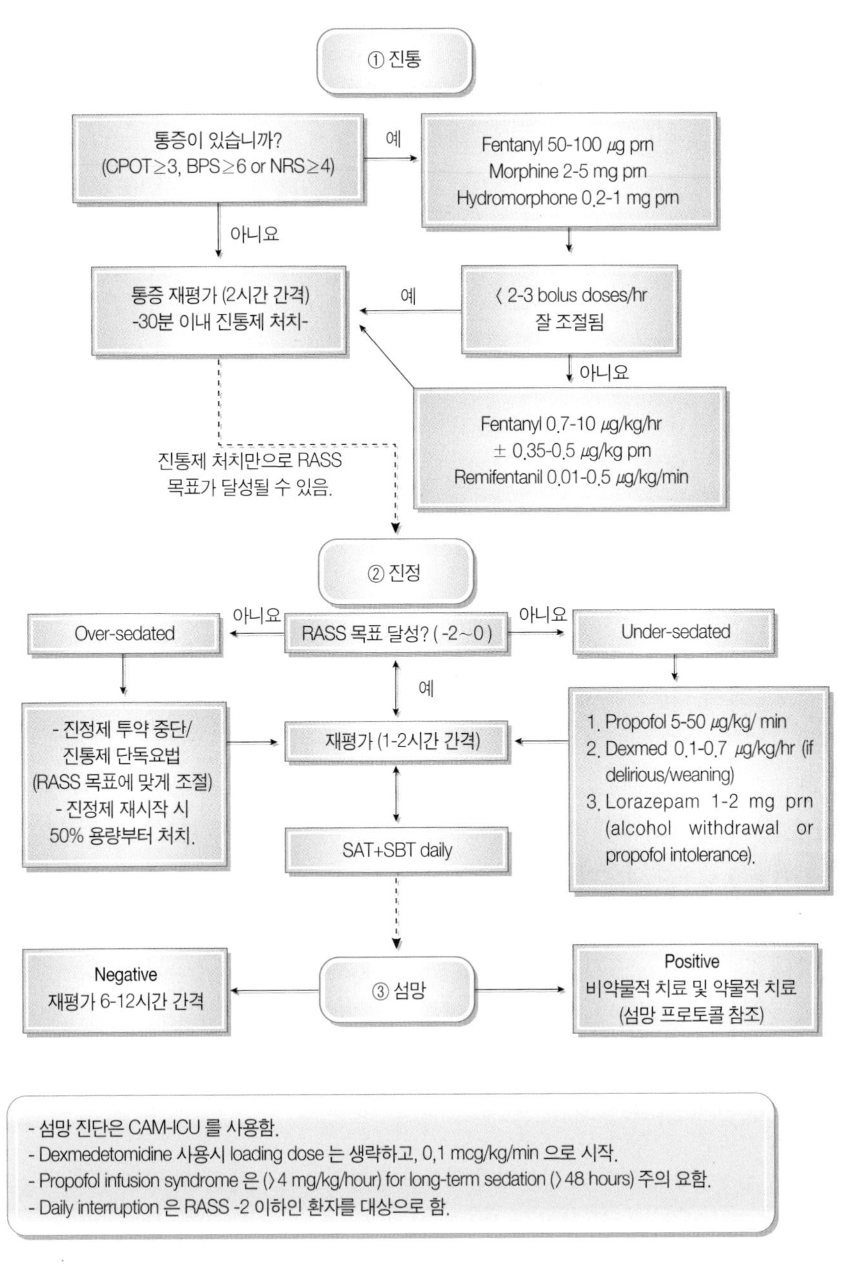

그림 15-3. 인공 호흡기 적용중인 환자에서의 진통 및 진정 프로토콜 (삼성서울병원 중환자실, 2013)

compression)를 적용한다.

3) Nutrition support (13장 임상영양요법 참고)

2. 외과계 중환자실(Surgical Intensive Care Unit) 임상 약제 업무

1) 환자군 특성

주로 수술 후 vital sign close monitoring 또는 출혈, 급성 신손상, shock 등의 합병증 관리를 위해 외과계 중환자실에 입실하며, 때에 따라 수술 후 이미 일반 병동으로 옮겨졌으나 뒤늦게 합병증이 생겨 다시 ICU로 입실하는 경우도 있다. 2010년 대한중환자의학회 통계자료에 따르면 우리나라 외과계 중환자실 재원환자의 평균 연령은 내과계보다 5살 가량 낮고, 평균 재원일수는 짧으나 인공호흡기 치료를 받는 비율이나 vasoactives/inotropics 투여 비율은 내과계 중환자실과 비슷한 수준으로 나타났다.

2) 약제 관련 중요 사항

수술만을 위해 입원한 환자들은 장기부전이 없는 경우도 많아 약물 용량 조절에 있어 고려할 점이 적고, 항생제 사용비율도 내과계보다 적다. 하지만 입원 전부터 내과적 질환을 가지고 있거나, 수술 후 합병증이 생긴 경우에는 내과계 중환자실 약료와 같은 흐름으로 항생제 및 각종 내과적 치료를 병행하게 된다. 수술 후에는 일별로 적용하는 프로토콜이 있어 약제 사용에서도 이를 준수하는지 확인할 필요가 있다.

치료 방향에 접근할 때에는 수술결과에 영향을 미치는 사항이 없는지 항상 확인한다. 수술부위 보호를 위해 일시적으로 중환자실에서 목표로 하는 진정(sedation)상태보다 더 높은 진정상태가 요구될 때에는 이에 맞게 약물을 조절해야 하고, 신이식 초기에는 volume을 충분히 주면서 이식된 신장의 허혈성 손상 가능성을 최소로 해야 하므로 약제 희석 농도는 적절한지, 다른 신독성 약제가 투여되고 있지는 않은지 확인한다. 반면 간이식 환자에서는 volume을 제한하여 투여하는 경우가 많으므로 약제의 농축시 안정성 결과를 확인하고, 약물유해반응으로 인한 간수치(AST/ALT, total bilirubine) 상승 여부를 면밀히 관찰한다.

외과계 중환자실은 내과계에 비하여 평균 재원일수가 짧고 수술 후 프로토콜에 항응고요법이 기본적으로 포함되어있는 경우가 있으며 수술 후 출혈위험성이 존재하는 경우도 많아 별도의 DVT prophylaxis를 시행하는 비율은 적다. 하지만 합병증으로 인해 장기간 ICU에 재원하는 경우에는 그 필요성을 별도로 점검해야 한다. 그 외 인공호흡기 적용에 따른 stress ulcer prophylaxis는 공통적으로 적용하며 장기부전에 따른 약물 용량 조절 등의 일반적인 약제조정은 앞서 기술한 내과계 중환자실의 약제 업무와 같다.

3. 결론

중환자 병동 임상업무는 약사의 전문적인 역할을 종합적으로 수행할 수 있는 약사 직능의 총체라고 할 수 있다. 따라서 끊임없이 다양한 환자 중심적 임상서비스를 개발, 확대해 나가고 다학제 진료팀원으로서 환자치료에 참여하여 약사의 전문성을 한층 더 제고시킬 수 있는 방향으로 노력해야 한다. 점점 복잡 다양해지고 있는 질환에 대하여 보다 효과적이고 전문적인 약물요법을 수행하기 위해서는 병원 환경에서 체계적인 교육을 통하여 임상약학적 지식을 습득하고 임상약사로서의 실무경험을 축적하는 과정이 필수적이라 하겠다.

참고문헌

- Bickley L. S. et al : Bate's Guide to Physical Examination and History Taking, Lippincott Williams & Wilkins (2003)
- Koda-Kimble M. A. et al : Applied Therapeutics, Lippincott Williams & Wilkins (2008)
- Nemire R. E. et al : Pharmacy Clerkship Manual, The McGraw-Hill Companies, INC. (2002)
- Paul L Marino : ICU books, Lippincott Williams & Wilkins (2003)
- Schwinghammer T. L. et al : Pharmacotherapy Casebook, The McGraw-Hill Companies, INC. (2002)
- Tietze K. J. : Clinical Skills for Pharmacists, Mosby-Year Book INC. (1997)
- Currie J. D. et al : Identification of Essential Elements in the Documentation of Pharmacist-Provided Care. J Am Pharm Assoc. 43 : 41~49 (2003)
- Hammond R. W. et al : ASHP Guidelines on Documenting Pharmaceutical Care in Patient Medial Records. Am J Hosp Pharm. 60 : 705~707 (2003)
- Jason A. Roberts et al : Pharmacokineticissues for antibiotics in the critically ill patients. Crit Care Med. 37 : 840~851 (2009)
- Surviving Sepsis Campaign : International guidelines for management of severe sepsis and septic shock 2012. Crit Care Med. 41(2):580-637 (2013)
- 약대 6년제 실무실습교안
- 대한중환자의학회 홈페이지 http://www.ksccm.org
- 2010 대한중환자의학회백서
- Society of critical care medicine 홈페이지 http://www.sccm.org
- Barr J. et al : Clinical practice guidelines for the management of pain, agitation, and delirium in adult patients in the intensive care unit. Crit Care Med. 41(1) : 263-306 (2013)

III 소아중환자 임상 약제 업무

1. 소아중환자실(Pediatric Intensive Care Unit, PICU) 임상 약제 업무

소아중환자실 환자들은 질병, 연령, 체중이 다양하기 때문에 약물치료 시 이러한 다양성을 고려해야 한다. 소아에게 권고되는 약물용량은 연령별 또는 체중, 체표면적(Body Surface Area, BSA)별로 제공되며 획일화하여 적용하기 힘들다. 또한 소아를 대상으로 한 연구가 불충분하거나 소아에 대한 안전성 및 유효성이 입증되지 않은 약물이 많아 이런 약제의 사용 여부 및 용량의 결정은 성인을 대상으로 한 자료와 소아의 특성을 이해한 의료진에 의해 이루어져야 한다. 신부전, 간부전이 있는 소아환자의 약물용량 설정에 대한 연구 또한 자료가 부족하여 성인 자료를 참고하게 되며 이 때, 소아와 성인의 약물·약동학적 차이에 대한 이해가 필수이다.

1) 소아의 특징

성인에 비해 소아에서 약물·약동학적 차이를 나타내는 이유는 크게 체구성 성분의 차이와 장기기능의 차이로 나누어 생각할 수 있다.

(1) 체구성 성분

생후 6개월 경까지는 체내 수분량과 세포외액(Extracellular Water, ECW) 분율이 높고 상대적으로 지방 조직은 적다. 출생 직후에는 체수분이 80%에 달하며 세포외액도 40%이상이다. 이런 특징 때문에 약물의 분포는 연령에 따라 차이를 보일 수 있다. 예를 들어 주로 세포외액에 분포하는 aminoglycoside 항생제의 경우 분포용적(Vd)이 신생아에서 성인에 비해 두 배 가까이 커질 수 있다.

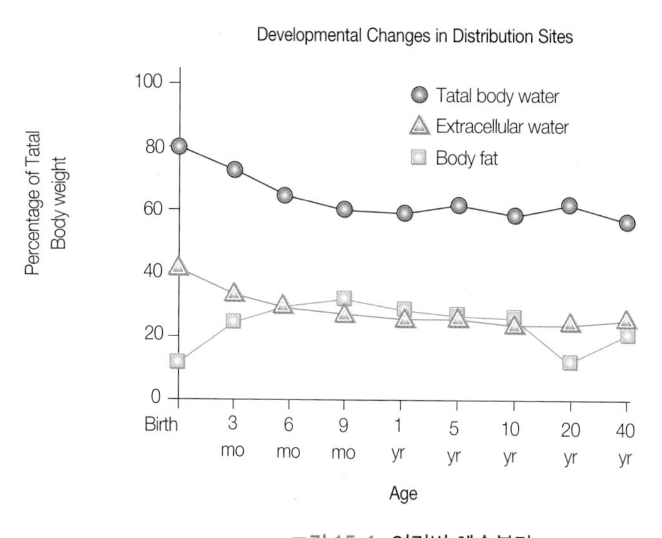

그림 15-4. 연령별 체수분량

(2) 위장관 기능

위 내 pH나 소장의 표면적, 위배출속도가 성인과 다르며 약물 흡수에 변화를 줄 수 있다. 상대적으로 위 내 pH가 높은 신생아에서는 이론적으로는 phenobarbital, phenytoin 등 산성약물의 흡수가 감소할 수 있다.

표 15-1 연령별 위장관 기능

	신생아(Neonate)	영아(Infant)	어린이(Children)
위 내 pH	> 5	2~4	2~3 (성인과 동일)
소장의 표면적	감소	성인과 유사	성인과 동일
위배출속도	불규칙	증가	약간 증가
소장운동성	감소	증가	약간 증가
담즙 기능	미성숙	성인과 유사	성인과 동일

(3) 간 대사 기능

소아는 간 기능의 미숙으로 약물 대사에 관여하는 효소의 활성이 성인보다 낮을 수 있다. 가장 많은 약제가 대사되는 간의 사이토크롬(Cytochrome P, CYP) 효소도 신생아에서 성인에 비해 많이 감소되어 있고, 혈중 에스테라제(esterase) 활성도 낮다. 에스테라제 활성은 1세 경 거의 성인과 유사해지나, CYP 효소의 활성은 늦게 발달되는 편이다.

이런 특성 때문에 90% 이상 CYP 효소의 대사를 받는 fentanyl에 비해 주로 혈류와 조직의 에스테라제에 의해 대사되는 remifentanil의 사용이 대사 측면에서 성인과 유사할 것으로 예측할 수 있다.

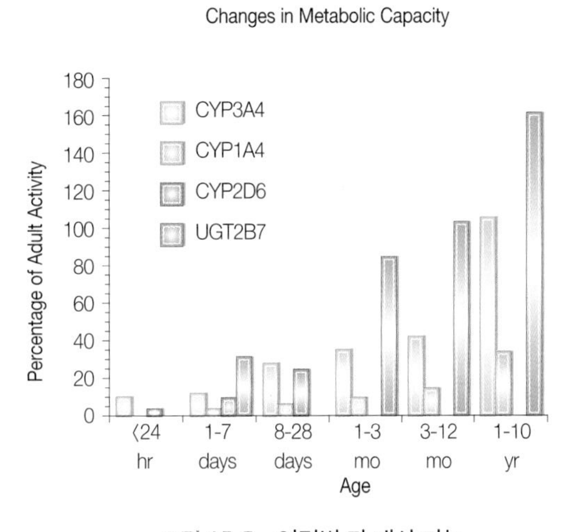

그림 15-5. 연령별 간 대사 기능

(4) 신장 기능

신기능 역시 소아와 성인의 차이가 큰 부분 중 하나이다. 신장은 임신 9주 경부터 발달하기 시작해 36주 경 완성된다. 따라서 미숙아의 경우 신기능 역시 미숙하다고 생각할 수 있다. 소아의 신기능은 성인과 같은 방법으로 평가하기 어렵다. 정상 혈청 크레아티닌(Serum Creatinine, SCr, mg/dL) 농도 역시 성인과 달라 성인에서 사용하는 Cockcroft-Gault Equation을 사용하면, 실제와 다르게 매우 높은 사구체여과율(Glomerular Filtration Rate, GFR)이 산출될 수 있다.

소아에서는 Schwartz Formula를 사용하고, 미숙아에서도 사용할 수 있다고 되어 있으나, Muscle Factor*를 나이와 성별에 따라서만 적용하게 되므로 영양불량이 있거나, 체액불균형이 있는 소아에서 정확도는 매우 떨어진다.

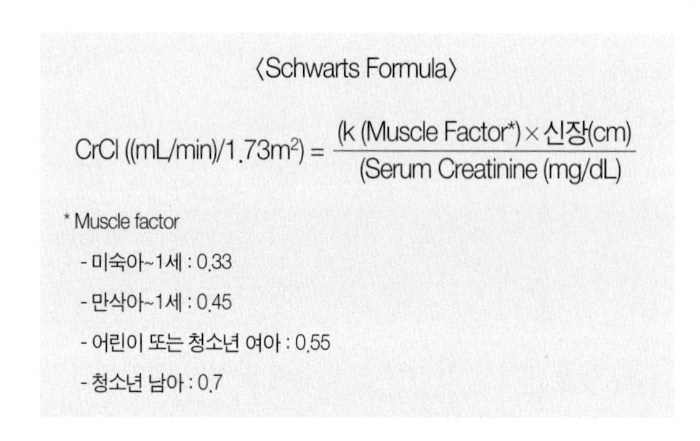

따라서 소아의 신기능은 제한적이므로 SCr의 초기값과 얼마나 차이가 나는지, 소변량이 어떠한지를 통해 신기능의 변화를 임상적으로 판단하고 용량결정에 적용하게 된다.

표 15-2 성인과 소아의 검사결과 정상치의 차이

	소아		성인
Albumin (g/dL)	0~1세 2~4	〉1세 3.5~5.5	3.5~5.5
Ammonia (mcg/dL)	신생아 90~150	소아 40~120	30~110
Bilirubin, total (mg/dL)	생후 0~3일 2~10	〉1개월 0~15	0~15
Serum creatinine (mg/dL)	0~1세 〈 0.6	〉1세 0.5~1.5	0.5~1.5
Magnesium (mEq/L)	1.5~2.5	1.5~2.5	1.5~2.5
Phosphorus (mg/dL)	신생아 4.2~9	19개월~3세 2.9~5.9	〉15세 2.5~5
	6주~19개월 3.8~6.7	3~15세 3.6~5.6	
Potassium (mEq/L)	신생아 4.5~7.2	3개월~1세 3.7~5.6	3.5~5
	2일~3개월 4~6.2	〉1세 3.5~5	

2) 소아 약 용량 결정

앞서 언급한 차이들 때문에 소아 용량을 설정하는 것은 결코 단순하지 않다. 이런 약동학적 차이를 바탕으로 dosing regimen을 세 가지로 정해볼 수 있다.

(1) 연령에 근거한 용량 결정

생리학적 발달 정도가 연령에 따라 다르기 때문에 많은 약제들은 권고 용량을 연령에 따라 다르게 설정하고 있다. 소아를 대상으로 한 연구자료가 없는 약제의 경우 특정 연령 이후에만 사용하는 것을 권장하기도 한다.

(2) 체중에 근거한 용량 결정

조직에 주로 분포하는 약제(성인 Vd 〉0.6 L/kg)는 체중과 상관관계를 가지므로 체중당 용량으로 적용해 볼 수 있다.

체중당 권고용량이 정해지는 약제들의 처방시에도 과용량 투여의 위험을 고려해야 한다. 대부분의 약물은 소아에서 체중당 클리어런스(clearance)가 크고, 체중이 약 40 kg을 초과하는 경우라면 성인보다 많은 용량으로 계산되는 경우가 있다. 이런 경우에는 과용량 투여를 방지하기 위해 최대용량을 설정하는 것이 필요하며, 일반적으로 성인 용량을 최대용량으로 설정하게 된다.

예를 들어 cefepime을 150 mg/kg/day를 사용하는 경우, 성인용량이 2 g, 1일 3회인 것과 비교해 보면, 40 kg을 초과할 때 성인 용량보다 더 많이 투여하도록 계산된다. 이런 경우 최대용량은 1일 6 g으로 정해져 있다.

(3) 체표면적(Body Surface Area, BSA)에 근거한 용량 결정

세포외액(ECF)에 주로 분포하는 친수성 약제(성인 Vd 〈 0.4 L/kg or 〈 0.3 L/kg)는 주로 ECF에 분포하고 이는 연령 또는 BSA와 상관관계를 가진다. 하지만 치료역이 넓은 약제의 경우 편의상 체중에 근거한 용량으로 권고용량이 정해지는 경우가 많다.

2. 신생아중환자실 (Neonatal Intensive Care Unit, NICU) 임상 약제 업무

1) 신생아중환자에 대한 이해

신생아는 출생과 동시에 모체 내 생활에서 모체 외 생활로 적응하기 위해 여러 가지 생리적, 환경적 변화를 겪는다. 이 시기의 신생아가 외부에 얼마나 잘 적응하냐는 모체 내에서 얼마나 적절히 성숙했는가와 관계가 있다. 재태기간은 신생아가 모체 내에서 어느 정도 성숙하였는가를 반영하는 중요한 건강 정보이며 산모의 마지막 생리주기로부터 출산에 이르기까지의 주수를 의미한다.

표 15-3 신생아 분류

분류	정의
재태기간에 의한 분류	
미숙아 (Preterm infant)	재태기간 37주 이전에 출생한 신생아
만삭아 (Term infant)	재태기간 38-42주 사이에 출생한 신생아
과숙아 (Postterm infant)	재태기간 42주 이후에 출생한 신생아
출생 시 체중에 의한 분류	
저체중 출생아 (Low birth weight infant, LBW)	출생체중이 2,500g 이하인 신생아
극소저체중 출생아 (Very low birth weight infant, VLBW)	출생체중이 1,500g 이하인 신생아
초극소저체중 출생아 (Extremely low birth weight infant, ELBW)	출생체중이 1,000g 이하인 신생아
재태기간과 출생 시 체중의 관계에 의한 분류	
적량아(Appropriate for gestational age infant, AGA)	출생체중이 자궁 내 성장곡선 상 10백분위수와 90백분위수 사이인 신생아
부당 경량아(Small for gestational age infant, SGA)	출생체중이 자궁 내 성장곡선 상 10백분위수 이하인 신생아
과체중아(Large for gestational age infant, LGA)	출생체중이 자궁 내 성장곡선 상 90백분위수 이상인 신생아

2) 신생아중환자실 환자 모니터링 업무

성인에게 적용되는 많은 약물치료학적 모니터링 지표가 신생아에게도 마찬가지로 사용되지만 정상범위는 성인에서와 다르다. 예를 들어, 신생아의 심박수나 호흡수는 성인에 비해 더 높고 혈압은 더 낮은 특징이 있다. 또한 모체의 자궁에서 자궁 외로의 생리학적 변화가 신생아의 병태 및 약물의 분포에 영향을 미친다. 흡수, 분포, 대사, 배설의 변화는 약의 성질에 영향을 미치고 궁극적으로는 신생아의 약 용량을 변화시킨다.

(1) 질환별 약물 모니터링

① 미숙아 무호흡 (Apnea of prematurity)

지속적 무호흡은 조직의 산소공급에 지장을 초래할 수 있다. 또한 뇌 혈류량 감소 때문에 뇌 허혈증 및 뇌실 주위 백질연화증 및 뇌 혈류량 증가를 위한 심박출량의 재분비로 인해 장관 허혈증 및 괴사성 장염을 유발할 수 있다.

무호흡의 치료는 호흡기 치료와 약물 치료가 있다. 치료 약제로는 호흡 억제를 매개하는 아데노신 차단제인 methylxanthine 제제(aminophylline/theophylline, caffeine)가 있다.

② 신생아 호흡곤란 증후군 (Respiratory distress syndrome, RDS)

신생아 호흡곤란 증후군은 미숙아에서 폐의 발달 미숙으로 인한 폐표면활성제의 부족에 의해 발생하며, 무기폐와 폐 부종, 세포손상 등을 특징으로 한다. 산전 스테로이드 투여는 신생아 호흡곤란 증후군 예방에 가장 중요한 조치이다. 정확한 기전은 알려져 있지 않으나 스테로이드가 폐표면활성제의 생성을 촉진시키고, 이미 생성되어 폐포 내 저장된 폐표면활성제의 분비를 자극하는 것으로 이해된다. 치료방법으로는 산소치료, 기계적 환기요법, 수액 제한 및 폐표면활성제 치료가 있다. 폐표면활성제는 폐포의 공기/액체 간 표면장력을 저하시켜 폐포의 팽창을 유지시키는 역할을 한다. 또한 폐액의 배설을 원활히 하여 폐부종을 막고 환기를 원활히 한다. 출생 시 잔존하는 폐액의 배설은 폐 혈류를 증가시켜 정상적인 순환을 돕는다.

③ 기관지폐이형성증 (Bronchopulmonary dysplasia, BPD)

기관지폐이형성증은 미숙아 만성폐질환(chronic lung disease, CLD)로 불리기도 하며, 생후 28일 이후에도 적절한 혈중 산소농도를 유지하기 위해 산소투여가 필요하고, 특징적인 흉부방사선 소견을 보이는 경우로 정의된다. 기관지폐이형성증은 산전 감염이나 출생 후의 기계적 환기요법으로 인한 기도 및 폐포의 손상, 활성산소, 동맥관 개존증 및 감염 등에 의한 염증성 매개물질이 폐포와 폐혈관의 발달 장애를 초래함으로 생긴다고 알려져 있다. 치료방법으로는 호흡기 치료, 산소투여, 수액 요법, 약물 투여(이뇨제, 기관지 확장제, 스테로이드 제제)가 있다.

④ 신생아 지속성 폐동맥 고혈압증 (Persistent pulmonary hypertension of the newborn, PPHN)

태아-신생아 과정에서 폐혈관 저항이 감소되지 않고 지속적으로 상승되어 있는 소견으로 폐 미발달, 폐 발달 이상, 전이의 부적응이 그 원인이다. 청색증이 있는 신생아는 응급상황으로 간주되어 즉각적인 치료를 요하며 호흡기계 치료, 약물치료, 일산화질소 흡입요법이 있다. 약물 치료는 폐혈관저항의 감소(dopamine, dobutamine, epinenephrine)와 체혈관 저항의 유지(NO, phosphodiesterase inhibitor)를 목표로 한다.

⑤ 동맥관 개존증 (Patent ductus arteriosus, PDA)

동맥관은 태아 때부터 존재하는 심장 조직으로 출생 후 호흡이 시작되고 산소가 공급됨에 따라 수시간 이내에 기능적으로 닫히게 된다. 동맥관 개존증은 출생 후 정상적으로 자연 폐쇄가 되어야 할 동맥관이 폐쇄가 되지 않아 일어나는 비청색증성 심질환이다. 동맥관 개존증의 치료방법은 다음과 같다.

a. 보존적 치료 : 수분 제한, 이뇨제, 호흡 관리

b. 약물 치료 : Prostaglandin 생성억제제 사용

- Indomethacin : 수술적인 치료의 효과적인 대안이다.
- Ibuprofen : indomethacin과 효과는 대등하면서 부작용은 적다.

c. 수술적 결찰 : 약물 치료에 반응이 없거나 약물 치료를 할 수 없는 경우에는 지체 없이 수술하는 것이 좋다.

⑥ 괴사성 장염 (Necrotizing enterocolitis, NEC)

장의 점막 혹은 전층의 괴사로 인하여 생기는 미숙아의 응급 소화기 질환이다. 임상증상은 복부팽만, 혈변, 무호흡증, 서맥, 복부통증, 위 저류, 쇼크, 담즙성 구토, 설사, 산증 등으로 다양하게 나타난다. 괴사성 장염이 의심되는 즉시 금식 등의 조치 및 치료가 시작되어야 한다.

a. 수분, 전해질, 영양

- 괴사성 장염 단계에 따라 다르나 7-14일간 금식하며 총정맥영양을 시작한다.

- 복강 내로의 수분손실의 보충을 위한 지속적인 수액요법 및 콜로이드 투여가 필수적이다.

b. 감염

- 혈액, 소변, 대변, 뇌척수액 배양 검사를 시행한 후에 광범위 항생제를 쓴다.
- 장의 천공이나 복막염이 있을 경우 혐기성 균에 대한 치료를 요한다.
- 임상적으로 괴사성 장염이 진단된 경우 항생제는 대부분 10-14일간 지속한다.

c. 외과적 수술

(2) 임상영양요법 모니터링

신생아 영양의 목표는 출생 후에도 같은 임신 주 수의 태아와 동일한 발육 곡선과 신체 구성을 유지하는 것으로 출생 직후부터 적절한 영양을 공급해야 한다. 경구영양은 강하게 빠는 힘과 삼키는 행동에서 후두개와 목젖의 조화, 정상적인 식도의 운동성 등이 필수 조건이며, 이러한 조정은 34주 정도가 되어야 한다. 또한 신생아들은 빠는 힘이 약하고 위 용량도 작으며 영양소의 소화 흡수 능력과 간에서의 대사 능력 및 신장에서의 수분-전해질 조절 능력이 미숙할 뿐만 아니라, 미숙과 관련된 주산기 질환 때문에 금식시키거나 양을 빨리 증가시킬 수 없는 경우가 많다. 총정맥영양은 경구수유를 할 수 없는 신생아에서 기본 대사뿐 아니라 성장에 필요한 영양을 공급하는 수단이다.

(3) 임상약동학 모니터링

신생아는 효소의 활성과 신기능이 저하되어 있기 때문에 많은 약물의 소실율이 저하되며 반감기가 연장된다. 약물의 소실율로 유지용량이 결정되기 때문에 독성을 방지하기 위해서는 용량을 감소시켜야 한다. 생체변환반응과 신기능이 정상화 되면 용량이 범위에 벗어나지 않도록 적절히 증량해야 한다. 이러한 약동학적 변화 때문에 신생아에게는 정기적인 평가와 더불어 철저한 약물 모니터링이 필요하다.

참고문헌

- Nelson textbook of pediatrics,19th ed. chapter 57 Principles of drug therapy
- Principles and Practice of Pediatric Infectious disease 4th ed. chapter 291 Pharmacokinetic-Pharmacodynamic Basis of Obtimal Antibiotic therapy
- Pediatric & Neonatal Dosage Handbook 19th ed.
- 소아에 대한 의약품 적정사용 정보집 2011 식품의약품안전청
- Imke H. Bartelink,1 Carin M.A. Rademaker Guidelines on paediatric dosing, pharmacokinetic consideration Clin Pharmacokinet 45 : 1077-1097 (2006)
- Gregory L.Kearns et al. Developmental Pharmacology - Drug Disposition, Action, and Therapy in Infants and Children N Engl J Med. 349 : 1157-1167 (2003)
- 대한 신생아 학회: 신생아 진료 지침 제 2판, 대한신생아학회 (2008)

- Thomson Reuters: NEOFAX, Thomson Reuters (2011)
- Christina J. Valentine el al. : Enhancing Parenteral Nutrition Therapy for the Neonate. Nutr Clin Pract 22 : 183 - 193 (2007)
- Tricia Lacy Gomella et al: LANGE Clinical Manual Neonatology 6th ed., McGraw-Hill Medical (2009)
- Richard J. Martin: Neonatal-Perinatal Medicine 8th ed., W.B. Saunders (2006)
- Burton et al.: Applied Pharmacokinetics and Pharmacodynamics 4th ed., Lippincott Williams and Wilkins (2006)

part Ⅳ

병원 약무행정

_16
병원 약무행정

Objectives 

- ▶ 약물구매선정실무위원회 관련 업무의 진행 절차를 이해할 수 있다.
- ▶ 신규의약품 도입 절차를 이해할 수 있다.
- ▶ 약품의 구매에서 공급, 재고관리, 사용관리의 흐름을 이해할 수 있다.
- ▶ 사회보장이란 무엇인가?
- ▶ 우리나라의 사회보장체계에 대해 이해한다
- ▶ 우리나라의 건강보험제도에 대해 이해한다.
- ▶ 우리나라의 국민건강보험법에 대해 이해한다.
- ▶ 상대가치체계에 대해 이해한다.
- ▶ 건강보험에서 행위급여의 일반적인 원칙을 이해한다.
- ▶ 건강보험에서의 약제 행위료에 대해 이해한다.

I 의약품 사용 및 관리

병원에서 의약품관리란 환자 치료에 필요한 의약품의 구입에서부터 사용까지의 과정에서 발생하는 구매, 발주, 검수, 보관, 조제, 공급, 투약 등의 업무에 약학의 지식을 기본으로 하여 경제적인 면까지 포함시킨 광범위한 관리업무를 말한다. 병원에서 사용하는 약품비는 총지출비 중 인건비 다음으로 많기 때문에 자금 효율적인 면에서도 의약품 관리는 병원경영에 중요한 영향을 미치게 된다. 따라서 병원약사는 품질이 우수한 의약품을 확보하여 진료 상 필요한 환자에게 정확, 신속, 원활히 공급하여 환자치료를 돕는 동시에 의약품 관리 측면에서 병원경영에 기여할 수 있도록 노력해야 하며, 병원 내에는 약사가 의료관계자들에게 전문적인 입장에서 이러한 조언을 할 수 있는 체계가 확립되어 있어야 한다.

일반적으로 병원에서의 의약품관리는 다음과 같은 업무로 구성되어 있다.

① 의약품 선정 : 병원에서 진료 상 필요한 의약품은 주로 약물구매선정실무위원회를 통해 선정한다.

② 의약품 목록관리 : 약물구매선정실무위원회를 통과한 신규 의약품 도입, 품목삭제 의약품, 제약회사 변경 등 의약품 목록을 관리하는 업무이다.

③ 구매관리 : 의약품을 구매, 발주, 검수하는 업무이다.

④ 재고관리 : 검수된 의약품을 입고시키고, 사용하고 있는 의약품을 관리하는 업무이다.
⑤ 공급관리 : 진료과의 처방과 청구에 따라 해당 의약품을 환자에게 투약하거나 사용부서에 공급하는 업무이다.
⑥ 사용(소비)관리 : 공급된 약이 사용부서에서 소비되고 다시 청구될 때까지의 과정을 관리하는 업무이다.
⑦ 품질관리 : 검수된 의약품이 입고되어 사용될 때까지 우수한 품질이 유지되도록 관리하는 업무이다.

1. 약물구매선정실무위원회(Drug Formulary Review Committee, DFR)

합리적인 약물 치료는 환자 치료의 질적 향상을 보장해 줄 수 있는 중요한 수단이 된다. 병원에서는 환자에게 최적의 치료가 보장될 수 있도록 시판되고 있는 수많은 다양한 의약품들 중에서 가장 안전하고 효과적인 약제를 선택하여 환자 치료에 적용하여야 한다.

약물운영위원회(Pharmacy & Therapeutic Committe)에서는 약제에 관한 업무의 적정을 기하기 위하여 전반적인 약물 관리의 승인과 모든 약물사용관리 단계에 대한 정책을 심의하며 그 정책이 병원 내에서 잘 실행될 수 있도록 관리, 감독하는 기능을 한다. 약물구매선정실무위원회는 병원에서 사용되는 모든 의약품의 선정, 구매 및 품목 삭제 등 원내 의약품 목록 관리에 관한 업무를 담당한다. 위원회를 운영하는 궁극적인 목표는 병원에서의 약물치료를 극대화하면서 동시에 비용 발생을 최소화하여 환자 치료의 질을 향상시키는 것이다. 병원마다 운영하는 위원회의 명칭은 약간씩 다를 수 있으나, 기능과 역할은 거의 동일하다고 할 수 있다.

1) 운영 목적

위원회는 환자 치료 및 진단 등 원내에서 사용하고 있는 모든 의약품의 선정 및 구매, 품목삭제 등 원내 의약품 목록관리에 관한 업무를 담당할 목적으로 운영된다.

2) 구성 및 운영

약물구매선정실무위원회는 의료기관의 특성에 따라 다양하게 구성, 운영될 수 있으나 일반적으로 다음 사항이 반영되도록 한다.

(1) 위원회는 의사, 약사, 간호사, 보험 업무 담당자 등을 포함하여 구성한다.
(2) 위원장은 의료진을 대표하는 의사로 위촉하여야 하며, 약사는 위원회의 간사로 임명되어야 한다.
(3) 위원회는 분기별 정기회의를 개최하며, 원장 또는 위원장이 필요하다고 인정할 때 임시회의를 소집할 수 있다.
(4) 회의 안건은 회의개최 2개월 전까지 위원회 간사에게 제출하여야 한다.
(5) 회의록은 간사가 준비하며, 회의 결과 기록이 영구적으로 유지, 관리되도록 한다.
(6) 위원회의 활동은 환자 치료에 관련된 여러 분야의 의료 요원들에게 일정하게 전달되어야 한다.
(7) 위원회는 자문 내용의 객관성과 진실성에 대해 책임을 지는 자세로 활동하여야 한다. 위원회는 자문

역할자로서의 기능을 고려하여 병원 내에서 야기될 수 있는 각종 약제관련 이해관계의 대립을 객관적으로 공정하게 해결할 수 있도록 정책을 확립하여야 한다.

(8) 위원회는 의료기관의 약물 사용 정책을 수립함에 있어 정부 해당 관청 및 공인 단체, 전문 기구의 관련 지침이나 입장 표명을 참조하여야 하고, 그 동향 변화에 주의를 기울여야 한다.

3) 기능과 활동 범위

각 의료기관의 운영방침 혹은 진료 내용 등에 따라 위원회의 특유한 기능과 활동 범위가 달라지나 일반적으로 위원회는 다음 사항에 대하여 심의하거나 또는 활동할 수 있다.

(1) 병원의 의료진 및 경영진에게 병원에서의 의약품 적정 사용에 관련된 제반사항에 대해 평가, 교육, 자문을 한다.

(2) 병원에서 사용할 약품을 심의하여 선정하고, 사용이 승인된 의약품에 대한 의약품집(drug formulary)을 개발하고 일정하게 개정하여 병원 내 의료진에게 제공한다. 병원에서 사용이 결정되어 의약품집에 포함될 의약품은 약물의 치료학적 장점, 안전성, 가격 등 객관적 평가에 입각하여 선정되어야 한다.

(3) 병원 내에서 안전하고 효과적인 약물 치료가 보장되고 경제적인 약물치료가 확립되도록 정책과 각종 지침을 개발하고 절차를 수립한다.

(4) 위원회는 시간상의 제약과 전문성을 보완하기 위해 필요에 따라 분과위원회를 설치할 수 있으며 위원회가 위임한 사항을 심의하여 보고한다.

(5) 병원에서의 효과적인 약물 공급 및 절차 관리의 수행에 대해 약제 부서에 조언을 한다.

(6) 병원 내 의료진 및 직원에게 위원회의 활동 내역과 위원회에서 결정된 사항을 알린다.

2. 의약품의 선정

병원에서 사용할 의약품을 결정하는 것은 무엇보다 중요하므로 신중하여야 한다. 특화 전문 병원, 중증 환자의 분포가 큰 병원, 고난이도의 진료를 행하는 병원 등 병원 사정에 따라 진료에 요구되는 약품이 다양할 수밖에 없고, 처방 의사의 입장에서는 새롭게 개발된 약품을 환자 치료에 적용하고자 하는 욕구와 가급적 다양한 약제를 환자의 약물 치료에 적용하고자 하는 욕구가 있을 수 있다. 그러나 병원에서 사용하는 의약품이 방대해지면 의약품 관리비용이 상대적으로 커지고 의약품의 안전관리 측면에서도 위험성이 높아지므로, 의약품을 선정할 때에는 병원 경영 측면에서의 손익도 고려되어야 한다.

병원에서 환자 치료에 필요한 약제 도입을 신속히 해결하여 진료를 적극 지원하면서, 한편으로는 병원 관리비용이 방만하게 운영되지 않도록 견제하는 것이 의약품 선정에 있어서 약물구매선정실무위원회의 주요 역할이다.

각 진료과에서 환자 치료에 사용하고자 하는 약품이 있는 경우에는 일정한 절차를 거쳐 약품사용신청을 위원회에 안건으로 상정하고, 위원회에서는 안건을 심의하여 병원에서의 해당 약품 사용 여부를 결정한다.

개개 병원의 운영 방침에 따라 사용할 의약품을 성분명으로 결정할 수도 있고, 상품명으로 결정할 수도 있으며, 선정 시 고려할 사항의 우선 순위도 병원의 경영 방침과 운영 특성에 따라, 혹은 약품에 따라 달라질 수 있다.

신규 의약품 선정 시 고려되는 기준은 기존 사용 의약품 대비 치료적 우월성, 대상 질병의 위중도, 의약품의 이상반응, 의약품 가격, 보험 급여 여부 및 보험 적응증, 기존 약품과의 비용 · 효과 비교, 약품 복용 및 사용의 용이성, 타 병원에서의 사용 현황 등이 있다. 병원에서 사용할 의약품은 약물의 치료학적 장점, 안전성, 가격 등 객관적 평가에 입각하여 선정되어야 한다.

위원회에서는 신규 의약품 선정 시 병원 내에서 동일 성분 약제의 중복 사용(함량단위가 다른 제제나 다른 제약회사 제품)을 최소화해야 하며, 동일 효능군의 약제가 방만히 사용되지 않도록 노력해야 한다. 또한 정기적으로 병원에서 사용되는 약품 중 소모가 부진하거나 동일 계열 약이 많은 경우 진료과의 의견을 수렴하여 의약품 목록에서 삭제하며, 이상반응 발현이 심각한 약제를 퇴출시키는 등 병원에서 사용하는 의약품 목록이 적정 유지되도록 관리한다.

병원에서는 위원회 운영을 통하여 의약품 선정에 있어서의 지침과 절차를 수립하고 이를 잘 이행함으로써 환자를 위해 안전하고 효과적이며 경제적인 약물요법이 구현될 수 있도록 해야 한다.

3. 의약품 목록 관리

1) 의약품집 (Hospital formulary)

의약품집이란 병원에서 사용하고 있는 의약품의 요약정보와 의약품 사용에 대한 정책을 수록한 것을 말한다. The American Medical Association과 the U.S. Pharmacopeia에서 배서한 'Principles of a Sound Drug Formulary System (2000)' 에서는 "Formulary system이란 병원에서 의사, 약사, 혹은 전문가들이 의약품사용과 치료에 관한 정책을 세우고, 환자치료에 가장 적절하고 비용효과적인 의약품과 치료법을 확인하는 지속적인 과정이다." 라고 정의하고 있다.

2) 의약품 목록이 변경되는 요인

(1) 신규 의약품 도입
(2) 품목삭제
(3) 제약회사 변경
(4) 제약회사 생산중단, 수입중단
(5) 제약회사 일시적인 품절
(6) 기타

3) 신규 의약품 도입 절차

(1) 진료과는 신규 사용하고자 하는 의약품이 있는 경우 약물구매선정실무위원회에 신청서를 제출한다.
(2) 위원회에서는 병원에서의 의약품 사용 여부를 심의한다.
(3) 약제부는 위원회에서 통과된 의약품을 구매부서에 구매의뢰한다.

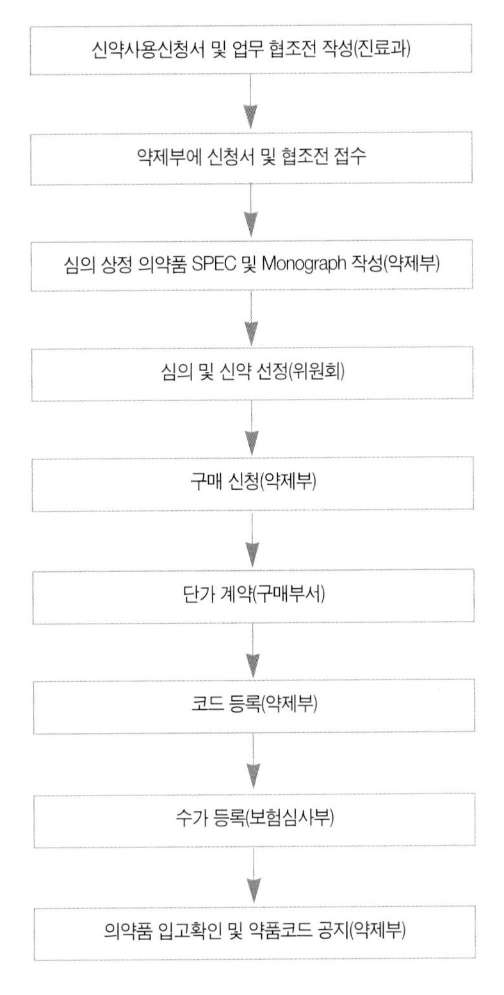

그림 16-1. **신규신약품 도입 절차**

(4) 구매부서에서는 단가계약을 체결한 후 그 결과를 약제부에 통보한다.
(5) 약제부에서는 신규 구매된 의약품을 약품 관리 마스터에 등록하고 보험심사부서에 수가 등록 의뢰한다.
(6) 보험심사부서에서는 수가를 등록한 후 그 결과를 약제부에 통보한다.
(7) 약제부에서는 최종적으로 의약품이 준비되었는지 확인하고 진료과에 공지 후 처방이 가능하도록 한다.

4) 품목삭제 의약품

(1) 품목삭제 의약품 선정기준

① 특정 효능군의 유사 효능약이 많은 경우
② 월 처방건수가 기준건수 이하인 경우 (단, 처방빈도가 낮더라도 치료 상 꼭 필요하다고 인정된 의약

품은 예외로 한다.)

③ 기타 필요하다고 인정되는 경우

(2) 품목삭제

연 1회 실시하는 것을 원칙으로 하되 위원장의 요청 시 할 수 있다.

(3) 대상 의약품 선정

① 약제부에서는 품목삭제 대상 의약품을 선정하여 약품코드, 약품명, 규격, 함량, 월간 또는 연간 사용량, 대체 가능한 약품 등이 포함되도록 목록을 작성한다.

② 각 진료과별로 의견서를 발송한 후 해당 진료과장의 접수 사실을 확인한다.

(4) 의견서 검토

① 각 진료과에서는 의견서를 검토한 후 진료과의 의견을 작성하여 접수 후 10일 이내 약제부 약무팀으로 접수시킨다.

② 지정된 일자 내에 약무과로 의견서가 접수되지 않을 경우, 삭제에 동의하는 것으로 간주한다.

③ 의견서를 작성 시 진료과는 해당과의 의견을 종합하여 약품 삭제에 반대하는 경우 타당한 사유를 충분하고 자세히 기재한다.

(5) 진료과 검토의견 정리

① 약제부에서는 각 진료과로부터 접수된 의견서를 약품별로 분류한다.

② 삭제에 대한 반대 의견이 없는 약품은 위원회에 보고자료로, 반대가 있는 의약품은 심의자료로 구분하여 정리한다.

(6) 위원회 상정 및 심의

① 약제부는 진료과 검토의견을 정리하여 위원회에 상정한다.

② 위원회는 상정된 약품을 심의하여 품목삭제여부를 결정한다.

(7) 결과 공지 및 품목 삭제

① 약제부는 위원회 결정사항을 정리하여 전 진료과에 공지한다.

② 심의 결과 품목삭제로 결정된 의약품은 재고소진시점에서 약품코드를 locking한다.

③ 품목 삭제된 의약품에 대해서는 특별한 사유가 없는 한, 3년 이내에 재사용 신청을 할 수 없다.

5) 제약회사 생산중단 및 수입중단

(1) 병원에서 사용 중인 의약품을 제약회사에서 생산중단 또는 수입중단할 경우, 약제부에서는 원내 사용 중인 약품 중에서 대체가 가능한지, 타 제약회사 의약품이 필요한지, 약품코드를 locking해도 될지 검

토하고, 필요 시 주 사용과의 의견을 조회한다.

(2) 주 사용과에서 의약품이 반드시 필요하다고 하면 타 제약회사 의약품을 선정, 구매하여 사용하고, 차기 약물구매선정실무위원회에 보고한다.

6) 제약회사 일시 품절

(1) 병원에서 사용 중인 의약품을 제약회사에서 일시적으로 품절시켰을 때, 품절기간동안 병원에 의약품이 공급될 수 있도록 재고를 확보한다.

(2) 품절이 길어져 재고 확보가 어려울 때는 일시적으로 코드를 locking 할 지, 타 제약회사 제품으로 일시 대체하여 사용할지에 대해 검토하고, 필요시 주 사용과의 의견을 조회한다.

(3) 타 제약회사제품을 사용하고자 할 때는 의약품을 선정, 구매하여 사용한다.

(4) 품절이 해결되면 기존 의약품을 다시 사용한다.

7) 원내 의약품집에 없는 의약품 사용 (긴급사용)

(1) 환자 치료 상 반드시 필요한 약이나 병원내 의약품목록에 없는 의약품을 사용하고자 할 경우 진료과에서는 그 사유를 자세히 기록하여 약제부에 접수한다.

(2) 약제부는 약품의 정보 및 수급상황 등을 확인한 후 약물구매선정실무위원장의 결재를 득한다.

(3) 약제부에서는 임시코드로 등록하고 구매부서에 구매진행을, 보험심사부에 수가등록을 의뢰한다.

(4) 수가등록이 완료되고, 의약품이 입고되면 해당 진료과에 처방가능을 통보하여 사용하도록 한다.

8) 철회 및 회수의약품

(1) 정의

① '철회의약품' 이란, 안전상의 이유로 제조사, 공급업체 및 행정당국에 의해 사용이 중지된 의약품을 말한다.

② '회수의약품' 이란, 품질, 안전성 또는 유효성의 결함 등을 이유로 제조사, 공급업체 및 행정당국 또는 약제부에서 자발적으로 약품 시장에 유통되는 일부 제품 또는 특정 제조번호 제품에 대하여 수거 결정한 의약품을 말한다.

(2) 철회 및 회수의약품 처리 절차

① 철회/회수약품 정보의 획득

약무팀 약품관리담당자(이하 약품관리담당자)는 식약처 의약품 안전성 서한 또는 회수/판매중지 공지, 의약품 제조/수입 업체 공문, 기타 관련 기관의 공문 및 공지 또는 원내 발생 보고 등을 통해 철회/회수약품 정보를 획득한다.

② 원내 약품 목록 확인

a. 약품관리담당자는 원내 약품 목록을 확인하여 철회/회수 약품이 원내 약품 목록에 등재된 약품인지, 등재된 약품일 경우 유통업체를 통해 실제로 공급된 약품인지 확인한다.

b. 등재된 약품이 아니거나 실제 납품내역이 없는 경우 철회/회수약품 정보 관련 문서에 해당사항 없음을 기재하여 철회/회수약품 관리 대장에 철한다.

③ 철회/회수약품 불출 정지 요청

a. 약품관리담당자는 철회/회수 약품 공문 사본 또는 문제의약품 발생 보고서를 약품창고, 조제실 책임자에게 전송(서면 또는 전자메일)하고 구두로 불출 정지를 요청한다.

b. 공문 또는 공지 등의 문서를 즉각적으로 획득하기 어려운 경우, 약품관리담당자는 기본적인 정보를 파악하여 '서식1. 철회/회수약품 발생 알림' 을 작성하여 위와 같이 불출 정지를 요청한다.

④ 철회/회수 약품 정보의 평가

원내 약품 목록에 등재된 약품일 경우 약품관리담당자는 약물정보파트와 함께 다음을 검토한다.

a. 위해성 등급: 해당 약품 제조/수입 업체가 약사법 시행규칙 제45조 ②에 의거해 평가한 위해성 등급을 확인한다.

- 1등급 위해성
  - 의약품 등의 사용으로 인하여 완치 불가능한 중대한 부작용을 초래하거나 사망에 이르게 하는 경우
  - 치명적 성분이 섞여 있는 경우
  - 의약품 등에 표시기재가 잘못되어 생명에 영향을 미칠 수 있는 경우
- 2등급 위해성
  - 의약품 등의 사용으로 인하여 일시적 또는 의학적으로 완치 가능한 부작용을 일으키는 경우
  - 주성분의 함량이 초과되는 등 식품의약품안전처장이 정하여 고시하는 품질기준에 맞지 아니하거나 치명적이지 아니한 경우
- 3등급 위해성
  - 의약품 등의 사용으로 인하여 부작용을 거의 초래하지 아니하나 색깔이나 맛의 변질, 포장재의 변형 등이 발생하여 안전성, 유효성에 문제가 있는 경우

b. 약품 코드 locking 여부 결정

c. 약품 회수 여부 결정

d. 기타

⑤ 철회/회수약품 정보의 전파

약품관리담당자는

a. 위해성 등급이 2등급, 3등급인 경우

- 철회/회수 약품 공문을 토대로 약품 코드 locking 또는 약품 회수 업무연락을 작성하여 부서장 결재를 득한 후 약제부 간부, 케어캠프 약품창고 책임자, 간호부 파트장, 주처방 진료과 과장 및 의국장, 주처방 의사에게 문서로 통보한다.
- SMIS 게시판, Single 게시판, 인근약국 게시판에도 게시하고, 필요시 주처방의사에게 모바일 문자(또는 유선전화)로 간략히 공지한다.

b. 위해성 등급이 1등급인 경우
- 위해성 등급이 2등급, 3등급인 경우 전파했던 방법에 더불어 현재 투약 중으로 예상되는 환자 명단을 확인하여 처방의사에게 통지한다.

⑥ 철회/회수약품 회수 및 반품

a. 조제실 책임자는 재고 담당자에게 철회/회수 약품 관련 업무연락을 전송(서면 또는 전자메일)하고 구두로 약품 회수 및 반품처리를 지시한다.

b. 조제실 재고 담당자는 조제실 재고 및 현장(진료실, 병동 등) 보유 재고 등에 대하여 대상 약품을 회수 및 반품하고 '그림 16-2. 철회/회수약품 회수 및 반품 보고'를 작성하여 조제실 책임자에게 보고 후 약품관리담당자에게 통보한다.

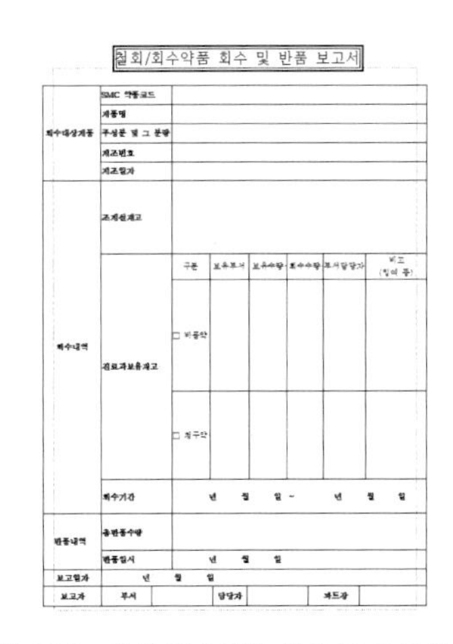

철회/회수약품 회수 및 반품 보고서

회수대상제품	SMC 약품코드					
	제품명					
	주성분 및 그 분량					
	제조번호					
	제조일자					
회수내역	조제실재고					
	진료과보유재고	구분	보유부서	보유수량	회수수량	부서담당자
		□ 비품약				
		□ 청구약				
	회수기간	년 월 일 ~ 년 월 일				
반품내역	총반품수량					
	반품일시	년 월 일				
보고일자	년 월 일					
보고자	부서		담당자		파트장	

그림 16-2. 철회/회수약품 회수 및 반품 보고

⑦ 철회/회수 약품 처리 사후 보고

약품관리담당자는

a. 조제실의 철회/회수약품 회수 및 반품 보고가 완료되는 대로 케어캠프 약품창고 담당자에게 제약회사에 반품하도록 지시하고, '그림 16-3. 회수확인서'를 작성해 제약회사에 통보한다.

b. '그림 16-4. 철회/회수약품 처리 보고서'를 작성하고 부서장 결재를 득하여 철회/회수약품 관리대장에 철한다.

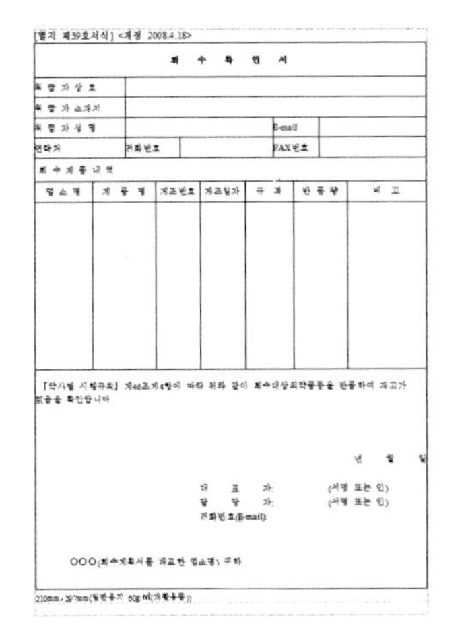

[별지 제39호서식] <개정 2008.4.18>

회 수 확 인 서

반품자상호						
반품자소재지						
반품자성명				E-mail		
연락처	전화번호			FAX번호		
회수제품내역						
업소명	제품명	제조번호	제조일자	규격	반품량	비고

「약사법 시행규칙」 제46조제4항에 따라 위와 같이 회수대상의약품등을 반품하여 재고가 없음을 확인합니다

년 월 일

대 표 자: (서명 또는 인)
담 당 자: (서명 또는 인)
전화번호(E-mail):

OOO(회수계획서를 제출한 업소명) 귀하

210mm×297mm(일반용지 60g/㎡(재활용품))

그림 16-3. 회수확인서

철회/회수약품 처리 보고서		발생일자	년 월 일
		약품코드/약품명	/
		관련문서	
내용 및 근거 :			
SMC 처리내용	코드locking 여부	□ Yes	일시 :
		□ No	사유 :
	회수 여부	□ Yes	수량 :
		□ No	사유 :
	반품 여부	□ Yes	수량 :
		□ No	사유 :
비고 :			

그림 16-4. 철회/회수약품 처리 보고서

4. 의약품 구매 관리

1) 목적

의약품 구매관리는 병원의 기본적인 진료방침, 경영방침에 의해 적절한 품질의 의약품을 필요한 시기에 적정량을 최소의 가격에 구입하여 병원경영에 기여함을 목적으로 한다.

적절한 의약품 구매관리를 하기 위해서는 경험과 예측자료가 필요한데, 예측요인으로는 과거의 각종 통계자료, 원내의 진료상황(환자의 동향, 수술 건수, 질병 경향 등)의 파악, 의약품 정보담당자로부터의 신약 동향 등 정보입수, 의사와의 정보교환, 도매업계의 동향, 학회에서의 치료방침의 경향 등이 있다.

2) 구매방법

의약품은 약물구매선정실무위원회를 통해 선정되면 납품업자, 구입가격이 결정된다.

보통 병원에서 의약품 구매는 제약회사와 직접 계약하지 않고 도매업체를 통해 이뤄지고 있으며 구매방법은 단가입찰방식과 총액가 입찰방식, 수의계약방식 등으로 크게 나뉜다.

(1) 계약방법별 분류

① 공개경쟁입찰(일반경쟁계약): 입찰 및 계약에 관한 사항을 일정기간 동안 일반에게 널리 공고함으로써 응찰자를 모집하고, 입찰시 상호 경쟁시켜 타당한 입찰가격을 제시한 응찰자에게 낙찰시키는 방법이다.

② 제한경쟁입찰(지명경쟁계약): 특정한 자격을 구비한 업자만을 지명하여 경쟁 입찰하는 방법이다.

③ 수의계약: 경쟁에 의하지 않고 계약이행능력이 있다고 판단되는 특정인과 계약을 체결하는 방법이다.

(2) 계약기간별 분류

① 연간계약 : 1회의 계약만으로 해당물품을 1년 동안 가격 변동 없이 납품하는 방법이다.

② 반기계약 : 6개월 동안 가격 변동 없이 납품하는 방법이다.

③ 수시계약 : 물품구입 시마다 계약절차를 다시 거치는 방법이다.

(3) 대금지불방식별 분류

① 검수입고 기준 지불 : 구입 시마다 검수 입고 시점을 기준으로 하여 지급수단에 의하여 대금을 지불하는 방법이다.

② 선사용 후 지불 : 필요한 물품을 공급자가 병원에 가져다 놓으면 이를 일단 사용 후 일정 시간마다 사용량을 조사하여 대금을 지불하는 방법이다.

3) 발주업무

발주업무는 구매관리의 기본으로, 재고관리에 큰 영향을 미친다. 정확한 구매계획에 기초해 발주업무를 행하여 과잉의 발주로 인한 과잉의 재고나 품절로 인한 진료의 지장을 초래하지 않도록 한다. 일반적으로 의약품의 발주방식은 발주점 방식(수시발주)와 정시발주 방식이 있다.

(1) 발주점 방식(수시 발주) : 각각의 의약품의 재고가 최저로 확보하는 양 이하에 도달한 시점에 발주하는 방식이다.
(2) 정시발주 방식 : 재고량에 관계없는 정기적인 발주방식이다.

4) 검수업무

검수란 발주한대로 공급업자로부터 의약품이 납입되었는가 여부를 확인하는 행위로써 병원의 약제부문에서 실시하는 의약품관리 업무 중 최초의 업무이다. 검수할 의약품이 주문한 발주서대로의 수량, 규격, 포장단위인지 확인하고, 각각의 의약품의 유효기간, 보존방법 등 세심한 부분까지 질과 양에 대한 점검을 해야 하는 업무이다.

검수를 행하는 데 필요한 정보는 제조년월일, 제조번호, 유효기간, 사용기간, 보관조건, 제조회사로부터 공급업자와의 수송 체계, 도매업자로부터 의료기관까지의 배송체계, 반송 수송체계, 외관 등이다.

5. 재고관리

1) 개요

조제를 용이하게 하거나 또는 환자 치료에 필요한 의약품의 재고를 너무 과다하거나 부족하지 않게 최적상태로 관리하는 절차를 말한다. 과다한 재고는 병원의 비용을 증가시킬 수 있고 부족한 재고는 환자의 만족도나 사용자의 불만을 초래할 수 있다.

2) 재고관리의 목적

진료에 필요한 의약품을 필요시에 필요량을 확보하는 데 있다. 재고의 중요성은 보유재고가 부족하면 진료를 원활히 수행할 수 없는 위험이 발생하며 반대로 과다한 재고를 보유할 때는 과대한 경비지출, 투자지출, 재고자산의 진부화 등 수익성이 악화될 위험이 따른다.

재고투자나 재고비용의 절감, 운전자금의 원활화, 조업도의 안정화, 품절방지, 서비스율 향상, 재고비용(구매비용, 발주비용, 보관비용, 품절손실비용, 진부화비용)을 최소화 하는 것 등이 있다.

3) 재고관리의 중점항목

(1) 과거의 의약품 사용실적의 분석, 검토
(2) 치료방법의 변경 및 현재 이후의 사용 패턴 예측
(3) 최저재고를 확보하여 상황에 대응 시 유동적인 재고관리의 방법, 기술 검토
(4) 원내 각 장소의 의약품 재고를 정기적으로 실태 파악
(5) 각 병동, 외래, 조제실의 공급방법과 공급간격을 검토
(6) 의약품의 입출고가 능률적으로 행해지도록 의약품 보관장소의 layout을 고려하고 의약품의 위치 등의

표시 및 index를 완비
(7) 의약품의 선입 선출

4) 재고의 기능에 따른 분류

(1) 주기재고 : 재고품목을 주기적으로 일정한 로트(Lot) 단위에 의해 조달하기 때문에 발생하는 재고이다.
(2) 안전재고 : 완충재고라고도 하며 수요와 공급의 단기적인 불확실성에 대비하여 보유하는 재고이다.
(3) 예비적 비축재고 : 수요의 상승을 기대하여 의도적으로 사전에 비축하고 있는 재고이다.
(4) 파이프라인 재고 : 현재 수송 중에 있는 품목이다.
(5) 분리용 재공품 재고 : 조제장소가 여럿일 경우, 조제장소별 상호 종속성을 해소시켜 각 조제실이 독립적으로 보다 효율적으로 운영될 수 있도록 하기 위한 재고이다.

5) 재고조사의 목적

(1) 의약품의 매입, 출고, 재고의 조사
(2) 재고의 구성내용과 매출내용의 조사
(3) 의약품의 도난, 파손, 분량 감소의 파악과 방지
(4) 회전율이 느린 의약품 또는 불량재고의 처분

6) 재고관리시스템의 의사결정시 가장 중요한 사항

(1) 발주시기 : 언제 발주할 것인가?
(2) 발주량 : 얼마나 발주할 것인가?

7) 재고 비용

(1) 주문비용(발주비용 : Ordering or Procurement Cost)

필요한 의약품을 외부에서 구입할 때 구매 및 조달에 수반되어 발생되는 비용으로 주문발송비, 통신료, 물품수송비, 통관료, 하역비, 검사비, 입고비, 관계자의 임금 등이 있다.

(2) 준비비용(Set-up or Production Change Cost)

재고품을 외부로부터 구매하지 않고 회사 자체 내에서 생산할 때 발생하는 제비용으로 제조 작업에 맞도록 준비요원의 노무비, 필요한 자재나 공구의 교체, 원료의 준비 등에 소요되는 비용으로 주문비용과 대등하다.

(3) 재고유지비용(Inventory Holding Cost or Carrying Cost)

재고품을 실제로 유지 · 보관하는 데 소요되는 비용으로 보관비, 진부화에 의한 재고감손비, 재고품의 보험료 등이 있다.

(4) 재고부족비용(Shortage Cost, Stock out Cost)

품절, 즉 재고가 부족하여 고객의 수요를 만족시키지 못할 때 발생하는 비용(일종의 기회비용)으로서 이로 인한 판매기회의 손실도 크지만 고객에 대한 병원의 신용 상실은 병원입장에서 가장 큰 손실이다. 즉, 이것은 바로 고객서비스에 해당되는 것으로 병원에서는 고객의 수요를 잘 파악하여 대처하여야 한다.

(5) 총재고비용(Total Inventory Cost)

총재고비용 = 주문비용(준비비용) + 재고유지비용 + 재고부족비용

총재고비용이 최소로 되는 수준에서 재고정책을 결정하여야 한다.

8) 재 주문점(Re-Order Point, ROP) 결정

(1) 병원에서 재고품 운용시 사용률이나 조달기간이 일정하지 않고 변동할 경우에는 품절이 발생할 가능성이 있다. 조달기간 동안 품절이 일어나지 않도록 예상하는 수요보다 더 많이 보유하는 재고를 안전재고라고 한다.

(2) 안전재고량을 결정하는 요소

평균수요율과 평균조달기간, 수요와 조달기간의 변동, 적정 서비스 수준 등이 있다.

※ ROP=조달기간 동안의 평균수요+안전재고

- 조달기간동안의 평균수요=하루의 평균수요×조달기간
- 안전재고=안전계수×수요의 표준편차×조달기간
- 안전계수는 서비스 수준을 결정하는 것이다.

안전재고 및 재 주문점의 적정수준은 여러 가지 방법으로 결정하나 보통 서비스수준을 고려하여 결정한다.

※ 서비스수준 = 실제로 제품을 인도받은 고객 수 / 구매하고자하는 전체 고객 = 1 - 품절 확률

9) 리드타임(인도선행시간, Lead Time)의 정의

리드타임이란 의약품을 주문하여 받을 때까지 소용되는 시간을 말한다. 따라서 리드타임이 길어질수록 병원 내에 의약품 재고가 많은 것을 의미한다. 또 리드타임은 납기설정과 직접적으로 관련이 있다. 왜냐하면 의약품을 주문하면 주문시점에 리드타임을 더하여 납기를 결정하기 때문이다. 그러므로 만일 리드타임에 대한 통제가 제대로 이루어지지 않으면 의약품의 재고가 증가할 뿐 만 아니라 납기지연에 따라 고객서비스가 저하되게 된다.

6. Just in Time (JIT)

1) JIT 시스템의 개념 및 배경

(1) 적시생산시스템(Just in Time, JIT)의 개념

제품생산에 요구되는 부품과 같은 자재를 필요한 시기에 필요한 수량만큼 조달하여 낭비적 요소를 근본적으로 제거하려는 생산시스템이다. 1950년대 중반 일본 Toyota 자동차회사에서 개발되어 1970년대 중반 일본에서 보편화 되었고 미국에서는 1980년대부터 자동차 및 전자사업에 도입되었다. 한국기업에서도 자동차 및 전자업계 중심으로 JIT의 일부 요소가 도입되어 있다(예, 부품의 라인 직접 공급방식, 라인스톱제, 혼류생산).

삼성서울병원은 1998년 의약품 관리업무에 JIT의 일부 요소를 도입하여 시행하고 있다(약품창고 외주운영).

(2) JIT 시스템의 생성배경 : 일본기업의 경영환경

① 2차 대전 중 일본기업의 물자 부족

② 부존자원 부족

③ 낭비를 제거하려는 일본의 기업문화

④ 작업자의 기능이나 능력을 최대한 활용

⑤ 도요타사카치(자동방적기)+도요타기이치로(도요타자동차)+다이이치오오노(칸반방식)

2) JIT 시스템의 목표

(1) 제조준비시간의 단축

(2) 재고의 감소

(3) 리드타임의 단축

(4) 자재취급노력의 경감

(5) 불량품의 최소화

3) JIT 시스템의 기본 요소

(1) 소규모 Lot 생산과 제조준비시간의 단축

① JIT 시스템 → 재고최소화의 목적 → 재고로 인한 생산성의 문제점 해결 (문제점 : 기계의 고장, 폐기물, 과다한 재공품, 검사의 지연)

② 재고의 최소화 : 이상적 Lot의 크기 = 1

③ 소규모 Lot 크기 유지 → 재고 최소화, 제조준비시간 단축, 작업부하 일정 유지

(2) 생산의 평준화

① JIT 시스템의 성공적 운영조건 : 안정된 MPS (주 생산계획, Master Production Schedule) 생산의 평

준화

② 균일한 생산율 유지 : 자재의 원활한 흐름 달성

③ 생산 평준화 이유 : 모든 작업장에 균일한 작업부하 부과

④ JIT 생산방식 : 월간 생산율과 수요율 동일, 매일의 생산율과 수요량 동일

⑤ MPS의 안정화 : 공급자로부터 소요량 안정 기능

(3) 작업자의 다기능화

① 다수의 기능 보유(상이한 기계의 운전능력, 기계의 정비능력, 작업준비를 위한 공구의 교체능력)

② 작업과 동시 품질관리활동도 담당

③ 품질 분임조 활동 및 제안활동에 적극 참여

(4) 품질경영

① 품질경영의 중요한 요소

a. 생산스케줄의 평준화

b. 무결점 제품

c. 교육훈련

d. 소수의 공급자

e. 장기계약

f. 높은 품질

② JIT 시스템에서의 품질책임 : 모든 구성원

③ 작업자 중심의 품질관리 활동 전개

(5) 칸반(Kanban) 시스템의 활용

① 칸반 시스템 : 생산 칸반과 인출 칸반, 정량의 컨테이너 사용

② 모든 컨테이너가 채워지면 생산중단

③ 재공품 재고는 컨테이너 수에 의해 결정

④ 자재는 후속공정의 필요에 의해서만 생산

(6) 기계설비의 셀화 배치와 집중화 공장

① 소규모의 집중화된 단위공장

② 집단관리(Group Technology, GT) 기법 사용, 모든 기계설비는 셀화 또는 GT식 배치

③ 기계설비는 범용기계설비

④ 예방보존 활동과 수리보존 활동이 필수

⑤ 라인스톱 : 고장 발생시 전 생산 라인 중지(공정을 멈추게 할 책임과 권한)

(7) 공급자 관계

① 공급자를 생산시스템 내의 하나의 작업 공정으로 간주

② 공급자 매일 수회씩 부품 공급

③ 공급자가 가까운 곳에 위치하거나 공장부근에 창고를 보유하거나 수송수단을 공유하거나 다른 공급자의 자재를 수집 납품

④ 공급자와의 원만한 협력관계(partnership) 장기계약, 검수절차 간소화

(8) JIT 시스템 적용 및 제약 요건

① 적용 요건

a. JIT 시스템의 철저한 이해

b. 지속적인 개선 노력

c. 단계적인 실천

② 제약 요건

a. 안정적인 수요(± 10%)

b. 납품업체와의 갈등

c. 작업자의 스트레스 증가

d. 시스템의 안정 시간, 비용 소요

4) JIT 시스템의 특징

(1) 불필요한 부품이나 재공품 등 자재의 재고를 없애도록 설계된 시스템

(2) 칸반 카드에 의해 자재의 제조명령이나 구매주문을 가시적으로 통제하는 시스템

(3) 대 생산 일정계획 안정

(4) 제조준비시간의 단축

(5) 공급자 협력관계

(6) 무결점 품질 유지

(7) 반복 생산 시스템에 효과

5) JIT 시스템과 MRP 시스템의 비교

표 16-1 JIT 시스템과 MRP 시스템의 비교

구 분	JIT 시스템	MRP 시스템
재고개념	주문이나 요구에 의한 시스템	계획에 의한 시스템
목표	불필요한 생산요소(재고, 대기 운반 등)의 배제를 목표	차질없는 계획 수행

전략	요구에 따라가는 pull 시스템을 전개	계획대로 추진하는 push 시스템, 관리수단으로 컴퓨터 처리를 구축
자재의 소요량 판단 재고 수준	간판을 이용, 준비시간 대기 비용 축소에 의한 소 로트화로 재고수준의 최소화를 추구	자재소요계획의 일정표와 발주서를 사용, 평균재고 유지
공급업자와의 관계	구성원의 입장에서 공급자와 장기 거래를 유지	경제적 구매 위주의 단기거래가 이루어지므로 품질이나 공급이 불안정하기 쉬움

6) 삼성서울병원 JIT 시스템 운영 사례

(1) 도입배경

병원에 JIT 시스템을 도입함으로써 의약품의 재고를 대폭 줄이고 인건비를 절감할 수 있는 장점이 있어 구매부서에서 도입을 제안하고 약제부와 도매업체의 협의를 통해 1999년 8월부터 약제부 의약품 창고를 도매업체에서 운영하기로 하였다.

(2) 약품 물류 흐름도

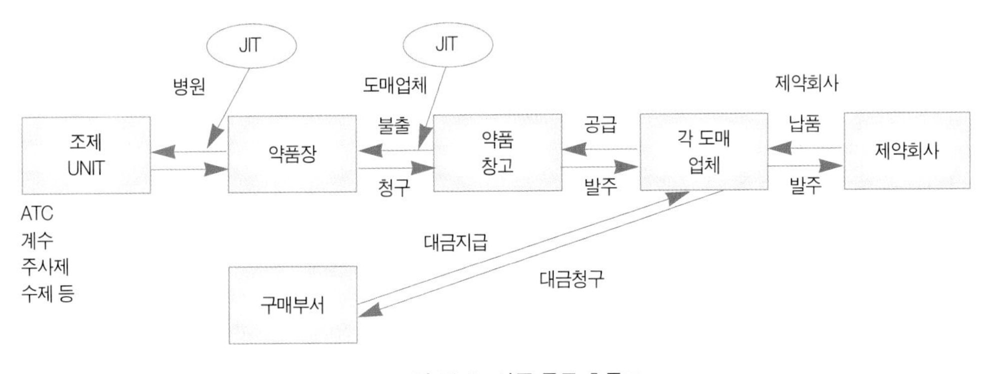

그림 16-5. 약품 물류 흐름도

(3) JIT 도입 전 · 후 비교

표 16-2 JIT 도입 전 · 후 비교

구분	도입 전	도입 후
재고보유금액	15~17억 원	7~9억 원
재고일수	10~12일 분	5~6일 분
인력	약제부 인력 : 약사 2, 사원 2	도매상 인력 : 약사 1, 사원 3, 수액류 delivery 3명

구매의뢰	정기 발주 등에 의한 구매	약제부 각 조제실에서 직접 전산 청구로 발주, 별도 구매의뢰 없음
약품 delivery	수액류 : 지원인력 조제실 약품공급 : 약제부 인력	수액류 : JIT 인력 조제실 약품공급 : JIT 인력
마약류 (마약, 향정)	담당약국 혹은 담당도매	담당약국 혹은 담당도매 (JIT에서 제외)
월말재고	월말 약품장의 재고 축소를 위한 긴축 관리	월말 개념 없음 (거래 도매업체의 창고 역할)
근무시간외 창고관리	약제부 당직자가 key 관리	약제부 당직자가 key 관리
전산정보관리	약제부 전산에 포함	JIT 청구를 위한 전산 개발

(4) 약품청구 전산 시스템

① 약제부 각 조제실에서 현재의 재고와 최근 사용량, 최근 청구량을 조회하고 약품청구 입력한다.

② 약품창고에서는 청구된 약품의 리스트를 출력하여 의약품을 준비하고, 조제실에 공급한다.

③ 각 조제실에서는 재고담당자가 검수를 하고, 확인하여 재고에 반영시킨다.

(5) JIT 시스템의 장단점

① 장점

a. 조제실의 재고까지 JIT 창고의 재고로 할 경우 재고를 거의 제로로 줄일 수 있어 재고관리 비용을 줄일 수 있다.

b. 약품창고 관리 인력을 절약할 수 있다.

② 단점

a. 신규약품 도입 시 의약품 정보를 약제부와 동시에 공유하지 못한다.

b. 약품변경(EDI 변경, 상품명 변경, 제약회사 변경 등)에 대한 능동적인 대처가 어렵다.

c. 재고관리 담당자의 업무부담이 가중된다.

(6) 향후 발전 방향

① JIT 창고의 재고 범위 확대

현재는 약제부 조제실에 있는 재고는 JIT 창고의 재고에서 제외되었으나, 범위를 확대하여 조제실 재고까지 JIT 창고의 재고로 하여 처방에 의해 출고되는 약에 대해서만 병원 사용으로 처리함. 조제실의 재고를 거의 제로까지 줄일 수 있으나, 상호신뢰가 바탕이 되어야 하고 도매업체에 부담을 줄 수 있으며, 조제실의 재고를 정확히 파악해야 한다.

② SCM (Supply Chain Management) 구축

각 도매업체에서 병원의 사용량과 재고를 파악할 수 있는 프로그램을 구축하여 도매업체에서 능동적으로 의약품을 공급하는 체계를 갖춘다.

참고문헌

- 서울대학교병원 약제부 : 병원약학, 서울대학교 출판부, p. 53~73 (1996)
- ASHP guidelines on the formulary system management. Am J Hosp Pharm. 49 : 648~52(1992)
- ASHP statement on the pharmacy and therapeutics committee. Am J Hosp Phar. 49 : 2008~9 (1992)
- ASHP statement on the formulary system. Am J Hosp Pharm. 40 : 1384~5 (1983)
- Andrew M. Peterson : Managing Pharmacy Practice ; Principles, Strategics and Systems. CRC Press. 173~93 (2004)

II 국민건강보험

1. 한국의 사회보장

1) 사회보장(Social Security)의 정의

(1) 사회보장기본법 제3조 제1호

사회보장기본법 제3조 제1호에 의하면, "사회보장이란 질병 · 장애 · 노령 · 실업 · 사망 등 각종 사회적 위험으로부터 모든 국민을 보호하고 빈곤을 해소하며 국민생활의 질을 향상시키기 위하여 제공되는 사회보험, 공공부조, 사회복지서비스 및 관련 복지제도를 말한다" 라고 정의하고 있다.

사회보장이란 용어는 1940년에 개념이 확립되었으나, 처음으로 사용된 것은 1935년 미국에서 사회보장법(Social Security Act)이 제정된 때부터이며, 그 이후에 보편적으로 사용되어 왔다.

우리나라는 1960년 제4차 개정헌법에서 처음으로 "국가의 사회보장에 관한 노력" 을 규정하였고, 1963년 11월 법률 제1437호로 전문 7개조의 "사회보장에 관한 법률" 을 제정하였다. 그 후 1980년 10월 개정된 헌법에서 "사회보장" 이라는 용어를 최초로 사용하였다.

(2) 사회보장의 의미

사회보장의 의미는 역사적, 사회적 배경과 시대 및 학자나 국가에 따라 여러 가지로 표현되고 있는데 "사회보장의 아버지" 로 불리는 비버리지(W. Beveridge)가 1942년 영국정부에 제출한 보고서 사회보험과 관련 서비스(Social Insurance and Allied Service) 에 의하면 사회보장의 정의는 실업 · 질병 혹은 재해에 의하여 수입이 중단된 경우의 대처, 노령에 의한 퇴직이나 본인이외의 사망에 의한 부양 상실의 대비, 그리고 출생 · 사망 · 결혼 등과 관련된 특별한 지출을 감당하기 위한 소득보장을 의미한다. 그는 빈곤과 결부시켜 사회보장은 '궁핍의 퇴치' 라고 말하며 이는 국민소득의 재분배로 실현할 수 있으며 이를 통한 일정 소득의 보장은 결국 국민생활의 최저보장을 의미하는 것이라 하였다.

(3) 사회보장에의 접근

국제노동기구(ILO, International Labor Organization)가 1942년에 발표한 「사회보장에의 접근」이라는 보고서에 의하면 "사회보장은 사회 구성원이 부딪히는 일정한 위험에 대해서 사회가 적절한 조직을 통해 부여하는 보장"이라고 정의하였으며, 이는 사회보장제도가 국민 생활상에 닥치는 불의의 위험이나 소득의 중단이 온다 하더라도 정상적인 생활을 유지할 수 있도록 그 생활을 보장하는 수단을 국가가 책임을 지고 수행하는 제도인 것이다.

사회보장을 뜻하는 영어 Social Security에서 Security의 어원은 Se(=Without, 해방) + Cura (=Car, 근심 또는 괴로워하는 것)에서 비롯된 것으로 '불안을 없게 한다'는 뜻이다.

(4) 사회보장(Social Security)

사회적 불안을 제거한다는 의미와 평온한 삶을 사회가 보장한다는 뜻으로 이해되며, 질병이나 분만·실업·폐질·직업상의 상해·노령 및 사망으로 인한 소득의 상실이나 감소 등으로 인한 경제적 곤궁에서 유래하는 근심과 불안을 제거함으로써 사회 평화를 도모하자는 것이다.

(5) 사회안전망(Social Safety Net)

사회안전망(Social Safety Net)은 넓은 의미로 질병·노령·실업·산업재해·빈곤 등 사회적 위험으로부터 모든 국민을 보호하기 위한 제도적 장치를 일컫는 것으로 4대사회보험(국민연금, 건강보험, 고용보험, 산재보험)과 사회부조를 말한다. 이는 '97년 구제금융시대에 들어간 이후 나타난 용어로 그 동안 사용해온 '사회보장'이나 '사회복지'를 대신하여 주로 사용되고 있다.

2) 사회보장의 구성 및 체계도

(1) 사회보장의 체계도

우리나라의 사회보장기본법은 질병, 장애, 노령, 실업, 사망 등의 사회적 위험으로부터 모든 국민을 보호하고 빈곤을 해소하며 국민생활의 질을 향상시키기 위하여 제공되는 사회보험, 공공부조, 사회복지서비스 및 관련복지제도(법 제3조 제1호)를 규정하고 있다.

우리나라 사회보장체계는 국가의 연대성의 원리를 기초로 하는 공공부조제도와 특정 동종집단의 연

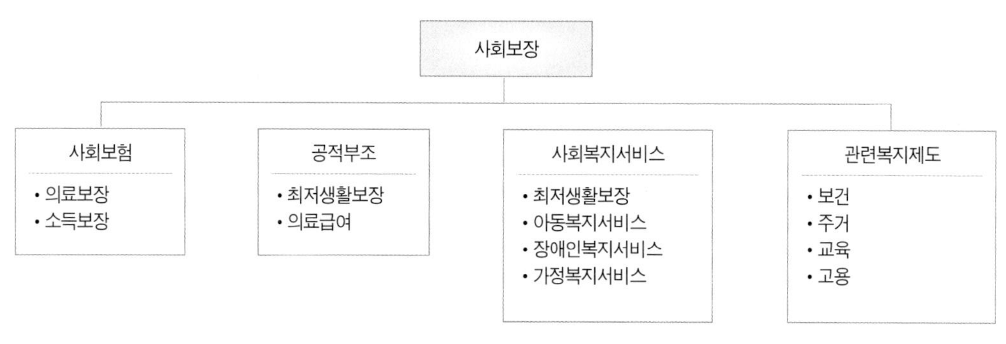

그림 16-6. 사회보장 체계도

대성을 기초로 조직, 운영되는 사회보험제도와 국민의 정상적인 사회생활을 위해 제공되는 사회복지서비스제도 및 관련복지제도로 대별된다.

(2) 사회보험

사회보험은 사회정책을 위한 보험으로서 국가가 사회정책을 수행하기 위해서 사회연대성에 기반하여 만든 사회경제제도이다. 이러한 의미에서 사회보장기본법 제3조 제2호에 의하면, "사회보험이라 함은 국민에게 발생하는 사회적 위험을 보험방식에 의하여 대처함으로써 국민건강과 소득을 보장하는 제도를 의미한다" 라고 정의하고 있다. 구체적으로 살펴보면 사회보험은 국민을 대상으로 질병 · 사망 · 노령 · 실업 기타 신체장애 등으로 인하여 활동 능력의 상실과 소득의 감소가 발생하였을 때에 보험방식에 의하여 그것을 보장하는 제도라고 할 수 있다. 이와 같이 사회보험은 운영과 방법론에서 보험기술과 보험원리를 따르고 있다는 점에서 공공부조와 상이하다. 사회보험은 사회의 연대성과 강제성이 적용되며, 사보험과는 다른 주요한 특성을 다음과 같이 갖고 있다.

사회보험에서 다루는 보험사고로는 업무상의 재해, 질병, 분만, 폐질(장애), 사망, 유족, 노령 및 실업 등이 있으며, 이러한 보험사고는 몇 가지 부문으로 나뉘어 사회보험의 형태를 이루게 된다. 즉 업무상의 재해에 대해서는 **산업재해보상보험**, 질병과 부상에 대해서는 **건강보험** 또는 질병보험, 폐질 · 사망 · 노령 등에 대해서는 **연금보험**, 그리고 실업에 대해서는 **고용보험제도**가 있으며 이를 **4대 사회보험**이라 한다.

(3) 공공부조

공공부조는 나라마다 상이하게 표현되고 있다. 우리나라와 일본, 미국에서는 법률상 공공부조 또는 공적부조(Public Assistance)로, 영국에서는 국가부조(National Assistance)로, 프랑스에서는 사회부조(Social Assistance)로 표현한다.

사회보장기본법 제3조 제3호 에 의하면, "공공부조라 함은 국가 및 지방자치단체의 책임하에 생활유

표 16-3 사회보험과 사보험의 비교

구분	사회보험	사보험
제도의 목적	최저생계 또는 의료보장	개인선택에 따른 위험대비
보험가입	강제	임의
부양성	국가 또는 사회부양성	없음
수급권	법적 수급권	계약적수급권
독점/경쟁	정부 및 공공기관의 독점	자유경쟁
공동부담여부	공동부담 원칙	본인부담위주
재원부담	능력비례부담	개인의 선택
급여수준	균등급여	기여비례

지 능력이 없거나 생활이 어려운 국민의 최저생활을 보장하고 자립을 지원하는 제도를 의미한다" 라고 정의하고 있다. 종래에는 "공적부조" 라는 용어를 사용하였으나, 1995년 12월 30일 제정된 사회보장기본법에서 "공공부조" 라는 용어로 변경하였다.

공공부조에 대한 또 다른 협의의 개념은 자본주의 사회의 모순이 심화됨에 따라 그 구조적 산물로서 빈곤이 발생됐다는 역사적 인과관계를 인정하여 국가의 책임 하에 일정한 법령에 따라 공공비용으로 경제적 보호를 요구하는 자들에게 개인별 보호 필요에 따라 주게 되는 최저한도의 사회보장을 일컫는데 이 역시 사회보장의 일환으로 이해되고 있다.

이와 같이 공공부조는 빈자의 생활보호 기능에서 그 의의를 찾아 볼 수 있는데 생활보호는 최저한의 수준에 그쳐야하며 이를 국가최저(National Minimum)또는 사회최저(Social Minimum)원칙 이라 부른다.

공공부조제도는 사회보험계획을 추진하는 과정에서 대상자 적용에 문제가 발생하는 경우에는 이를 보완하기 위하여 사용할 수 있다. 따라서 공공부조가 지니는 제한점에도 불구하고 빈곤퇴치 대책의 일환으로 이를 적용하게 된다. 공공부조와 관련해서는 의료급여법과 국민기초생활보장법이 적용되고 있다.

(4) 사회복지서비스의 대상

사회복지서비스의 대상은 정상적인 일상생활의 수준에서 탈락, 낙오되거나 또는 그러한 우려가 있는 불특정 개인 또는 가족이며 구체적으로 빈곤, 질병, 범죄, 또는 도덕적 타락으로 나타나게 되는데 이러한 내용을 E.F Devine은 3D (Destitution 빈곤, Disease 질병, Delinquency 비행)로 설명하기도 한다. 그러므로 사회복지서비스의 목적은 정상적인 일반생활의 수준에서 탈락된 상태의 사회복지서비스 대상자에게「회복 · 보전」하도록 도와주는 것을 말하며 이는 개별적 · 집단적으로 보호 또는 처치를 행하게 된다.

사회보장기본법 제3조 제4호에는 "사회복지서비스라 함은 국가 · 지방자치단체 및 민간부문의 도움을 필요로 하는 모든 국민에게 상담, 재활, 직업소개 및 지도, 사회복지시설 이용 등을 제공하여 정상적인 생활이 가능하도록 지원하는 제도를 의미한다" 라고 정의하고 있으며 종래의 사회보장체계에서 일반적으로 사회복지로 불리던 것이 사회복지서비스로 변경되었다.

사회복지서비스와 관련해서는 모자 · 장애인 · 아동 · 노인복지법, 모자보건법, 사회복지사업법 등이 적용되고 있다.

3) 의료보장제도의 사회적 유형

의료보장제도는 각국의 고유한 문화와 전통을 배경으로 하는 역사적 산물로서 단순 분류에는 어려움이 있으나 일반적으로 OECD는 3가지로 분류하고 있다.

- 사회보험방식 (SHI : Social Health Insurance)
- 국민건강보험방식 (NHI : National Health Insurance)
- 국민보건서비스방식 (NHS : National Health Service)

(1) 사회보험방식(SHI)

사회보험방식은 국가의 의료보장에 대한 책임을 기본으로 하고 있지만,「의료비에 대한 국민의 자기 책임의식」을 일정부분 인정하는 체계이다. 정부기관이 아닌 보험자가 보험료로써 재원을 마련하여 의료를 보장하는 방식으로 독일의 비스마르크가 창시하여 비스마르크 방식이라고도 한다.

이는 보험원리에 의해 1차적으로 국민의 보험료를 통해 재원을 조달하고 국가는 2차적 지원과후견적 지도기능을 수행함에 따라 국민의 1차적 부담의무가 전제된 비용의식적 제도이며 국민의 정부 의존심을 최소화할 수 있다. 또한 관리체계는 정부에 대해 상대적으로 자율성을 지닌 기구를 통한 자치적 운영을 근간으로 하며, 의료의 사유화를 전제로 의료공급자가 국민과 보험자간에서 보험급여를 대행하는 방식이다.

사회보험방식(SHI)은 독일, 프랑스 등이 그 대표적인 국가이다.

(2) 국민건강보험방식(NHI)

국민건강보험방식은 SHI와 마찬가지로 사회연대성을 기반으로 보험의 원리를 도입한 의료보장체계이다. 서구유럽의 SHI방식과 그 운영방식이 대체로 흡사하지만 국가내 '보험자'(의료에 대한 사회보험 관리운영기구)가 1개라는 점에서 서구의 SHI방식과 차이가 있다. 이러한 NHI방식의 의료보장체계로 운영하는 대표적인 국가는 한국과 대만을 들 수 있는데, 사회보험의 운영원리를 자국의 사회적, 경제적 실정에 맞게 적용했다는 점에서 의의가 있다.

(3) 국가보건서비스방식(NHS)

국가보건서비스방식은 「국민의 의료문제는 국가가 모두 책임져야 한다」는 관점에서 정부가 일반조세로 재원을 마련하여 모든 국민에게 무상으로 의료를 제공(Universal Type)하는 국가의 직접적인 의료관장 방식으로 일명 조세방식 또는 비버리지 방식이라고 한다. 이 경우 의료기관의 상당부분이 사회화 내지 국유화되어 있으며, 영국의 비버리지가 제안한 이래 영국, 스웨덴, 이탈리아 등이 그 대표적인 국가이다.

NHS방식을 채택하고 있는 나라에서는 소득수준에 관계없이 모든 국민에게 포괄적이고 균등한 의료를 보장하며 정부가 관리주체로서 의료공급이 공공화되어 의료비 증가에 대한 통제가 강하다.

그리고 조세제도를 통한 재원조달은 비교적 소득재분배효과가 강하다는 장점이 있으나, 반면에 의료의 사회화가 상대적으로 의료의 질이 저하될 소지가 있으며 조세에 의한 의료비 재원조달에 많은 어려움이 있어 정부의 과다한 복지비용 부담이 문제가 되고 있다.

또한 의료 수용자측의 비용의식 부족과 민간보험의 확대 그리고 장기간 진료대기문제 등 부작용이 나타나고 있어 이에 대한 제도개혁의 필요성이 증가되고 있다.

한편 SHI방식과 NHI방식을 취하고 있는 나라에서는 조합원이 대표의결기구를 통해 건강보험운영에 관한 의사결정에 참여함으로써 제도운영의 민주성을 기할 수 있고, 국민의 비용의식이 강하게 작용하여 상대적으로 양질의 의료를 제공할 수 있다는 장점은 있으나, 소득유형 등이 서로 다른 구성원에 대한 단일 보험료 부과기준 적용의 어려움, 의료비 증가에 대한 억제기능이 취약하여 보험재정 안정을 위한 노력이 필요하다.

4) 건강보험제도의 특성

(1) 건강보험제도의 의의

건강보험제도란 일상생활에서 발생하는 우연한 질병이나 부상으로 인하여 일시에 고액의 진료비가 소요되어 가계가 파탄되는 것을 방지하기 위하여, 보험원리에 의거 국민들이 평소에 보험료를 낸 것을 보험자인 국민건강보험공단이 관리 운영하다가 국민들이 의료를 이용할 경우 보험급여를 제공함으로써 국민 상호간에 위험을 분담하고 의료서비스를 제공하는 사회보장제도이다.

(2) 건강보험제도의 특성

① 강제적용의 사유

법률에 의한 강제가입. 일정한 법적요건이 충족되면 본인의 의사에 관계없이 강제적용 된다. 보험가입을 기피할 경우 국민상호간 위험부담을 통하여 의료비를 공동으로 해결하고자 하는 건강보험제도의 목적 실현이 어려우며, 질병위험이 큰 사람만 역으로 보험에 가입할 경우 보험재정이 파탄되어 원활한 건강보험 운영이 불가능하게 된다.

② 부담능력에 따른 보험료의 차등부담(형평부과)

민간보험은 급여의 내용, 위험의 정도, 계약의 내용 등에 따라 보험료를 부담하나 사회보험방식인 건강보험에서는 사회적인 연대를 기초로 의료비 문제를 해결하려는 것이 목적이므로 소득수준 등 보험료부담능력에 따라 차등적으로 부담한다.

③ 보험급여의 균등한 수혜

민간보험은 보험료 부과수준, 계약기간 및 내용에 따라 차등급여를 받지만 사회보험은 보험료부과수준에 관계없이 관계법령에 의하여 균등하게 보험급여가 이루어진다.

④ 보험료납부의 강제성

가입이 강제적이라는 점에서 강제보험제도의 실효성을 확보하기 위하여 피보험자에게는 보험료 납부의 의무가 주어지며, 보험자에게는 보험료징수의 강제성이 부여된다.

⑤ 건강보험은 단기보험

장기적으로 보험료를 수탁하는 연금보험과는 달리 1년 단위의 회계연도를 기준으로 수입과 지출을 예정하여 보험료를 계산하며 지급조건과 지급액도 보험료 납입기간과는 상관이 없고 지급기간이 단기이다.

(3) 건강보험제도의 법적근거

우리나라 「헌법」에 국민의 인간다운 생활을 할 권리와 동 권리를 실현하기 위한 국가의 사회복지 증진 의무를 규정하고 있다.

① 헌법 제34조 제1항: 모든 국민은 인간다운 생활을 할 권리를 가진다.

② 헌법 제34조 제2항: 국가는 사회보장 · 사회복지 증진에 노력할 의무를 진다.

사회보장에 관한 기본적인 「사회보장기본법」에서는 "사회보장이라 함은 사회적 위험으로 부터 모든 국민을 보호하고 빈곤을 해소하며 국민생활의 질을 향상시키기 위하여 제공되는 사회보험, 공적 부조, 사회복지서비스를 말한다" 라고 규정한다.

사회보장제도 중 건강보험제도는 국민의 질병 · 부상에 대한 예방 · 진단 · 치료 · 재활과 출산 · 사망 및 건강증진에 대하여 보험급여를 실시함으로써 국민건강을 향상시키고 사회보장을 증진함을 목적으로「국민건강보험법」을 제정하여 생활유지 능력이 있는 국민을 대상으로 "건강보험제도" 를 하고 있고, 「의료급여법」을 제정하여 생활유지 능력이 없거나 어려운 국민대상으로 "의료급여제도" 를 실시한다.

건강보험법은 성문법이며 사회법(사회보장법)으로 행정법의 일부를 지녔다는 면에서 공법의 성격을 가미하고 있으며, 법체계상 시행령 - 시행규칙 - 고시, 예규 등으로 하위체계를 이루고 있다.

5) 건강보험제도의 기능 및 역할

(1) 건강보험의 사회 연대성

건강보험은 국민의 의료비문제를 해결해 줌으로써 국민의 건강과 가계를 보호하는 제도로서, 전 국민을 당연적용 대상자로 하는 사회보험 방식을 채택하고 있다.

따라서 국가 또는 개인의 책임이 아닌 사회공동의 연대책임을 활용하여 소득재분배기능과 위험분산의 효과를 거두고, 이를 통하여 사회적 연대를 강화하여 사회통합을 이루는 것이다.

(2) 소득재분배 기능의 수행

질병은 개인의 경제생활에 지장을 주어 소득을 떨어뜨리고 다시 건강을 악화시키는 악순환을 초래한다. 따라서 건강보험은 각 개인의 경제적 능력에 따른 일정한 부담으로 재원을 조성하고 개별부담과 관계없이 필요에 따라 균등한 급여를 받음으로써 질병 발생시 가계에 지워지는 경제적 부담을 경감시켜주는 소득재분배 기능을 수행한다.

(3) 공평한 비용부담과 적정한 보험급여

비용(보험료)부담은 형편에 따라 공평하게 부담하는 것으로 주로 소득이나 능력에 비례하여 부담하게 되며, 집단구성원 상호간의 사회적 연대성에 의하여 그 기능이 발휘된다.

또한 보험급여 측면에서는 피보험대상자 모두에게 필요한 기본적 의료를 적정한 수준까지 보장함으로써 그들의 의료문제를 해결하고 누구에게나 균등하게 적정수준의 급여를 제공한다.

6) 우리나라의 건강보험제도

(1) 건강보험제도가 병원에 미치는 영향

① 환자의 대부분이 보험제도 가입환자이다

② 수익(병원 매출)의 대부분이 보험제도 가입환자에서 발생하고 있다.

③ 수익의 내용 중 많은 부분이 보험제도에 의해 결정된다.

④ 병원의 진료 및 행정적인 flow의 많은 부분이 보험제도에 의해 결정된다.

⑤ 상당부분의 병원 수익이 보험제도에 의해 회수기간이 결정된다.

⑥ 보험제도에 의하여 상당부분의 손실이 발생한다.

(2) 특징

① 적용방식 : 통합(직장과 지역근간)

② 운영주체 : 국민건강보험 관리공단

③ 법 체계 : 국민건강보험법

④ 보험료 부과 방법 : 직장과 지역의 이원화

⑤ 급여 : 주로 현물급여 + 현금급여 병행

⑥ 보험료 부담 : 사용자와 피용자 공동 부담

⑦ 진료비 부담 : 본인 일부 부담제 도입 (목적: 의료비 증가억제, 비용인식제고, 보험재정 보호)

⑧ 진료행위별 수가제를 근간으로 일부 포괄수가제 운영

⑨ 진료비는 후불로 병원에 정산

⑩ 보험약가 및 재료의 상한가 고시, 유통마진 불인정

⑪ 보험자(국민건강보험공단)와 심사기구(건강보험심사평가원) 분리

(3) 건강보험제도의 연혁

① 제도 도입 및 임의 보험 사업기(1963~1976)

- 1963.12 의료보험법 제정

② 사회보험 확장기(1977~1980)

- 1977.07 500인 이상 사업장 근로자 의료보험 실시 (486개 조합 설립)
- 1979.01 1월부터 공무원 및 사립학교교직원 의료보험 실시

③ 지역보험 시범 사업기(1981~1987)

- 1981.01 100인 이상 사업장 의료보험 적용 확대
- 1981.07 홍천군, 옥구군, 군위군을 대상으로 지역의료보험 시범사업을 실시

④ 전국민의료보험시기(1988~2000.6)

- 1988.01 농어촌 지역의료보험 확대 실시
- 1988.07 5인이상 사업장 의료보험적용확대
- 1989.07 도시지역의료보험을 확대 적용하여 전국민의료보험 실현
- 1997.12 『국민의료보험법』제정
- 1998.10 지역의료보험조합과 공 · 교 의료보험관리공단 통합
- 국민의료보험관리공단 출범
- 1999.02 국민건강보험법 제정

⑤ 의료보험 단일 통합(2000. 7. 1.)

- 2000.07 국민의료보험관리공단과 직장의료보험조합 통합

국민건강보험공단 출범 (의료보험 완전통합)
- 2001.07 5인미만 사업장 근로자 직장가입자 편입
- 2002.01 국민건강보험재정건전화특별법 제정
- 2003.07 지역 · 직장 재정 통합 (실질적인 건강보험 통합)
- 2005.07 노인장기요양보험 시범사업 실시
- 2007.04 노인장기요양보험법 제정
- 2008.07 노인장기요양보험 실시
- 2011.01 사회보험 징수통합 (건강보험, 국민연금, 고용보험, 산재보험)

(4) 제도의 성과

① 최 단기 전 국민 건강보험실시 : 법 제정부터 26년, 본격 시행부터 12년

참고) 일본 36년, 오스트리아 79년, 독일 134년

② 저렴한 비용으로 양호한 의료 접근 및 건강 수준 달성
- GDP대비 국민의료비 비율 : 4.5%('00) → 7.1% ('10 기준)

  참고) OECD평균 9.5%, 미국 17.6%, 프랑스 11.6%, 독일 11.6%

표 16-4 주요국의 건강보험료율 ('08)

한국('12)	독일	일본	프랑스	대만
5.08%	14.86%	8.2%	13.85%	8.1%

③ 의료서비스 이용의 일반화
- 1인당 입원 내원 일수 : 0.1일('77) → 1.32일('06)
- 1인당 외래 내원 일수 : 0.7일('77) → 14.7일('06)

④ 건강보험제도의 보장율 : 61.8%('05) → 64.6%('07) → 62.7%('10)

참고) OECD 52.9%('05)

⑤ 국민건강 수준의 획기적 향상
- 출생시 기대 수명 : 52.4세(1960년대) → 79.2세('06)→80.7세('10)
- 영아 사망률 : 1천명당 5.3명('02)→3.5명('07)→3.2명('10)

  참고) OECD 평균 4.6명('09)

⑥ 사회 통합에 기여 : 건강과 건강 문제를 상부상조하여 해결하는 사회적 연대의 기전 마련

(5) 당면과제

① 재정 안정

② 보험급여 수준 조정: 보장 수준
③ 진료비 증가 억제
④ 진료보수체계조정
⑤ 합리적 심사 및 지불

2. 국민건강보험의 이해

1) 건강보험제도의 운영구조

표 16-5 건강보험, 의료급여, 산재보험, 자동차보험의 비교

구분		보험의 성격	적용법	관련부처	보험자	심사자
의료보장	건강보험	사회보험	국민건강 보험	보건복지가족부	국민건강보험공단	심사평가원
	의료급여	공적부조	의료급여법		시 · 군 · 구	심사평가원
	산재보험	사회보험	산업재해 보상보험법	노동부	근로복지공단	근로복지공단
사보험	자동차 보험	사보험	자동차손해 배상보장법	국토 해양부	각 손해 보험회사	각 손해 보험회사

(1) 보건복지부

① 건강보험 제도 관련 전반적인 정책 결정
② 보험료율 및 보험료 부과기준, 요양급여의 범위 등을 결정하며 관리운영주체인 건강보험공단의 예산 및 규정 등을 승인
③ 세부적으로 급여결정 영역에 있어 신의료기술평가, 급여의 기준(방법, 절차, 범위, 상한 등)과 약제, 치료재료의 상한금액 결정 및 급여의 상대가치를 결정하고 고시함.

(2) 국민건강보험공단

① 건강보험 보험자로서 건강보험 가입자의 자격을 관리하고, 보험료를 부과 징수하는 역할을 담당함. 또한 요양기관에는 비용을 지급함.
② 요양기관에서 건강보험심사평가원에 급여비용을 청구하면 건강보험심사평가원에서 이를 심사하여 국민건강보험공단에 결과를 통보하고 국민건강보험공단은 심사를 통해 조정된 비용을 요양기관에 지급함.
③ 국민건강보험공단의 급여관련 업무는 제약회사와 협상을 통해 약가결정, 보험급여비용 지급, 상대가치의 점수 당 단가 (환산지수)계약 체결 업무를 담당함.

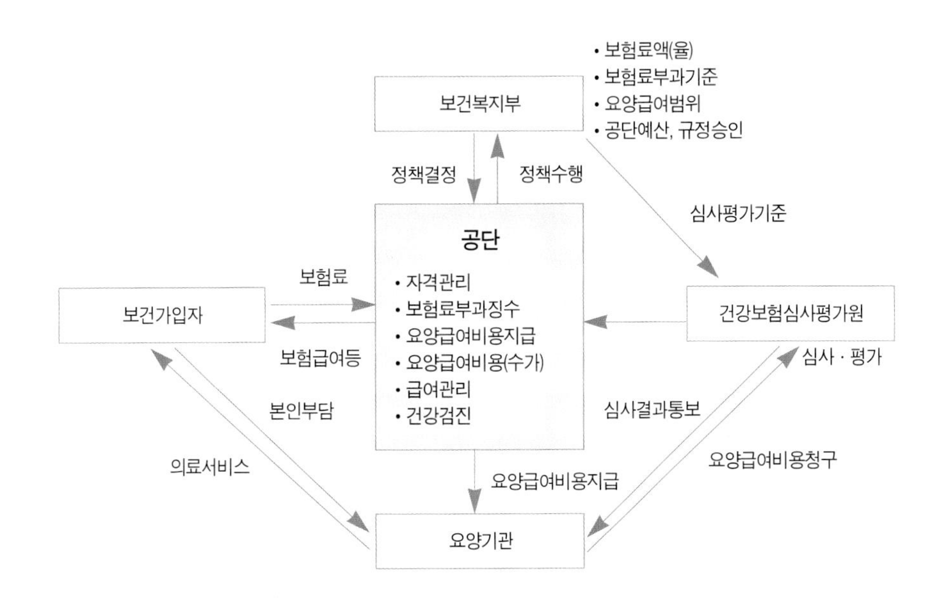

그림 16-7. 건강보험제도의 운영구조 (출처: 국민건강보험 홈페이지)

(3) 건강보험심사평가원

① 요양급여비용 심사와 요양급여의 적정성을 평가하고, 급여와 관련된 복지부 업무를 지원하는 급여 업무 전반을 수행함.

② 급여관련 업무는 상대가치점수 산정, 약가 상환금액 산정 등 상대가치점수 및 치료재료 상한금액 결정 등에서 주요하고 실질적인 역할을 담당하며 진료비 지불방식 및 수가 결정을 위한 자료를 제공함.

③ 신의료기술 급여의 범위를 결정하는 신의료기술 전문평가위원회를 운영하고 관리하는 역할을 담당함.

(4) 건강보험정책심의위원회

① 국민건강보험법 제4조에 의해 명시된 보건복지부 장관 소속의 위원회 조직

② 요양급여의 기준, 요양급여비용, 가입자의 보험료 수준 등 건강보험에 관한 주요사항을 심의 의결함

③ 총 25인으로 구성되며 위원장은 보건복지부차관이 되고 가입자 단체 8인, 공급자단체 8인, 공공기관 4인 및 관련 전문가 4인으로 구성됨

2) 건강보험제도의 가입자

(1) 종류 : 직장가입자(근로자, 사용주, 공무원, 교직원), 지역가입자

(2) 적용대상 : 의료급여 수급권자외 모두, 가입자+피부양자(배우자, 직계존비속, 형제, 자매)

(3) 자격취득시기 : 대상이 되는 당일

(4) 자격상실의 시기 : 자격상실 사유 다음 날

(5) 자격 등의 변동 통보

① 직장 가입자는 사용자가, 지역 가입자는 세대주가 신고

② 자격변동일로부터 14일이내에 신고해야 함.

3) 보험급여

(1) 요양급여 범위 : 비급여 대상 외 모두

① 질병, 부상, 출산 등에 대해 진찰 · 검사, 약제 · 치료재료, 처치 · 수술 기타의 치료, 예방 · 재활, 입원, 간호, 이송에 대해 급여

② 단, 업무나 일상생활에 자장이 없는 질환, 기타 보건복지부령이 정하는 사항은 요양급여 대상에서 제외

(2) 요양기관 : 요양급여를 행하는 기관

①「의료법」에 의하여 개설된 의료기관

②「약사법」에 의한 약국, 한국희귀의약품센터

③「지역보건법」에 의한 보건소, 보건의료원 및 보건지소

④「농어촌 등 보건의료를 위한 특별조치법」에 의하여 설치된 보건진료소

(3) 비용의 일부 부담(본인부담)

① 본인 부담을 갖는 이유 : 환자에게 비용인식을 갖도록 하여 진료억제 기능, 의료비 증가억제, 보험재정 보호

② 본인부담율의 크기를 결정짓는 요인

a. 의료보장 종류 : 건강보험, 의료급여, 산재보험, 자동차 보험

b. 요양기관 종별 : 상습종합병원, 종합병원, 병원, 의원, 약국 등

c. 진료 형태 : 입원, 외래

d. 처방 형태 : 약제 처방 시 원내/원외/의약분업 예외환자

e. 나이 : 6세 미만, 65세 이상, 생후28일 이내 신생아, 기타

f. 상병 : 희귀질환, 산정특례질환, 등록된 중증질환, 52개 차등적용질환

g. 특정 처치 유무 : (예, 정상분만, 심장/뇌의 수술 및 시술)

h. 계산된 본인부담금의 크기 (본인부담 상한제) : 연간 급여 본인부담금이 소득에 따른 본인부담상한액(200/300/400만원)을 초과하는 경우 그 초과액을 공단이 부담하는 제도

i. 수가 항목의 내용 : (예, 전액 본인부담, 비급여 항목 등)

(4) 요양급여 비용의 산정 : 행위료(기술료)에 대한 수가계약

진료행위별 고시된 상대가치점수의 점수당 환산지수를 정하는 것임.

표 16-6 건강보험 본인부담율별 적용대상

본인부담율	적용대상	비고
0%	자연분만 진료비	식대는 50% 부담
	생후 28일 이내 신생아 환자의 입원	
5%	중증질환(등록암환자, 뇌혈관 · 심장질환)	뇌혈관 · 심장질환은 고시에서
	중증화상환자	규정한 수술 · 시술시에만 적용
10%	6세 미만 환자의 입원	식대는 50% 부담
10%	등록된 중증질환자(138개)	
20%	입원기본부담율	식대는 50% 부담
	미등록 암환자	
	등록 암,희귀 · 난치성질환을 제외한 가정간호	
30%	원외처방전에 의한 약국에서의 환자 부담율	6세 미만 : 21%
		암/희귀 · 난치질환 : 5%/10%
50%	2011.10.1일 시행 52개 차등적용질환자	6세 미만 : 35%
	원외처방전에 의한 약국에서의 환자 부담율	
60%	외래기본 부담율	6세 미만 : 42%
	입원, 외래 특수장비검사 (CT, MRI)	
100%	미승인 BMT, 연구내역, 이식전 검사, 비정상적인 의료전달체계로 내원한 환자, 보험자격 미확인 환자 등	

*의료급여 환자의 본인부담 크기는 별도로 규정되어 있음.

각 진료행위 수가는 상대가치 점수에 환산지수를 곱하여 결정됨.

예) 복부 CT의 점수 : 1,413.27점(PACS 및 조영제 비용은 제외임)

복부 CT의 수가 : 1,413.27×66.0원 = 93,280원

① 요양기관 유형별 대표자와 국민건강보험공단 이사장이 계약

② 계약기간 1년, 계약기간 만료일이 속하는 해의 5월 31일까지 체결, 미 진행시 복지부장관이 계약기간 만료일이 속하는 해의 6월 30알까지 고시

③ 계약의 내용 : 각 요양급여의 상대가치 점수의 점수당 단가

④ 상대 가치 점수의 결정은 의사의 업무량, 자원의 양, 위험도에 의함.

약제 및 치료재료의 비용은 고시된 금액의 범위 내에서 요양기관의 실 구입가에 의하여 산정한다.

(5) 요양급여 비용의 청구와 지급

요양기관은 요양급여비용을 공단에 청구해야 하나 심사평가원에 청구한 경우 공단에 청구한 것으로 간주한다.

① 본인부담 환급금 : 심사평가원에 청구한 금액 중 요양기관이 과다하게 산정했다고 판단하여 조정한

금액의 환자 본인부담액은 요양기관에 지급할 금액에서 공제하여 당해 가입자에게 지급한다.

② 요양급여 적정성 평가에 의하여 진료비를 가감 지급할 수 있다.

※ 요양급여비용의 가감지급 시범사업

a. '07.7월부터 진행중임

b. 대상 평가 : 제왕절개분만 적정성 평가, 급성심근경색증 적정성 평가, 급성기 뇌졸증 적정성 평가, 수술의 예방적 항생제 적정성 평가

c. 가감율 : 평가대상 심사결정 공단부담액의 100분의 10 범위안

(6) 공단이 지급하는 부가 급여 종류

① 요양급여 종류 : 법정 급여 + 부가 급여

② 부가 급여 종류 : 청구 요건을 갖춘 경우에 한함

a. 요양비 : CRF 환자의 복막관류액, 소모성재료 구입비 등

b. 자가분만비, 가정에서의 산소치료비, 제1형 당뇨병 환자의 소모성 재료 구입비

c. 장애인 보장구 급여비 : 정해진 품목의 정해진 금액에 한함

d. 건강검진

e. 임신 · 출산 진료비 지원

(7) 급여의 제한 : 보험급여를 해주지 않는 경우

① 고의 또는 중대한 과실로 인한 범죄행위에 기인하거나 고의로 사고를 발생시킨 때

② 고의 또는 중대한 과실로 공단이나 요양기관의 요양지시에 따르지 아니하는 경우

③ 고의 또는 중대한 과실로 공단의 급여확인에 따른 문서와 그 밖의 물건의 제출을 거부하거나 질문 또는 진단을 기피한 경우

④ 공상 급여를 받는 경우

a. 구상권 : 제3자의 행위로 인한 보험급여 발생시 요양기관이 이를 공단에 알리고 공단이 공단부담액을 사후에 제3자에게 손해배상을 청구할 권리

b. 제3자로부터 이미 손해배상을 받은 경우, 배상액 한도 내에서 보험급여를 하지 않을 수 있음

4) 보험료

(1) 직장가입자의 보험료

① 표준보수월액×보험료율

② 보험료율 : 5.08%('08, '09) → 5.33%('10) → 5.64%('11) → 5.80%('12) → 5.89%('13)

③ 보험료부담 : 사용자 50% +가입자 50%

(2) 지역가입자의 보험료 : 보험료 부과점수 × 점수당 금액

5) 이의신청 및 심사청구

표 16-7 심사평가원이나 국민건강보험공단 등의 결정에 대한 이의제기

구분	사안	대상	형태		
보험	진료비 삭감이나 기타	건경보험심사평가원/국민건강보험공단/보건복지가족부	이의신청	심사청구	행정소송
급여	결정사항에 대하여	건경보험심사평가원/국민건강보험공단/보건복지가족부 /시군구청		행정심판	
자보		자보회사/국토해양부(분쟁심의회)	1차조정	분쟁	민사소송
산재		근로복지공단	심사청구	재심사청구	행정소송

* 이의제기시한 : 결정통지를 받은 날부터 90일 이내

6) 기타

(1) 시효 : 보험료, 보험급여, 보험급여비용 등의 권리는 3년간 행사하지 않으면 소멸시효가 완성됨.

(2) 서류의 보존 : 요양급여가 종료된날부터 5년간 청구서, 명세서, 약제, 치료재료 구입서류를 보관 해야 함 (처방전은 3년 보관)

(3) 자료제공 : 공단 및 심사평가원은 요양기관에 대하여 자료 요청이 가능, 요청 받은 기관은 이에 응해야 함.

(4) 과징금 등 : 1년의 범위 안에서 기간을 정하여 업무 정지를 명할 수 있고, 5배의 범위 안에서 금액으로 대신할 수 있음.

3. 국민건강보험요양급여의 기준에 대한 규칙

1) 요양급여의 절차

(1) 요양급여의 절차

① 1단계 (진료의뢰서, 의사소견이 기재된 건강진단 · 건강검진결과서) → 2단계(상급종합병원)

② 예외

- 분만, 응급, 치과, 가정의학과, 혈우병환자
- 장애인 또는 단순 물리치료가 아닌 작업치료를 위한 재활의학과 진료
- 당해 요양기관에서 근무하는 가입자

③ 요양급여 신청 : 건강보험증 또는 신분증명서 제출 (7일 이내)
④ 급여의 제한여부 조회 : 병원이 급여제한여부조회서를 보내면 보험자는 7일 이내 급여제한 여부 결정 통보서를 회신해야 함

2) 요양급여의 적용기준 및 방법

(1) 요양급여의 일반원칙

① 가입자의 특성(연령 · 직업 등)을 고려, 정확한 진단을 토대로 의학적으로 인정되는 범위안에서 최적의 방법으로 실시
② 의료인은 요양상 필요한 사항이나 예방의학 및 공중보건에 관한 지식을 환자 또는보호자에게 적절히 설명 · 지도하여야 함
③ 요양급여는 비용효과적인 방법으로 행해야 함
④ 요양급여에 필요한 인력/시설/장비를 유지해야 함
⑤ 타 요양기관의 인력 초빙 및 시설/인력/장비 공용이 가능함
⑥ 요양급여에 필요한 약제/치료재료는 직접 구입하여 가입자에게 지급해야 함

(2) 기타

① 각종 검사를 포함한 진단 및 치료행위는 진료상 필요하다고 인정되는 경우에 한하며 연구의 목적으로 하여서는 안됨
② 투약 및 주사는 경구약부터 단계적으로, 가급적 병용 투약을 지양
③ 허가 또는 신고 범위내에서 처방/투약하되 보건복지부 장관이 고시하는 약에 한하여 허가 또는 신고범위 초과하여 처방/투여 가능
④ 중증환자에게 투여하는 약제로 보건복지부 장관이 정하여 고시하는 약제의 경우 심평원장이 공고한 범위 내에서 사용 가능
⑤ 항생제/스테로이드 제제 등 오남용의 피해가 우려되는 의약품은 신중히 투약해야 함
⑥ 단순한 피로회복/통원 불편 등을 이유로 입원하여서는 안됨

(3) 전액 본인부담 : 보험수가로 계산하되, 전액을 환자가 부담함을 의미함

① 수급절차 위반
② 시설 수용자 또는 그의 피부양자
③ 보험료 체납시
④ 보험카드 미제출
⑤ 이식 위한 공여 적합성 검사
⑥ 응급기준이 아닌 응급의료관리료, 이송처치료
⑦ 수술후의 통증관리를 위한 PCA 등
⑧ 학교폭력 중 상호폭력에 기인한 경우

⑨ 왜소증 감별 비용
⑩ 공단이 부담하는 상한금액을 초과하여 복지부장관이 100/100 본인부담 고시한 약제 및 치료재료 비용

(4) 요양급여비용 계산서 · 영수증에 대한 기준

① 요양급여 실시한 때에는 가입자 등에 계산서 · 영수증 발급 의무가 있음
② 진료비 계산서 · 영수증 부본의 보관 기간 의무연한 : 5년

(5) 요양급여의 범위 : 비급여대상 외 모두

① 비급여 대상
a. 업무/일상생활에 지장이 없는 경우 : 단순 피로, 단순 코골음, 주근깨 등에 대한 진료(수면 무호흡증시에는 급여 대상임)
b. 신체의 필수 기능개선 목적이 아닌 미용 목적 : 미용 목적 성형술, 미용목적 성형수술 후 합병증, 외모개선 목적 사시수술 · 교정치료 · 반흔제거술, 안경, 콘택트렌즈 등을 대체하기 위한 시력교정술
c. 예방진료 : 본인의 희망에 의한 건강검진, 예방접종 등
d. 기타
- 상급병상차액, 보장구, 인공수정, 친자확인을 위한 진단
- 치과 보철, 마약 중독자 치료 비용
- 선택진료료, 장기운반료, 안전성유효성 판정을 받은 후 요양급여행위평가 신청을 한 신의료기술의 고시 전까지의 수가

② 선택진료료 산정 근거
a. 선택진료료 부과가 가능한 선택진료의사 조건
- 전문의 자격인정을 받은 후 10년이 경과한 의사
- 면허취득 후 15년이 경과한 치과의사 및 한의사
- 전문의 자격인정 후 5년이 경과한 대학병원 조교수 이상인 의사
- 면허취득 후 10년이 경과하고 대학병원 또는 대학부속병원 치과병원의 조교수 이상인 치과의사

b. 수가항목별 선택진료료 산정기준

표 16-8 수가항목별 선택진료료 산정기준

수가항목	선택진료료 수가
진찰료	진찰료의 55% 이내
의학관리료	입원료의 20% 이내

검사료	검사료의 50% 이내
영상진단 및 방사선치료료	영상진단료의 25% 이내(방사선치료료는 50%, 방사선혈관촬영료는 100%)
마취료	마취료는 100% 이내
정신요법료	정신요법료의 50%(심층분석은 100%) 이내
처치 · 수술료	처치 · 수술료의 100% 이내

(6) 신의료기술의 평가 및 요양급여 대상여부 신청 제도

① 평가대상

a. 신의료기술평가를 받지 아니한 새로운 의료기술

b. 신의료기술로 평가 받은 의료기술의 사용목적, 사용 대상 및 시술방법을 변경한 경우
단, 의료기술에 동반되는 약제, 치료재료, 의료기기 등 소요장비의 허가 및 신고사항 완비가 신의료기술평가 신청의 전제 조건임

② 평가 절차

a. 신의료기술 평가 신청 (복지부 산하 한국보건의료연구원내 신의료기술평가사업팀에 신청)

b. 신의료기술 평가 회신

- 평가 대상 여부 회신 : 신청일로부터 90일 이내
- 안정성 · 유효성 평가 : 신청일로부터 1년 이내

c. 안정성, 유효성이 입증된 항목에 한하여 요양급여행위평가 신청(건강보험심사평가원에 신청)

③ 관련 항목의 수가 산정

a. 안전성, 유효성이 입증된 신의료기술을 최초 실시 후 30일 이내 요양급여행위평가 신청 시 (신의료)비급여로 수가 산정 가능

b. 이후 신청한 요양급여행위평가 결정 통보 결과에 따라 수가 산정

♠ 이 단원의 내용은 국가제도 등의 변화에 따라 향후 변경 가능성이 있습니다.

참고문헌

- 국민건강보험법
- 삼성서울병원 원내 교육자료 (건강보험실무 2012.12)
- 국민건강보험공단 www.nhic.or.kr

III 건강보험급여기준 및 약제행위료

1. 상대가치체계에 대한 이해

1) 상대가치란?

건강보험수가 = 상대가치점수 × 점수당 단가 (환산지수)

(1) 상대가치점수는 각 의료행위에 사용되는 요양급여의 가치를 상대적으로 비교하여 화폐단위가 아닌 "점수"로 표현한 것으로 2001. 1월부터 도입되었다.
- 요양급여의 가치는 의사의 시간과 노력, 인력 · 시설 · 장비 등 자원의 양, 요양급여의 위험도를 고려하여 산출한다.

(2) 상대가치의 구성요소
- 업무량 상대가치 : 주시술자(의사)의 전문적인 노력에 대한 보상으로 시간과 강도를 고려한 상대가치
- 진료비용 상대가치 : 주시술자를 제외한 의사, 간호사 등 임상인력의 임금, 진료에 사용되는 시설과 의료장비 및 의료소모품 등을 고려한 상대가치
- 위험도 상대가치 : 의료사고와 관련된 분쟁해결비용을 고려한 상대가치

(3) 환산지수는 공단의 이사장과 대통령령이 정하는 의약계를 대표하는 자와의 계약으로 정한다(계약 미체결시 건강보험정책심의위원회에서 결정).

업무량 상대가치

진료비용 상대가치

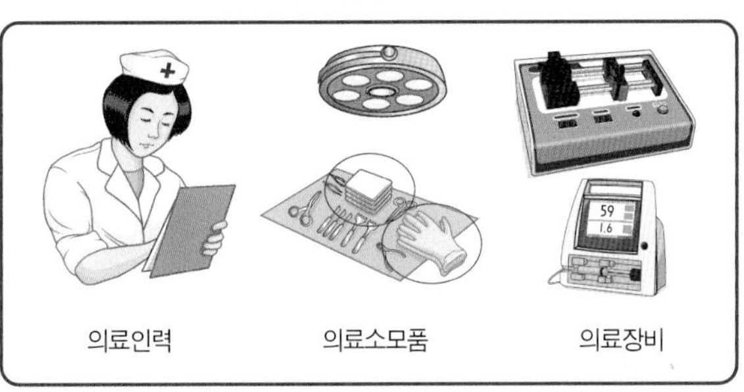

위험도 상대가치

그림 16-8. **상대가치 구성요소**

2) 유형별 환산지수

(1) 유형별 환산지수의 도입 배경

① 2001년도에 상대가치수가가 도입되면서 상대가치점수와 점당 단가('환산지수')를 결정하는 문제가 중요한 정책현안이 되고 있다.

행위별 상대가치수가 = 행위별 상대가치점수 × 점당 단가('환산지수')

② 환산지수는 2001년 이후 단일 환산지수를 적용하고 있으나, 요양기관 유형별로 경영수지구조의 왜곡이 지속됨으로써 유형별 환산지수의 적용을 통해 경영상 왜곡을 최소화하려는 요구가 대두되었다.

③ 2007년부터 요양급여 비용은 요양기관의 특성을 고려한 유형별로 환산지수 계약을 하기로 하였으나 2007년도 환산지수 계약시에 이행되지 못하고 협상이 결렬되었다. 따라서 건강보험정책심의위원회에서 단일 환산지수로 의결하였고 유형분류에 대한 연구를 의결하였고 유형분류에 대한 연구를 수행하고, 연구결과에 따라 유형별 계약에 관한 시행령을 개정하기로 하였다.

(2) 유형별 환산지수 개요

① 요양급여비용의 계약은 국민건강보험법 제42조제1항에 의거 공단 이사장과 의약계를 대표하는 자와의 계약으로 정하며, 국민건강보험법 시행령 제24조 제1항에 의거 요양급여의 상대가치점수의 점수당 단가를 정하는 것으로 체결하는 것을 말하며 이를 환산지수 계약이라고 한다.

② 연구용역을 거쳐 의원 · 병원 · 치과 · 한방 · 약국의 5개 유형별로 각각 수가계약을 하는 유형별 환산지수를 계약하는 방안이 마련되었다.

표 16-9 요양급여의 유형별 환산지수(2013년 1월 기준)

유형별 분류	점수당 단가
「의료법」 제3조제2항제3호에 따른 의료기관 중 병원, 요양병원 및 종합병원	67.5원
「의료법」 제3조제2항제1호에 따른 의료기관 중 의원	70.1원
「의료법」 제3조제2항제1호 및 같은 항 제3호에 따른 의료기관 중 치과의원 및 치과병원	73.8원
「의료법」 제3조제2항제1호 및 같은 항 제3호에 따른 의료기관 중 한의원 및 한방병원	72.5원
「의료법」 제3조제2항제2호에 따른 조산원	106.9원
「약사법」 제2조제3호에 따른 약국 및 같은 법 제91조에 따른 한국희귀의약품센터	70.8원
「지역보건법」에 따른 보건소, 보건의료원 및 보건지소와 「농어촌 등 보건의료를 위한 특별조치법」에 따라 설치된 보건진료소	69.1원

※ 병원약국의 경우는 '병원급'으로 유형이 분류됨에 따라 개국약국과는 다른 환산지수를 갖게 되었다.

2. 건강보험 요양급여비용

1) 행위급여의 일반원칙

(1) 국민건강보험법에 의한 요양급여비용의 내역은 동법 시행령에 의하여 보건복지가족부 장관이 정하여 고시하는 '요양급여의 상대가치점수'의 아래 유형별 분류에 따른 점수당 단가로 한다.

(2) 요양기관 종별로 가산율을 적용한다

표 16-10 요양기관 종별 가산율

구분	상급종합병원	종합병원	병원	의원
건강보험	30%	25%	20%	15%
의료급여	22%	18%	15%	11%
자보	45%	37%	21%	15%
산재	45%	37%	21%	15%

※ 병원약국의 경우는 '병원급' 으로 유형이 분류됨에 따라 개국약국과는 다른 환산지수를 갖게 되었다.

① 의료기관의 종류 및 종합병원의 요건(의료법 제3조)

a. 의원급 의료기관 : 의원, 치과의원, 한의원

b. 조산원

c. 병원급 의료기관 : 병원, 치과병원, 한방병원, 요양병원

d. 종합병원 요건

- 100개 이상의 병상을 갖출 것
- 진료과목수 요건
  - 300병상 초과 시 : 내과, 외과, 소아청소년과, 산부인과, 영상의학과, 마취통증의학과, 진단검사의학과 또는 병리과, 정신과 및 치과를 포함한 9개 이상의 진료과목을 갖추고 각 진료과목마다 전속하는 전문의를 둘 것
  - 100병상 이상 300병상 이하 : 내과, 외과, 소아청소년과, 산부인과 중 3개 진료과목, 영상의학과, 마취통증의학과와 진단검사의학과 또는 병리과를 포함한 7개 이상의 진료과목을 갖추고 각 진료과목마다 전속하는 전문의를 둘 것

② 상급종합병원 지정

a. 보건복지부장관은 다음 각 호의 요건을 갖춘 종합병원 중에서 중증질환에 대하여 난이도가 높은 의료행위를 전문적으로 하는 종합병원을 상급 종합병원으로 지정할 수 있다.

- 보건복지부령으로 정하는 20개 이상의 진료과목을 갖추고 각 진료과목마다 전속하는 전문의를 둘 것
- 전문의를 수련시키는 기관일 것
- 보건복지부령으로 정하는 인력, 시설, 장비 등을 갖출 것
- 질병군별(질병군별) 환자구성 비율이 보건복지부령으로 정하는 기준에 해당할 것

b. 보건복지부장관은 상기 각 호의 사항 및 전문성 등에 대하여 평가를 실시하여야 한다.

c. 보건복지부장관은 상급종합병원으로 지정받은 종합병원에 대하여 3년마다 평가를 실시하여 재지정하거나 지정을 취소할 수 있다(2010.1.31 시행).

③ 전문병원 지정

보건복지부장관은 병원급 의료기관 중에서 특정 진료과목이나 특정 질환 등에 대하여 난이도가 높은 의료행위를 하는 병원을 전문병원으로 지정할 수 있으며, 전문병원으로 지정받은 의료기관에 대하여 3년마다 평가를 실시하여 재지정하거나 지정을 취소할 수 있다(2011.1.31 시행).

2) 차등수가

의과의원, 치과의원, 한의원, 보건의료원, 약국 및 한국희귀의약품센터의 경우에는 의사, 치과의사, 한의사, 약사 1인당 1일 진찰횟수, 약국 및 한국희귀의약품센터의 경우에는 조제건수(처방전 매수를 말한다, 이하 같다)에 따라서 요양기관에 진찰료와 조제료 등 (조제료, 약국관리료, 조제기본료, 복약지도료를 말한다, 이하 같다)을 아래와 같이 차등 지급한다. 다만, 의료급여 환자, 장관이 별도로 정한 평일 18시(토요일 13시) ~ 익일 09시의 진찰료와 조제료 등, 기타 장관이 별도로 정하는 경우에는 차등수가 적용대상에서 제외할 수 있다.

(1) 의과의원, 치과의원, 한의원, 보건의료원의 의사, 치과의사, 한의사 1인당 1일 진찰횟수를 기준으로 진찰료에 대하여 다음과 같이 차등 지급한다.
   ① 75건 이하 : 100%
   ② 75건을 초과하여 100건까지 : 90%
   ③ 100건을 초과하여 150건까지 : 75%
   ④ 150건을 초과한 건 : 50%

(2) 약국 및 한국희귀의약품센터의 약사 1인당 1일 조제건수(의약분업 예외지역에서는 직접조제건수 포함)를 기준으로 조제료 등에 대하여 다음과 같이 차등 지급한다.
   ① 75건 이하 : 100%
   ② 75건을 초과하여 100건까지 : 90%
   ③ 100건을 초과하여 150건까지 : 75%
   ④ 150건을 초과한 건 : 50%

(3) 차등지급되는 진찰료(약국 및 한국희귀의약품센터의 경우에는 조제료 등을 말한다)는 차등지수에 1개월(또는 1주일)간 총 진찰료를 승하여 산출하되 10원 미만은 4사5입한 금액으로 산출하며 차등지수는 의사, 치과의사, 한의사, 약사 1인당 1일평균 진찰횟수(약사의 경우에는 조제건수)를 n으로 할 때 다음과 같이 산정하되 소수점 여덟째 자리에서 4사5입한다.
   ① n이 75 이하일 경우에는 차등지수를 1로 한다.
   ② n이 75를 초과하여 100 이하일 경우에는 $\{75 \times 1.00 + (n-75) \times 0.90\} / n$
   ③ n이 100을 초과하여 150 이하일 경우에는 $\{75 \times 1.00 + 25 \times 0.90 + (n-100) \times 0.75\} / n$
   ④ n이 150을 초과하는 경우에는 $\{75 \times 1.00 + 25 \times 0.90 + 50 \times 0.75 + (n-150) \times 0.50\} / n$

(4) 의사, 치과의사, 한의사 1인당 1일 평균 진찰횟수, 약사 1인당 1일 평균 조제건수는 내원환자의 순서 및 초 · 재진을 구분하지 아니하고 1개월(또는 1주일)간 총 진찰(조제)횟수의 합을 구하고 이를 해당 요양기관이 국민건강보험법 시행규칙 제12조제1항 및 제2항의 규정에 의하여 통보한 의사,

치과의사, 한의사가 진료한 총일수, 약국 및 한국희귀의약품센터의 약사가 조제한 총일수로 나누어서 계산하되 소수점 첫째자리에서 절사하여 산정한다.

(5) 진료(조제)일수는 1개월(또는 1주일) 동안 의사(약사)가 실제 진료(조제)한 날수를 말한다.

3) 요양급여비용의 구성(항목)

(1) 요양급여의 일부를 본인이 부담하는 항목

① 기본진료료 : 진찰료, 입원료

② 검사료, 영상진단 및 방사선 치료료

③ 투약 및 처방조제료, 주사료(혈액료 포함)

④ 마취료, 이학요법료, 정신요법료

⑤ 처치 및 수술료, 치과처치 및 수술료

⑥ 조산료

⑦ 약제료

⑧ 재료대

⑨ 식대

(2) 비급여 항목

(3) 질병군(DRG) 수가

① 의료서비스 종류나 양에 관계없이 미리 책정된 일정금액의 진료비를 보상하는 지불제도

② 2013년 7월부터 전국 당연 적용

③ 대상질병군

a. 수정체수술(백내장수술)

b. 편도 및 아데노이드 수술

c. 충수절제술

d. 서혜,대퇴 탈장수술

e. 항문 수술(치질 등)

f. 자궁 및 자궁부속기 수술

g. 제왕절개분만 (※ 정상분만은 해당되지 않음)

④ 장점 : 불필요한 진료억제, 의료비 증가 억제, 진료비 청구간단, 의료기관의 원가절감 노력증가, 행정비용 절감

⑤ 단점 : 의료의 질 저하, 중증환자 기피, 관리의료 심화

3. 약제 행위료

건강보험요양급여 대상 약제 행위료는 의약품관리료, 퇴원환자조제료, 입원환자조제복약지도료, 외래환자조제복약지도료, 주사제무균조제료가 있으며 '건강보험요양급여비용' 책자에 의하면 의약품관리료는 기본진료료 항목에 나머지는 투약·조제료항목에 들어있다. 한편 비급여 대상 약제 행위료로는 약물동력학자문료가 있다.

1) 기본진료료

(1) 진찰료

① 기본진찰료와 외래(병원)관리료로 구성

병원약사회에서 원외처방전관리료와 약품식별 및 정보제공료를 신설을 요청하였으나 심평원에서는 기본진찰료와 외래(병원)관리료에 포함되어 있다고 회신하였다.

표 16-11 약제행위료 신설 요청에 대한 심평원 회신

항목	제목	세부인정사항
기본진료료	입원 또는 외래환자(가족 포함)에게 제공되는 각종 교육 및 상담	〈행위급여,비급여 목록표 및 상대가치점수 II 비급여 항목〉 "교육상담료" 의 "주" 및 "별표1" 에 해당하는 경우는 비급여대상이며 이외의 경우는 기본진료료의 소정점수에 포함됨.(고시 제 2003-40호)
기본진료료 자202 중심정맥영양법 자266 장내영양	영양치료팀 자문료	영양불량이거나 영양불량의 위험이 있는 환자에게 실시하는 영양치료팀 자문료는 해당행위료 (자202또는 자266)의 소정점수에 포함되며 퇴원 후 영양치료에 대한 교육을 7개 질환(당뇨병, 고혈압, 심장질환, 암, 장루수술, 투석 및 치주질환)에 실시하는 비급여 대상인 교육 및 상담료에 포함되고 이외의 경우는 기본진료료의 소정점수에 포함됨(고시 제 2005-100호)
가1 진찰료 가2 입원료	약품식별 및 정보제공료	가1 진찰료 또는 가2 입원료의 소정점수에 포함됨 (고시 제 2002-69호)
제1장 기본진료료 가1 외래환자진찰료	원외처방전 관리	가1 외래환자진찰료의 소정점수에 포함됨 (고시 제 2007-139호)

(2) 입원료 등

입원료, 무균치료실입원료, 낮병동입원료, 신생아입원료, 중환자실입원료, 격리실입원료)의 소정점수에는 입원환자의 의학관리료 40%, 입원환자 간호관리료 25%, 입원환자 병원관리료 35%가 포함되어 있으며 요양기관 종별에 따라 산정한다.

※ 간호관리료의 경우 간호인력확보수준에 따라 차등제로 운영하고 있다.

(예) 일반병동의 직전 분기 평균 병상수 대비 당해 병동에서 간호업무에 종사하는 직전분기 평균 간호사수(병상수 대 간호사의 비)에 따라 간호인력확보 수준을 1등급 내지 7등급으로 구분한다.

(3) 의약품관리료

의약품관리료란, 의약품의 선정부터 목록관리, 구매관리, 사용관리, 재고관리, 공급관리, 품질관리 등 의약품관리 전반에 해당하는 행위에 대한 수가이다.

① 외래환자 의약품관리료는 다음과 같이 산정한다.

a. 상급종합병원, 종합병원, 병원, 치과병원, 요양병원 · 한방병원 내 의 · 치과: 외래환자에게 투약한 경우 방문당으로 산정한다.

b. 의원, 치과의원, 보건의료원 의 · 치과: 내복약 조제일수에 따라 산정한다.

② 입원환자 의약품관리료는 입원환자에 대하여 입원기간 중 투약한 경우에 투약일수에 따라 산정한

표 16-12 입원환자 의약품관리료 (2013년 기준)

	상급종합병원	종합병원	병원, 치과병원, 요양병원, 한방병원 내 의 · 치과
외래(방문당)	0.51	0.68	0.87
입원			
1일분	26.69	18.6	10.28
2일분	50.68	35.33	19.52
3일분	74.68	52.04	28.76
4일분	90.8	63.28	34.98
5일분	106.73	74.37	41.13
6 일분	122.68	85.48	47.28
7 일분	138.79	96.71	53.49
8 일분	154.73	107.82	59.61
9 일분	170.84	119.05	65.82
10 일분	186.79	130.16	71.98
11 일분	202.72	141.26	78.13
12 일분	218.84	152.50	84.34
13 일분	234.78	163.60	90.46
14 일분	245.50	171.08	94.63
15 일분	249.77	174.05	96.27
16일분~30 일분	271.10	188.91	104.46
31 일분 이상	327.18	228.00	126.10

다. 단 '약제 급여목록 및 급여 상한금액표' 고시에서 정한 상한금액이 포장단위로 책정된 의약품(병, 팩 등)을 지급하는 경우에는 1일분의 소정점수를 산정한다.

2) 투약 및 조제료

(1) 산정지침

① 투약시 사용된 용기(투약병, 연고곽, 안약병, 포장지 등 포함)의 재료대는 소정점수에 포함되므로 별도 산정하지 아니한다.

② 퇴원환자 조제료는 퇴원하는 입원환자에게 요양기관인 의료기관의 의사 또는 치과의사의 처방에 따라 당해 의료기관의 조제실에서 조제투약한 경우에 산정한다.

③ 외래환자 조제 · 복약지도료는 의약분업 예외환자(예외의약품을 조제한 경우 포함)에게 요양기관인 의료기관의 의사 또는 치과의사가 처방하고 당해 의료기관의 약사가 조제실에서 조제투약한 경우에 산정한다.

④ 한방 외래 · 퇴원환자조제료는 외래환자 또는 퇴원하는 입원환자에게 요양기관인 한방의료기관의 한의사의 처방에 따라 당해 한방의료기관의 조제실에서 한약제제를 조제 투약한 경우에 산정한다.

⑤ 조제실 제제를 조제투약한 경우에는 퇴원환자 조제료, 외래환자 조제 · 복약지도료 또는 입원환자 조제 · 복약지도료 소정점수의 50%를 제제료로 별도 산정한다.

⑥ 퇴장방지의약품사용장려비는 장관이 별도로 정하는 "퇴장방지의약품목록"에 해당하는 의약품을 처방한 경우에 산정한다.

(2) 퇴원환자 조제료

① 퇴원 익일부터 산정한다.

② 제수, 투약량 등을 불문한다.

③ 2개 이상의 진료과목이 설치되어 있고 해당 과의 전문의가 상근하는 요양기관에서 동일 퇴원환자의 다른 상병에 대하여 전문과목 또는 전문분야가 다른 진료 담당의사의 처방에 따라 각각 조제한 경우에는 각각 산정할 수 있다.

a. 내복약 [1회당]

- 만6세 미만의 소아에 대하여는 소정점수의 20%를 가산한다.
- '약제 급여 목록 및 급여 상한금액표' 고시에서 정한 상한금액이 포장단위로 책정된 의약품(병 · 팩 등)을 지급하는 경우에는 1일분의 소정점수를 산정한다.

b. 외용약 [1회당]

- 단독 : 2.75점
- 내복약과 동시 투약 : 1.37점

주 : 내복약 조제료는 위 '내복약' 의 소정점수를 별도 산정한다.

(3) 외래환자 조제 복약지도료

① 의약분업 예외환자에게 조제한 경우 또는 예외의약품을 조제하여 투약한 경우에 산정한다.

② 제수, 투약량 등을 불문한다.

③ 동일 환자에게 1일 2회 이상 처방조제를 하더라도 1회만 산정한다. 다만, 내복약의 경우에는 2개 이상의 진료과목이 설치되어 있고 해당 과의 전문의가 상근하는 요양기관에서 동일 환자의 다른 상병

표 16-13 병원약국조제료(2013년 기준)

구분	퇴원환자조제료	외래환자조제복약지도료	입원환자조제복약지도료
1일분	2.75	6.50	18.17
2일분	3.34	7.86	
3일분	3.91	9.16	
4일분	4.50	10.52	
5일분	5.07	11.83	
6일분	5.66	13.19	
7일분	6.23	14.49	
8일분	6.82	15.85	
9일분	7.38	17.16	
10일분	7.98	18.52	
11일분	8.54	19.82	
12일분	9.13	21.18	
13일분	9.70	22.49	
14일분	10.29	23.85	
15일분	10.86	25.15	
16일분이상20일분	12.61	29.18	
21일분이상25일분	14.34	33.14	
26일분이상30일분	16.09	37.17	
31일분이상40일분	19.26	44.46	
41일분이상50일분	22.45	51.80	
51일분이상60일분	25.65	59.14	
61일분이상70일분	28.84	66.48	
71일분이상80일분	32.01	73.77	
81일분이상90일분	35.20	81.11	
91일분이상	41.00	94.43	
외용 단독	2.75	6.5	
외용 내복과 동시	1.37	3.25	

에 대하여 전문과목 또는 전문분야가 다른 진료 담당의사의 처방에 따라 각각 조제한 경우에는 각각 산정할 수 있다.

④ 내복약 [1회당]

주 :「약제 급여 목록 및 급여 상한금액표」고시에서 정한 상한금액이 포장단위로 책정된 의약품(병 · 팩 등)을 지급하는 경우에는 1일분의 소정점수를 산정한다.

⑤ 외용약 : 6.50점

a. 처방전매수, 진료과목수, 투약일수 등 불문하고 소정점수를 산정한다.

b. 내복약과 동시에 조제투약한 경우에는 3.25점을 산정한다.

(4) 입원환자 조제 · 복약지도료 : 1일당 18.17점

① 입원환자에 대하여 입원기간 중 투약한 경우에 산정한다.

② 제수, 내복약, 외용약, 투약량, 진료과목수 등을 불문한다.

③ 내복약과 외용약을 동시 또는 각각 투약한 경우에도 소정점수만 산정한다.

④ 1일당 규정에도 불구하고, '약제 급여 목록 및 급여상한금액표' 고시에서 정한 상한금액이 포장단위로 책정된 의약품(병 · 팩 등)을 지급하는 경우에는 1일분의 소정점수를 산정한다.

(5) 주사제 무균 조제료(1일당)

의사의 처방에 따라 무균조제대에서 약사가 직접 조제한 경우에 한하여 산정한다.

① 주사용 항암제 : 23.84점

② 고영양수액제 TPN (Total Parenteral Nutrition) : 42.03점

③ 일반 주사제 : 20.99점

만 8세 미만의 소아 또는 면역기능이 저하된 환자에 한하여 항생제, 생물학적제제, 안전역이 좁은 전문치료약제, 안정성이 낮아 혼합시 약물변화를 유발하기 쉬운 약제를 수액제와 혼합조제하는 경우에 산정한다.

3) 약국 약제비(개국약국)

2008년 유형별 환산지수가 도입되기 이전에는, 환자 입장에서나 병원약사와 개국약사와의 형평성 측면에서도 병원에서의 조제료와 원외약국의 조제료 간에 편차를 줄이려는 노력이 있었으나 병원약국과 개국약국이 각각 병협과 대약으로 수가계약단체의 유형이 구별되게 됨에 따라 병원과 원외약국 간의 조제료는 비교자체가 무의미하게 되었다. 따라서 개국약국의 약제비에 대해서는 원외 환자의 조제료 부담에 대한 참고자료로서 제시하고자 한다.

(1) 산정지침

① 투약시 사용된 용기(투약병, 연고곽, 안약병, 포장지 등 포함)의 재료대는 조제료 소정점수에 포함되므로 별도 산정하지 아니한다.

② 약국에서 의사 또는 치과의사의 처방전에 의하지 아니하고 조제하는 경우에는 약국관리료, 조제기본료, 복약지도료, 처방전에 의하지 아니한 조제료, 의약품관리료 및 퇴장방지의약품사용장려비를 산정할 수 있으며, 퇴장방지의약품사용장려비는 장관이 별도로 정하는 "퇴장방지의약품 목록"에 해당하는 의약품을 사용하여 조제한 경우에 산정한다.

③ 약국 또는 한국희귀의약품센터에서 의사 또는 치과의사의 처방전에 의하여 조제하는 경우에는 약국관리료, 조제기본료, 복약지도료, 처방전에 의한 조제료, 의약품관리료를 산정할 수 있다.
다만, 주사제 단독투약시에는 의약품관리료만 산정한다.

④ 동일환자에 대하여 2매 이상의 처방전에 의하여 조제하는 경우에는 약국 관리료, 조제기본료, 복약지도료, 조제료 및 의약품관리료는 각각 산정한다.

⑤ 의약분업 예외지역에서 동일환자에 대하여 동일 요양기관에서 1일 2회 이상 직접조제 · 투약하는 경우에는 약국관리료, 조제기본료는 1회만 산정하고 복약지도료), 조제료, 의약품관리료 및 퇴장방지의약품사용장려비는 각각 산정한다.

⑥ 처방전에 의하지 아니한 조제료는 전문의약품을 포함하여 조제하는 경우에는 1회 5일분을 초과할 수 없으며, 마약, 향정신성의약품, 한외마약과 식품의약품안정처장이 오남용의 우려가 현저하다고 인정하여 고시하는 품목에 대해서는 산정할 수 없다.

⑦ 약국관리료 및 의약품관리료에는 의약품의 구입, 재고관리 등에 관한 비용이 포함된 바, 의사 또는 치과의사가 처방한 의약품이 없어 다른 약국 또는 의약품 도매상 등으로부터 해당 의약품을 긴급하게 구입하거나 배송 받아 조제하는 경우에도 별도의 비용을 산정할 수 없다.

⑧ 평일 18시(토요일은 13시) ~ 익일 09시 또는 관공서의 공휴일에 관한 규정에 의한 공휴일에 조제투약하는 경우에는 조제기본료, 복약지도료 및 조제료 소정점수의 30%를 가산한다.

⑨ 만6세 미만의 소아에 대하여 조제투약하는 경우에는 조제기본료에 3.72점을 가산한다.

(2) 행위료

① 약국관리료(방문당) : 6.49점

② 조제기본료(방문당) : 17.00점

③ 복약지도료(방문당) : 11.01점

④ 의약품관리료(방문당) : 7.05점

⑤ 조제료

a. 내복약 : '약제 급여 목록 및 급여 상한금액표' 고시에서 정한 상한금액이 포장단위로 책정된 의약품(병 · 팩 등)을 지급하는 경우에는 1일 분의 소정점수를 산정한다.

b. 외용약(1회당) : 1.72점

- 품목수, 투약량, 투약일수 등 불문하고 소정점수를 산정한다.
- 내복약과 동시에 조제투약한 경우에는 1.07점을 산정한다.

표 16-14 개국약국 조제료 (2013년 기준)

구분	조제료	구분	조제료
1일분	16.75	15일분	67.51
2일분	18.87	16일분이상20일분	75.85
3일분	24.78	21일분이상25일분	80.46
4일분	28.08	26일분이상30일분	94.53
5일분	32.26	31일분이상40일분	106.24
6일분	35.67	41일분이상50일분	115.74
7일분	40.05	51일분이상60일분	138.93
8일분	42.36	61일분이상70일분	141.72
9일분	45.89	71일분이상80일분	144.38
10일분	49.47	81일분이상90일분	148.83
11일분	52.63	91일분이상	153.11
12일분	56.15	외용약 단독	17.56
13일분	59.46	외용약 내복과 동시	12.17
14일분	66.01		

♠ 이 단원의 내용은 국가제도 등의 변화에 따라 향후 변경 가능성이 있습니다.

참고문헌

- 건강보험요양급여기준집, 대한병원협회 (2009)
- 삼성서울병원 원내 교육자료-건강보험실무 (2012)
- 심평원 상대가치연구자료, 보건복지부 건강보험 정책심의 위원회 (2006)
- 건강보험심사평가원 http://www.hira.or.kr

part V

제제 업무

_17
제제 업무

Objectives 

- ▶ 의료기관 조제실제제 관리기준을 이해한다
- ▶ 원내제제약품의 종류 및 제조관리에 대해 알아본다
- ▶ 원내소독제의 종류 및 사용지침에 대해 알아본다.
- ▶ 원내제제약품의 품질관리에 대해 알아본다

I 의료기관 조제실제제 관리기준

1. 조제실제제의 정의

의료기관 조제실제제를 제조할 수 있는 제제범위와 제조시의 준수사항 및 사후관리에 관한 사항을 약사법 제41조 및 「의약품 등의 안전에 관한 규칙」 제54조에 규정하고 있다. 이 기준에서 '조제실제제' 라 함은 「내원환자의 미래수요를 예측하여 필요한 환자에게 신속 · 정확하게 조제 또는 투약에 사용할 목적으로 식품의약품안전처장이 안전성 · 유효성을 인정한 약품을 일정한 함량 또는 용량 단위의 형태(제제)로 가공한 것으로 의사의 처방에 의해 사용하는 제제」를 말한다.

2. 조제실제제의 범위

약사법 제41조 제2항에 따른 약국제제 및 조제실제제의 범위는 다음과 같다.

1) 대한민국약전에 실려 있는 의약품 중 다음 구분에 따른 제제에 해당하지 아니하는 제제로서 식품의약품안전처장이 정하여 고시하는 제제
   ① 마약 또는 향정신성의약품을 함유하는 제제
   ② 항생물질제제, 생물학적 제제 및 성호르몬제제
   ③ 국내에서 생산되거나 수입되는 제제
   ④ 일반의약품에 해당하는 제제

2) 대한민국약전에 실려 있지 아니한 의약품 중에서 식품의약품안전처장이 정하여 고시하는 제제(표17-1)

그리고 의료기관에서 조제실제제로 제조할 수 있는 의약품은 「의약품 등의 안전에 관한 규칙」 제54조의 규정에 의한 것과 다음 각 호의 (1)에 해당하는 것으로 한다. 다만, 「의약품의 품목허가 · 신고 · 심사규정」(식품의약품안전처 고시)에 의한 "안전성 · 유효성 문제 성분 함유 제제"와 일반의약품(다만, 검사 · 수술 및 처치에 사용되는 제제와 응급환자 또는 입원환자를 위하여 사용되는 제제 및 한약제제는 예외로 한다)은 제외한다.

(1) 국내제조품목 허가가 없거나 생산 공급되지 아니하는 의약품(이 경우 식품의약품안전처장의 확인을 받아야 한다)으로서 마약 또는 향정신성의약품 함유제제, 항생물질제제, 생물학적제제 및 성호르몬제제가 아닌 것
(2) 식품의약품안전처장이 의료기관의 내원환자를 위해 치료의약품 수급상 필요하다고 인정하여 별표(표17-1)에서 정하는 의약품

표 17-1 식품의약품안전처장이 조제실제제로 지정 고시한 35품목

일련번호	제제품목	처 방	비 고
1	에르고로이드메실레이트- 아미트리프틸린-클로르디아제폭시드 복합산	에르고로이드메실레이트 아미트리프틸린 클로르디아제폭시드	
2	인산클린다마이신 복합액	인산클린다마이신	
3	암피실린-프레드니솔론 복합액	암피실린, 프레드니솔론	
4	염산린코마이신 점안액 0.5%	염산린코마이신	
5	황산가나마이신 점안액 0.25%	황산가나마이신	
6	세파졸린나트륨 점안액 0.5-4%	세파졸린나트륨	
7	마이토마이신-C 점안액 0.02-0.1%	마이토마이신-C	원내제제
8	황산아미카신 점안액 3%	황산아미카신	
9	암피실린나트륨 점안액 7.5-12.5%	암피실린나트륨	
10	술베니실린나트륨 점안액 2%	술베니실린나트륨	
11	페니실린-G 나트륨 점안액	페니실린-G 나트륨	
12	암포테리신-B 점안액	암포테리신-B	
13	황산겐타마이신 안연고 0.3%	황산겐타마이신	
14	호박산클로람페니콜나트륨 안연고 0.25%	호박산클로람페니콜나트륨	
15	안식향산에스트라디올-황산스트렙토마이신 복합점비액	안식향산에스트라디올 황산스트렙토마이신	

16	황산네오마이신디나트륨-인산덱사메타손 복합점비액	황산네오마이신디나트륨 인산덱사메타손	
17	클로람페니콜-플루오코톨론 복합연고	클로람페니콜, 플루오코톨론	
18	염산옥시테트라싸이클린 연고 1-1.5%	염산옥시테트라싸이클린	
19	히드로코티손-염산옥시테트라싸이클린 복합연고	히드로코티손 염산옥시테트라싸이클린	
20	리팜피신 연고 0.3%	리팜피신	
21	에리스로마이신스테아레이트 연고 1-5%	에리스로마이신스테아레이트	
22	염산테트라싸이클린 연고 1%	염산테트라싸이클린	
23	히드로코티손-염산테트라싸이클린 복합연고 I	히드로코티손 프레드니솔론 염산테트라싸이클린	
24	히드로코티손-염산테트라싸이클린 복합연고 II	히드로코티손 살리실산 염산테트라싸이클린	
25	클로람페니콜-살리실산메칠 복합로오션	클로람페니콜, 살리실산메칠	
26	글루타르알데하이드액	글루타르알데하이드	원내제제
27	메사콜린용액	메사콜린	원내제제
28	세파졸린나트륨 점안액 10%	세파졸린나트륨	원내제제
29	겐타마이신 안약 2%	겐타마이신	
30	페노바르비탈 10 mg 정	페노바르비탈	
31	디펜사이프론액	디펜사이프론	원내제제
32	트리클로르초산용액	트리클로르초산	원내제제
33	이씨오일	클레오신 에스트라다이올벤조에이트스판	
34	테스토스테론크림	메칠테스토스테론	
35	인체에 대한 작용이 예민하여 단순배산(배액)이 요구되는 의약품		

3. 조제실제제 제조소의 시설기준

1) 의약품작업소의 시설기준

의료기관 조제실제제를 제조하고자 하는 경우 약사법 제41조제2항에 따라 조제실제제 제조소에는 작업소 및 실험실을 두어야 한다. 제2항의 기준 외의 조제실제제 제조소의 시설기준에 관하여는 「의약품 등의 제조업 및 수입자의 시설기준령」 제3조 및 「의약품 등의 제조업 및 수입자의 시설기준령 시행규칙」 제2조부터 제5조까지의 규정을 준용한다.

2) 무균제제작업소의 시설기준

시설기준령시행규칙 제4조 무균제제작업소의 시설기준(주사제와 점안제)에 의하면 작업소에는 다음의 시설을 추가로 갖추도록 하고 있다.

(1) 용기의 세척시설과 세척 후 건조 · 멸균 및 보관에 필요한 시설

(2) 무균제제의 종류에 따른 멸균 또는 제균시설

(3) 이물검사에 필요한 시설 및 기구

(4) 밀봉검사에 필요한 시설 및 기구

그리고 원료의 칭량작업, 의약품의 조제 · 충전작업 및 밀봉작업을 하는 작업실과 복도 등 무균작업에 필요한 관리구역은 다음의 시설을 갖추도록 하고 있다.

(1) 제균된 공기의 공급시설

(2) 소독액의 분무세척에 견딜 수 있도록 되어 있는 천정 · 바닥 및 벽의 표면

(3) 작업실 안으로 원료 · 자재 등을 반입하기 위한 작업준비실

(4) 작업원의 출입을 위하여 무균작업에 필요한 관리구역과 연결된 전용의 탈의실과 소독시설

4. 조제실제제의 신고업무

1) 조제실제제의 제조품목신고

조제실제제를 제조하고자 할 때에는 식품의약품안전처에 국내제조품목허가 및 생산여부 의뢰 리스트를 작성한 후 발송한다. 조제실제제로 적합하다는 회신이 오면 조제실제제의 제조품목신고서를 작성하여 시 · 도지사(해당 관할 보건소)에게 의료기관 조제실제제로 품목 신고한다.

(1) 신고하는 제조품목의 처방 중 원료약품의 명칭은 일반명칭을 사용하고 첨가제(부형제, 용제 등)의 분량을 동시에 기재하여야 한다.

(2) 각 원료약품에 대한 배합목적(주성분, 보조성분, 부형제, 용제 등)과 자가품질관리에 필요한 규격을 설정하여야 한다.

2) 조제실제제의 제조품목신고대장과 신고증

시 · 도지사는 신고를 수리할 때 조제실제제의 제조품목신고대장에 다음의 사항을 적어 넣고 신고증을 교부한다.

(1) 제조하려는 제제의 품목

(2) 신고번호와 신고년월일

(3) 제제 제조자의 성명 및 주민등록번호
(4) 제제를 제조하는 의료기관의 명칭과 그 소재지
(5) 의료기관의 조제실을 관리하는 약사 또는 한약사의 성명 · 면허번호 및 주민등록번호
(6) 처방의사의 성명 및 면허번호(의사의 처방에 의하여 제조하는 조제실제제의 경우에 한한다.)

5. 관리약사 준수사항

의료기관조제실제제관리기준 제4조에 의하면 관리약사는 조제실제제의 제조 및 품질관리, 종업원의 지도 · 감독 등을 철저히 하여야 하며, 제조 및 품질관리기록을 작성 · 비치하고, 이를 2년간 보관하여야 한다. 그리고 조제실제제의 사용에 관한 책임은 처방전 발행 의사와 관리약사가 져야 한다고 명시되어 있다. 의약품의 제조관리와 품질관리를 적절히 이행하기 위하여 갖추어야 할 기준서의 항목은 다음과 같다.

1) 제조관리기준서

(1) 품명, 제형 및 성질 · 상태
(2) 제조번호, 제조연월일 및 유효기간 또는 사용기한
(3) 제조단위
(4) 원료약품의 분량, 제조단위당 실 사용량 및 시험번호와 실 사용량이 기준량과 다를 경우에는 그 사유 및 산출근거
(5) 공정별 작업내용 및 수율과 수율관리기준을 벗어난 경우에는 그 사유
(6) 공정 중의 시험결과 및 부적합 판정을 받은 경우에 취한 조치
(7) 중요공정에서의 작업원의 성명, 확인자의 서명, 작업연월일 및 작업시간
(8) 사용한 표시재료의 시험번호 또는 관리번호의 견본
(9) 중요 사용 기계 · 설비의 번호 또는 코드
(10) 특이사항(관찰사항 등)

2) 품질관리기준서

(1) 품명, 제조번호 또는 관리번호, 제조연월일
(2) 시험번호
(3) 접수, 시험 및 판정연월일
(4) 시험항목, 시험기준, 시험결과 및 항목별 적격 · 부적격의 결과
(5) 판정결과
(6) 시험자의 성명, 판정자의 서명 및 중간검토자의 서명

II 원내제제약품의 종류 및 제조관리

원내제제약품은 다품목, 소량생산을 특징으로 하며 정확한 제품표준서에 의하여 균일성 있는 제제를 생산하기 위해 철저한 관리와 작업자의 교육이 필요하다. 이에 따른 전반적인 주의사항은 다음과 같다.

1) 이물혼입 등의 오염방지를 위해 제제관계의 방을 습식제제실, 건식제제실, 멸균실, 병 세정실, 정제수 생산실, 실험실 등으로 구분하여 운영하고 동일한 사람이 동시에 2종의 제제를 병행하지 않는다.
2) 실내 청결의 유지, 정리, 정돈을 잘하며 사용기기 또는 소모기기를 깨끗하게 보관하고 무균제제를 조제하는 경우에는 멸균된 기구들을 사용한다.
3) 원료약품은 일정 기준 이상의 품질, 순도를 유지하기 위하여 적절한 보관법과 재고량 유지가 필요하다.
4) 1회 제제량은 사용량과 제품의 안전성을 고려하여 결정하고 완성된 제품은 라벨을 부착하여 지정된 장소에 보관한다.
5) 제품의 용기 라벨에는 제제품명, 유효기간, 보존방법(차광보관 · 냉장보관 등), 사용상의 주의사항 등을 기재한다.
6) 각 제품에 따라 필요한 경우 함량시험, 무균시험을 실시한다.
7) 제제실 책임자는 작업원의 건강관리, 안전관리에 노력하고 특히 원료약품에 의한 질병의 예방과 기계, 기구의 취급 시 위험방지에 노력한다.

1. 멸균법 및 무균조작법

의약품의 제조시, 특히 무균제제에서는 멸균법을 사용하지 않으면 제조할 수 없고 내용액제의 경우에도 무균조작법에 의한 조제가 요구된다.

멸균이란 물질 중에 있는 모든 미생물을 죽이거나 제거하는 것을 말한다. 멸균법은 일반적으로 미생물의 종류, 오염상태, 멸균하고자 하는 물질의 성질 및 상태에 따라 단독 또는 병용한다. 주사제와 같은 무균제제는 멸균법으로 고압증기멸균법을 시행한다. 그러나 고압증기멸균법이 약품의 품질 효과를 손상시킬 뿐만 아니라 때에 따라 유해물질을 부생시킬 위험이 있다는 것을 명심하고 이때는 무균조작법에 의한 조제를 시행한다. 의약품 멸균의 적부는 무균시험법에 따라 판정한다.

2. 원내제제약품의 종류

표 17-2 원내제제약품의 종류

구분	제제명	규격/포장	보관방법
내용액제	Joulie soln.	100, 500 ml/수제병	냉장보관
	KI saturated soln.	10 ml/안약병	실온차광
	Lugol internal soln. 1%	10 ml/갈색병	실온차광
	Methylcellulose soln. 0.5%	1 L/수액병	실온보관
	Glycerine 50%	50 ml/수제병	냉장보관
외용액제	Acetic acid soln. 0.2%, 0.4%, 0.8%, 3%	1 L/갈색병	실온보관
	Burrow soln. (1:40)	100 ml/수제병	실온보관
	Dexamethasone soln.	100 ml/수제병	냉장보관
	Lugol external soln. 5%	100 ml/갈색병	실온차광
	Silver nitrate soln. 0.5%, 1%, 10%, 30%, 50%	100 ml/갈색병	실온차광
가글제	Povidone gargle soln. 1%	100 ml/수제병	실온보관
소독제	Chlorhexidine soln. 0.05%	1 L/갈색병	실온보관
	Chlorhexidine ethanol soln. 0.5%, 2%	200 ml, 1L/수제병,갈색병	실온차광
	KMnO4 soln.	500 ml/수제병	실온보관
	Povidone soln. 1%	1 L/갈색병	실온보관
점안제	Fluorescein opht. 0.25%	7 ml/안약병	냉장차광
	Cephazolin opht. 10%	5 m/안약병	냉장보관
	Mitomycin opht. 0.02%, 0.04%	5 m/안약병	냉장차광
점이제	Ceruminal water	7 ml/안약병	냉장보관
점비제	Nasal drop 1%	7 ml/안약병	냉장보관
연고제	Salicylic acid oint. 5%, 10%	15 g/can	실온보관
	Vaseline oint.	10 g/tube	실온보관
주사제	Copper sulfate inj.	50 ml/vial	실온보관
	Sodium acetate inj.	50 ml/vial	실온보관
	Oxybutynin inj	10 ml/vial	실온보관
	Phenol inj.	10 ml/vial	실온차광
	Trimix inj.	2 ml/vial	냉장차광

3. 원내소독제의 종류 및 사용지침

표 17-3 소독대상에 따른 소독약제의 사용지침

사용대상		소독제	농도	용법	유효균종
인체	수지소독	Povidone scrub	7.5%	5 ml를 취해 5분간 문질러 거품을 내어 닦은 후 멸균수로 씻어낸다.	- Biospot : Rotavirus, VRE, 결핵, C. difficile
		Chlorhexidine scrub	4%	5 ml를 취해 3분 이상 문지른 후 멸균수로 씻어낸다.	- Chlorhexidine : G(+), G(-), 효모
		Chlorhexidine alcohol	0.5%	1분 이상 문질러 닦는다.	- Ethyl alcohol : G(+), G(-),
		Clesis®	62%	일정량을 손에 짜서 비빈다.	결핵균, 진균, virus,
	수술전처치	Povidone	10%	적당량을 직접 바른다.	- Glutaraldehyde,
		Chlorhexidine	5%	적당량을 직접 바른다.	Cidex OPA ® : G(+), G(-),
	점막	Povidone vag.	0.3%	원액 30 ml를 온수 1 L에 희석하여 질 내외를 1일 1-2회 세정한다.	spore, 결핵균, 진균, virus, B형 간염
		Hydrogen peroxide	1-1.5%	구강에 동량의 물, 생리식염수로 희석하여 사용한다.	- Hydrogen peroxide : G(+), G(-), 진균, virus
		Chlorhexidine garg.	0.1%	적당량으로 양치한다.	- Povidone iodine : G(+), G(-),
		Chlorhexidine	0.05%	적당량으로 직접 바른다.	virus, 진균, 효모, 원충류
		Povidone garg.	1%	적당량으로 양치한다.	- Hypochlorous acid : G(+),
		Povidone	0.2-0.5%	2배로 희석하여 사용한다.	G(-), 결핵균, 진균, virus,
	창상	Hydrogen peroxide	3%	적당량을 환부에 직접 바른다.	MRSA, bacillus
		Povidone	1-10%	적당량을 환부에 직접 바른다.	- Sodium hypochlorite : G(+),
		Chlorhexidine	0.5%	적당량을 환부에 직접 바른다.	G(-), 진균, virus
기구	내시경류 등 의료기구	Glutaraldehyde	2%	사용시 완충화제를 가하여 pH 7.5-8.5로 맞추어 기구를 30분 이상 침적 소독한다.	- Aniosyme DD1®, Surfanios Citron® : G(+), G(-), 결핵균,
		Cidex OPA ®	0.55%	원액을 5분간 침적한다.	진균, virus, MRS
	청진기, 체온기, 면도기	Ethyl alcohol	83%	거즈로 닦아 내거나 침적 소독한다.	
		Chlorhexidine alcohol	0.5%	의료기구의 긴급소독에 사용, 거즈로 닦아낸다.	
	의료용구(금속, 플라스틱, 고무류)	Aniosyme DD1®	0.5%	원액을 물 1L + 5cc 희석하여 -15분간 침적한다.	
		Hypochlorous acid	30-65 ppm/4 L	피살균물을 5분 이상 완전히 침적하여 살균하고 침적이 어려운 인큐베이터 등은 분무기로 분무하여 2-3분간 살균 후 닦아낸다.	
		Chlorhexidine alcohol	2%	중심 카테터 소독에 사용	

환경	Line류	Sodium hypochlorite	0.02%	원액을 200배 희석하여 10분 이상 담근다.
	병실바닥(일반)	Sodium hypochlorite	0.02%	원액을 200-300배로 희석하여 사용한다.
	병실바닥(결핵)	Surfanios Citron®	0.25%	원액을 물 1L + 2.5cc 희석하여 -15분간 침적한다.
		Biospot®	1000ppm	1정을 온수 1 L에 녹여 사용

III 원내제제약품의 품질관리

삼성서울병원에서는 생산되고 있는 제제약품의 품질관리를 대한약전 제제총칙에 준하여 시행하고 있다.

1. 무균시험법(Sterility Tests)

무균시험법은 주사제와 점안제에 증식되는 미생물(세균 및 진균)의 유무를 시험하는 방법이다. 따로 규정이 없는 한 멤브레인필터법 또는 직접법에 따라 시험한다.

2. 불용성 이물시험법

불용성이물시험법은 점안제 및 주사제 중 불용성 이물의 유무를 확인하는 시험법이다. 육안에 의한 이물검사는 검사원의 개인차 또는 검사기간에 따르는 피로에 의한 발견율의 변동이 올 수 있는 검사법이다. 삼성서울병원에서는 주사제 1회 작업량을 최소 25 vial에서 최대 100 vial량으로 조정하여 작업하고 있으며 이물검사 시 확대경을 사용하고 이중감사를 시행하고 있다.

3. 엔도톡신시험법(Bacterial Endotoxins Test)

엔도톡신시험법은 참게(Limulus polyphemus 또는 Tachypleus tridentatus)의 혈구추출성분으로 만든 라이세이트(Lysate) 시약을 써서 그람음성균에서 유래되는 엔도톡신을 검출 또는 정량하는 방법이다. 이 시험에는 엔도톡신의 작용에 의한 라이세이트(Lysate) 시액의 겔형성을 지표로 하는 겔화법 및 광학적 변화를 지표로 하는 광학적측정법이 있다. 광학적측정법에는 라이세이트(Lysate) 시액의 겔화 과정에서의 탁도 변화를 지표로 하는 비탁법 및 합성기질의 가수분해에 의한 발색을 지표로 하는 비색법이 있다.

4. pH 측정법

의약품의 pH는 제제의 안정성을 확보하는 기준이 된다.

5. 자외가시부 흡광도측정법(Spectrophotometry and Light-Scattering)

자외가시부흡광도측정법은 분광광도계를 이용하여 파장 200~800 nm의 빛이 물질에 의해 흡수되는 정도를 측정하여 물질의 확인시험, 순도시험, 정량 등을 할 수 있는 방법이다.

6. 미생물한도 시험법(Microbial Limit Tests)

미생물한도시험법은 비무균제제(최종제제)나 제제원료, 제제성분, 첨가제에서의 미생물시험의 구체적인 검출, 계측, 동정법을 나타낸 것이다. 이것의 허용한도는 어느 약전에도 기재되어 있지 않으나 한도값은 국제조화안이 검토되고 있다. 시험법은 생균수시험과 특정미생물시험법으로 나누는데 전자는 세균수시험과 진균수시험으로 나뉘고, 후자는 대장균, 살모넬라, 녹농균 및 황색포도상구균의 4균종의 시험을 한다. 삼성서울병원에서는 한천평판 희석법으로 총호기성 생균(세균, 진균)수를 측정하여 판정하며, 내용액제에 대한 미생물시험을 실시하여 보다 안전한 의약품을 공급하는데에 그 목적이 있다.

IV 기타업무

1. 제제장비의 관리

제제에 사용되는 장비로는 제제에 사용되는 용기와 기구를 멸균하는 고압증기멸균기, 제제약을 담는 병을 세척하는 세정기, 무균조작을 행하는 clean bench, 역삼투압에 의해 정제수(Reverse Osmosis Purified Water)를 생산하는 RO기계가 있다.

2. 무균제제실의 청정도 관리

의약품제조 및 품질관리기준에서는 의약품의 종류 · 제형 · 제조시설 등에 따라 작업소의 청정구역과 청정등급을 설정하여야 하며, 그 청정등급이 유지되도록 정기적으로 점검하고 관리하도록 되어 있다. 무균제제를 제조하는 주사제제실의 미생물 오염을 방지하기 위해 정기적으로 낙하세균수 및 낙하진균수를 측정하여 무균제제실의 청정도를 관리한다.

3. 원료약품의 취급 및 관리

제제실에서는 원료약품을 취급하여 제제화하고 제제의 품질관리를 위해 시험을 정기적으로 시행하므로 작업자가 화학물질에 노출되어 사고로 인한 인적, 물적인 피해가 발생할 수 있다. 삼성서울병원에서는 MSDS (Material Safety Data Sheets: 물질안전보건자료)를 작성하여 직원들의 교육자료로 활용하고 있고 상 · 하반기에 작업환경 측정을 실시하고 있다. 무엇보다 작업자는 작업 시 작업안전보호구를 착용하여 자신을 보호하여야 하고 관리자는 작업의 업무 순환을 통해 지속적으로 화학물질에 노출되지 않도록 관리하여야 한다.

표 17-4 작업안전보호구 착용기준

보호대상	명 칭
피부(몸체)	방진복(토시)
눈	보안경
호흡기	방진마스크
발	안전화, 무균실내화
손	안전장갑(Polyglove, Surgical Glove)

참고문헌

- 동경병원약제사회 : 약학생 병원실습지침서, 약업신문사 (2003)
- 서울대학교병원 약제부 : 병원약학, 서울대학교 출판부 (1996)
- 한국약학대학협의회 약전분과회 : 대한약전해설서 제9개정, 신일북스 (2008)
- 한국약학대학협의회 약제학분과회 : 제제학, 한림원 (2000)
- 삼성서울병원 의약품집(eFormulary)
- 대한민국약전 제10개정, 식품의약품안전청, 신일북스(2013)
- 병원약학 실무실습서, 서울대학교병원 약제부,군자출판사(2013)

part Ⅵ

의약품정보 업무

_18

의약품정보 업무

Objectives

- ▶ 의약품정보활동에 대해 알아보고, 정보수집 및 정리방법에 대해 알아본다.
- ▶ 의약품 참고문헌 내용의 특징, 활용법 등에 대해 알아본다.
- ▶ 의약품정보의 전달과 제공방법에 대해 알아본다.

I 정보란?

정보란 특정한 목적달성에 도움이 되도록 데이터를 가공, 처리한 것이며, 일정한 의도를 갖고 정리해 놓은 자료라 할 수 있다.

표 18-1은 의약품정보활동 업무에 대한 기준의 한 예이다.

표 18-1 의약품정보활동 업무기준의 예
1. 의약품정보의 수집, 정리, 보관, 정보의 가공 및 전문적 평가
2. 의약품에 관한 정보 전달
3. 의약품에 관한 질의 · 응답
4. 약사위원회 참여
5. 유해반응 사례 수집 및 평가, 보고관련 업무
6. 임상시험위원회(IRB)관련 업무
7. 의약품 시판 후 조사 관련 업무
8. 의약품정보과학에 관한 연구
9. 의약품, 가정의약품 및 농약 등의 독약정보의 수집 및 전달
10. 지역 병원간의 의약품정보업무 연계

II 정보수집과 정리

의약품정보업무의 궁극적인 목적은 약물사용에 대해 보다 높은 안전성을 확보하기 위한 정보제공을 담당하여 유해반응 발현 등에 의한 환자의 위험을 최소화하도록 노력하는 것이다. 의약품에 관한 정보를 수집하고, 보다 효율적인 방법으로 자료를 정리하여 의사, 약사 등에 제공할 수 있는 체계를 확립하여야 한다. 정보관리 담당자는 자료를 정리하고 작성할 때 항상 정보 이용자 측면을 최우선적으로 고려하여, 이용자가 활용하기 쉬운 자료로써 제공되어야 한다는 점을 이해해야 한다. 의약품정보는 사람의 생명과 밀접한 관련이 있음을 인지하고, 인간은 누구나 실수할 수 있다는 것도 명심하여 주의를 기울어야 한다.

1. 정보수집범위

임상현장에 있어서 의약품정보관리업무를 고려할 때 주의해야 할 점은 구비해야 할 범위를 명확하게 해야한다는 것이다. 정보라는 것은 제한 없이 증가할 수 있는 특성을 가지고 있지만 각 병원의 의약품정보실에서 모든 정보를 수집・보관하는 것은 불가능하다.

의약품에 관한 정보로 한정하기보다 실제 임상현장에서 요구되는 정보를 고려하여, 의료기관 내 약물정보실이 보유해야 하는 정보는 그 중심에 환자가 있다는 것을 항상 염두에 두어야 한다.

2. 정보의 정리

1) 제품설명서

의약품의 사용에 대해서 기본이 되는 정보원은 제품설명서이다. 제품설명서의 기재내용은 식품의약품안전처(MFDS)의 규제를 받으며 제약회사 임의대로 내용을 결정할 수 없는 자료이다. 의료기관에서 의약품의 사용은 제품설명서에 기재된 승인받은 적응증 및 용법・용량 범위 내에서 사용해야하며, 건강보험심사평가원(심평원)에 의한 처방심사 시 처방범위를 넘어서 사용된 약품은 보험적용을 받을 수 없게 된다. 따라서 해당 병원에는 보험이 적용되지 않아 보험 삭감된 부분이 병원의 수익측면에서 손실에 해당되기 때문에 정보제공자는 보험부분에 있어서도 정확히 알고 있어야 한다. 보험인정기준은 최초 고시 이후 수시로 변경되기 때문에, 개정된 새로운 보험인정기준을 확인해야 한다.

2) 제약회사 신약조사 문헌집

제약회사는 각 의약품마다 문헌집을 작성해 두고 있으며, 일반적으로 문헌집에는 의약품조사서, 의약품 제조품목 허가증 사본, 공정서 수재상황, 우수의약품 제조 시설(KGMP) 증명서, 제품설명서, 문헌(기원・발견 및 개발경위에 관한 자료, 구조 결정・물리화학적 성질에 관한 자료, 기준 및 시험방법, 안정성시험에 관한 자료, 일반독성에 관한 자료, 최기성 등 특수독성에 관한 자료, 일반 약리작용에 관한 자료, 효력시험자료, 흡수・분포・대사 및 배설에 관한 자료, 임상시험에 관한 자료), 국내 유사품과의 장・단점 비교, 참고자료 목록 등의 내용이 기재되어 있다. 그러나 문헌집은 반드시 전 제품에 대해 발행되는 것은

표 18-2	제품설명서에 포함되는 항목

1. 국내 의약품 분류번호 및 약효분류명
2. 전문의약품 또는 일반의약품 분류
3. 성상 및 원료약품의 조성
4. 효능 · 효과
5. 용법 · 용량
6. 사용상의 주의사항
   경고, 금기사항 및 신중투여
   유해반응
   일반적 주의
   약물상호작용
   임부, 수유부, 소아, 고령자 및 간장애 환자에 대한 투여
   과량투여시의 처치
   저장상의 주의사항
   기타(발암성, 변이원성, 생식독성 등)
7. 포장단위
8. 저장방법
9. 유효기간
10. 제품설명서 작성일자
11. 제조원 및 판매회사 명칭 및 연락처

아니고 제약회사가 특정 대형제품에 대해서만 발행하는 경우가 많다.

보통 신약사용 신청 후 원내도입 결정을 위한 신약심의위원회 회의를 위해 약사의 심의자료 작성 시 제약회사의 문헌집을 하나의 자료로써 참고하게되며, 신약의 원내 도입시 문헌집을 보관하여 추후 필요시 참고할 수 있도록 한다.

III 문헌의 분류

정보자료는 내용에 따라 1차 문헌에서부터 3차 문헌으로 분류하여 수집할 수 있다.

1. 1차 문헌

연구논문, 특허관련문헌 등 각종 학술전문지에서 찾을 수 있는 정보의 최초 자료로써 특정 주제에 대한 연구결과, 사례발표, 비교 · 평가 연구 등의 자료이다. 1차 문헌은 주로 다양한 2차 정보원을 통해 검색하게 되는데, 매우 광범위하고 대부분 어떤 주제에 대한 새로운 보고나 기존의 정보를 더 강화할 수 있는 내용으로, 아직 일반화되지 않은 특정 환자에 대한 사례보고나 연구결과가 대부분이다. 따라서 1차 문헌을 정보로 이용 시 주의할 사항은 1차 문헌의 특정 사례와 문의받은 환자의 상태가 적합한지 확인하여야 한다는 점이다. 이를 위해 정보 관리자는 문헌을 평가할 수 있는 능력을 습득하여야 한다. 또한 1차 문헌은 2차, 3차 문헌의 기초가 되기 때문에 정보의 질을 업데이트하는데 반드시 필요하지만, 모든 1차 문헌을 구독할 수는 없기 때문에 문헌 선택 시 심사숙고하여 결정하여야 한다.

2. 2차 문헌

1차 문헌을 발췌, 요약, 검색할 수 있는 시스템으로 컴퓨터나 on-line 검색을 통하여 1차 문헌으로 바로 연결될 수 있는 정보원이며, 1차 문헌을 광범위하게 수집해서 전문적으로 분석, 요약하여 정보를 효율적으로 활용할 수 있게 정리한 자료이다. 2차 문헌은 인터넷을 통해 필요한 정보를 시간과 장소의 제약없이 신속 · 용이하게 검색할 수 있는 자료이다. 그러나 내용선택이 편집자의 분석에 따른 것이므로 자료가 잘못 해석될 수 있다는 점을 고려해야 한다. 또한 3차 문헌보다는 최신의 정보이지만 정보의 업데이트에 걸리는 시차성(time-lag) 때문에 1차 문헌과 같은 최신의 자료가 없을 수도 있다. 따라서 문헌을 검토할 때에는 참고문헌의 날짜를 반드시 확인해야 한다. 또한 데이터베이스를 검색하여 필요한 정보를 찾아야 하기 때문에 문헌(주로 on-line database)을 검색하는 기법을 미리 습득해 두어야 필요시 신속하게 적합한 정보를 찾을 수 있을 것이다.

3. 3차 문헌

1차 문헌의 중요한 내용을 평가, 검토하여 정리해놓은 문헌으로, 다양한 주제에 대한 정확한 정보를 제공한다. 가장 빈번히 사용되며 쉽게 접근할 수 있는 자료로써, 문헌을 검색하고 분석하는데 소비되는 시간을 절약시켜 줌으로써 빠른 의사결정에 도움이 될 수 있으며, 가장 저렴한 비용으로 준비할 수 있는 자료이다. 널리 인정되는 1차 문헌을 평가하여 결과를 도출해 놓은 자료이므로 대부분의 환자 중심적 요구를 충족시킬 수 있으나, 책을 집필하고 출판하는데 소요되는 기간 때문에 가장 최근의 정보는 제공하지 못하며 시차가 수개월 내지 수년이 되기도 한다. 따라서 최신 정보가 필요하면 2차 또는 1차 문헌을 검색하여야 한다. 또한 많은 수의 전문가들이 여러 종류의 문헌을 검토, 평가하여 실질적인 방법으로 기록하였기 때문에 그 응용과 해석이 다양할 수 있다. 즉 3차 문헌의 정보는 저자의 관점이 반영되므로 반대의견으로 인해 1차 문헌의 자료를 잘못 해석하거나 제외시킬 수 있는 문제점이 있음을 고려해야 한다.

시판된 지 얼마 되지 않은 약품은 제품의 제품설명서, 팜플렛, 임상문헌집 등 제약회사의 정보를 이용할 수 있으나 편견(bias)에 유의할 필요가 있다.

표 18-3 정보문헌의 분류

구분	내용	종류	예
1차 문헌	논문 등 최근에 수록된 자료	학회지(Archives) 연보지(Letter) 특허공보 뉴스(News) 연구보고 및 논문집	(예) New England Journal of Medicine, The Annals of Pharmacotherapy
2차 문헌	1차 문헌을 검색하는 수단으로 제공되는 자료	초록집(Abstracts) 색인지(Index) 표제지(Contents) 서지(Bibliography) 도서목록	(예) Pubmed, EMBASE, MEDLINE, OVID,
3차 문헌	한정된 목적의 자료 및 참고문헌	요약집(Handbook) 총론집(Review) 참고서(Textbook)	(예) AHFS DI, Drugdex, Martindale' s, Drug Facts and Comparisons, Handbook of Injectable Drugs

IV 약품정보의 전달과 제공

1. 수동적 정보제공 (질의 · 응답)

의약품정보에 대한 가장 일상적 · 수동적 전달이 질의 · 응답이다. 문의는 대부분 의사 및 간호사 등의 의료진으로부터 받게 되며 드물게 원내외 환자에게서 받는 경우도 있다. 대부분의 질의는 전화에 의한 것이고 신속한 응답을 필요로 하기 때문에 이에 대해 신속하고 정확하게 처리하는 기술이 필요하다. 질의 내용에 따라 즉시 응답하기 어렵거나 응답에 시간이 소요되는 경우에는 상대방의 의사를 확인한후 전화번호, 장소 및 질문자 성명을 기재하여 정보를 수집한 후 최대한 신속한 응답을 해 주도록하며 적절한 정보 검색을 통하여 해답을 주도록 한다. 제공된 정보는 환자의 치료와 직결된다는 점을 고려한다.

실질의 응답 자세를 표 18-4에 정리하였으며 이는 약사의 고유 업무로서 모든 약사의 기본자세이기도 하다는 점을 명심해야 하겠다.

표 18-4 질의 · 응답의 자세

1. 언어 사용 및 태도에 주의해야 한다.
2. 전화 대응은 다음을 주의해야 한다.
    - 전화언어는 또박또박 명료해야 한다.
    - 전화로 질문을 받을 때 질문의 요지를 잘못 이해하여 의사소통에 오해가 생기지 않도록 특히 주의한다.
    - 바로 답변할 수 없을 때에는 질문자의 직종, 성명, 연락처 등을 반드시 메모하여 후에 답변한다.
    - 조사에 시간이 필요할 때에는 미리 그 취지를 전해주고, 조사중간에 중간보고를 한다.
3. 전화내용을 이해하는 것부터 질문자가 무엇을 알고 싶어 하는지 파악할 수 있다.
4. 받은 질문의 정보원은 어디에 있었는지 유념해야 한다.
5. 회답에 대해서는 항상 뒷받침할 수 있는 데이터를 확보해야 한다.
6. 조사한 결과가 불명확할 경우, 불명확하다는 것을 확실하게 설명한다. 이런 경우 조사 범위를 알려줄 필요가 있다.
7. 비밀을 보장해야 할 정보의 관리를 철저히 해야 한다.

표 18-5 질의 · 응답의 순서

1. 질문자의 신분확인
2. 질문 내용 파악
3. 질문의 종류 분류
4. 질문에 답변해야 할 시간적 여유 및 답변의 깊이 결정
5. 배경 정보의 수집
6. 정보원 검색
7. 정보요약 및 정보제공
8. 질의응답의 기록
9. 추적조사
10. 정보의 질 평가

1) 환자 중심적 질의응답지(Patient Specific Drug Information Worksheet, PSDIW)

질의응답에 대한 영구적인 자료를 기록하기 위해 사용되는 방법으로 질문과 답변의 정보원, 질문의 분류, 환자의 정보, 실제로 필요한 정보, 응답시간, 결과 등의 내용을 쉽게 파악할 수 있게 한다.

그림 18-1은 과거 서면으로 사용하던 질의응답지를 현재 원내 전산처방 전달시스템에 질의 · 응답 관리 프로그램을 탑재하여 데이터베이스화한 것으로, 과거 질의응답 내용을 검색할 수 있도록 함으로써 질의응답에 유용하게 이용할 수 있도록 하고 있다. 응답내용을 기록양식에 기입하고 중요한 내용과 자주 받게 되는 질의 등에 대해서 정리해 두면 유용하다.

2) 질문자의 신분 확인(Origins of Drug Information Request)

질문자의 직업과 기초정보(성명, 연락처, 신분)를 알아보는 것은 질문의 요점을 파악하는데 도움을 줄 뿐만 아니라 제공할 정보의 양과 깊이 및 정보원을 선택하는데 필요하다.

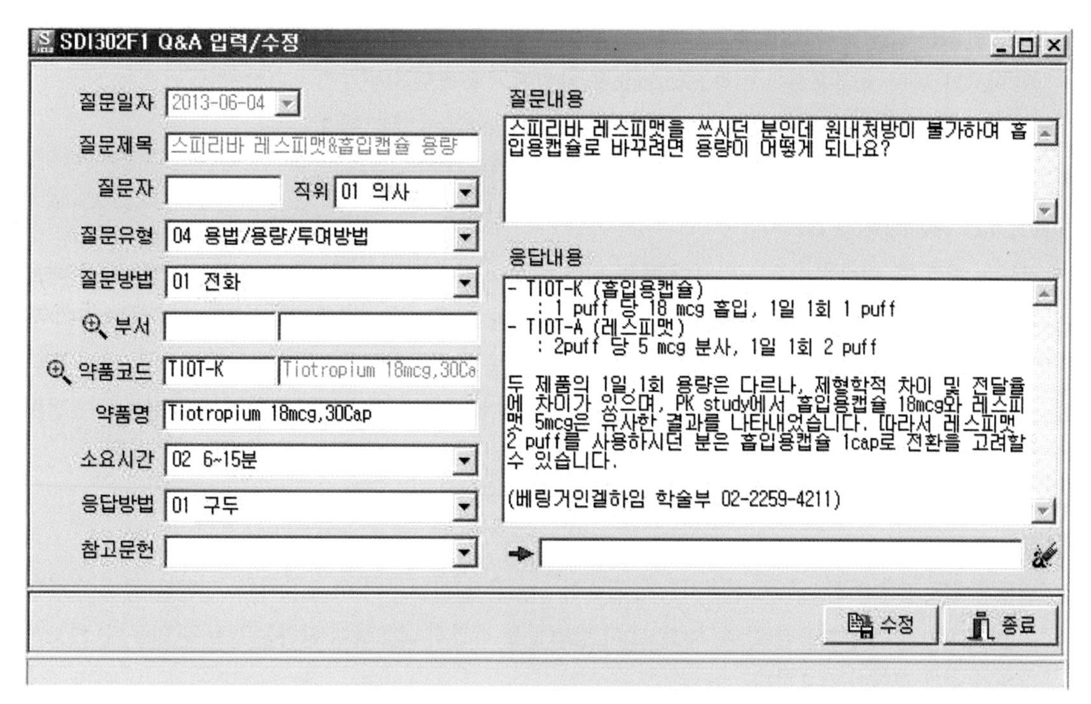
SDI302F1 Q&A 입력/수정

질문일자 2013-06-04
질문제목 스피리바 레스피맷&흡입캡슐 용량
질문자 직위 01 의사
질문유형 04 용법/용량/투여방법
질문방법 01 전화
부서
약품코드 TIOT-K Tiotropium 18mcg,30Ca
약품명 Tiotropium 18mcg,30Cap
소요시간 02 6~15분
응답방법 01 구두
참고문헌

질문내용
스피리바 레스피맷을 쓰시던 분인데 원내처방이 불가하여 흡입용캡슐로 바꾸려면 용량이 어떻게 되나요?

응답내용
- TIOT-K (흡입용캡슐)
: 1 puff 당 18 mcg 흡입, 1일 1회 1 puff
- TIOT-A (레스피맷)
: 2puff 당 5 mcg 분사, 1일 1회 2 puff

두 제품의 1일,1회 용량은 다르나, 제형학적 차이 및 전달율에 차이가 있으며, PK study에서 흡입용캡슐 18mcg와 레스피맷 5mcg은 유사한 결과를 나타내었습니다. 따라서 레스피맷 2 puff를 사용하시던 분은 흡입용캡슐 1cap로 전환을 고려할 수 있습니다.

(베링거인겔하임 학술부 02-2259-4211)

수정 종료

그림 18-1. 전산시스템내의 질의 · 응답 관리 화면의 예

(1) 의사의 경우

① 직접 약물을 처방하는 의사의 경우, 다른 의료인(간호사 등)이나 환자에 비해 보다 더 폭넓은 지식과 문헌이 요구되는 문의가 대부분이다. 한 가지 문의 응답 시 해당 질문과 연관될 수 있는 추가 사항을 함께 준비한 후 답변하는 것이 필요하다.

② 정보검색 시 참고문헌을 많이 이용하였을 경우 참고문헌에 대한 정보도 제공해야 한다.

③ 한 예로, 용량에 대한 문의 시 투여 경로, 횟수, 기간, 주의 사항, 대체가능 약물에 대해서도 확인한 후 응답을 해 줌으로써 질의자가 필요로 하는 연관된 정보를 신속하게 제공할 수 있을 뿐만 아니라 해당 정보를 재검색하여 다시 제공하는 번거로움을 없앨 수 있다.

(2) 간호사의 경우

주로 약물투여와 관련된 약물 배합변화, 약물유해반응에 관한 질의가 대부분이다. 또한 입원 환자에 대한 의사의 지시사항 수행 시 해당약물에 대한 정보를 제공받기 위한 질문이나 용법 · 용량에 관한 질문, 환자 간호시 발견한 유해반응에 관한 질문 등이 있다.

(3) 환자의 경우

환자들의 질문은 본인에 관한 것이나 가족에 대한 직접적인 질문으로 정보 자체를 원할 수도 있지만 이미 알고 있는 정보에 대해서 확인하거나 조언을 구하는 질문을 주로 한다. 따라서 다른 의료인이 이미 제공한 정보나 처방내역 등을 파악한 후 응답해야 하며, 때로 부정확한 정보를 근거로한 문의가 있

을 수 있다는 점을 주의해야 한다. 질의에 응답하기 전 환자 질문의 본질을 파악하는 것이 필요하다.
예, 의사가 취침 시 복용하라고 한 lovastatin을 아침에 복용해도 되는가?
실제 답변을 하기 위해서는 전체 약물 복용 상황과 regimen 검토 필요

3) 질문요점 및 배경파악 방법(Communication Skills For Identifying the Actual Question)

질문을 받은 후 일반적으로는 알고자 하는 내용을 대강 파악할 수 있으나, 실제 환자치료 시 큰 해로 이어질 수 있는 의약품정보의 질의응답에 있어서는 약간의 오해도 용납될 수 없기 때문에 원하는 것이 무엇인지 질문자와의 대화를 통하여 정확히 파악하는 것이 중요하다. 또한 질문에 적합한 응답을 하기 위한 배경정보를 얻기 위해 상대방의 신뢰를 얻는 것이 중요하며, 상황에 대한 배려심을 가지고 질문하는 전략과 청취 기술이 필요하다.

(1) 질문 전략

질문자에게 질문을 함으로써 실제적으로 필요한 의도를 알아내는 것이 중요하다. 질문을 통하여 대답을 얻어내는 방법은 다음과 같다. 대화 시 이 방법들을 적절히 이용하여 원하는 정보를 얻을 수 있도록 많은 수련과 경험이 필요하다.

표 18-6 질문의 종류

종류	목적	일반적인 대답	예
Open-ended (개방형)	환자에게 말을 계속하도록 하여 추가 정보를 얻어낸다.	대화적이고 많은 양의 정보를 포함한 대답	두통이 있을 때 어떻게 하십니까?
Closed-ended (폐쇄형)	구체적, 협의의 정보를 얻는다.	"예", "아니오"의 짧은 대답	아스피린이 두통에 효과가 있었나요?
Direct 질문 (직접형)	특별한 사실이나 정보를 얻을 수 있다.	특별한 정보	치통이 있을 때 무슨 약을 드십니까?
Indirect 질문 (간접형)	표현된 생각이나 감정을 다시 정리하고 명확하게 할 수 있다.	느낌이나 관심사에 관한 정보	두통에 아스피린이 효과가 없다고 하신 것 같은데요.
Probing 질문 (확인형)	이미 언급된 부분에 대하여 확인한다.	자세한 정보	보통 두통에 아스피린을 몇 알이나 드시는데 효과가 없다고 하십니까? 한 알 아니면 두 알?

(2) 듣는 기술

듣는 기술은 대화의 효율성을 증대시킨다는 점에서 매우 중요하다. 대화 내용 중 불명확한 부분은 내용을 되묻거나 상대방의 말을 그대로 반복함으로써 상대방의 말을 정확히 파악하였는지 확인할 필요가 있다.

4) 질문의 요약

의약품정보 의뢰에 대한 요지를 파악했다면 이에 대해서 반드시 기록을 한다. 질문을 분류하여 응답에 필요한 시간적 여유와 응답의 깊이를 결정하고 보충해야 할 정보를 검색하는 방법을 모색해야 한다.

(1) 질문의 분류

질문의 분류는 다음과 같은 내용을 결정할 수 있는 기초 자료가 된다.

① 수집해야 할 배경정보와 환자의 병력 결정

② 검색해야 할 중요한 참고 문헌 결정

③ 제공해야 할 답변의 유형과 복잡성 결정

(2) 답변할 시간적 여유와 응답의 깊이

질문의 요점을 파악하고 질문을 분류하는 동안 어느 정도의 시간 내에 대답해야 하는지, 응답의 깊이는 어느 정도로 할 것인지를 결정해야 한다. 답변을 할 때에는 질문자가 원하는 시간 내에 하는 것이 중요하고, 만일 원하는 시간에 완벽한 답변을 준비하지 못한 경우에는 준비한 정보만 시간 내에 제공하고 이 후 나머지 자료를 찾아서 추가로 제공한다.

5) 질문에 따른 자료 수집

질문의 유형에 따라 질문 항목에 대한 답변을 찾는 방향으로 질문자와 대화하며, 의무기록지 등을 읽고 현재의 질병상태와 치료계획 및 진행상황을 확인하고 평가하여야 한다.

(1) 약물 유해반응(Adverse Drug Reaction)

유해반응 발현과 심각성 등을 평가하기 위하여 발현시간대, 임상증상에 대한 자세한 설명 등 주관적, 객관적 정보를 수집한다. 이러한 과정을 통해 환자에 대한 적절한 치료방법을 제공 할 수 있다.

(2) 사용 가능성(Availability)

원하는 의약품이 없을 경우 대체약품을 제시하고, 그 효능과 차이를 알려준다.

(3) 혼합가능성/안정성(Compatibility/Stability)

수액의 양과 전해질 농도 등을 제한해야 하는 환자들이 있으므로 가능한 투여경로를 제시한다. 암환자의 경우와 같이 여러 가지 약을 정맥주사해야 하는 경우, 적절하게 혼합하는 방법이나 동시투여 가능 여부등을 제시한다면 여러 번 주사해야 하는 번거로움을 덜 수 있을 것이다. 또한 혼합약제의 보관 온도 및 기간 등을 알려준다.

(4) 용법 · 투여계획(Dosage/Schedule)

약물의 용량과 용법이 적응증에 따라 어떻게 다른지 확인하고, 환자의 체중과 장기(주로 신장과 간)의 기능 상태, 환자의 복약이행 정도와 삶의 질 등을 고려하여 정보를 제공하여야 한다.

(5) 약물상호작용(Drug Interaction)

환자의 복용 약물과 주변 상황을 고려하여 의심되는 상호작용이 있는지를 확인한 후 용량, 기간, 투여 간격 등을 조절해 줄 수 있다.

(6) 선택적 약물/약물치료학/약물학(Drug of Choice/Therapeutics/Pharmacology)

약물치료와 관련된 질문의 경우, 환자에 대한 정보를 파악하지 못하면 질문자의 질문 의도와 전혀 다른 방향의 정보를 제공하게 되거나 정확한 답변을 제공할 수 없다. 환자의 치료에 해가 될 수 있는 결과를 초래할 수 있으므로 반드시 환자와 관련된 정보를 확보하여야 한다.

(7) 의약품식별(Identification)

환자가 복용하던 약을 알고 무엇을 처방해야 할 것인지 결정하고자 할 때 약품식별을 의뢰하게 된다. 약품의 출처, 크기, 모양 및 식별 문자를 알고 있을 경우 원내 전산시스템이나 인터넷 업체(예, 약학정보원, BITs DrugInfo, KIMS)에서 제공하고 있는 식별용 약품사진 데이터베이스의 검색을 통해 국내에서 판매되는 약품인 경우 확인할 수 있으며, 외국에서 복용하던 약인 경우에도 여러 문헌들(예, Medical Index, PDR, 일본의약품집)을 통해 확인 할 수 있다(21장. 지참약 관리 참조).

(8) 투여방법(Method of Administration)

약물별 투여 경로를 추천해 주어야 한다.

(9) 약물경제성(Pharmacoeconomics)

약물의 효과 뿐만 아니라 비용도 고려하여 추천해 주어야 한다.

(10) 약물동력학(Pharmacokinetics)

혈중약물농도 수치를 올바로 해석하는데 필요한 자료를 수집하여야 한다.

(11) 임신/수유/최기성(Pregnancy/Lactation/Teratogenicity)

임부는 약물 복용을 피하는 것이 좋지만 임신 초기 임신사실을 알지 못하고 복용하는 경우가 종종 발생한다. 환자가 잘못된 정보로 성급한 결론을 내리지 않도록 전문가의 자세로 정확한 자료를 제시하여 환자 및 태아를 보호하고 의료진에게는 최선의 판단을 내릴 수 있는 객관적인 자료를 제시하여야 한다. 또한, 수유 시에도 모유를 통해 배설되는 약이 있으므로 약물 복용 시 수유 중단 여부를 판단하여야 한다.

(12) 중독/독성(Poisoning/Toxicology)

나이, 몸무게, 복용량과 경과시간 등은 중독 시 심각성 정도를 평가하여 조치법을 모색하는데 필요하다. 신속하고 정확하게 해결할 수 있도록 신뢰할 수 있는 근거자료를 확보해두는 것이 필요하다.

6) 의약품정보원의 검색

실제로 알고자 하는 질문 내용을 파악하고 적합한 배경자료를 확인한 후 그에 적합한 정보원을 선택해야 한다. 일반적으로 3차 문헌에서 2차, 1차 문헌 순으로 검색하여 단계적으로 깊이 있고 폭넓은 정보를 얻을 수 있다.

(1) 질문의 분류(Classification of the Request)

분류된 특정 주제에 따라 검색의 범위를 축소할 수 있어 보다 신속하고 정확한 정보를 확보할 수 있다.

(2) 질문자의 유형(Type of Requester)

질문자의 유형에 따라 정보원의 깊이와 범위가 달라질 수 있다.

(3) 시간적 여유와 응답의 깊이(Time Frame and Depth of Response)

긴급한 응답이 필요한 경우 일반적으로 3차 문헌을 이용하며, 깊이 있는 정보나 최신 정보를 원할 경우는 병원에 따라 2차 문헌이나 1차 문헌을 검색하여야 한다.

7) 주제별 자주 이용되는 의약품정보원

(1) 유해반응(Adverse Reactions)

① Clin-Alert 2000 (Technomic Publishing Co., Inc.)
약물유해반응 및 대체약품을 포함한 약물상호작용에 대한 최근 정보를 포함하고 있다.

② Drug-Induced Diseases (American Society of Health-System Pharmacists)
유해반응을 질환별로 분류해 놓은 정보원으로, 다빈도 유발약물, 유발 메커니즘, 위험인자, 예방법, 치료법 등을 포함하고 있다.

③ Meyler' s Side Effect of Drugs (Elsevier Publishing Company)
유해반응을 약물별로 분류해 놓은 정보원으로, 약물치료와 관련된 유해반응에 대해서 광범위한 정보가 수록되어 있다.

(2) 약물상호작용(Drug Interactions)

① Drug Interaction Facts (Facts and Comparisons)
약물-약물 및 약물-음식과의 상호작용에 대한 정보원이다. 유해반응의 기전, 임상적 의미 및 상호작용의 처치에 대해서 상세하게 기술되어 있다. 분기별로 발행되며, PC에서도 이용이 가능하다.

② Drug-Reax (Micromedex, Inc.)
약물명과 상호작용의 증상으로 약물유해반응이 정리되어 있다.

③ Evaluations of Drug Interactions (PDS Publishing Co.)

약물상호작용의 기전, 임상적 의미 및 처치방법에 대해서 기술되어 있으며, 미국제약협회(American Pharmaceutical Association)에서 발행하여 가장 광범위한 정보가 포함되어 있다.

④ Handbook on Drug & Nutrient Interactions (The American Dietetic Association)

약물-음식의 상호작용이 질병상태에 따라 분류되어 있다.

(3) 투여 용량에 대한 정보원

① Drug Prescribing in Renal Failure (The American College of Physicians, American Society of Internal Medicine)

② Geriatric Dosage Handbook

③ Pediatric Dosage Handbook

(4) 약품식별을 위한 정보원

① 국내 약품(약학정보원, BITs DrugInfo, KIMS)

국내에서 판매되고 있는 약품의 정보 및 식별과 관련된 데이터베이스를 구축하여 의사 및 약사 등에게 서비스를 제공하고 있다.

② 국외 약품

a. Identidex (Micromedex, Inc.) : 미국 및 캐나다에서 사용되고 있는 약품에 대해서 검색 엔진을 이용하여 식별할 수 있으며 사진은 제공되지 않는다.

b. Drugs in Japan (JAPIC) : 일본에서 판매되는 약품에 대한 정보가 수록되어 있다. PDR과 수록된 내용이 유사하며, 부록으로 약품에 기록되어 있는 숫자나 문자로 식별 할 수 있도록 식별문자별로 수록되어 있다.

(5) 일반적인 의약품정보원

① AHFS Drug Information (American Society of Health-System Pharmacists)

FDA 승인된 약품과 미허가된 적응증에 대한 정보를 포함하고 있다.

② Drugdex Information System (Micromedex, Inc.)

매우 광범위하고 자세한 의약품정보를 제공하여 훌륭한 정보원이 된다.

③ Drug Facts and Comparisons (Facts and Comparisons)

특정 약효군의 약들에 대한 가격 비교를 포함한 약품 비교자료가 광범위하게 제공된다. Sugar와 alcohol이 첨가되지 않은 약에 대한 정보 및 FDA pregnancy category와 급성 과량 투여 시 조치방법 등을 기록한 유용한 차트가 제공된다.

④ Drug Information Handbook (Lexi-Comp, Inc.)

포켓사이즈의 책으로 적응증, 용법용량, 유해반응, 상호작용 등에 대한 정보가 항목별로 잘 정리되어있다.

⑤ Handbook of Clinical Drug Data (McGraw-Hill)

포켓사이즈의 책으로 FDA 승인여부를 포함한 약효 및 약품별 간단한 약품정보를 제공한다.

⑥ Martindale : The Complete Drug Reference (Pharmaceutical Press)

미국 이외에서 판매되고 있는 의약품 및 생약제제에 대한 정보를 찾는데 유용한 정보원이 된다.

⑦ Micromedex Computerized Clinical Information System (CCIS, Micromedex Inc.)

Drugdex, Poisondex, Identidex, Martindale등 다양한 정보원이 제공된다.

⑧ Physician' s Desk Reference (PDR, Medical Economics Data)

제약회사에서 제공하는 약품설명서를 모아놓은 문헌으로 대부분의 약품이 수록되어 있다. 약품식별을 위해 약 1,000개의 실물사진이 포함되어 있으며, 매년 발행되고 있다.

⑨ USPDI (United States Pharmacopeial Convention, Inc.)

미국 약전으로 3권으로 나뉘어 발행되며, 매년 발행된다.

a. Vol. 1 (Drug Information for the Health Care Provider)

b. Vol. 2 (Advice for Patient)

c. Vol. 3 (Approved Drug Products and Legal Requirements)

8) 검색 엔진을 이용한 검색

(1) 국내 의약품정보 검색 사이트

① 식품의약품안전처(MFDS) http://www.mfds.go.kr

② 식품의약품안전처 의약품사이트 http://ezdrug.mfds.go.kr

③ 약학정보원 http://www.health.kr

④ DrugInfo http://www.druginfo.co.kr

⑤ KIMS http://www.kimsonline.co.kr

⑥ KoreaMed (한국의학학술지 영문 초록 데이터베이스) http://www.koreamed.org/SearchBasic. php

(2) 국외 의약품정보 검색 사이트

표 18-7 국외 의약품정보 검색 사이트

Search Engine Name	Web URL
Food and Drug Administration	http://www.fda.gov
National Institutes of Health (NIH)	http://www.nih.gov/
U.S. National Library of Medicine (NLM)	https://www.nlm.nih.gov
Medline plus Drug Information	http://www.nlm.nih.gov/medlineplus/druginformation
U.S. Department of Health & Human Services	http://www.hhs.gov/
Healthfinder	http://www.healthfinder.gov/
Centers for Disease Control and Prevention	http://www.cdc.gov/

2. 능동적 정보제공(간행물 등)

능동적 정보제공은 정보 담당자가 의약품정보실에서 정기 간행물 등을 발행하여 의료진 및 환자에게 적극적으로 정보제공업무를 수행하는 것이다.

약제부 소식지 형태의 정기간행물로 원내에 의약품에 관한 정보를 제공하는 병원이 증가하고 있다. 삼성서울병원 약제부에서는 신규 도입 의약품의 공지와 이미 사용하고 있는 약품의 효능 · 유해반응 추가내용, 사용상의 주의 및 사용 중지 의약품 등을 연 6회 격월로 정리하여 약제부 소식지의 내용으로 PDF 파일 형태로 작성하여 원내에 메일로 발송하고 있으며, 약제부 홈페이지를 통해 원외의료진 및 일반인들에게 뉴스레터를 제공하고 있다.

1) 약제부 소식지(Newsletter)

(1) 제작 시 고려해야 할 사항

① 뉴스레터는 많은 수의 사람에게 정보를 제공할 수 있는 효율적인 수단이므로 독자들의 흥미를 유발시키면서 실제로 도움이 되는 적절한 주제 및 내용을 선정하는 것이 가장 중요하다.

② 의약품정보실에서 질의 · 응답하였던 자료를 근거로 하여 많이 문의되는 내용을 선정하여 PDF 파일 형태로 이메일이나 인터넷을 통하여 많은 사람들에게 필요한 정보를 제공한다.

③ 약물치료학 위원회에서 새로이 원내 도입하기로 결정한 의약품에 대한 정보를 수록할 수 있다. 또한 항생제 처방 지침 변경, 신규, 삭제, 함량 및 제형 추가 의약품에 대한 정보도 수록한다.

④ 잘못 사용되고 있는 약물에 대한 적정한 약물사용지침을 제시한다.

⑤ 학술 잡지에 실린 내용 중 흥미있고 임상에서 적용될 수 있는 최신 약물사용 동향, 새로운 약물치료요법의 시행, 유해반응, 보고, 약물상호작용에 대한 자료를 수록할 수 있다.

⑥ 기타 : 최근 FDA 승인된 약물, 약제부 동정, 약제부 업무 소개 등

(2) 구독 대상을 고려

현실적으로 구독 대상에 따라 여러 종류의 뉴스레터를 발행할 수 없기 때문에 내용을 신정하고 작성할 때 이런 점을 고려해야 한다.

(3) 뉴스레터의 작성 요령

① 신약정보(약물치료학 위원회 통과약물)

신약정보에 실리는 약품은 약물치료학 위원회에서 사용이 결정된 신규 약품 중에서 선정하여 3차 문헌을 시작으로 가장 최근의 자료까지 검색한다. 많은 문헌을 분석, 정리하여야 하므로 문헌 평가 기술이 필요하다.

② Special subject

주로 의료진 및 약사들의 투고에 의하여 제공되는데, 투고내용을 그대로 싣는 것이 아니라 뉴스레터의 형식과 공간에 맞게 편집을 한다. 독자가 내용을 파악하기 좋게 도표나 그림을 첨부하고 간결하고 명확한 문체로 구성해야 한다.

삼성서울병원 | 약제부 약물정보파트

2013년 11월호 | Vol.20(6)

Medication Information Update

신약 통과약물

제16차 약물구매선정실무위원회 통과약물(2013.10.15)

Aflibercept
Apixaban
Bendamustine
Brentuximab
Ticarcillin + pot.clavulanate
Imidafenacin
Picolight®
Solcoseryl
Vemurafenib

MORE

Drug-Induced Disease

섬망(Delirium) II

섬망은 단시간의 의식소실과 인지기능 변화를 나타내는 질환이다. 본 호에서는 섬망을 유발하는 작용기전 및 임상증상에 대해 알아보고자 한다.

MORE

최신 약물정보

1. Dabigatran vs. Warfarin in Patients with Mechanical Heart Valves - *NEJM*
2. Methylprednisolone Injection for the Carpal Tunnel Syndrome - *Ann Intern Med*

MORE

의약품 안전성정보

MFDS, FDA 안전성 서한

Rituximab
Tigecycline
Metoclopramide

약물 안전성 정보

Levofloxacin
Venlafaxine

MORE

복약 상담

Q. 폐렴구균 백신이란 무엇이며, 접종대상과 그 종류에는 어떤 것이 있나요?

MORE

약제부에서 알림

신약입고 (20종)
제약회사 변경 (1종)
상품명 변경 (1종)
성상 변경 (3종)
약품정보 변경 (1종)
코드 locking (11종)

MORE

약제부 홈페이지
약제부 홈페이지에서 더 많은 정보를 보세요!

이전 뉴스레터
지난 월별 뉴스레터를 모두 볼 수 있습니다.

최신호 뉴스레터 전체보기
최신호 뉴스레터 전체파일을 볼 수 있습니다.

바로가기

삼성서울병원

사회복지법인 삼성생명공익재단 삼성서울병원
서울강남구 일원동 50번지 삼성서울병원 135-710
약제부 약물정보파트 TEL. (02) 3410-3371~3, 3375~6 / FAX. (02) 3410-3399
약제부 홈페이지 http://www.smcpharmacy.com

발행인 이영미
편집인 이후경, 이용석, 황서영, 이수미, 박선미, 박지은, 박효주, 장은진

그림 18-2. 뉴스레터 웹진(2013년 11월호)

의약품정보업무

③ 최신 의약품정보

신뢰도가 높은 국내외 저널, 인터넷을 통해 현재 병원에서 사용되는 약품에 대한 임상논문을 발췌하여 최신 치료학, 유해반응, 약물 상호작용의 내용을 간결하게 정리한다.

④ 의약품안전성정보

식품의약품안전처(MFDS)에서 안전성 관련 정보를 분석, 평가하여 중앙약사심의위원회를 거쳐 허가사항, 변경 등 조치를 취한 내용으로 현재 병원에서 사용되는 약품에 관한 주요 변경사항이나 저널에서 소개된 안전성 관련 case study, clin-alert 등에서 발췌한 내용을 한글로 정리한다.

⑤ 복약상담

환자에게 복약상담시 유용한 정보를 Q&A 형식으로 작성하여 정리한다.

⑥ 기타

a. FDA 승인약물

b. 원내 사용 약물에 관한 사항(신약입고, 원외처방코드, 코드 locking 및 locking 해제, 제약회사 변경, 모양 또는 규격단위 변경 등)

c. 약제부에서 공지해야 할 사항 등

2) 의약품집

대부분의 병원에서는 각 병원에서 사용하고 있는 약물을 대상으로 의약품집을 발행한다. 현재 삼성서울병원에서는 지면을 통한 의약품집 발행 대신 원내 전산시스템인 의료정보시스템(Medical Information System)내의 'SMC 의약품집(eFormulary)' 으로 명명된 의약품정보 데이터베이스를 구축하여, 지속적으로 변경되는 의약품정보를 관리함으로써 보다 정확하고 효율적인 의약품정보를 제공하고 있다. 따라서, 의약품정보실에서는 각 신약이 원내에 도입되는 시간에 맞추어 전산시스템에 약품정보를 등록해야 하며, 의료진에게 정보를 제공할 뿐만 아니라 의약품집 데이터베이스를 등록한다는 것을 염두하여 정확한 내용이 등록되도록 노력해야 한다.

(1) 의약품집(eFormulary) 내용

의약품집에 수록된 내용은 각 병원마다 약간의 차이가 있으며 삼성서울병원 의약품집에 수록된 항목들은 다음과 같다.

① 약제부 업무소개 및 의약품 사용에 관한 규정 및 지침

a. 약물운영위원회 규정

b. 마약류 관리 규정

c. 임상시험 의약품 관리 규정

d. 제한 항균제 관리 지침

e. 의약품 품목삭제 지침

② 색인

a. 약효별 분류 색인

b. 식별조회 색인

c. 원내약품 검색 색인

d. 효능별 약품리스트 색인

e. 원내규정 및 부록 색인

f. 약물상호작용 색인

g. Drug comparison 색인

③ 약품에 대한 정보

일반명, 상품명, 함량 · 제형, 효능, 용법 · 용량, 유해반응 등을 수록함.

④ 부록

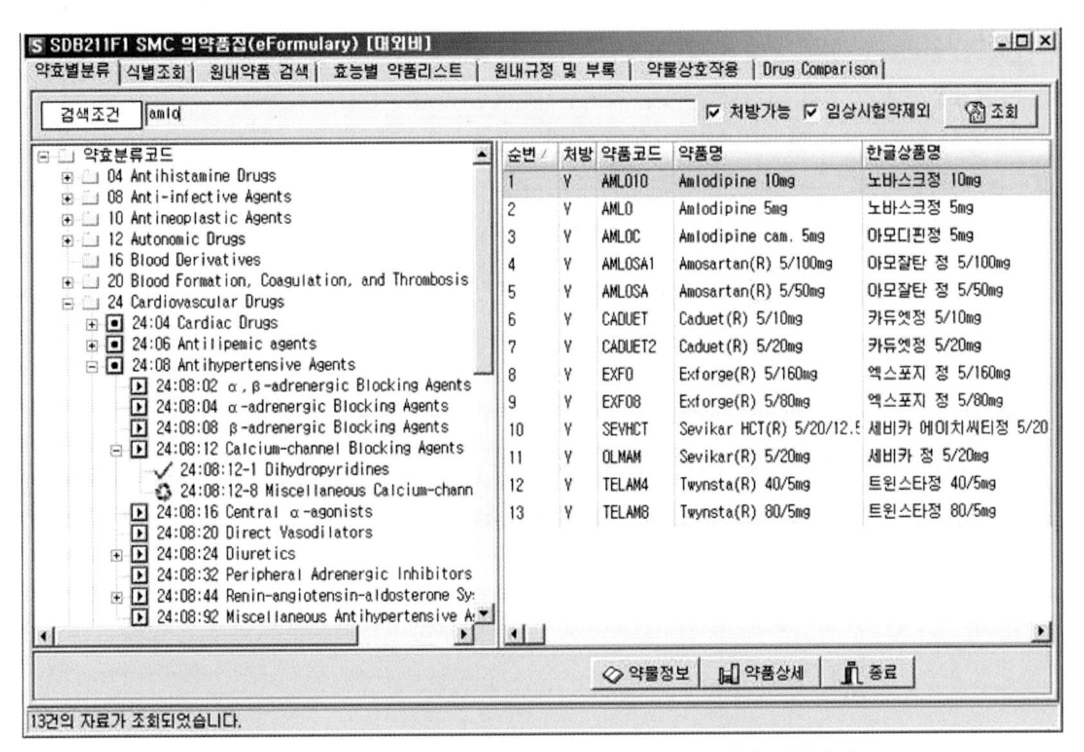

그림 18-3. 전산시스템내의 SMC 의약품집 eFormulary "검색" 화면의 예

의약품정보업무

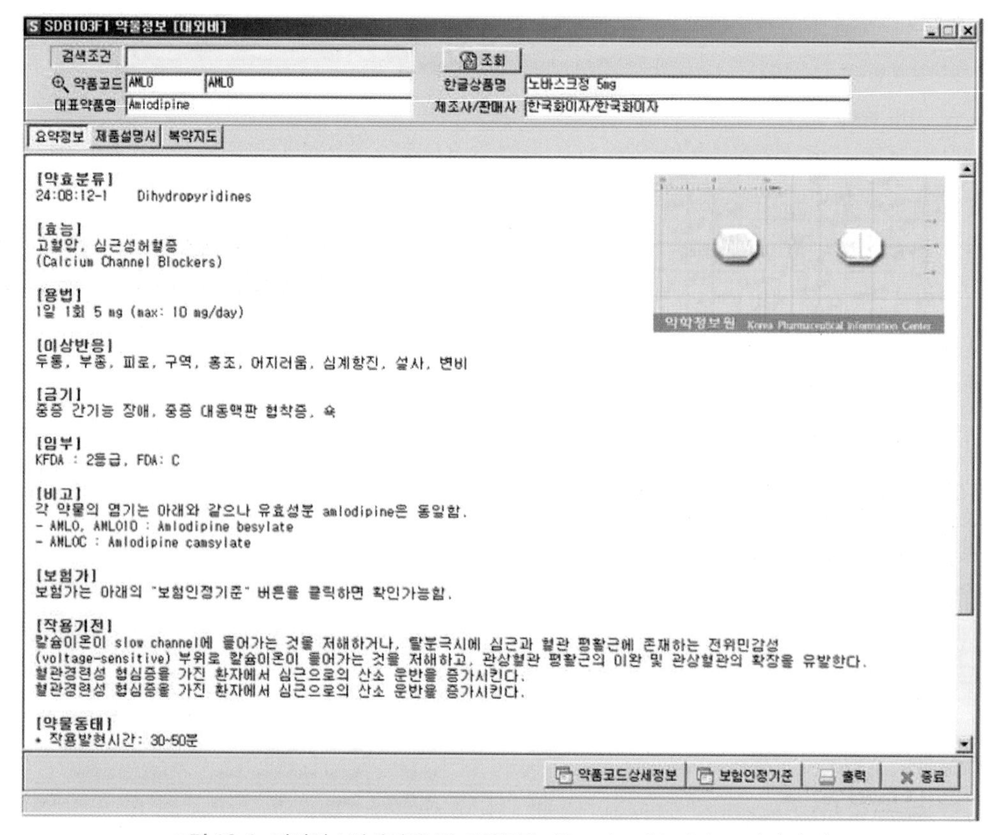

그림 18-4. 전산시스템내의 SMC 의약품집 eFormulary "요약정보" 화면의 예

3. 신약 도입 심의자료 작성

대부분의 병원에서는 신약 도입시 약사위원회 심의를 거쳐서 도입여부를 결정하게 되며, 삼성서울병원에서도 약물구매선정위원회의 심의를 거쳐 원내 도입 여부를 결정하고 있다. 의약품정보실에서는 신약 도입을 위한 심의자료를 작성하는 업무를 담당하고 있다.

심의자료에 포함하는 내용은 각 병원마다 약간의 차이가 있으며 삼성서울병원 심의자료에 포함하고 있는 항목들은 다음과 같다.

1) Indication
2) Pharmacology
3) Pharmacokinetics
4) Dosage
5) Adverse effects
6) 신청과 의견
7) 원내 유사약물
8) 사용처
9) References

참고문헌

- 문홍섭 : 병원약학, 신일상사 (2001)
- 서울대학교병원 약제부 : 병원약학, 서울대학교 출판부 (1996)
- 홍경자 : 의약품정보제공학, 신일상사 (1999)
- Clinical Skills Program : An educational program developed by ASHP (1995)
- Patrick M. Malone et al : Drug Information 4th ed., McGraw-Hill (2011)
- 大阪大學病院藥學研究會. 病院藥局研修ハンドブック, 藥業新聞社 (1999)
- 社團法人 大阪俯病院藥劑師會. 新入局病院診療所藥劑師 研修テキスト, 藥業新聞社 (2003)
- 社團法人 東京都病院藥劑師病會院. 藥學生實習マニュアル, 藥業新聞社 (1997)
- 日本病院藥劑師會近畿ブロック. 藥學生のための病院?藥局實習の手引き, 藥業新聞社 (2003)

part VII

약물유해반응 관리

_19
약물유해반응

Objectives 

- ▶ 약물유해반응의 개념 및 그 분류에 대해 학습한다.
- ▶ 약물감시의 목적과 국내에서 시행중인 제도를 파악한다.
- ▶ 의료기관에서 실시하는 약물유해반응 모니터링 업무와 그 흐름에 대해 이해한다.
- ▶ 약물유해반응의 평가방법과 그 자료의 관리 및 보고방법에 대해 학습한다.

I 서론

약물치료를 포함한 모든 의료행위는 환자를 질병으로부터 보호하고 치료하여 환자의 질병상태를 개선시키고, 환자 삶의 질을 높이는 것을 목표로 하지만 이러한 치료들에는 원하지 않는 결과가 따를 수 있다. 이 중 약물투여 시 발생하는 유해반응은 간과되기 쉬우나 환자의 사망률과 이환율(morbidity)에 영향을 미치는 중요한 요인으로 작용하고 있다. 따라서 약의 조제 및 감사, 처방전 스크리닝(screening), 환자 복약상담, 약물평가 및 비교, 약물정보제공 등의 역할을 담당하고 있는 약사들은 약물유해반응관리에 있어서 중요한 위치를 차지하고 있다. 그러므로 약물치료과정에서 일어날 수 있는 유해반응에 대해 항상 주의를 기울이고 유해반응이라고 여겨지는 상황이 발생한 경우 능동적으로 대처하도록 해야 할 것이다.

II 약물유해반응의 개요

1. 약물유해반응의 개념

약물부작용(side effect), 약물유해사례(adverse drug event, ADE), 약물유해반응(adverse drug reaction, ADR)은 자주 혼용되어왔다. 가장 넓은 범위의 의미인 부작용은 의약품을 특수한 목적으로 사용했을 때 나타나는 주작용(principal action)과 상반되는 개념으로 정상적인 용량에 따라 약물을 투여할 경우 발생하는 모든 의도하지 않는 효과를 말한다. 그러나 부작용이란 원래 임상분야에서 치료를 목적으로 한 작용 이외의 모든 작용을 의미하는 용어이므로, 유해성의 유 · 무에 상관없이 모든 작용을 포괄하고 있다. 실제 임상에서는 부작용을 이용하여 치료 하기도 한다(예: 고혈압치료제인 minoxidil은 부작용으로 발견된 발모기능이 주작용으로 바뀌어 발모촉진제로 사용 됨). 이러한 구분을 명확히 하면서 원하지 않는 작용 또는 해로운 작용이라는 의미를 강조하기 위하여 undesired effect, untoward effect, 또는 noxious effect라는 말을 사용하기도 했으나, 최근에는 약물유해사례(ADE), 약물유해반응(ADR)라는 용어로 통용되고 있다. 이 중 약물유해사례(ADE)는 해당 의약품과의 인과관계에 상관없이 의약품 등의 투여 · 사용 중 발생한 바람직하지 않고 의도되지 아니한 징후, 증상 또는 질병을 일컬으며, 약물유해반응(ADR)은 해당 의약품과의 인과관계를 배재할 수 없는 반응을 의미한다. 즉, 약물유해사례(ADE)는 부작용(side effect)의 하위개념이며, 약물유해반응(ADR)은 약물유해사례(ADE)의 하위개념이라 볼 수 있다. 약물유해반응(ADR)은 약물로 인한 오심에서부터 사망에 이르기까지, 약물로 인해 발생한 모든 문제를 의미하며 과잉의 치료효과, 바라지 않는 약리효과(예: 설사, 변비), 병리학적 반응(예: 발암성, 최기형성), 중복감염(superinfection), 약물 상호작용 등을 포함하며, 미리 예측하고 예방 가능한 부분이므로, 약사 및 의료진에 의한 관리가 중요하다.

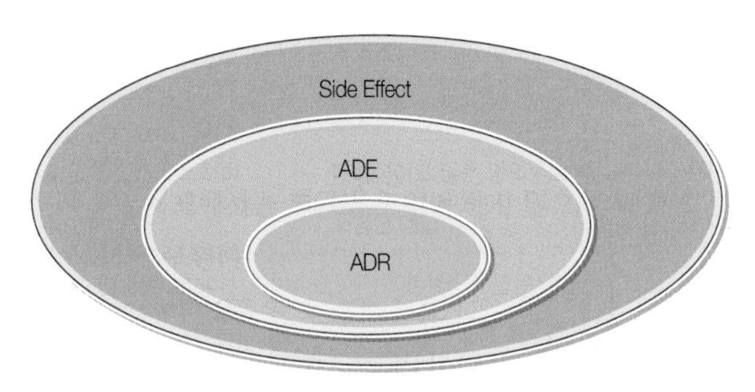

그림 19-1. 용어의 구분(1)

2. 용어의 정의

약물유해반응(ADR)에 대해서 World Health Organization (WHO)와 Food and Drug Administration (FDA), 일본 후생성과 한국 식품의약품안전처(Ministry of Food and Drug Safety, MFDS), 미국병원약사회(American Society of Health-System Pharmacists, ASHP)는 다음과 같은 의미로 이를 정의하고 있다.

1) WHO : 질병의 예방, 진단, 치료 또는 생리기능의 조절을 위하여 인체에 의약품의 상용량을 투여했을 때 발생하는 인체에 유해하고 의도하지 아니한 작용
2) FDA : 인체에 사용된 약물로 인해 생기는 유해반응으로 상용량에서 생긴 유해반응 뿐만 아니라 고의 또는 실수로 약물을 과용량 사용했을 때와 약물을 남용했을 때의 유해반응과 금단증상, 기대했던 약리작용이 나타나지 않는 경우도 포함.

3) 일본 후생성 : 의약품을 통상적 방법으로 사용 시에 발현되는 인체에 대한 바람직하지 아니한 작용으로 의도하지 않은 것
4) MFDS : 의약품 등을 정상적인 용량에 따라 투여할 경우 발생하는 모든 의도되지 않은 효과를 말하며, 의약품 등의 투여·사용 중 발생한 바람직하지 않고 의도되지 아니한 징후, 증상 또는 질병을 포함하고, 인과관계가 알려지지 아니하거나 입증자료가 불충분하지만 그 인과관계를 배제할 수 없어

표 19-1 약물유해반응 관련 용어 정의

용 어	정 의	비 고
Side effect (부작용)	의약품의 약물학적인 특성과 관련하여 상용량에서 환자에게 발생하는 의도하지 않은 효과	주효능과는 별도로 의약품의 긍정적 및 부정적 작용을 망라한 포괄적 의미의 용어
Adverse drug event (유해사례)	의약품투여 중에 발생한 바람직하지 않고 의도되지 아니한 징후(sign), 증상(symptom) 또는 질병 등으로 반드시 인과관계가 있는 것은 아님.	Adverse reaction과 혼용해 동일 의미로 사용된 비교적 최신의 용어이나 투약 중 발생하는 임상적인 현상으로 보는 것이 바람직함.
Unexpected ADR	의약품 등의 품목 허가사항과 비교하여 그 양상이나 위해정도, 특이성 또는 그 결과에 차이가 있는 약물유해반응	의약품 모니터링기관의 보고대상 ADR에 대한 이해를 돕고자 구분한 것
Signal (실마리 정보)	유해사례와 약물간의 인과관계 가능성이 있다고 보고된 정보로서 그 인과관계가 알려지지 아니하거나 입증자료가 불충분한 정보. 유해사례의 중대성과 정보의 질에 따라 다르나 보통 둘 이상의 보고로부터 도출됨.	의약품과 관련된 문제에 대한 최초의 경보로서 단정적인 것으로 간주할 수는 없으나 후속검토나 조사 필요성 암시. 단, 모든 signal의 후속 검토는 비현실적이고 시간이 허비되기 때문에 하나의 사례보고를 근거로 하여 signal이 다양화되는 것을 피해야 함.
Medication misadventuring (의약품 피해)	제조과정/라벨표시/운반 및 투여과정에서 발생하는 오류 및 부작용으로 인한 환자의 손해	
Medication error (의약품 사용과오)	의약품이 의료전문가, 환자 또는 소비자에 의해 부적절하게 사용되어 환자를 해롭게 할 수 있는 인위적인 실수로서 예방 가능한 과오 예) 처방오류, 조제오류, 계량오류, 교부오류, 투약오류 등	
Pharmacovigilance (약물감시)	약물의 유해작용 또는 약물관련 문제의 탐지, 평가, 해석, 예방에 관한 과학적 연구 및 활동	
안전성 정보	실제 의약품 등의 투여·사용 시 나타나는 유해사례 또는 약물유해반응 등 임상정보와 국내·외 사용현황, 연구논문 등 과학적 근거자료에 의한 문헌정보	
모니터링	의약품의 사용 시 나타나는 각종 유해사례 등을 신속하고 체계적으로 수집, 평가하여 위험요인을 제거하기 위한 대응조치를 강구하고 의약전문인, 소비자 등에게 안전성 정보 및 조치결과를 전달	

계속적인 관찰이 요구되는 경우 등도 포함.

5) ASHP : 기대하지 않았던, 의도하지 않았던, 원하지 않았던 약물의 효과나 또는 약물에 대한 과민반응으로 약물투여를 중단 및 변경해야하는 경우, 투여량을 조정해야 하는 경우, 입원 및 입원기간의 연장이 필요한 경우, 예후에 부정적인 영향을 미친 경우, 잠정적이거나 영구적인 손상 또는 사망을 초래한 경우 등

6) 그 외의 관련 용어 정의

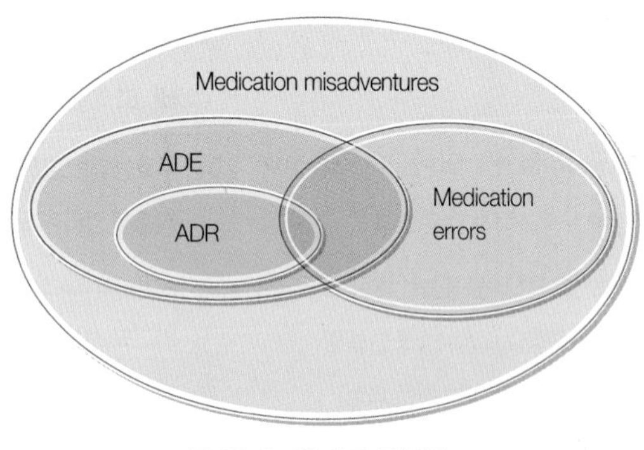

그림 19-2. 용어의 구분(2)

3. 분류

1) 인과성에 따른 분류(임상정보의 WHO 평가기준)

표 19-2 인과성에 따른 분류(임상정보의 WHO 평가기준)

용 어	정 의	비 고
Certain/ Definite (확실함)	임상검사상의 유해를 포함해, 투약과 시간적 전후 인과관계가 타당하고, 수반 질병이나 타 의약품 등에 의해서는 설명될 수 없는 경우, 그 의약품 등의 투여중단 시 임상적으로 타당한 반응을 보이고 필요에 따라 재투여 시 다시 동일양상을 보이는 경우	정의가 엄격해 해당하는 보고가 매우 드묾. 투약과 유해반응 발생 및 경위와의 시간관계가 인과관계 분석에 매우 중요함. 혼란요인 배제와 대상의약품의 약물학적 특성도 충분히 고려해야 함.
Probable (상당히 확실함)	임상검사상의 유해를 포함해, 의약품 등의 투여 · 사용과의 시간적 관계가 합당하고 다른 의약품이나, 수반하는 질환 등에 의한 것으로 보이지 아니하며, 그 의약품 등의 투여중단 시 임상적으로 합당한 반응을 보이는 경우	의약품의 특성 또는 임상적 ADR 현상에 대한 사전지식을 요구하지도 않음. 재 투약에 관한 정보가 필수적인 것은 아니나, 불명확한 투약이나 질병 등이 있어서는 안됨.
Possible (가능함)	임상검사상의 유해를 포함해, 의약품 등의 투여와 시간관계는 합당하나 수반 질환이나 타 의약품 등	기술된 임상사례에 대해 가능한 여타 여러 원인가운데 해당 의약품도 포함될 수 있는 경우에 사용되는 정의임.

	으로도 설명 가능한 경우, 투약중지에 대한 정보는 불명확할 수 있음.	
Doubtful (가능성 적음)	임상검사상의 유해를 포함해 투약과 시간적으로 인과관계가 없을 것 같은 일시적 사례, 타 의약품/ 화학물질/ 잠재질환 등으로도 설명 가능한 경우	임상사례 원인으로 의약품을 배제하는 것이 가장 그럴듯한 경우에 사용되는 정의임.

2) 반응 정도에 따른 분류

(1) 경증(Mild/Minor)

증상 또는 증후를 지각할 수는 있으나, 쉽게 참을 수 있는 정도

(2) 중등증(Moderate)

증상은 현저하나 생체 중요기관에 대한 영향은 경미한 정도

(3) 중증(Severe)

치명적인 위험이 있고 생체 중요기관에 심각한 영향을 주는 경우

① 사망을 초래하거나 생명을 위협하는 경우
② 입원 또는 입원기간의 연장이 필요한 경우
③ 지속적 또는 중대한 불구나 기능저하를 초래하는 경우
④ 선천적 기형 또는 이상을 초래하는 경우
⑤ 기타 의학적으로 중요한 상황

3) 발생빈도에 따른 분류

(1) 매우 흔하게 : 10% 이상
(2) 흔하게 : 1-10%
(3) 때때로 : 0.1-1%
(4) 드물게 : 0.01-0.1%
(5) 매우 드물게 : 0.01% 이하

4) 병리 기전에 따른 분류

(1) Allergic reactions
(2) Pseudoallergic reactions
(3) Coincidental reactions
(4) Idiosyncratic reactions
(5) Intolerance

(6) Secondary effects

(7) Drug-drug interaction

(8) Phobic drug reactions

5) 약물학적인 분류 (Characteristics of adverse drug reactions)

보통 예견 가능여부에 따라 Type A (augmented reaction)와 Type B (bizarre reaction)로 나눈다. 표 19-3은 Type A와 Type B 유해반응에 대한 일반적인 특성에 대해 언급하고 있다.

(1) Type A

일반적인 유해반응이 여기에 해당하며 투여약물의 약리학적 영향에 따라 발생하는 유해반응을 말한다. 기전을 살펴보면 약물의 물리, 화학적 특성에 의하거나 투여용량에 따라 발생할 수 있다. A형 반응은 이뇨제에 의한 저칼륨혈증 같이 약물의 약리학적 활성으로 나타나는 반응으로 용량 의존적이며 유해반응의 70-80%가 이에 해당한다. 그러나 보통 합병증, 약물상호작용, 약물-음식물간 상호작용으로 발생하며, 치명적인 경우는 드물며 투여용량이나 계획을 바꿈으로써 예방할 수 있어 발생률을 감소시킬 가능성이 높다. 예로 β-blocker에 의한 기관지 천식, ACE 저해제에 의한 염증반응, 급격한 혈압강하, 항콜린제 투여 시 치매악화 등이다.

(2) Type B

치명적인 유해반응으로 투여된 약물과 환자 상호간의 면역학적으로 발생되는 알레르기 반응을 말한다. 유해반응의 양상은 약한 것부터 심한 것까지 반응이 다양하고 분류방법도 여러 가지이다. 일반적으로 B형 반응은 특발성 반응과 면역이나 알레르기 반응으로 Type I (anaphylaxis나 즉시형), Type II (세포독성), Type III (혈청병), Type IV (지연형)로 나눌 수 있다. 약물의 투여량이나 경로에 의존하지 않고 드물게 발생하나 치명적인 유해반응으로, phenytoin에 의한 Stevens-Johnson syndrome이나 chloramphenicol에 의한 재생 불량성 빈혈 등이 있다.

표 19-3 The characteristics of Type A and Type B

Type A	Type B
• Normal, augmented response	• Abnormal, bizarre respose
• Predictable from pharmacology	• Unpredictable from pharmacology
• Dose related	• Not dose related
• Reasonably common	• Uncommon
• Seldom fatal	• Often causes serious illness or death
• Excessive or unwanted pharmacological effects, withdrawal reactions, delayed effects, failure to individualize dosage	• An immunological or genetic basis and are normally unrelated to dosage

4. 임상증상

다양한 양상으로 나타나므로 여기서 특징적인 몇 가지 증상들을 소개하고자 한다.

1) Anaphylaxis

약물에 노출된 지 수분 내에 발생하며 두드러기, 혈관부종, 후두경련, 기관지경련, 저혈압, 부정맥, 실신, 설사 등이 나타난다.

2) Serum sickness

약물투여 7-14일 후에 발생하며 열, 권태감, lymphadenopathy, 관절통, 두드러기, 홍반성 피부발진 등이 나타난다.

3) Drug fever

발열의 양상은 low grade이면서 지속적일 수 있고, 간헐적이면서 심할 수도 있다. 약을 중단하면 사라지고 재 투여 시 다시 열이 나는데 의심되는 약물의 중단 후 72시간 이내에 열이 사라지면 drug fever로 확진한다.

4) Malignant hyperpyrexia

드물게 발생하나 10%가 사망한다. 갑자기 체온이 상승하고 산혈증, 경직이 나타난다.

5) Drug induced autoimmunity

약에 의한 자가 면역질환으로 procainamide, hydralazine, isoniazid에 의해 유발되는 전신성홍반성루프스가 대표적이며 증상은 관절통, 근육통, 다발성 관절염, 안면피진, 궤양, 탈모 등이다.

6) Vasculitis

혈관염증과 괴사가 특징이며 자반성 병변, 구진, 소결절, 궤양, 대소수포성 병변 등이 발생한다.

7) Cutaneous reactions

두드러기, 홍반, 구진 등 경한 증상부터 다형성 홍반, Stevens-Johnson syndrome, toxic epidermal necrolysis 등의 심한 증상까지 나타난다.

5. 유해반응 관련인자

유해반응이 발생하더라도 그 증상과 정도에는 많은 차이가 있다. 이와 같은 유해반응 발생에 영향을 미치는 인자를 몇 가지 살펴보면 다음과 같다.

1) 다제약물요법(Multiple Drug Therapy)

복용약물 종류와 유해반응발생률의 관계에 대한 여러 논문들에서 처방된 약물의 수가 많아질수록 약물유해반응의 발생은 증가한다고 밝히고 있다. 이는 약물상호작용 기회의 증가로 인한 상가적인 유해 반응의 증가로 이해될 수 있으며, 이런 상호작용은 약동학적, 약력학적인 두 측면으로 함께 작용하면서 유해반응 발생률을 더 높일 수 있다.

2) 나이

나이 자체가 독립적인 변수라고 단정하기는 어렵지만, 특정 약물들의 경우 나이가 들수록 더 자주 복용하게 되고 이로 인해 유해반응이 증가될 수 있다. 또한 연령과 관련된 약동학, 약력학적인 변화가 유해반응의 원인이 될 수도 있다. 소아의 경우, 신체 및 장기가 미성숙하고, 간에서의 약물대사속도가 느린 편이며, 신장에서의 배설은 좋지 않다. 반면, 약물흡수율이 높고 약물이 BBB (Blood Brain Barrier)를 통과해 뇌로 들어가기 쉬우며, 각 수용체의 약물 감수성이 높아 성인에 비해 독성이 강하게 나타날 수 있다. 노인의 경우는 흡수는 전반적으로 저하되나 간 대사나 신장의 생리적 쇠퇴현상으로 약물의 대사배설이 억제되어 결과적으로 유해반응 발현 가능성이 증가되는 양상을 보인다.

3) 성별

위장관련 유해반응 등의 일부 유해반응들은 여성에서 더 빈번히 발생하여 Sulfa계 약물의 경우 약진, 메스꺼움, 구토 등이 여성에서 훨씬 많이 보고되는 등 성별도 유해반응의 변수가 될 수 있으나 원인은 불명확하다.

4) 인종 및 유전적 요인

인종 간에 약물의 유해반응에 대한 민감도가 다를 수 있으며 이는 약물의 대사와 분포에 영향을 미치는 유전자의 차이에 기인하는 것으로 알려져 있다. 이런 예로 선천적으로 Glucose-6-Phosphate Dehydrogenase (G6PD)가 부족한 환자의 경우 quinolone계 항균제 등 특정약물에 대한 독성의 민감도가 높아 상용량에서도 유해반응이 발현될 수 있다. 이 G6PD 효소 부족 현상은 아프리카, 중동 및 동남아시아 유색인종에서 높게 나타난다. 또 개인 간 Cytochrome P450효소의 차이가 이들에 의해 주로 대사되는 warfarin, β-blocker, 항정신병약물 등의 유해반응 발현 차이를 가져오기도 한다.

5) 식이조건

불균형적인 식이 섭취로 인하여 약물의 작용이 영향을 받거나, 유해반응이 나타날 수 있다. 예로 isoniazid에 의한 장애는 비타민 B6 결핍상태에서 정상의 경우보다 강하게 나타난다. 또한 니코틴산 결핍식이로 사육한 동물의 경우 정상식이로 사육한 동물들에 비해 thiopental의 마취작용이 강하게 나타난다.

6) 사용 의약품의 특성

다른 약물보다 치료영역이 좁은 항응고제나 digoxin 같은 약물은 유해반응 발현의 비중이 높으며, 동일한 조성의 약품이라 해도 순도, 물성, 제형, 제제기술 등의 차이에 의하여 유해반응 발생률이 달라질 수 있다. Ampicillin으로 인한 피부발진의 경우 약물자체에 의한 것보다는 잔류단백 불순물질이 유해반응의 원인으로 작용한 경우이다.

7) 용량 및 용법

많은 type A 유해반응이 용량과 관련되어 나타나며 phenytoin, phenobarbital 등의 항전간제의 경우 용량과 관련된 졸음, 운동실조 등이 보고 되어있다. Digoxin의 경우 빠르게 정맥주입 시 오심이나 심하면 부정맥을 야기할 수도 있어 투여방법이 유해반응의 원인이 될 수 있다.

8) 제형 첨가물

약 자체 뿐만 아니라 약의 제조에 들어가는 부형제나 첨가물, 감미제, 보존제 등도 유해반응을 일으킬 수 있다. Phenytoin은 부형제에 의해 흡수율이 달라지는 대표적인 약물로, calcium sulfate를 부형제로 사용한 제품에서 lactose가 들어있는 제품으로 바꾸는 경우 흡수율이 증가되어 독성을 일으킬 수도 있다. 또한 lactose에 대한 알레르기를 가진 환자의 경우 약의 주성분과 무관하게 약 제조공정 시 들어가는 부형제에 의해 유해반응이 발현될 수도 있다.

9) 기타

내약성, 상호작용, 심리적 인자 등 여러 요인이 작용한다.

III 약물감시(Pharmacovigilance)

탁월한 효능으로 임상에서 각광을 받아 세계적으로 널리 사용되던 약물들도 예기치 못한 약물유해반응으로 인해 시중에서 철수되는 사례들이 있다. 대표적인 사례로 cisapride는 기능성 소화 불량증에 탁월한 효능으로 전문의약품 판매 1위를 차지하였으나, 2000년 치명적인 부정맥을 유발하는 것이 밝혀져 제약회사에서 자진 철회하였으며, phenylpropanolamine은 수십년간 일반 감기약으로 사용하여 왔으나 국내 역학조사 결과 뇌출혈의 위험성이 확인되어 2004년 식약청에서 판매 금지되었다. 그러므로 모든 약물은 단계별 임상시험을 거쳐 허가심사를 통과했다 할지라도, 시판되는 동안에도 그 위험성이 발견될 수 있으므로 안전성 평가가 지속되어야 한다. 이와 같이 의약품이 임상시험을 거쳐 시판 승인이 난 다음에도 계속하여 약물의 안전성을 평가하는 것을 약물감시(pharmacovigilance), 또는 시판 후 조사(post-marketing surveillance, PMS)라고 한다.

국내의 시판 후 약물감시 제도로는 재평가 제도, 신약 재심사 제도, 유해사례 모니터링이 있다.

1. 약효 재평가 제도

약효 재평가 제도는 1977년 입안되어 시행되고 있는데 이는 허가된 의약품의 안전성, 유효성을 최신 의약학적 수준에서 재평가함으로써 보다 안전하고 우수한 의약품을 제조, 공급하고 의약품의 사용에 적정을 기하기 위함을 목적으로 한다.

1) 정기 재평가 : 허가된 모든 의약품을 대상으로 일정기간(10~15년)을 두고 최신의 안전성, 유효성 자료, 외국 조치현황 등의 문헌자료를 제출받아 검토
2) 특별 재평가 : 안전성, 유효성 정보 또는 사회적 문제 제기로 재평가 필요성이 있는 경우, 주로 국내에서 실시한 임상시험 자료 또는 집중 부작용 모니터링 등의 실시 자료를 제출받아 검토

2. 신약 재심사 제도

신약 재심사제도는 1995년 1월 1일 이후 국내허가를 받은 신약에 대해 4년 혹은 6년 동안 임상증례를 보고하도록 한 법제화한 약물 모니터링 제도의 일환으로 시판 후 사용성적 조사 (Korea Post Marketing Surveillance, KPMS)라고도 한다. 신약 재심사 제도는 원래 제품을 허가할 때 미리 기간을 설정하여 해당 제약회사가 시판 후에 그 제품에 대한 안전성관련 임상증례와 아울러 품질에 관련된 유효성, 안전성 정보를 문헌 · 학회, 해외의 PSUR (Periodic Safety Update Report) 등으로부터 수집하여 해당 기간 동안 매년 1회 의무적으로 MFDS (Ministry of food and drug safety)에 보고하도록 한 제도이다.

3. 유해사례 모니터링

앞서 언급한 재평가 제도 및 신약 재심사 제도가 강제적인 성격을 띄는 반면, 유해사례 모니터링은 반강제적, 자발적인 성격이 강한 제도로서 실제 의약품 등을 사용 시 나타나는 각종 유해사례 등을 자발적으로 보고받거나, 국내 · 외 문헌정보 및 자료 등을 수집하여 체계적으로 평가하고 위험요인을 제거하기 위한 대응 조치를 강구하여 의약전문인, 소비자 등에게 안전성 정보 및 조치결과를 전달하는데 그 목적을 두고 있다. 이러한 자발적 유해사례 모니터링에서 실제 의약품을 처방 · 투약 관리하는 의료기관의 역할이 중요하며, 약사는 약에 대한 전문가로서 그 책임과 영향을 인지하고 약사들의 유해사례 모니터링을 기본 업무로 정착하고 실시하여야 한다.

표 19-4 유해사례 모니터링 대상

① 중대한 유해사례 및 약물유해반응 정보	⑤ 1~4 이외의 경미한 유해사례
② 예상하지 못한 약물유해반응	⑥ 기타 의약품 등의 안전성 관련 정보(임상검사치 영향 등)
③ 이미 알려진 약물유해반응	⑦ 외국의 의약품 등의 안전성 관련 조치에 관한 자료
④ 오 · 남용 또는 약물상호작용, 과량투여로 인한 유해사례	

IV 의료기관에서의 약물유해반응 모니터링

약물유해반응 모니터링은 시판 후 의약품에 대한 새로운 정보 등을 효율적으로 수집, 평가하고 정보를 공유함으로써 임상시험의 제한성으로 인해 발견하지 못했던 유해반응을 밝혀낼 수 있으며 이런 노력들을 통해 예방이 가능한 유해반응을 사전에 감지, 평가함으로써 유해반응을 방지하거나 최소화하고 약물치료 효과를 극대화할 수 있다는데 중요성이 있다. 즉, 약물유해반응 모니터링이란 환자 약물치료 과정에서 발견된 유해반응을 수집 후 인과관계 등을 평가하고 보고하는 측면뿐만 아니라, 이런 자료와 정보들을 통해 보다 신속하고 정확하게 유해반응을 감지해 내는 방법들을 개발하고 임상에 적용하여 유해반응을 사전에 주의 깊게 관찰하고 미연에 예방하기 위해 적절한 조치를 취하는 적극적인 측면도 함께 포함한다고 할 수 있다. 이를 통해 의료진 등은 의료의 질을 향상시킬 수 있으며 국민 전반의 건강복지향상 및 사회 전반적인 의료비를 감소시킬 수 있다.

의료기관에서 실시하는 약물유해반응 모니터링은 환자의 문헌정보 모니터링과 임상정보 모니터링으로 크게 나눌 수 있다.

1. 문헌정보 모니터링

문헌정보라 함은 국내 · 외 문헌정보 즉, 국내 · 외 의약학 관련 간행물, 외국의 의약품 등의 안전성 관련 조치 자료, 기타 안전성 및 유효성과 관련된 문헌 및 자료 등에 의한 의약품 정보를 의미한다. 정보 수집은 WHO 국제기구와 세계 각국에서 발행하는 정보지, 의약전문서적, 정기 간행물 뿐만 아니라 일간지 등을 비롯한 일체의 인쇄 및 온라인 매체를 이용할 수 있다. WHO에서 발행하는 의약품정보지인 Drug Information, Pharmaceutical Newsletter, 미국의 FDA가 발행하는 HHS (Health and Human Services) news, Talk Paper, Drugs Bulletin, 일본 후생성의 의약품 유해반응정보지, 약효재평가 결과보고, 의약정보지인 Script, 약물유해반응에 관련된 논문들이 많이 소개되는 The Annals of Pharmacotherapy, 각종 저널들에 실린 유해반응 관련 논문들만을 요약 정리해 소개해 주는 Clin-Alert 및 각 국의 안전성관련 사이트 (예; http://medicines.mhra.gov.uk, http://www.fda.gov/medwatch/safety.htm 등)를 정보원으로 활용할 수 있으며, 이를 통해 약물치료과정에서 발생하는 유해반응 정보를 입수하여, 향후 유사반응 발생 시 평가에 도움을 받거나 새로운 유해반응의 경우 미리 공지를 함으로써 발생 가능한 유해반응을 사전에 예방하는데 도움을 받을 수 있다.

의약전문인들은 최근 밝혀지는 새로운 유해반응, 상호작용 등에 대해서 항상 주의를 기울이고, 원내 정보망에 그 내용을 공유함으로써 환자의 잠재적 유해반응을 사전에 예방하고 유사한 유해반응 양상을 보이는 경우 신속하게 대처할 수 있도록 해야 한다.

2. 임상정보 모니터링

실제 의료 환경에서 환자의 치료를 위해 의약품을 적용 시 발생한 약물유해반응의 모니터링을 말한다.

임상정보 모니터링은 의료진, 간호사, 약사 및 환자들의 자발적 보고를 통하는 수동적 방법과 의료진 및 약사의 환자에 대한 리뷰 및 감시를 통해서 이뤄지는 능동적인 방법으로 나뉘며 자료는 수집된 후, 인과관계 평가를 거쳐 정부기관에 보고되고, 각종 안전성 자료로 활용하게 된다.

V 약물유해반응 모니터링(임상정보 모니터링)의 정보수집

임상정보 모니터링을 위해서는 환자에게 발생한 유해반응을 수집하는 것이 첫 번째 단계이다. 이러한 유해반응은 원인-인과관계가 명확한 경우 뿐만 아니라, 의심이 되는 경우라도 수집되어야 한다. 또한 심각하거나 특이하게 의심되는 유해반응 뿐만 아니라, 알려지고 가벼운 반응들에 대한 정보도 수집되어야 하며, 우리나라의 경우, 한약을 복용하는 환자도 많으므로 전통 의학에서 사용되는 생약제제 등과 관계된 유해반응도 함께 고려되어야 한다. 임신(최기형성) 및 수유중의 약물사용과 남용 등은 특별히 관심을 두어야 할 부분이다.

약물유해반응은 아래와 같은 방법으로 정보를 수집할 수 있다.

1. 자발적 보고 (Voluntary Reporting)

유해반응이 인지되었을 때 의사나 약사, 간호사, 환자 등이 자발적으로 보고하도록 하고, 보고받은 정보를 토대로 체계적인 평가 및 분석을 하여 보건복지부에 보고하는 제도로서 우리나라를 비롯해, 외국에서 흔히 시행하는 방법이다. 자발적 보고는 새롭고 드문 유해반응이나, 심각한 유해반응을 발견하는데 유용하다는 장점이 있으나, 의료진이 약물유해반응이 발생했다는 것을 알지 못하고 지나칠 수도 있고, 때로는 알리는 것을 꺼려하는 경우도 있어 그 정보가 누락되는 경우가 있다. 또한 의무사항이 아니므로 보고하기 불편하거나 시간이 부족하다는 사유 등으로 보고의 건수가 적다. 이러한 부진한 보고율을 개선하기 위해서는 보고의 편리성을 확보하고, 지속적이고 체계적인 교육과 홍보 등이 필요하다.

1) 약물유해반응 보고서(자발적 보고의 방법)

의료기관 내에서 약물에 의한 유해반응 또는 유해반응으로 의심되는 증상을 확인했을 때, 보고서를 작성하게 된다. 이러한 보고서는 과거에는 일반적으로 서면으로 작성하였지만, 최근 여러 병원에서는 보고 편의성을 높이기 위해 전산을 이용해 보다 쉽게 입력하도록 하고 있다. 약물 유해반응 보고서의 전산적 개발을 통해, 전 의료진이 보다 손쉽게 유해반응을 보고할 수 있으며, 안전한 약물사용에 기여할 수 있을 것이다. 서면보고의 경우, 국내 유해반응보고 서식을 한국의약품안전원 홈페이지 (http://www.drugsafe.or.kr/ko/index.do) 에서 다운받아 작성할 수 있다. (첨부 19-1. 참조)

(1) 유해반응의 기술법

의약품의 유해반응은 징후(signs), 증상(symptoms) 및 실험실적 확인사항(laboratory findings) 등을 기술하게 되는데, 과학적인 약물유해반응 모니터링을 위해서는 용어의 통일 및 표준화가 필요하다. 따라서 일부 국제 기관에서는 신체조직(body systems)과 진단상의 분류(diagnostic groupings) 용어를 코드화하고, 표준화된 용어 체계로 개발하여 발전시켜 왔다.

가장 일반적으로 사용되는 용어체계로는 WHOART (WHO Adverse Reactions Terminology), MedDRA (Medical Dictionary for Regulatory Activities)가 있으며, 이 밖에도 미국 FDA의 COSTART (Codifications of standard Terminology for Adverse Reaction Terms)가 사용되었으나, 1995년 이후 개정되지 않아 현재 MedDRA로 대체되어 사용되고 있다.

표 19-5 국제 의약품 유해반응 표준 분류체계

	WHOART	MedDRA
개발년도(개정년도)	1969 (1990)	1994
개발 기관	WHO (World Health Organization)	ICH (International Conference on Harmonization Technical Requirements for Registration of Pharmaceuticals for Human Use)
관리 기관	WHO collaborating center	MSSO (Maintenance & Support Services Organization)
용어 개수	약 5,700여개	약 65,000여개
코딩	용어 수 적어 제한적 코딩	용어 수 많아 코딩에 제한 없음.
비용	비교적 저렴, 각국 정부기구에 무료제공	매년 고가의 사용료 부담

(2) 기입내용

최소한 다음과 같은 정보가 포함되도록 한다. (그림 19-3. 참조)

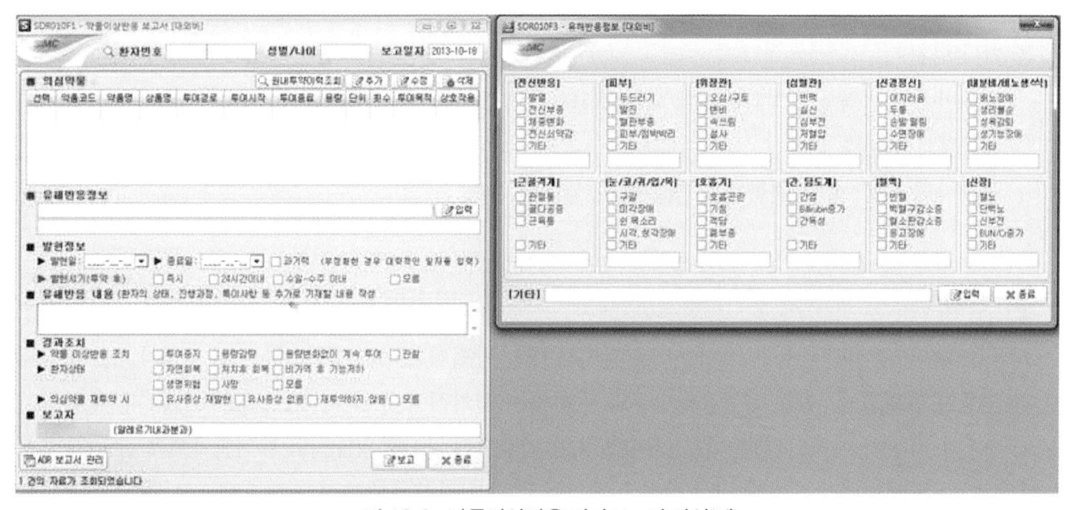

그림 19-3. 약물이상반응 전산보고서 양식(예)

① 환자일반 정보

나이, 성별 및 간략한 병력(해당되는 경우), 인적 사항, 병원 등록번호, 유해반응이 발생한 시점에 따라 입원, 외래, 응급실로 구분, 성명 또는 영문 첫 글자, 성별, 나이(몇 년 몇 개월), 환자특성(알레르기, 기타병력) 등

② 유해사례, 유해반응 정보

a. 발현일시 : 유해반응이 일어난 날짜로 년, 월, 일로 구분(필요시 시간 기록)
b. 종료일시 : 나타난 유해반응이 사라진 날짜 기입
c. 주증상 : 유해반응의 주된 증상과 증상이 일어난 기간
d. 유해반응의 내용 : 유해반응의 주된 증상을 비롯하여 유해반응과 관련된 환자의 상태 및 진행 과정, 특이사항 등을 자세히 서술

③ 투약했던 의약품

의심되는 약물, 사용된 병용 약물(자가 투여 포함) 등 환자가 복용한 모든 의약품을 기입하고 인과관계가 의심되는 의약품들에 표시, 필요 시 제조번호(예를 들어 백신과 같은 약물의 경우)도 기입.

a. 상품명/성분명 & 제조회사 : 의약품명은 상품명 또는 성분명으로 기록하고 제조회사를 기록
b. 1회 투여량, 투여횟수 : 의약품의 용법 · 용량을 1회 투여량과 1일 투여횟수로 나누어 기록
c. 투여경로 : 경구, 정맥주사, 근육주사, 외용 등과 같이 기재
d. 투여기간 : 의약품을 투여했던 기간을 투여 시작일로부터 투여 종료일까지 기록
e. 투여목적 : 해당 의약품을 투여한 사유(적응증) 기재, 진단명 등을 기록
f. 과거 사용여부 : 각 의약품의 과거 사용여부를 확인하여 기록
g. 위해 인자(예, 신기능 유해, 의심약물에 과거노출여부, 알레르기력 등)

④ 유해반응에 대한 조치 및 결과

a. 조치 : 투여했던 의약품에 대하여 조치한 내용 표시
b. 재투여 시 유해반응 발현여부 : 유해반응을 일으킨 의약품 재투여 여부 및 재투여 시 유해반응 재발현여부 표시

⑤ 기타 의견

유해반응과 의약품의 인과관계에 대한 보고자의 참고 의견 또는 참고문헌 내용 기록

⑥ 보고자의 성명과 주소

보고자의 신분, 성명, 전화번호, 팩스번호, 이메일 주소

2. 실시간 약물유해반응 감시체계(Concurrent Computerized Surveillance System)

약물유해반응을 전산을 통해 실시간으로 감지해 내는 방법이다. 이는 여러 임상 및 문헌자료들을 토대로 각 약물이 유발할 수 있는 약물유해반응과 관계있는 실험실적 수치(예; Propylthiouracil 투여 환자가 WBC 수치가 정상치 이하인 경우)나 그 유해반응의 치료약물 등(예; Warfarin 투여환자에게 vitamin K가 투여된 경우)을 시그널로 개발해 전산 상에 등록하여 실시간 감시하도록 한 프로그램으로, 해당 시그널에 감지된 환자를 대상으로 유해반응 여부를 판단하고 평가하게 된다. 이러한 시스템을 활용할 경우 자발적

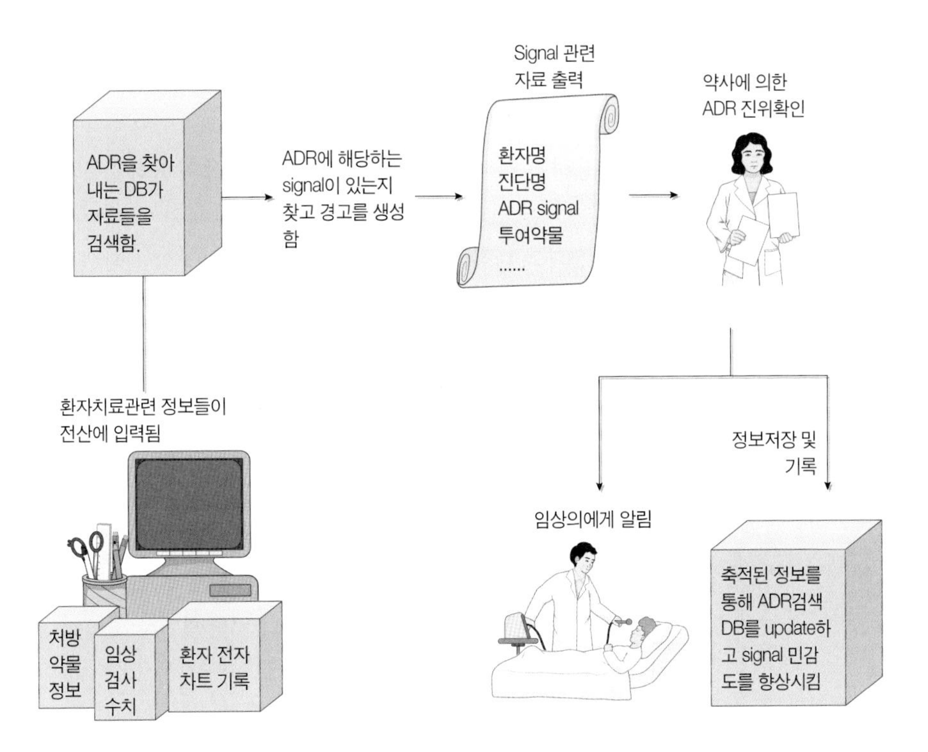

그림 19-4. **약물유해반응 감시정보시스템을 통한 약물이상반응 모니터링**

인 보고에 비해 약물유해반응을 약 50배 정도 더 발견해 내는 것으로 보고되었다. 또한 의무기록조사에 비해 중증의 약물유해반응을 더 많이 감지해 내며, 운영 비용이 적게 들고, 지속적이며 신속한 감시가 가능하다는 장점이 있다. 이밖에도 다른 유해반응 모니터링 방법과 달리, 실시간으로 모니터링 되는 시스템이기 때문에 유해반응의 조기발견이 가능하여 합병증의 위험을 감소시킬 수 있으며, 유해반응에 대한 보다 광범위한 정보를 수집하는데 용이하다. 그러나 시스템 개발을 위해서는 전산적인 개발 협조가 필요하고, 유해반응과 관련성이 높은 시그널을 밝혀내고 이들의 민감도를 높여가야 하는 것이 과제이다.

3. 후향적 의무기록 조사

이 방법은 개별 환자의 관련된 의무기록을 모두 수집, 검토하는 방법으로 의료전문가가 미리 기준을 설정한 후 후향적 의무기록조사(retrospective chart review)를 통하여 약물유해반응을 찾아내게 되며 약물유해반응 발생률을 조사하는 기준(gold standard)으로 받아들여지고 있다. 그러나 방대한 자료를 검토해야 하며 환자가 임의로 복용한 약물에 대한 정보가 누락될 수 있고, 기록상의 용어와 표현의 통일성이 결여될 수 있다. 초기에는 모든 환자의 의무기록을 조사하는 방법을 주로 사용하였으나, 많은 비용이 소요되기 때문에 연구 목적으로는 적합하지만 지속적인 약물유해반응을 감시하는 방법으로는 적합하지 않다. 따라서 최근에는 약물유해반응을 경험했을 가능성이 있는 환자만을 선별하여 상대적으로 적은 수의 의무기록을 조사하는 방법을 개발해 지속적인 약물유해반응을 감시하는 방법으로 활용하는 경우도 있다.

4. 문의를 통한 수집

(1) 환자 문의

일부 환자 또는 보호자가 약물을 복용하기 시작하거나 복용하는 동안 발생한 유해반응에 대해 약국으로 문의하는 경우, 일단 환자의 투약이력을 조회하고 문헌 등을 통해 복용약물 중 해당 유해반응을 일으키는 약물을 찾아내게 된다. 환자 등과의 대화에서 의심되는 약물과 시간적인 인과관계 등을 추적하고 환자가 호소하는 유해반응의 양상에 대해 자세히 질문하며 유해반응의 시작 일시, 병원에서 처방받은 약 이외의 약물복용, 질환의 진행으로 의심되는 증상과의 감별, 상호작용여부 등의 확인을 통해 유해반응사례를 수집하여 평가할 수 있다.

(2) 의료진 문의

일반적으로 의료진의 경우 특정 약물에 대한 유해반응 여부를 문의하는 경우가 많다. 이런 경우 문의한 약물에 대해서만 정보를 조회하고 그치는 것이 아니라, 유해반응이 발생한 환자의 정확한 양상을 알아보고 환자의 등록번호, 성명 등을 물어 환자가 복용하는 기타 약에 대해서도 정보를 조회하는 것이 그 원인을 밝히는데 도움이 된다. 이 때 약물상호작용의 결과 유발된 유해반응인 경우도 있으므로 다른 복용약제와의 연관성도 주의 깊게 살펴야 한다. 의료진이 시간적인 인과관계 등을 통해 한 가지 특정 약물을 유해반응의 원인으로 지목하면 그렇게 추정하게 된 배경에 대한 정보를 공유함으로써 유해반응을 밝히는 데 도움을 받을 수 있으나, 일부의 경우에는 의심되는 약물과 전혀 다른 약이 해당 유해반응 유발 원인이 되는 경우도 있으므로 단순한 유해반응 정보제공에 그치지 말고 환자에 대한 종합적인 분석 등을 통해 전반적인 상황을 이해하고 유해반응 사례로 수집하고 평가하도록 해야 한다.

VI 약물유해반응의 평가

약물유해반응을 평가하는데 가장 중요한 문제는 약물과 부적절한 임상 증상 사이에 인과 관계가 얼마나 존재하느냐의 여부이다. Definite, probable, possible, doubtful의 기본 정의에 따른 개연성 평가는 다양한 변이성을 가진다. Koch, Weser 등의 연구에 의하면 약물과 유해반응 간의 인과 관계를 분석했을 때, 평가자에 따라 결과가 다르게 도출되는 부분이 있다는 것을 발견했으며 다른 연구에서도 비슷한 결과를 얻었다. 약물유해반응의 증상이나 징후들은 주로 비특이적인 양상을 보인다. 즉, 약물유해반응의 원인 약물로 추정되는 약물들은 다른 원인과 혼동될 수 있으며, 때로는 이러한 임상적 증상이나 징후들이 질병의 특징이나 악화 등과 구별되지 않을 수도 있다. 따라서 이러한 평가자간의 불일치를 야기하는 변수들을 조정하고, 유해반응을 일으키는 원인 약물을 확인하기 위해 다양한 algorithm들이 개발되어 사용되고 있다. Naranjo Algorithm, French Algorithm, UMC Causality Categories 등이 해외에서 많이 사용되는 방법들이며, 국내에서도 한국형 알고리즘(ver 2.)이 개발되어 실제 활용되고 있다.

그러나 실제 약물유해반응 보고에서 이러한 방법을 적용하는 것은 너무 자세하고 시간소요가 많아 오

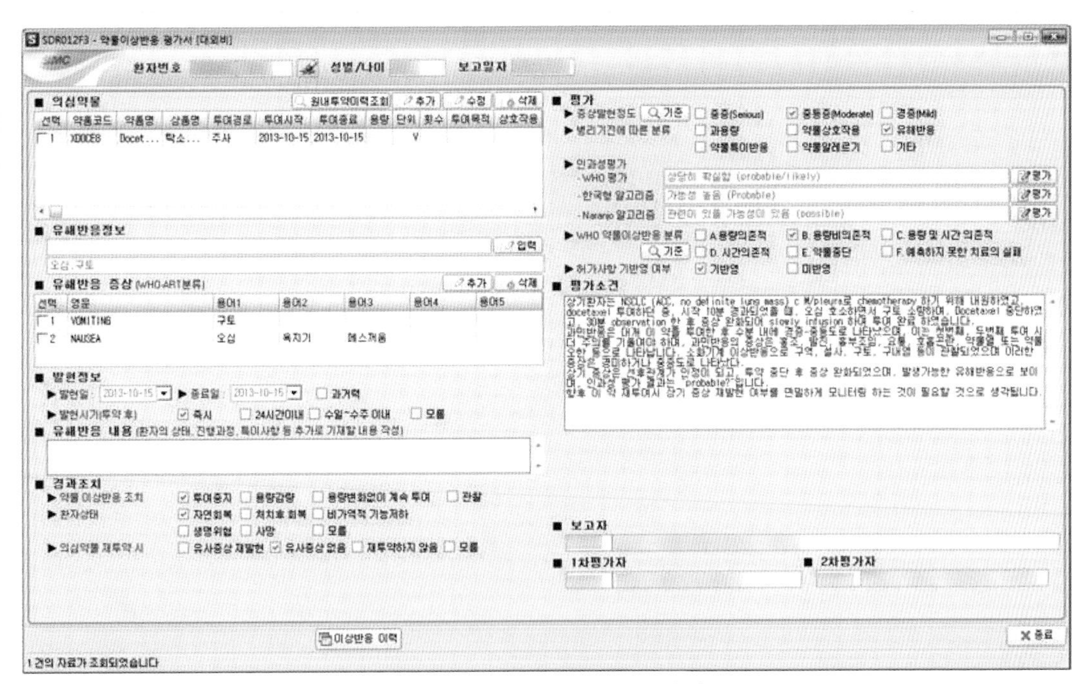

그림 19-5. **약물 유해반응 평가서(예)**

히려 보고에 방해가 될 수 있다는 판단 하에 FDA에서는 약물유해반응 보고 시 원인약물의 평가를 요구하지 않으며, 국내 및 영국의 Yellow Paper는 또한 인과성이 불분명한 경우에도 약물유해반응을 보고하도록 요구하고 있다. 하지만 약물유해반응을 보고하는 것과는 달리 실제 임상치료 시에서는 의심약물과 유해반응발현 사이의 인과성을 평가하는 것은 간과할 수 없는 중요한 부분이다. 환자의 치료과정에서 약물유해반응이 의심되는 경우 해당 환자와 관련된 여러 자료를 수집하고 시간적 인과관계나 약물유해반응과 관련된 문헌적 자료를 최대한 찾아야 한다. 이 결과를 바탕으로 환자에게 계속 약물을 투여할지 여부나 다른 약물로 변경해야 하는 지를 결정해야 하며, 상호작용에 의한 유해반응일 경우 어느 약물의 치료를 중단하거나 용량을 줄여야 할 지를 판단해 환자의 직접적인 치료에 반영해야 하므로 유해반응의 인과관계를 규명하고 정의하는 것은 환자치료에 필수불가결한 부분이라 할 수 있다. (그림 19-5. 참조)

1. 자료 조사 및 분석

1) 환자에 대한 정보검색 : 직접 문진 또는 기록 조사, 질병상태, 병용약물 파악
2) 의심약물의 유해반응과 관련된 문헌 조사 : 참고문헌으로 제품설명서, micromedex (CCIS), AHFS, Martindale, Meyler's side effects of drugs, 제약회사 자료 등
3) 환자의 유해반응 발생원인 조사 : 약물자체에 의한 유해반응, 약물상호작용, 환자가 특이체질이거나 간 또는 신기능 유해반응 등으로 인한 축적작용 여부

2. 인과성 평가

1) 유해반응의 정보 : 유해반응 증상, 발현정보, 유해반응 내용, 약물 이상반응 조치, 환자상태, 진행과정, 반응의 심각성, 발생기전 등으로 분류한다.
2) 원인 약물의 투여 정보 확인 : 약물 투여와 유해반응 발현과의 시간적 연관성, 투여 중지 유무, 투여 중지 후의 변화, 증상과 관련된 임상결과, 재투여 시 증상 재발현 여부 등을 확인한다.
3) 인과성(causality) 평가 : 수집된 자료를 토대로 WHO 평가기준에 따라 분류하고, 다양한 알고리즘을 사용하여 인과성을 평가하게 된다. 가장 일반적인 방법으로 naranjo 알고리즘이 이용되며, 최근 국내에서는 한국형 알고리즘(ver 2.)도 활용된다.

이런 류의 알고리즘들은 보통 다음 질문들을 포함하고 있으며 이러한 질문들을 수치화하여 인과성을 평가하고 있다.

(1) 약물투여 시작과 유해반응의 시작에 시간적 관련이 있는가?
(2) 의심되는 약물을 투여중지한 후에도 유해반응의 증상과 증후가 나타나는가?
(3) 유해반응의 증상과 증후가 환자의 질병상태로도 설명되어 질 수 있는가?
(4) 유해반응이라고 할 수 있는 임상보고나 연구가 있는가?
(5) 전에 약물을 사용했던 경험이 있는가?

표 19-6 인과성(causality) 평가 방법

WHO 평가 기준 ('19.2.3 분류' 참조)	Certain/Definite (확실함)
	Probable (상당히 확실함)
	Possible (가능함)
	Unlikely (가능성 적음)
	Conditional/Unclassified (평가곤란)
한국형 알고리즘 (ver 2.0) (그림19-6)	
Naranjo 알고리즘 (그림19-7)	

4) 재투여여부 확인 : 원칙적으로는 약물 투여를 중지한 후 다시 투여해서 유해반응이 나타나는 지 여부를 보는 것이 인과성을 규명하는데 가장 확실한 증거이나 환자에게 위해를 줄 수 있는 등 도덕적인 문제들이 있어 고의적으로 재 투여하는 경우는 드물다.
5) 평가완료 : 평가의 결과를 기록 및 문서화하고 환자의 standard follow-up procedure를 활성화한다. (표 19-7. 참조)

■ 한국형 알고리즘 ver 2.0

시간적 선후관계	Q 약물 투여와 유해사례 발현의 선후관계에 관한 정보가 있는가? 예 ○ 선후관계 합당(+3) ○ 선후관계 모순(-3) 아니오(0) ○
감량 또는 중단	Q 감량 또는 중단에 대한 정보가 있는가? 예 ○ 감량 또는 중단 후 임상적 호전이 관찰됨(+3) ○ 감량 또는 중단과 무관한 임상경과를 보임(-2) ○ 감량 또는 중단을 시행하지 않음(0) 아니오(0) ○
유해사례의 과거력	Q 유해사례의 과거력에 대한 정보가 있는가? 예(+1) ○ 아니오(-1) ○ 정보없음(0) ○
병용약물	Q 병용약물에 대한 정보가 있는가? 예 ○ 병용약물로 유해사례를 설명할 수 없는 경우(+2) • 병용약물로 유해사례를 설명할 수 있는 경우 ○ 병용약물 단독으로 유해사례를 설명할 수 있는 경우(-3) ○ 의심약물과 상호작용으로 설명되는 경우(+2) ○ 병용약물에 대한 설명이 없는 경우(0) 아니오(0) ○
비약물요인	Q 비약물요인에 대한 정보가 있는가? 예 ○ 비약물요인으로 유해사례가 설명되지 않음(+1) ○ 비약물요인으로 유해사례가 설명됨(-1) 아니오(0) ○
약물에 대해 알려진 정보	○ 허가사항(label, insert 등)에 반영되어 있음(+3) ○ 허가사항에 반영되어 있지 않으나 증례보고가 있었음(+2) ○ 알려진바 없음(0)
재투약	Q 약물 재투여에 관한 정보가 있는가? 예 ○ 재투약으로 동일한 유해사례가 발생함(+3) ○ 재투약으로 동일한 유해사례가 발생하지 않음(-2) ○ 재투약하지 않음(0) 아니오(0) ○
특이적인 검사	Q 유발검사, 약물농도 검사와 같은 특이적인 검사를 시행하였는가? 예 ○ 양성(+3) ○ 음성(-1) ○ 결과를 알 수 없음(0) 아니오(0) ○

■ 점수별 인과성 평가

◇ **최고 점수** : 19점 ◇ **최하 점수** : -13점

- **12점 이상** : 확실함 (Certain) > 90%
- **6 ~ 11점** : 가능성 높음 (Probable) > 70%
- **2 ~ 5점** : 가능성 있음 (Possible) 50%
- **1점 이하** : 가능성 낮음 (Unlikely) < 30%

합 계 : 0

계산 | 입력 | 종료

그림 19-6. 한국형 알고리즘 (ver 2.0)

■ 약물이상반응의 인과관계 선별 (Naranjo ADR Probability Scale)

질문	점수
의심되는 약제가 이러한 약물이상반응을 잘 일으키는 것으로 보고된 바 있습니까?	○ 예(+1) ○ 아니오(0) ○ 모름(0)
약물이상반응이 의심되는 약제를 투여한 후에 발생했습니까?	○ 예(+2) ○ 아니오(-1) ○ 모름(0)
의심되는 약물을 중단하거나 길항제를 투여하고 나서 약물이상반응이 호전되었습니까?	○ 예(+1) ○ 아니오(0) ○ 모름(0)
약물을 재 투여한 후, 약물이상반응이 다시 나타났습니까?	○ 예(+2) ○ 아니오(-1) ○ 모름(0)
이러한 약물이상반응을 일으킬 수 있는 다른 원인들이 있습니까?	○ 예(-1) ○ 아니오(+2) ○ 모름(0)
위약을 투여했을 때에도 약물이상반응이 다시 나타났습니까?	○ 예(-1) ○ 아니오(+1) ○ 모름(0)
의심되는 약물이 혈중 (혹은 다른 체액)에서 독성을 나타내는 농도로 검출되었습니까?	○ 예(+1) ○ 아니오(0) ○ 모름(0)
약물이상반응이 투여 용량이 증가할 때 더 심해지거나 용량을 줄임에 따라 경감되었습니까?	○ 예(+1) ○ 아니오(0) ○ 모름(0)
이전에 동일한 혹은 유사한 약물에 노출되었을 때 비슷한 반응을 보인 적이 있습니까?	○ 예(+1) ○ 아니오(0) ○ 모름(0)
약물이상반응이 객관적인 검사에 의해 확인되었습니까?	○ 예(+1) ○ 아니오(0) ○ 모름(0)

- **9점 이상** : 명백히 관련이 있음 (definite)
- **5 ~ 8점** : 상당히 관련이 있음 (probable)
- **1 ~ 4점** : 관련이 있을 가능성이 있음 (possible)
- **0점 이하** : 관련여부가 의심스러움 (doubtful)

합 계 : 0

계산 | 입력 | 종료

그림 19-7. Naranjo 알고리즘

표 19-7 약물 유해반응 평가 사례

Amphotericin B 에 의한 BUN, creatinine 증가		
환자정보		정OO, 43/F, NK/T cell lymphoma
ADR 정보	신고일	2013년 5월 30일
	부작용 증상	BUN, creatinine 증가
	의심약물	Amphotericin B
	병용약물	Cefepime, Dexamethasone, Etoposide, Ganciclovir, Pantoprazole, Pethidine, Remifentanil, Vancomycin
ADR발현 경위 및 경과		상기 환자는 recurred NK/T cell lymphoma 로 12.12.14 AutoPBSCT 시행받은 분이며, HLH (hemophagocytic lymphohistiocytosis)로 3/30 부터 HLH 2004 protocol 시작하여 50여일간 Dexamethasone (PD 동용량시 20 mg 이상임) 사용하였던 분입니다. 저산소증 및 중증 패혈증 발생하여 기도삽관 및 EGDT 시행위해 중환자실 입실하였고, Cryptococcus pneumonia 진단받고 치료 중으로, amphotericin B 투여 후 BUN/Cr 증가 소견 나타나 fluconazole로 약제 변경 하였습니다.
Assessment		1. 문헌조사 의심약물인 Amphotericin B는 신장계 부작용으로 저마그네슘혈증, 저칼륨혈증, 질소혈증, 저장뇨증, 세뇨관 신성증, 신석회증 등의 신기능 부전이 흔히 관찰되는데 이 경우 대개는 투약중지로 회복됩니다. 그러나 다량(5g 이상) 투여환자에서 가끔 영구적인 손상을 일으킬 수 있습니다. 알칼리성 약물의 투여로 세뇨관 신성증 합병증이 감소될 수 있습니다. 드물게 무뇨증, 감뇨증이 나타날 수 있으며 신원발성 뇨붕증이 보고된 바 있습니다. 2. 병용약물 Amphotericin B 이전에 투여된 vancomycin 투여가 신장기능 손상을 유발하였을 가능성이 있으며, cefepime, etoposide, ganciclovir, pethidine, remifentanyl 등의 약물 병용 투여에 의한 영향을 배제할 수 없습니다. 3. 인과성 평가 Amphotericin B는 빈번하게 신장독성을 일으킬 수 있는 약물로 잘 알려져 있고, 상기 내용이 제품설명서에 명시되어 있으며, 이 약 투여와 BUN/Cr 증가 소견은 선후관계가 인정이 되므로, 인과성 평가 결과는 "probable" 입니다. 심각도 : Non-serious 허가사항 : 반영 병리기전 : 유해반응
인과성 평가		WHO 평가 : Probable 한국형 알고리즘 : Probable Naranjo 알고리즘 : Probable

VII 약물유해반응의 관리, 활용 및 보고 방법

1. 약물유해반응에 대한 대처방안

유해반응으로 판단된 경우 지속적인 환자 치료를 위해 같은 계열이나 유해반응이 낮은 대체약물을 추천하도록 한다. 필요 시 약 용량을 감량하거나 투여 간격을 조절하도록 하며, 유해반응이 일과성일 경우는 계속 투여하도록 정보를 제공한다. 이때 참고 자료로 Micromedex (CCIS), Lexi-Comp, AHFS, Drug facts & Comparisons, Martindale, Meyler's side effects of drugs, 최근에 개발된 약물의 경우 Pubmed 검색 등을 통해 검색 가능한 1차 문헌, 제약회사 자료(제품설명서) 등을 활용한다.

2. 피드백(Feedback)

약물유해반응에 대한 평가서와 참고자료를 보고자에게 제공한다. 환자별 유해반응 원인약물과 유형을 데이터베이스화하여 이후의 투약 시 참고한다. 전산적으로 약물 유해반응이 보고되어 인과관계가 유의하다고 평가되는 경우, 의료진이 동일 약물 재처방 시 경고창이 나타나 동일약물이 재처방되는 경우를 방지하거나 부득이하게 투여해야 하는 경우 입력된 정보에 유의하여 투여하도록 한다(그림 19-8).

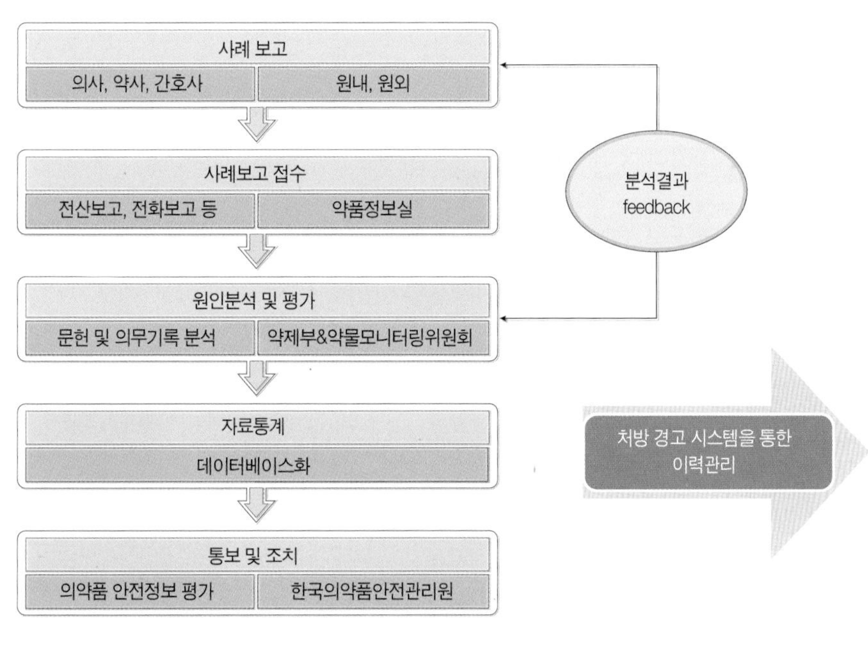

그림 19-8. 유해반응모니터링 업무 흐름도

3. 결과 활용

1) 유해반응 발생사례를 분석 평가하여 해당 의료기관의 ADR 관리위원회(예, 약물모니터링위원회)에 규칙적으로 보고하고, 위원회에서는 해당 내용을 검토 후 대책을 수립한다.
2) 인과관계가 유의할 경우, 처방 경고 시스템에 따라 해당 약물 재처방 시 경고창을 통해 부작용 발생 이력을 알린다.
3) 자료를 데이터베이스화 하여, 한국 의약품안전관리원에 보고한다.
4) 소식지, 원내 전산망 등을 통해 자료를 공유하며, 의사, 약사, 간호사 등의 의료진의 임상교육 자료 및 의약품 안전정보 자료로 활용한다.

4. 정부기관에 보고

영국의 경우 the Medicines Control Agency (MCA)에서 지정한 표준보고서(일명 Yellow Card)에 유해반응들을 보고하게 되어있다. 미국의 경우도 환자나 의료인들이 자발적으로 FDA 3500 Voluntary form에 보고하도록 권장하고 있으며, 제조사 등의 경우 강제 규정으로 FDA 3500A Mandatory form을 작성하도록 하고 있다. 우리나라의 경우 아래의 그림 19-9의 흐름도에 따라 각 기관들이 유해반응 보고를 하도록 하고 있으며, 한국 의약품안전관리원(http://www.drugsafe.or.kr) 홈페이지를 통해 자발적으로 보고 하도록 한다.

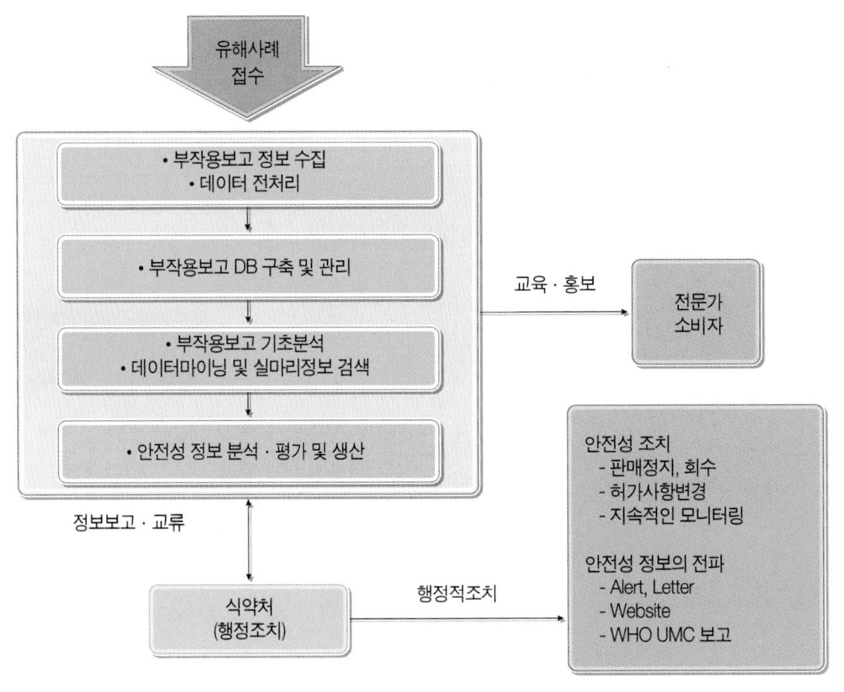

그림 19-9. 의약품 등 안전성 정보관리체계

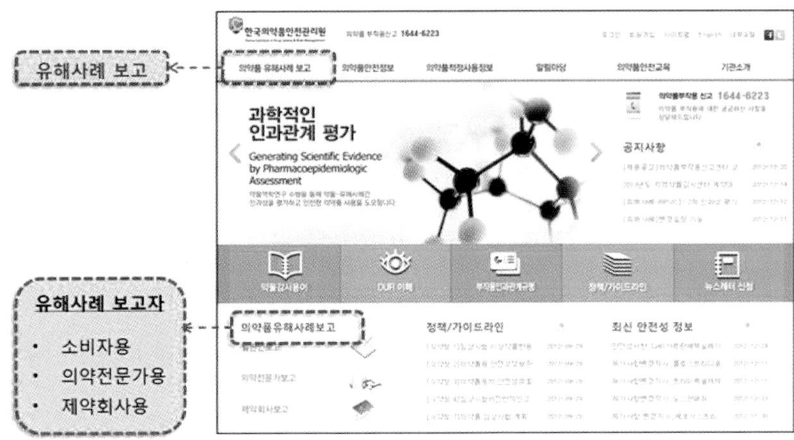

그림 19-10. 한국의약품안전관리원 의약품 유해사례 자발보고 시스템

VIII 국내 약물유해반응 모니터링

현재 대부분의 국내 의료기관에서는 자발적 보고를 통해 임상정보 모니터링을 실시하고 있다. 그러나 앞서 언급했듯이 보고율이 낮은 자발적 보고의 한계점을 극복하고자 일부 병원에서는 전산을 통한 보다 쉬운 보고 방법을 개발하는 한편, 최근에는 signal을 통한 실시간 약물유해반응 감시체계를 개발하여 활용하고 있는 병원도 늘고 있다.

또한 국가적으로도 의약품의 안전성에 대한 관심이 높아지면서, 국제적 수준의 약품 부작용 모니터링 체계를 통하여 양질의 안전성 정보를 확보하여, 국민의 안전한 의약품 사용을 도모하고자 2009년부터 약물감시사업단을 운영하였고, 약물감시사업단은 2012년 4월 한국의약품안전관리원으로 발전하여 개원하였다. [약사법 제68조의 3]에 근거하여, 의약품 부작용 및 품목허가정보 등 의약품 안전과 관련한 각종 정보의 수집, 관리, 분석, 평가, 제공 업무의 효율적, 체계적 수행을 목적으로 하여 설립되었으며, 약물감시의 활성화, 약물역학 및 과학적 평가를 위한 기반 마련, 부작용 보고 활성화를 위한 교육 및 홍보 컨텐츠 개발, 국제협력 및 용어 표준화에 대한 세부 사업을 하고 있다. 이 중 약물감시의 활성화는 국내의 자발적 유해사례보고의 활성화를 위한 기반을 마련하고, 그 보고건수를 증가시키는 것이 목표이며, 이러한 약물감시의 활성화를 위해 국가에서는 일부 의료기관을 지역의약품안전센터(구:지역약물감시센터)로 지정하여 운영하고 있다. 2013년 현재 22개의 의료기관이 지역의약품안전센터로 지정되어 있으며, 각 센터는 해당 지역을 대표하여, 그 지역의 병의원 및 약국과 네트워크를 형성하여 부작용을 서면, 전화, 또는 온라인(http://www.drugsafe.or.kr/ko/index.do)으로 보고받고 있다. 지역의약품안전센터는 기존의 의료기관에서 이루어지던 원내보고 뿐만 아니라 인근 지역의 유해반응까지 수집할 수 있어 국가적인 의약품 안전관리 차원에서 그 의의가 크다고 할 수 있다. 각 센터는 보고받은 유해사례의 인과관계를 규명하여 그 결과를 원보고자 및 식약청으로 회신하는 것뿐만 아니라, 원내 및 지역 의약 전문인들에 대한 교육과 홍보 및 여러 보고 활성화 업무를 담당하고 있다.

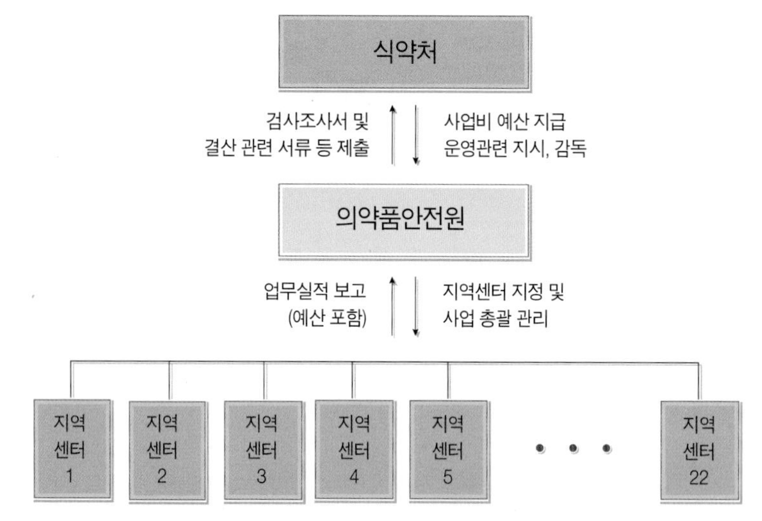

그림 19-11. 지역의약품 안전센터 운영 모식도(2013년)

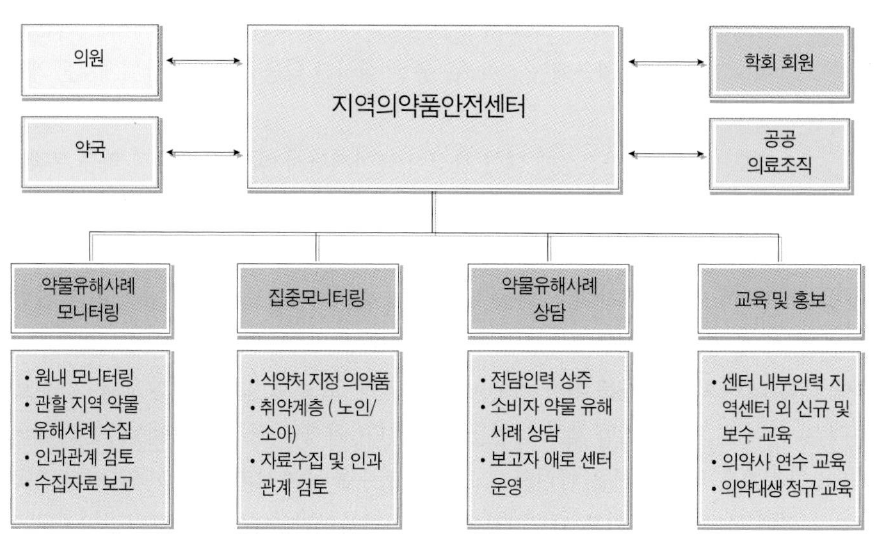

그림 19-12. 지역의약품 안전센터 운영체계

참고문헌

- 문홍섭 : 병원약학, 신일상사 (2001)
- 서울대학교병원 약제부 : 병원약학, 서울대학교 출판부 (1996)
- A.J. Winfield et al : Pharmaceutical practice 3rd ed., Churchill Livingstone (2003)
- Andrew M. Peterson : Managing Pharmacy Practice ; Principles, Strategies, and Systems, 1st ed., CRC (2003)
- Martin Stephens : Hospital Pharmacy 1st ed., Pharmaceutical Press (2003)
- Patrick M. Malone et al : Drug Information, 2nd ed., McGraw-Hill (2001)
- Paul Gard. : A Behavioural Approach to Pharmacy Practice 1st ed., Blackwell science (2000)
- 김영식 : 의약품 시판 후 조사, 한국약물역학위해관리학회지. 1(1) : 8~12 (2008)
- 김은영 외 : 실시간 약물유해반응 감시체계 구축 및 평가. 한국병원약사회지. 23(3) : 179~191 (2006)
- 정선회 : 서울대학교병원 약물유해반응 모니터링 시스템업무소개, 병원약사회지. 19 : 68~74 (2002)
- 조정아 외 : 삼성서울병원에서 보고된 의약품 유해반응의 현황 조사, 한국임상약학회지. 10 : 30~7 (2000)
- R. D. deShazo et al : Allergic Reactions to Drugs and Biologic Agents. JAMA. 278 : 1995~905 (1997)
- Yoon Kim et al : Computerized Adverse Drug Event Surveillance System. Kor. J. Clin. Pharm. 14 : 36~45 (2004)
- 박중원 : 한국에서의 자발적 지역약물부작용 감시프로그램 1(1) : 20~19 (2008)
- 안전성모니터링(KFDA 간행물 : 행정간행물 등록번호 11-1470000-000521-01)
- 약물감시체계의 중요성(KFDA 간행물 : 행정간행물 등록번호 11-1470000-000519-01)
- 이정석 : 의약품유해반응 모니터링제도, 의약정보 수련메뉴얼 (1992)
- 2009년 제3회 대한약물역학위해관리학회 학술대회 및 연수교육 자료
- 2009년 식품의약품안전청 약물감시사업단 워크숍 자료
- 대한지역약물감시센터협의회 http://www.drugsafe.or.kr/ko/index.do
- Medicines and Healthcare products Regulatory Agency http://www.mhra.gov.uk
- U.S. Food and Drug Administration http://www.fda.gov/medwatch

첨부 19-1. 의약품 유해반응 보고 서식(안전원 별지 제1호 서식)

♠ 작성 시 참고사항을 확인하시고, 필수사항(※)[1] 외에 불분명한 사항은 기입하지 않으셔도 되며, 기입란이 부족한 경우에는 별지를 이용하여 주십시오.

<table>
<tr><th colspan="3">의약품 등[2] 유해사례 보고서</th></tr>
<tr><td>보고서 정보</td><td>보고자 관리번호/제목 [3]:</td><td>한국의약품안전관리원 관리번호 : (자동 생성)</td></tr>
<tr><td>발생인지일[4]: 년 월 일</td><td>신속보고[5] 여부: □ 예 □ 아니오</td><td>보고일: (자동 생성)</td></tr>
<tr><td colspan="3">□ 최초보고 □ 추적보고[6](이전 보고의 관리번호/제목: 추적보고 사유:)</td></tr>
<tr><td colspan="2">참조보고[7](관리번호/제목):</td><td rowspan="5">중대한 유해사례인 경우(해당되는 경우 모두 표시)
□ 사망 - 사망일 년 월 일
- 사망 원인
- 부검여부: □ 예 □ 아니오 □ 모름
- 부검시 입증된 사망 원인
□ 입원 또는 입원기간 연장
□ 선천적 기형 초래
□ 생명의 위협
□ 중대한 불구나 기능저하
□ 기타 의학적으로 중요한 상황( )</td></tr>
<tr><td colspan="2">의약전문인에 의하여 확인된 사례 여부: □ 예 □ 아니오</td></tr>
<tr><td colspan="2">보고 구분 □ 자발보고 □ 조사연구 □ 문헌 □ 모름 □ 기타:( )</td></tr>
<tr><td colspan="2">*조사연구의 경우(계획서 번호/제목:)
- □ 사용성적조사 2) □ 안전성정보조사계획서에 의한 연구
- □ 시판후 임상연구 3) □ 임상연구
- □ 특별조사 4) □ 개별사례연구
1) □ 재심사 보고 5) □ 기타:( )</td></tr>
<tr><td colspan="2">*문헌의 경우 (서지정보:)</td></tr>
<tr><td colspan="3">보고자나 원보고자가 이 사례를 아래의 기관에도 보고하였다면 아는 대로 모두 표시해 주세요.
□ 제조·수입회사 □ 지역약물감시센터 □ 한국의약품안전관리원 □ 의료기관 □ 보건소 □ 약국 □ 기타:( )</td></tr>
</table>

<table>
<tr><th colspan="2">환자 정보 ※</th></tr>
<tr><td>성별: □ 남 □ 여 □ 모름</td><td>연령 정보 생년월일: 년 월 일 발생당시 나이: 세</td></tr>
<tr><td>이름[8]:
(예; 홍길동 → ㅎㄱㄷ 또는 HKD)</td><td rowspan="2">* 정확한 연령 정보가 없는 경우 아래에 표시해 주세요.
□ 출생일~28일 미만 □ 28일~19개월 미만
□ 19개월~12세 미만 □ 12세~19세 미만
□ 19세~65세 미만 □ 65세 이상</td></tr>
<tr><td>체중: kg</td></tr>
</table>

부모 정보[9](환자가 태아나 유아인 경우) :

임신기간	부모이름	부모성별	부모나이
주	(예; 홍길동 → ㅎㄱㄷ 또는 HKD)	□ 남 □ 여 □ 모름	세

유해사례 정보					
유해사례명 ※	증상발현일	증상종료일	증상지속기간	강조[11]	중대성[12]
	년 월 일 (오전/오후 _____시)	년 월 일 (오전/오후 _____시)	일	□	□
	의약품등을 투여하고 후에 증상이 나타나기 시작함(예; 30초, 5분, 2시간, 3일 등)				
	유해사례 경과: □ 회복됨 □ 회복중 □ 회복되지 않음 □ 후유증을 동반한 회복 □ 모름				
유해사례 상세 내용 :					
검사치(유해사례와 관련된 검사치가 있는 경우) :					

검사일	검사항목	검사결과	상세내용

환자 병력 / 약물 사용력 등 상세내용[10] : (환자가 태아나 유아인 경우 부모의 정보 기재)

질환명 또는 제품명 / 발현증상	시작일	종료일	현재진행여부	상세내용

의약품 등 정보[13]

제품명 (성분명) ※	투여목적 (적응증)	1회 투여 량	투여빈도 (예; 1일 3회, 등)	투여기간 (투여일수)	제형/투여 경로	제조번호 (Batch/lot)	의약품등에 대한 조치	재투여시 유해사례 여부
□ 의심 □ 병용				년 월 일~ 년 월 일 (총_______일)			□ 투여중지 □ 용량감량 □ 용량증량 □ 용량유지 □ 모름 □ 해당없음	□ 발현 □ 발현 안됨 □ 모름 □ 해당 없음
□ 의심 □ 병용				년 월 일~ 년 월 일 (총_______일)			□ 투여중지 □ 용량감량 □ 용량증량 □ 용량유지 □ 모름 □ 해당없음	□ 발현 □ 발현 안됨 □ 모름 □ 해당 없음

□ 의심 □ 병용				년 월 일~ 년 월 일 (총_______일)			□ 투여중지 □ 용량감량 □ 용량증량 □ 용량유지 □ 모름 □ 해당없음	□ 발현 □ 발현 안됨 □ 모름 □ 해당 없음
□ 의심 □ 병용				년 월 일~ 년 월 일 (총_______일)			□ 투여중지 □ 용량감량 □ 용량증량 □ 용량유지 □ 모름 □ 해당없음	□ 발현 □ 발현 안됨 □ 모름 □ 해당 없음

의심이 되는 의약품등과 유해사례간 인과관계[14)]
(평가자 :)

제품명(성분명)	유해사례명	인과관계

종합의견[15)]

원보고자 의견:

보고자 의견:

원보고자 정보 ※ (보고자에게 유해사례 정보를 알려준 사람을 말합니다)

자격: □ 의사 · 치과의사 · 한의사 □ 약사 · 한약사 □ 간호사 □ 소비자 □ 기타 : ( )		
기관명:		국가:
이름:	전화번호:	e-mail:

*원보고자의 이름, 전화번호, e-mail은 원보고자가 정보제공에 동의한 경우에 적어주세요.

보고자 정보 ※ (보고서를 작성한 사람을 말합니다)

구분 □ 제조 · 수입회사 □ 지역약물감시센터 □ 병의원 □ 약국 □ 보건소 □ 기타		
기관명:		국가:
이름:	전화번호:	e-mail:

*이 보고서에 포함된 개인정보 사항은 엄격하게 보호됩니다.

part VIII

DUR (Drug Utilization Review)

_20

DUR (Drug Utilization Review)

Objectives 

- ▶ DUR의 기본 개념을 습득한다.
- ▶ DUR을 위한 기본 정보를 습득한다.
- ▶ 국내에서 시행 중인 DUR 시스템을 이해한다.

I DUR (Drug Utilization Review)

부적절한 약물사용으로 인한 약물유해사례(adverse drug events, ADE)는 환자 진료에 큰 위험요소이며 적지 않은 사회 · 경제적 손실로 이어지고 있다. 국내에서는 2000년 의약분업이 실시된 이후 의약품 사용의 적정성에 대한 연구가 구체화되기 시작하였으며, 보건복지부가 2004년 DUR 위원회를 구성하고 병용 및 연령금기, 주의 의약품에 대하여 고시를 통해 해당 정보를 제공한 것을 시작으로, 현재는 처방전 내 점검 및 처방전 간 DUR을 시행하고 있다. 의약품사용의 안전을 보장하기 위한 약사의 처방검토 사항을 근간으로 하는 DUR 제도는 약사의 의무사항을 구체화함으로써 약사직능의 정체성 확립과 더불어 보건의료의 질향상에 크게 기여할 것이다.

1. DUR의 개념

국내에서는 2003년 12월 3일 보건복지부 고시에 따라 공식용어로 사용하고 있으며, 의약품 처방 · 조제 시 병용금기 등 의약품 안전성과 관련된 정보를 실시간 제공하여 부적절한 약물사용을 사전에 점검할 수 있도록 구축된 시스템을 이용하여 의사 및 약사에게 안전정보를 제공하는 것을 "DUR (Drug Utilization Review)" 또는 "의약품 처방조제지원서비스"라고 정의하고 있다. 실제 DUR 업무는 약사가 처방조제하기 직전에 수행하는 전향적 DUR (prospective DUR)과 처방조제가 이루어진 후 의료기관, 보험단체 또는 정보기관에서 실시하는 후향적 DUR (retrospective DUR)로 구분된다. 현재는 병원에서의 처방입력이 전산화됨에 따라 의사가 처방을 발생시킨 시점에 동시적으로 DUR을 수행하는 방법인 동시적 DUR (concurrent DUR)이 시행되고 있다.

2. DUR의 대상

DUR의 대상은 의사가 처방한 이후 처방전에 대해 약사가 점검해야 할 사항들이며 최소한의 환자정보(나이, 성별 등)와 병명, 진단명을 참고하여 처방된 의약품의 명칭 및 용법 · 용량을 기본으로 한 약사가 판단할 수 있는 사항들이 포함된다. 따라서 DUR을 시행할 때, 약사는 정확한 의약품 정보, 약동학, 독성학 및 약물치료학 등 다양한 관련 지식을 바탕으로 약물투여가 적절한지 검토하며 문제가 있을 경우 의사와 상의하여 해결한 후 조제하여야 한다.

1) 대상의약품

처방조제일을 기준으로 한 환자별 복용일이 종료되기 전의 모든 의약품(급여 · 비급여 의약품)

2) 점검기준

(1) 병용금기 의약품

보건복지부 고시 및 식품의약품안전처 공고에 의거하여 함께 투여하면 안되는 의약품에 대해 처방전 내 및 처방전 간 점검을 실시하며, 금기약임에도 불구하고 처방 · 조제 시 예외 사유를 기재하여 전송해야 한다.

(2) 연령금기 의약품

주민등록번호의 생년월일을 기준으로 보건복지부 고시 및 식품의약품안전처 공고에 의거하여 특정 연령대에 투여하면 안되는 의약품에 대해 처방전 내 점검을 실시하며(행려환자, 보장시설 입소자, 무호적자 제외), 금기약임에도 불구하고 처방 · 조제 시 예외 사유를 기재하여 전송해야 한다.

(3) 안전성 관련 급여(사용)중지 의약품

식품의약품안전처의 안전성 속보(서한) 및 행정처분 등으로 급여 또는 사용중지되는 의약품에 대한 처방전 내 점검을 실시한다.

(4) 임부금기 의약품

보건복지부 고시 및 식품의약품안전처 공고에 의거하여 임부에게 투여하면 안되는 의약품에 대해 처방전 내 점검을 실시한다.

※ 등급별 사유기재 여부
- 1등급 의약품 : 부득이하게 처방시 사유기재
- 2등급 의약품 : 정보 제공으로 예외사유 기재 불필요
- 1등급 또는 2등급 의약품 : 상병에 따라 처방의사가 1등급 또는 2등급으로 판단하여 사유기재 여부 결정
(예 : 메토트렉세이트정은 류마티스성 관절염 및 건선 치료에 투여시에는 1등급, 항암치료에 사용시에는 2등급임)

(5) 저함량배수처방조제 의약품

보건복지부 고시에 의거하여 동일한 제조업자(수입자)가 제조(수입)한 동일 성분, 동일 제형이지만 함량이 다른 의약품이 유통되고 있는 경우, 1회 투약량을 기준으로 처방전 내 점검을 실시한다.

(6) 동일성분 중복처방 의약품

"동일성분의약품"은 "약제급여목록 및 급여상한금액표"상의 주성분코드를 기준으로 1~4번째(주성분)과 7번째(투여경로)가 동일한 성분끼리 처방전 간 점검을 실시한다. (※예시 : 123101ATB, 123102ATB, 123104ATR은 모두 동일 성분 의약품에 해당됨.)

동일 의사 처방은 31일 이상 중복일 경우, 다른 의사간의 처방은 1일 이상 중복시 팝업창이 제공되며, 부득이하게 처방 · 조제 시 예외사유를 기재한다.

II DUR을 위한 약물상호작용 기본정보

1. 약물-약물 상호작용

약물상호작용은 두 가지 이상의 약물이 함께 사용될 때 한 약물의 작용으로 다른 약물이 영향을 받아 효과가 저하되거나 증강되는 경우로써 이를 평가할 때에는 항상 심각성과 임상적 유의성을 함께 고려하여야 한다. 약물상호작용이 보고되었다고 해서 무조건 병용을 피하는 것은 아니며, 상호작용이 미미하여 별다른 조치가 필요 없는 경우부터 심각한 부작용이 예상되어 병용을 금기해야 하는 경우까지 다양하다. 또한 새로운 약물이 끊임없이 개발되고 다중 약물요법(polypharmacy)이 증가함에 따라 약물상호작용이 더욱 복잡하고 다양하게 바뀌고 있다. 약물상호작용에 대한 정보를 지속적으로 업데이트하며 약물에 대한 약동학 및 약력학적 지식을 습득하여 상호작용에 의한 유해반응을 예방하고, 이미 발생한 유해반응에 대해서는 적절하게 대처할 수 있어야 하겠다.

1) 약동학적 상호작용(Pharmacokinetic Interactions)

(1) 흡수단계에서의 상호작용

약물의 흡수과정에서 병용된 약물이 서로 영향을 주어 흡수의 증가나 억제를 일으키는 것을 의미한다.

그 기전으로는 위장관 pH의 변화(ketoconazole과 제산제 · H_2 수용체 길항제의 병용), 장관내 세균총의 변화(항생제와 digoxin의 병용), 복합체 형성(tetracycline과 금속이온), 위장관 배출속도의 변화(항콜린제), 약인성 점막손상(항암제와 digoxin의 병용) 등이 있으며, 그 결과 생체이용율의 변화를 가져와 본래의 약효에 영향을 미친다.

(2) 분포단계에서의 상호작용

혈중단백(알부민, 산성당단백)에 결합된 대상약물이 보다 강한 단백결합력을 가진 약물에 의해 혈중 유리 약물농도가 증가하는 단백결합 치환이나, 세포 수용체에서 다른 약물을 치환하는 수용체 결합 치환에 의해 약물의 분포가 변화된다.

(3) 간대사단계에서의 상호작용

생체내에 있는 약물의 소실속도가 그 약물의 대사속도에 크게 영향을 받는 경우, 약물대사에 관여하는 효소의 활성 변화는 약효 발현에 큰 영향을 미치게 된다. 약물 중에는 이러한 대사효소의 작용을 증강시키는 '효소유도약' 이 있으며, 대사효소의 작용을 저해하는 '효소저해약' 이 있다. 효소유도약 혹은 저해약과 약물을 병용하면 병용약의 대사가 촉진 혹은 저해되어 약물의 생물학적 반감기와 혈중농도, 작용시간이 변화된다.

(4) 신장배설단계에서의 상호작용

사구체에서 혈장단백과 결합한 약물은 여과되지 않으므로 병용약물에 의해 단백결합율이 저하되면 약물의 배설은 증가하여 약효가 감소하게 된다. 신세뇨관에서는 약산성 · 약염기성 약물이 능동수송에 의해 근위세뇨관 내로 분비되는데, 약물병용으로 분비의 경합현상이 일어나 한 약물이 다른 약물의 분비를 저하시킬 수 있다. 또한, 재흡수 과정에서 뇨의 pH가 낮은 경우 약산성 약물은 비이온화형 비율이 증가되어 재흡수가 촉진되고 혈중농도가 증가하는 반면에, 약염기성 약물은 이온형이 많아져서 배설이 촉진된다.

2) 약력학적 상호작용(Pharmacodynamic Interactions)

약력학적 상호작용은 체내에 흡수된 두 가지 약물이 작용부위에서 서로 길항하거나 상승작용을 일으키는 경우이다. 상반되는 약리작용을 가진 두 약물을 병용할 경우에는 서로 길항작용을 하며, 동일한 치료효과를 가진 두 약물이 함께 투여되는 경우에는 치료효과가 높아진다. 동일 효능의 서로 다른 작용기전을 갖고 있는 약물을 병용 투여함으로써 단일 약물 투여로 얻어질 수 없는 혈압강하 효과를 볼 수 있다. 이와는 반대로, 동일한 부작용을 가진 두 약물이 함께 투여되는 경우에는 부작용이 크게 상승할 수 있다.

3) 약제학적 상호작용

두가지 이상의 의약품을 배합 · 조제할 때 상호 물리적 또는 화학적 변화를 일으켜 그 변화가 약제투여에 지장을 주는 경우를 의미한다. 수제, 주사제 또는 산제 등에서의 배합변화나 제제와 포장재료, 용기,

고무마개와의 상호작용이 그 예가 될 수 있다.

2. 질병-약물 상호작용

질병과 약물의 상호작용이란, 특정한 약물이 환자의 건강상태, 질병, 치료과정, 진단을 위한 검사 등과 연관된 상호작용을 일으키는 것을 말한다. 간질환이 있는 환자는 간대사 기능이 저하되고 배설 또한 감소한다. 간경변증과 같이 간혈류량이 적은 경우 약물이 효소계에 잘 전달되지 않아 대사율이 감소, 체내 작용 시간과 강도가 증가하여 유해반응을 나타낼 수 있다. 신질환이 있는 환자의 경우 신배설이 감소하여 약물 혈중농도가 상승하여 유해반응을 나타낼 수 있다. 이 경우 환자의 기저질환을 고려하여 적절한 약물을 선택하고, 투여간격 및 용량을 설정하여야 한다.

3. 연령-약물 상호작용

노인 환자의 경우 고령의 생리적 특징으로 약물사용이 빈번하고 복용량이 많으며 그로 인하여 약물간 상호작용 발생빈도 및 부작용 발현이 증가한다. 연령증가에 따른 신기능 저하, 간기능 활성의 감소, 지방질의 증가, 혈청알부민 감소 등에 의해 성인과는 약동학 및 약력학적 특징이 다르므로 같은 용량에서도 약효가 달라질 수 있다. 또한 소아는 생리적으로 급변하는 시기에 있으므로 연령에 따라 약물의 흡수·분포·대사·배설 등의 약물동태학적 변화가 크며, 성인과는 현저히 다른 체내동태를 갖는다. 또한 일부 약물은 성장과정에 미치는 영향 등으로 인해 심각한 부작용을 유발할 수 있으며 안전성 또한 확립되어 있지 않아 사용이 금지되어 있다.

4. 알레르기-약물 상호작용

특정한 약물에 알레르기가 발생한 이력이 있는 경우, 이를 다시 투여하거나 유사한 약물을 투여하면 심각하고 때론 치명적인 부작용이 발생할 수 있다. 임상적으로 중요한 알레르기 반응을 일으키는 빈도가 높다고 알려진 약물을 투여할 때에는 반드시 환자의 알레르기 병력을 확인하여야 한다. 교차 알레르기 반응이나 알레르기를 일으켰던 약과 구조가 유사한 약물을 투여할 때에도 주의가 필요하다. 아스피린계 해열진통제, 방사선 조영제, 국소마취제, angiotensin converting enzyme (ACE) 억제제, beta lactam계 항생제, 백신, sulfonamide계 약물, 항전간제 등에 의한 알레르기가 이에 해당한다.

5. 임신(수유)-약물 상호작용

임산부에 대한 약물 사용은 태아와 모체 모두에게 영향을 미칠 수 있기 때문에 약제 선택에 앞서 그 안전성 여부를 충분히 고려하여, 부주의한 약물 복용이 이루어지지 않도록 하여야 한다. 태반을 통과하거나 모유로 배설되는 약물 중 태아나 유아에게 유해한 영향을 미칠 수 있는 약물은 임신 수유 중인 여성에게 투여되어서는 안되며, 특히 뇌하수체 호르몬이나 자궁수축작용을 일으키는 약물은 임부에게 금기이다.

이와 같이 DUR의 기본 지식이 되는 여러 가지 요인과 약물 상호작용에 관해서 간단하게 살펴보았다. 약물상호작용에 대한 정보는 의약학 저널, 세미나, 참고도서, 전산화된 데이터베이스, 제약회사의 홍보물 등 여러 곳을 통해 접할 수 있다. 이에 대해 약사는 각종 정보의 임상적 중요성을 판단하고 유용한 정보를 감별할 수 있는 능력이 요구된다. 또한 동물에 대한 연구자료, 사례보고, 건강한 지원자를 대상으로 한 연구보고(실제 정상인에게서 발생한 상호작용이 환자에게는 임상적으로 중요하지 않은 경우가 있으며 그 반대의 경우도 있음) 등을 활용할 경우에는 유용성 여부를 신중히 판단하여야 한다.

III 국내 DUR

1. 처방전 내 DUR

처방전 내 DUR은 중앙관리서버(건강보험심사평가원)로부터 실시간 동기화되는 점검기준 DB를 이용하여 요양기관 PC에서 처방 · 조제 내역을 점검하는 기능으로, 원내에서는 2004년부터 병용 · 연령 · 임부금기 의약품, 안전성 관련 급여(사용)중지 의약품, 저함량 배수처방조제 의약품에 대해 처방전 내 DUR을 통한 점검을 시행하고 있다.

1) 병용금기 및 연령금기

병용금기에 해당하는 약물들은 같은 환자에게 동시에 조제 혹은 투여되어서는 안되는 약물의 조합이며, 약물상호작용으로 인해 매우 심각한 부작용이나 약효의 감소로 인한 치료실패가 우려되는 경우이다. 특정연령대 금기성분(소아환자)은 일부 연령대에서 안전성이 확립되지 않아 사용이 금기시되는 의약품을 포함하고 있다. 소아환자 연령금기는 소아환자에 안전성이 확립되지 않았거나 심각한 부작용을 일으킬 위험이 있는 약물이다. 소아는 성인의 축소판이 아니며, 성인과 대사능력이나 배설능력 등이 달라 약물의 흡수, 분포, 대사, 배설과 관련되어 문제점이 발생할 가능성이 있기 때문이다. 다만 병용금기 · 특정연령대 금기 성분임에도 불구하고 부득이하게 처방 · 조제할 필요가 있을 경우 예외가 될 수 있으며, 처방 · 조제의 사유를 의학적 근거와 함께 명시하여야 한다. 건강보험심사평가원장이 그 사용이 적절하다고 인정하는 경우 요양급여가 인정된다. 고시한 품목은 경구제와 주사제 등 전신작용을 나타내는 제제에 한한다.

2) 임부금기

식품의약품안전처는 의약품 허가사항을 근간으로 임신하고 있거나 임신하고 있을 가능성이 있는 여성에게 원칙적으로 처방 · 조제하지 않아야 하는 임부금기 의약품 성분을 2008년 12월 11일 자로 공고하였고(식품의약품안전청 공고 제2008-272호), 건강보험심사평가원은 2009년 4월 1일부터 DUR시스템을 본격적으로 시행하였다. 임부금기 의약품이란 태아에게 매우 심각한 부작용(태아기형 및 태아독성)을 유

표 20-1 병용금기의 예

성분 1	성분 2	상호작용
Acitretin	Doxycycline, Minocycline, Tetracycline	두개내압증가
Amiloride	Spironolactone, Triamterene	고칼륨혈증 위험 증가
Amiodarone	Ritonavir	부정맥, 혈액장애, 발작 등 중대한 이상반응
Atazanavir	Dihydroergotamine, Ergotamine, Ergometrine	맥각독성(말초혈관경련, 사지와 기타 조직의 허혈, 감각이상 등) 위험 증가
Carbamazepine	Voriconazole	혈중농도가 저하되어 voriconazole의 약물효과 감소
Efavirenz	Midazolam	과도한 진정작용
Efavirenz	Voriconazole	현저하게 voriconazole 혈장농도 감소, efavirenz 혈장농도 증가
Ergometrine	Indinavir, Itraconazole, Ritonavir	맥각독성(말초혈관 경련, 사지와 기타 조직의 허혈, 감각이상 등) 위험 증가
Fluvoxamine	Selegiline	세로토닌성 증후군
Metformin	Iobitridol, Iodixanol, Iohexol, Iomeprol, Iopentol, Iopromide	기능성 신부전에 의해 유산 산성증 촉진
Sildenafil	isosorbide dinitrate/mononitrate	혈관확장작용 증가로 저혈압 효과 상승
Methylergometrine maleate	Rizatriptan, Sumatriptan, Zolmitriptan	상가적인 혈관수축반응, 현저한 혈압상승
Methylphenidate HCl	Moclobemide, Selegiline	고혈압성 위기(현저한 혈압상승)
Naratriptan	Rizatriptan, Sumatriptan, Zolmitriptan	상가적인 혈관수축반응, 현저한 혈압상승
Nicorandil HCl	Sildenafil	혈관확장작용 증가로 저혈압 효과 상승
Pethidine	Selegiline	아편계 약물의 효과 증강, 혼수, 중증의 호흡 억제
Pimozide	Quinidine, Ritonavir, Telithromycin, Voriconazole	QT연장, 심실성 빈맥, 심실세동 및 torsades de pointes 등 심독성 위험 증가
Rifampicin (rifampin)	Voriconazole	혈중농도가 저하되어 voriconazole의 약물효과 감소
Selegiline HCl	Venlafaxine	세로토닌성 증후군(고혈압, 고열, 간대성 근경련, 정신상태 변화)
Spironolactone	Triamterene	고칼륨혈증 위험 증가
Ketorolac	Acemetacin, Aspirin, Clonixin, Diflunisal,	중증의 위장관계 이상반응
Tromethamine	Flufenamic Acid, Ibuprofen, Indomethacin, Ketoprofen, Naproxen 등	
Tacrolimus	Amiloride HCl, Spironolactone	고칼륨혈증
Tadalafil, Udenafil, Vardenafil	isosorbide dinitrate/mononitrate, Molsidomine, Nitroglycerin 등	혈압강하작용 증가
Tretinoin	doxycycline, tetracycline	두개내 고혈압

표 20-2 연령금기의 예

성분명	금기 연령
Benzonatate	10세 이하 소아 사용금지
Clobetasol propionate	외용액제-1세 이하 사용금지
Diazepam	정제-6개월 이하, 주사제-4주 미만 사용금지
Fluticasone propionate	연고제, 크림제-3개월 미만 사용금지
Ketoprofen	주사제-4주 미만 사용금지
Ketorolac tromethamine	주사제-2세 미만, 정제-16세 이하 사용금지
Lorazepam	주사제-4주 미만 사용금지
Sulfamethoxazole, Trimethoprim	2개월 미만 사용금지
Topiramate	2세 미만 사용금지
Zolpidem	18세 미만 사용금지
Acetaminophen (서방형제제 한함)	12세 미만 사용금지
Butorphanol tartrate	18세 이하 사용금지
Diclofenac	4주 미만 사용금지
Meloxicam	15세 이하 사용금지
Piroxicam	4주 미만 사용금지
Pyrazinobutazone	14세 이하 사용금지
Talniflumate	12세 이하 사용금지

표 20-3 임부금기 의약품의 예

등급	1등급	2등급
고시내용	불가피하게 처방, 조제해야 할 경우 그 사유를 건강보험 심사평가원에서 사전에 인정받아야만 건강보험 적용이 되는 품목	의사가 환자에게 반드시 적절한 안내를 한 뒤 처방해야 하는 품목
품목	Alprostadil, Atorvastatin, Bicalutamide, Danazol, Dutasteride, Estradiol, Finasteride, Leflunomide, Levonorgestrel, Megestrol, Menotropin, Pitavastatin, Warfarin 등	Amikacin, Amantadine, Amlodipine, Betaxolol, capecitabine, Carbamazepine, Cyclosporine, Erlotinib HCl, Fluconazole, Lercanidipine, Morphine, Nateglinide, Ramipril 등

발하거나 유발할 가능성이 높으므로 치료의 유익성이 위해성을 상회한다는 명확한 임상적 근거 또는 사유가 없으면 임부에게 처방 또는 조제되어서는 안되는 의약품을 말한다. 2013년 10월 현재 고시된 임부금기 품목은 총 575개 성분으로 1등급(65개)과 2등급(506개)으로 분류되며, 이 중 1 · 2등급 중복성분은 4개이다. 임신할 가능성이 있는 환자(10~55세 여성)에게 임부금기 약제를 처방 시 처방시스템(OCS)에서 임부사용의 위험성을 알리는 경고창이 뜨며, 임신여부를 확인한 뒤 임부에게 불가피하게 사용하게 될 때에는 의학적 근거를 제시한 후 투약하여야 한다.

3) 중복처방

중복처방은 한 환자가 동일 효능, 동일 성분의 의약품을 중복하여 처방받는 것을 의미하며, 이를 방지하기 위하여 원내 타 처방과 비교하여 중복되는 효능, 성분의 약품이 있을 경우 의료진에게 해당 정보를 제공하고 있다. 이와 관련하여 보건복지부 고시 제2009-71호 [요양급여의 적용기준 및 방법에 관한 세부사항(약제)] 중 '동일성분 의약품 중복처방 관리에 관한 기준' 에 의거하여 동일 요양기관에서 같은 환자에게 동일성분 의약품을 중복으로 처방할 경우 아래 각 항목의 어느 하나에 해당하는 경우에 한하여 요양급여가 인정되며, 그 외의 사유로 6개월 동안 동일성분 의약품의 투약일수가 214일을 초과하도록 처방하는 경우 약값의 전액을 환자가 부담하여야 한다.

(1) 환자가 장기 출장이나 여행, 예약날짜 등으로 인하여 의약품이 소진되기 전 처방을 받아야 하는경우
(2) 의약품 부작용, 용량 조절 등으로 약제 변경이 불가피하거나, powder 형태의 조제 등으로 인하여 기존 처방의약품 중 특정 성분만을 구분하여 별도 처방할 수 없는 경우
(3) 항암제 투여 중인 환자나 소아환자로서 구토로 인해 약 복용 중 약제가 소실된 경우 등 환자의 귀책사유 없이 약제가 소실 · 변질된 경우

※ "동일성분 의약품" 이라 함은 국민건강보험법 시행령 제24조제3항 및 「국민건강보험 요양급여의 기준에 관한 규칙」 제8조제2항에 의한 '약제급여목록 및 급여상한금액표' 상의 주성분코드를 기준으로, 1~4째자리(주성분 일련번호)와 7째자리(투여경로)가 동일한 의약품을 말함.
(예) 123101ATB, 123102ATB, 123102ATR, 123104ATR은 모두 동일 성분 의약품에 해당됨)

4) 저함량 배수처방

저함량 배수처방 의약품이란, 동일성분 · 동일제형이지만 여러 함량이 있어 고함량 가격이 저함량가격의 2배보다 적은 경우 1회 투여 용량이 가장 비용 효과적인 함량의 의약품을 말한다. 심사는 동일 제약회사, 동일 성분, 동일 제형의 보험 등재된 전체 약제 중에서 미생산되거나, 허가사항이 다른 약제, 복합제제 등은 제외하여 선정된 품목을 대상으로 한다. 2013년 9월 현재, 저함량 배수처방 · 조제 급여기준 대상품목은 경구제 1,095품목, 주사제 366품목이다.

2. 처방전 간 DUR

처방전 간 DUR은 심평원 중앙관리시스템과의 통신을 통해 한 환자에 대해 복용 중인 타 의약품과의 교차점검이 가능한 시스템으로, 2010년부터 전국으로 확대되어 시행되고 있다. 처방전 간 DUR의 점검 내용은 아래와 같으며, 부득이하게 처방을 내려야 하는 경우 예외 사유 입력 후 처방이 가능하다.

1) 병용금기

단, ketorolac 주사제와 해열진통제(NSAIDs) 경구제가 1일 병용금기인 경우 사유기재를 생략할 수 있다.

2) 동일 투여경로의 동일성분 중복 처방 의약품

성분 중복의 경우 동일 의료기관의 동일 의사에 의한 투약 중복일수가 30일을 초과하는 경우와, 타 의사에 의한 투약 중복일수가 1일 이상인 경우에 대해 점검 기준이 된다. 단, 의료용 마약류(마약 및 향정신성 의약품)를 제외한 의약품이 2일 이내 동일 성분 중복일 경우 사유기재를 생략할 수 있다.

3) 효능군 중복의약품

2013년 7월 1일 기준으로 해열진통소염제, 최면진정제, 지질저하작용 의약품, 혈압강하작용 의약품을 대상으로 점검을 시행 중이다. 단, 효능군 중복의약품의 경우 사유기재를 생략하고 처방을 입력할 수 있다.

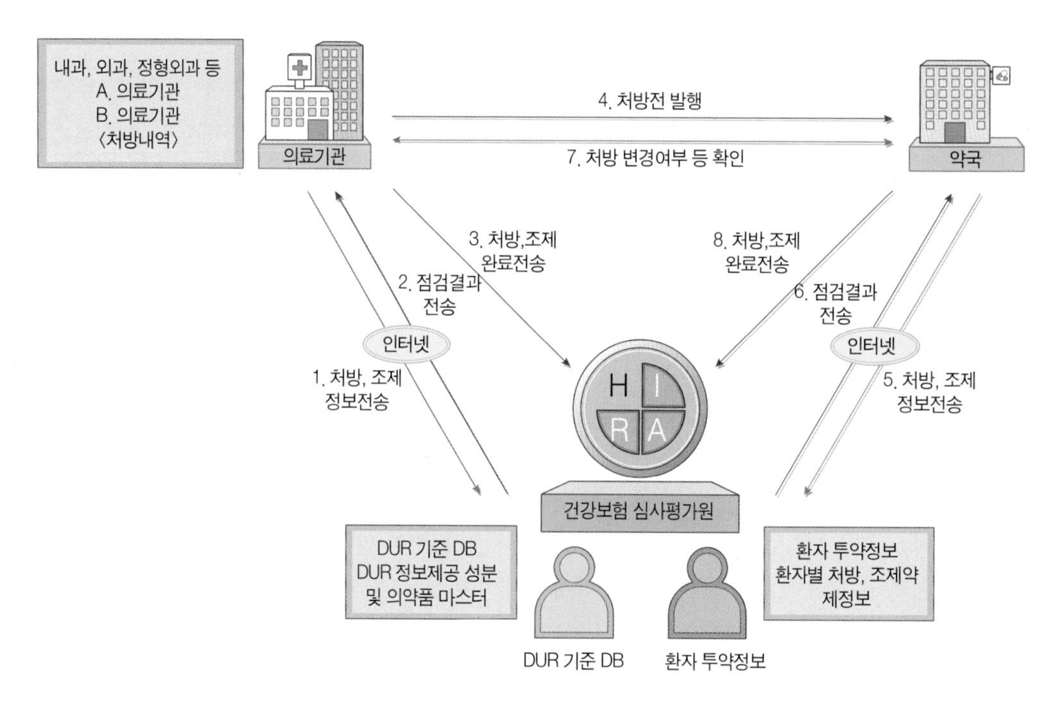

그림 20-1. 처방전 간 DUR의 처리절차 (출처:건강보험심사평가원 홈페이지)

IV DUR 적용 사례

삼성서울병원에서는 적절한 DUR에 따른 안전하고 효과적인 약물 사용을 위해 각종 DUR 관련 고시를 실무에 적용하여 관리하고 있다. 원내 약물정보 데이터베이스를 활용하여 동일 효능군 · 동일 성분의 중복 · 병용금기 · 연령금기 · 임부금기 처방이 발생하지 않도록 실시간으로 처방을 검토하고 있으며, 저함량 배수처방을 통한 약물 도입으로 가장 비용효과적인 처방이 발생하도록 하고 있다.

1. 약물상호작용 관리

1) 상호작용 관리

DUR 운영시스템 내 약물상호작용 데이터베이스에 약물 간 상호작용 정보를 등록하여 고시 여부, 심각도 등급에 따라 정보를 제공하며 경구제와 주사제 등 전신작용을 일으키는 제제를 그 대상으로 하고 있다.

(1) 병용금기인 경우

보건복지부에서 병용금기로 고시한 성분 및 원내 약물운영위원회에서 병용금기로 지정한 제제를 그 대상으로 한다. 또한, 심평원에서 인정하거나, 진료과의 업무요청에 의해 조건부로 허용한 병용금기 품목인 경우에는 적절한 사유를 입력한 후 처방이 가능하다.

(2) 상호작용 경고창만 발생하는 경우

병용금기는 아니지만 처방 시 상호작용에 대해 유의해야 하는 약물 조합을 선정하여, 병용처방 시 경고창으로 주의사항을 해당 주치의에게 알리고 있다.

2) 전산시스템 정보 등록

(1) 상호작용 등록(A+B)

상호작용이 있는 A와 B 두 약물을 전산시스템에 서로 짝을 이루게 등록한 후, 상호작용 내용(복지부고시, 요약, 증례, 원인, 대처법, 참고문헌)을 입력한다.

(2) 상호작용 심각도에 따른 구분

상호작용에 대한 복지부 고시여부 및 심각도에 따라 3가지로 구분하여 관리한다.

① 상호작용 정보만 제공하되, 처방을 제한할 필요는 없는 경우

② 약물병용이 금기라 처방을 완전히 제한해야 할 필요가 있는 경우

③ 조건부 허용된 병용금기 품목인 경우에는 처방 제한 후 처방 허용되는 조건에 맞는 경우 사유를 입력하면 처방가능

3) 처방 스크리닝

(1) 병용금기

병용금기 처방이 발생한 경우 그림 20-2과 같은 경고창이 발생하며, 상호작용이 있는 약물 조합이 처방화면에 표출된다. 내용을 확인 후, '처방내림' 버튼을 눌러도 세부 경고창이 뜨며 처방내림은 되지 않는다.

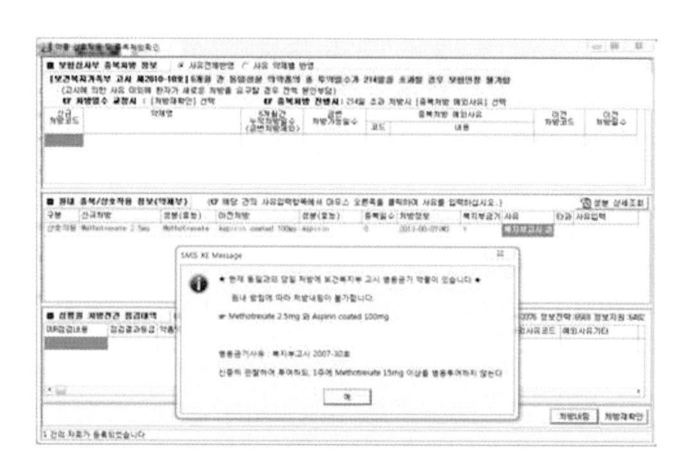

그림 20-2. **병용금기 처방 스크리닝 화면**

(2) 조건부로 허용된 병용금기

조건부로 허용된 병용금기 처방이 발생한 경우, 상호작용이 있는 약물 조합이 화면에 표출되며 적절한 사유를 선택하여 입력하면 처방내림이 가능하다. 적절한 사유에는 건강보험심사평가원이 인정한 사유 및 진료과와 협의한 사유 등이 해당되며 상황에 맞는 사유를 입력한다.

(3) 상호작용 경고창만 발생

상호작용 경고창만 발생하는 경우에는, 처방의가 상호작용 내용을 확인하면 처방내림이 가능하다.

2. 연령금기 처방 관리

1) 연령금기 관리

보건복지부 고시에 의해 특정 연령대 금기로 지정된 약물은 원내 전산시스템 내의 '약물정보-처방제한' 항목에 제한 연령대가 등록되고, 해당 환자들에게는 처방이 불가능하게 된다.

2) 정보등록

전산시스템 내의 약물정보에 고시된 연령금기 내용을 해당하는 약품의 연령금기 항목에 입력한다.

3) 처방 스크리닝

연령금기 처방을 내림하고자 하는 경우 처방 금기를 알리는 경고창이 표출되며, 처방이 불가하다. 부득이하게 처방해야 할 필요가 있을 경우 예외사유를 의학적 근거와 함께 입력하면 처방내림이 가능하다.

3. 임부금기 처방 관리

1) 임부금기 관리

식품의약품안전처에서 고시한 임부금기품목을 만 10세 이상, 55세 이하 여성 환자에게 처방하는 경우(외래/병동/응급 구분 없이 전체를 대상으로 함) 경고창을 처방입력 화면에 띄워주어 의료진이 처방 입력 시 주의하도록 하고 있다.

2) 정보등록

원내 전산시스템 내의 약물정보의 '임부' 항목에 각 제형별로 임부금기 등급 및 FDA 등급을 등록한다. 등록한 임부금기 등급 및 FDA 등급에 따라 DUR이 적용되어 경고창이 발생하게 된다.

3) 처방 스크리닝

의사가 처방 입력 시 처방 내림 하고자 하는 약물 중 임부금기 대상 약물이 있고, 환자가 대상 환자라면 그림 20-3과 같은 정보화면이 표출된다. 그림 20-3에서 특정 처방을 선택한 후 '상세정보' 버튼을 클릭하면 임부금기와 관련된 상세정보를 확인할 수 있다.

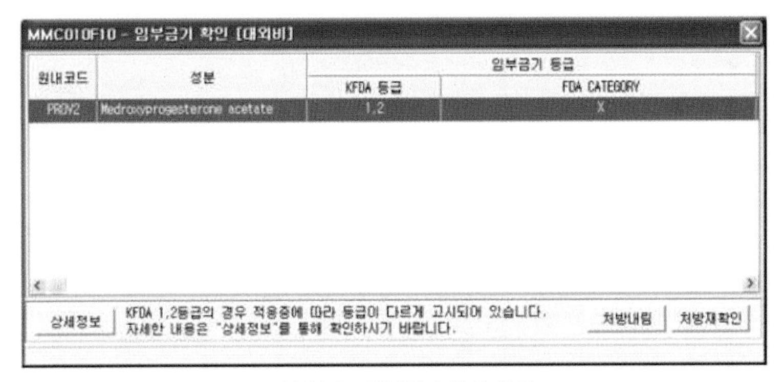

그림 20-3. 임부금기 확인 화면

4. 중복처방 관리

1) 중복처방 관리

중복처방은 한 환자가 동일 효능 · 동일 성분의 의약품을 중복하여 처방받지 않도록 원내 타 진료과의 처방과 비교하여 중복되는 효능 · 성분의 약품이 있을 경우 의료진에게 해당 정보를 제공하는 프로그램이다. 경구제와 주사제 등 전신작용을 나타내는 제제에 대해 관리하고 있으며, 약물정보 데이터베이스에 약품별로 효능군, 성분명을 등록하여 중복 여부에 대한 정보를 제공한다.

2) 정보등록

원내 전산시스템 내의 약물정보의 효능 · 성분 항목에, 각 약품의 효능과 성분명을 입력하며 복합제제의 경우 각각의 성분 및 효능을 모두 입력한다.

3) 처방 스크리닝

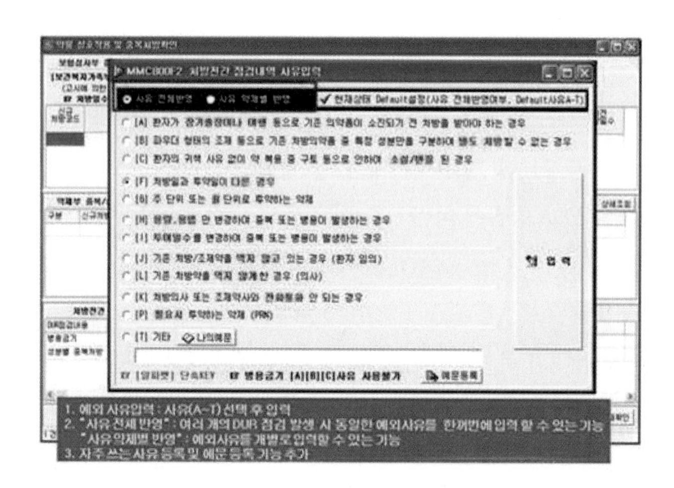

그림 20-4. **처방전 간 DUR 확인 화면**

처방 입력 시 성분 혹은 효능이 중복되는 경우 경고창이 발생하며, 중복된 약물정보가 화면에 표출된다. 의료진은 경고창을 통해 중복 정보를 확인하여 처방입력에 참고할 수 있다.

5. 저함량 배수처방 관리

저함량 배수처방에 해당하는 원내 약품이 있을 경우 전산시스템 내 저함량 배수처방 의약품 정보를 입력하여 관리한다. 처방의사가 비용 효과적이지 않은 저함량 배수처방 해당 품목의 약물을 입력하면 보험삭감에 대한 경고창을 띄워주어 처방 내림을 방지하고 있다.

참고문헌

- 숙명여자대학교 의약정보연구소 편 : 의약품사용평가(DUR) 학술정보, 대한약사회 (2004)
- Patrick M. Malone et al : Drug Information 2 nd ed., McGraw-Hill (2001)
- 김동숙 : 의약품 사용평가(DUR)의 개념과 주요 외국의 제도, HIRA정책동향. 5:50~5 (2008)
- 박병주 : 약물사용평가, JPERM. 1:13~9 (2008)
- 건강보험심사평가원 http://www.hira.or.kr
- 한국의약품안전관리원 http://www.drugsafe.or.kr

part IX

지참약 관리

_21
지참약 관리

- ▶ 지참약 관리의 필요성 및 목적을 이해한다.
- ▶ 지참약의 개념 및 관리원칙에 대해 이해하고 지참약 관리 자문 시스템의 업무 흐름을 이해한다.
- ▶ 지참약 관리와 Medication Reconciliation을 비교해 보고, 향후 업무의 전망과 발전방향에 대해 생각해본다.

I 개요

대부분의 환자들은 여러 의료기관으로부터 처방받은 다양한 약물 요법을 시행하고 있어 복잡한 약력을 가지고 있다. 입원 시 복용 중인 약물에 대한 의사소통이나 정보가 부족할 경우, 입원 전부터 복용 중이던 약물과 새로 처방받은 약물 간의 의도하지 않은 불일치(unintended medication discrepancy)가 발생할 수 있는데, 이는 환자의 임상 결과에도 영향을 미칠 수 있다. 따라서 의료진은 환자가 복용 중인 약물을 파악하여, 실제로 사용해야 하는 약물과 앞으로 처방될 새로운 약물 간의 중복, 생략, 상호작용 등을 비교하고 약물 지속의 필요성을 판단해야 한다. 이러한 의미에서 환자가 입원 전 복용하던 약의 정확한 투약목록을 작성하여 입원시 처방목록과 비교하여 조정하는 개념인 medication reconciliation은 환자 안전을 위해 중요하다고 할 수 있으며, 여기에 사용되는 정보에는 약물 이름, 용량, 투여횟수, 투여 경로, 투여 목적 등이 포함된다. 최상의 medication reconciliation을 위해서는 처방받은 약물과 환자가 실제로 복용하고 있는 약물을 모두 완벽하게 이해하는 것이 필요하나, 실제로 환자에게서 완벽한 투약 목록에 대한 정보를 얻는 것이 쉽지 않고, 이는 환자의 정보제공 능력 및 의지에 의해서도 좌우되므로 현실적인 어려움이 있다. 그럼에도 불구하고, 환자 안전을 위한 노력으로 medication reconciliation을 시행한 이후 입원 기간, 특히 전동 시점에서 발생하는 의약품 사용 과오가 감소했다는 연구 결과가 보고되고 있다.

1. 지참약 관리

미국 Joint Commission에 따르면, 투약오류(medication error)는 재원기간 동안 환자에게 사망 또는 영구적인 심각한 손상을 일으킬 수 있는 주요 원인 중 네 번째로 빈도수가 높으며, 이러한 환자안전을 위협하는 주요 사고들은 환자의 이동 시점(transition point), 특히 입원 초기에 발생률이 높았다.

따라서 안전한 약물요법 보장과 입원 초기의 사고 발생을 예방하기 위한 보다 적극적인 개념인 'Medication Reconciliation' 이 2000년대 초부터 주목받기 시작했다. 'Medication Reconciliation' 은 2005년부터 Joint Commission의 National Patient Safety Goals (NPSGs)의 방안으로 채택되어 미국의 각 의료기관에서 시행되고 있으며, 환자가 복용하는 약에 대한 정확한 약물 정보 수집 및 환자와의 소통 유지가 권고되고 있다.

국내에서도 'Medication Reconciliation' 과 유사한 개념인 '자가투약 의약품관리' 가 몇 년 전 부터 주목받기 시작했다. 의료기관 평가와 관련하여 2006년 6월 녹색소비자연대에서 안전한 약물요법을 위한 평가항목을 개발 · 제시한 내용 중, '투약' 단계에서 자가투약 의약품을 해당병원에서 허용하는지를 확인하는 내용이 제시된 바 있고, 이를 바탕으로 2007년 의료기관 평가 지침서 조사표에 '자가투약 의약품에 대한 관리' (표21-1)가 시범항목으로 추가되었다. 평가를 계기로 국내 병원들의 자가투약 의약품 관리와 안전한 약물요법에 대한 관심이 높아졌으며, 이에 대한 적절한 세부사항 규정과 업무개발 등을 위해 노력해 왔다. 최근 국내 의료기관 인증 평가 기준에 의하면, 안전한 의약품 투여를 위한 조사항목에 '입원 시 지참약 관리' 에 대한 내용이 포함되어 있다(표 21-2).

삼성서울병원에서는 이러한 흐름에 맞춰 2008년 7월 21일부터 기존의 약품식별업무를 약사가 보다 적극적으로 개입하는 시스템으로 구축 · 보강하여 지참약 관리업무를 시작하였다.

표 21-1 자가투약 의약품 관리 조사표

자가투약 의약품 관리 (시범)	자가투약 의약품 허용여부	□ 허용함	□ 허용하지 않음		□ 규정없음
	자가투약 의약품에 대한 환자에게 안내여부	환자	예	아니오	미해당
		1	□	□	□
		2	□	□	□
		3	□	□	□
	자가투약 의약품 복용여부 확인	환자	예	아니오	미해당
		1	□	□	□
		2	□	□	□
		3	□	□	□
	자가투약 의약품 허용시 약제부서와 정보공유 여부	□ 예	□ 아니오		□ 미해당

표 21-2	의료기관 인증평가 2주기 인증기준 개정(안)
조사항목	입원 시 지참약을 관리한다.
기준이해	입원 시 지참약 관리 절차는 다음의 내용을 포함한다. • 입원 시 지참약이란, 환자가 입원 시 외부에서 가져온 약 등을 의미 • 입원 시 지참약 확인절차 : 입원 시 지참약 여부, 의약품 식별 등 • 입원 시 지참약 정보공유 : 등록절차, 등록내용(의약품명, 용량, 투여경로, 시간) • 단, 입원 시 지참약을 허용하지 않는 의료기관은 환자가 자의로 지참약을 복용하지 않도록 관리하는 절차를 가지고 있어야 함.

II 삼성서울병원의 지참약 관리 자문 시스템

현재 삼성서울병원에서는 일반 병동에 입원한 환자에 대해 지참약 자문이 의뢰될 경우 약사가 직접 미리 준비된 약품을 확인하고 환자와 면담하여 지참약 정보를 회신해 주고 있다. 이 밖에 외래 환자나 중환자실, 정신과 병동, 응급실에 입원한 환자에 대해 지참약 자문이 의뢰될 경우에는 지참약을 약품식별의뢰서와 함께 전달받아 약품 정보를 식별한 후 회신하고 있다.

아래 내용은 일반 병동에 입원한 환자의 지참약 관리에 초점을 두고 있다.

1. 지참약 관리의 개념과 목적

1) 지참약 관리의 개념

(1) 지참약의 정의

환자가 입원 시 지참한(외부에서 가지고 온) 의약품으로, 입원 이전, 질병치료를 위하여 복용 중인 모든 의약품을 의미한다. 이 때, 비처방약을 환자 임의로 복용하는 self-medication 개념과는 다름을 인식해야 한다.

(2) 지참약 관리

환자가 입원 시 지참한 의약품 정보(약물명, 성상, 용량, 투여횟수 등)를 의료진에게 제공하는 것을 말한다.

(3) 지참약 관리 제외 의약품

의약품 중 성상으로 정확한 식별이 어려운 시럽제, 산제, 한약제 등은 제외된다. 또한, 건강기능식품의 경우 의약품이 아니므로 관리대상에서 제외된다.

2) 지참약 관리의 목적

(1) 의약품의 오남용의 소지를 미연에 방지

(2) 재원기간 중 중복처방으로 인한 과용량 투약 및 약물상호작용 유발 등 치명적인 약화 사고를 예방

(3) 투약관련 위험성을 최소화

2. 지참약 관리의 업무운영

1) 지참약 관리 원칙

(1) 모든 의료진, 즉 의사와 약사, 간호사 모두의 협조 하에서 효과적이고 정확한 지참약 관리가 가능하다.

(2) 의료진은 환자가 입원시점에 복용하고 있는 지참약이 있는지 여부를 반드시 확인해야 한다.

(3) 약사는 지참약 관리 자문 시스템을 통하여 의뢰된 지참약을 식별하여 정보(약물명, 성상, 용량, 투여횟수, 용법 등)를 등록 · 회신함으로써 의료진과 지참약 정보를 공유한다.

(4) 주치의는 진료과정 중 환자의 질병상태에 따라 재원기간 중의 지참약 투약 여부(복용을 중단/허용 혹은 일부만 허용)를 결정한다.

(5) 지참약 중에서 계속 복용이 필요한 약품은 환자의 약품 복용내역을 파악할 수 있도록 하고, 본원에서 처방하여 복용 중인 다른 약품과의 부적합성, 상호작용, 과용량, 중복처방 등에 대한 약사의 처방검토가 가능하도록 한다.

(6) 담당 간호사는 환자로부터 지참약을 회수한 후 별도의 장소에 보관 · 관리하여 재원기간 동안 환자가 임의로 복용하는 일이 없도록 주의를 기울여야 하고, 계속 복용하도록 결정된 지참약에 대해서는 투약시간에 맞추어 환자에게 투약한다.

2) 지참약 관리의 업무흐름

(1) 환자 입원 후 지참약 확인 · 수거 및 약품식별의뢰

① 환자 입원시 해당 병동의 담당간호사는 반드시 현재 복용 중인 약물의 존재 여부를 확인한다.

② 복용약물이 있을 경우, 환자에게 복용 중인 약물을 의료진에게 알려주는 것은 치료에 있어 매우 중요함을 설명하고, 소지하고 있는 약물을 임의 복용시 이상반응의 발현 또는 약물상호작용으로 약효 감소나 확대 등 치료에 방해가 될 수 있음을 설명한 다음, 환자의 지참약을 수거한다.

③ 병동마다 별도로 마련된 특정 식별의뢰 장소에 지참약 식별 의뢰 대상인 약물을 환자의 성명과 등록번호를 기재하여 모아둔다.

④ 환자의 지참약 실물이 준비되면, 지참약 관리 자문 시스템을 통하여 식별 의뢰한다.

(2) 약품 확인 및 약물정보 제공

① 약사는 전산 의뢰된 지참약 관리 대상 환자를 조회 및 접수하고, 약품확인 및 식별 · 회신함으로써 지참약에 대한 정보(약물명, 성상, 용량, 투여횟수, 용법 등)를 제공한다.

② 정확한 정보제공을 위해, 지참약 관리 회신은 2단계에 걸쳐 작성한다.

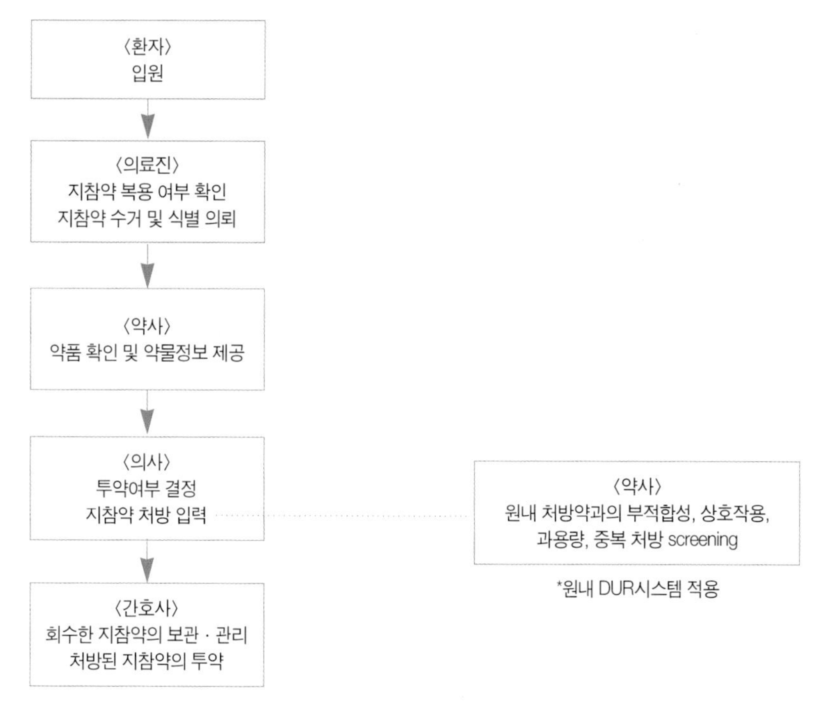

그림 21-1. **지참약 관리 업무 흐름도**

③ 약품확인 및 약물정보 제공 시에는 원내 · 외 약품식별 데이터베이스에 등록된 사진 및 정보(약품의 형태, 모양, 식별문자, 분할선, 색상 등)를 이용한다. 만약, 검색이 불가할 경우 해당 약국 및 의원에 직접 문의하여 확인하고, 필요시에는 환자와 직접 면담하여 정보를 얻는다. (지참약 중 분할되어 있거나 식별문자가 없는 약 또는 가루약 등 정확한 식별이 어려운 약에 대해서는 식별 정보를 제공하지 못할 수 있다.)

- 활용가능한 외부 약품식별 데이터베이스의 예
  - 국내 의약품인 경우 : (재)약학정보원(www.health.kr), 드럭인포(www.druginfo.co.kr), 킴스온라인(www.kimsonline.co.kr)
  - 외국 의약품인 경우 : Lexicomp(online.lexi.com), Drugs.com(www.drugs.com)

④ 주치의에게 제공해야 할 내용이 있는 경우 지참약 처방에 대한 comment를 남긴다.

지참약관리

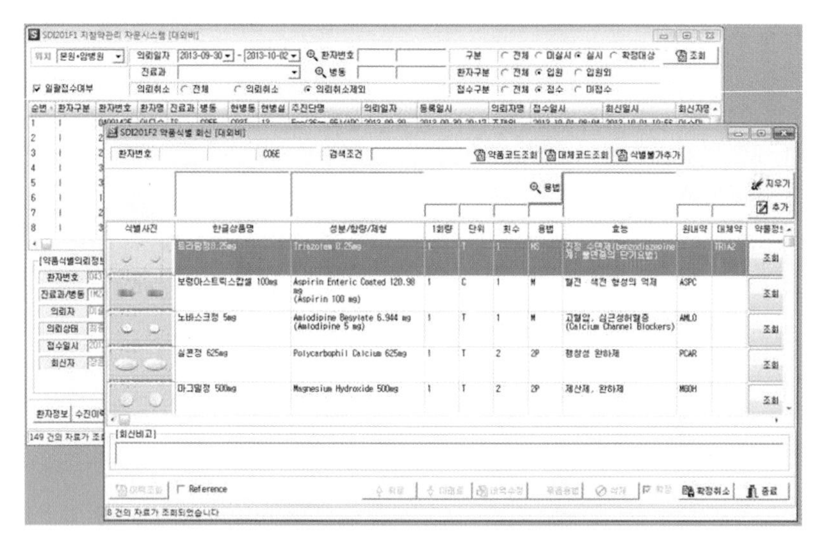

그림 21-2. 지참약 관리 자문 시스템 화면

(3) 투약여부 결정 및 처방

① 주치의는 회신된 지참약 정보를 참고하여 투약여부를 결정한다. 이때, 식별이 불가한 약품의 경우는 투약이 불가함을 원칙으로 한다.

② 지참약의 투약여부 결정시 다음에 유의한다.

a. 입원 후에도 지속적인 투여가 필요한지 여부

b. 입원 후 치료나 검사, 투약예정 약물에 의해 투약이 금기가 되는지 여부

c. 동일 효능약이 처방되었거나 처방예정이 아닌지 여부

d. 약물투여로 인해 임상징후가 가림(masking)되거나 검사 수치가 변경될 가능성 여부

③ 투약 지속하기로 결정된 약품은 환자의 약품 복용내역을 파악할 수 있도록 원내 약처방 시스템을 통해 지참약 처방으로 입력한다. (단, 마약류의 경우 규정에 따라 지참약 처방이 불가하므로 원내 마약으로 처방하여 투약한다.)

(4) 처방 검토

① 지참약이 처방될 경우, 본원에서 처방하여 복용 중인 다른 약품과의 부적합성, 상호작용, 과용량, 중복 처방 등에 대한 약사의 처방검토가 이루어진다.

a. 원내 처방 가능약이 아닌 지참약에 대해서도 원내 DUR 시스템이 적용될 수 있도록 지속적으로 약품정보를 업데이트하여, 원내 DUR 시스템을 통해 원내 처방약과 투약 결정된 지참약 간의 '약물 상호작용에 의한 병용금기', '동일효능군 중복처방'을 사전 스크리닝 및 중재한다(스크리닝된 내역은 의사 처방 시 경고창으로 정보 제공).

b. 원내처방전에 투약 중인 지참약의 정보가 자동으로 기재되어 원내약의 조제와 감사 시 약사에 의한 처방검토가 이루어진다.

(5) 지참약 투약 및 보관 관리

① 지참약에 대해 처방이 실시되면, 담당 간호사는 처방에 따라 지참약을 투약하고 투약시간을 기록한다.

② 회수한 지참약은 환자 성명과 등록번호 표시 후 정해진 지참약 보관장소에 보관·관리하여 입원환자 스스로 복용하지 않도록 한다.

③ 퇴원시점에 남은 지참약은 환자에게 반환한다.

III 미국의 Medication Reconciliation

1. Medication Reconciliation의 개념

Institute for Healthcare Improvement에 따르면, Medication Reconciliation(M-Rec)이란 'the process of creating the most accurate list possible of all medications a patients is taking - including drug name, dosage, frequency, and route - and comparing that list against the physician' s admission, transfer, and/or discharge orders, with the goal of providing correct medications to the patient at all transition points within the hospital'이다. 이때, medication이란 Food and Drug Administration (FDA)에 의약품으로서 지정된 것을 의미하며, sample medications, herbal remedies, vitamins, nutriceuticals, over the counter drugs, vaccines, diagnostic, contrast agents, respiratory therapy treatments, parenteral nutrients, blood derivatives, intravenous solutions (plain, with electrolytes and/or drugs) 등을 포함한다.

2. Medication Reconciliation의 업무운영

의료기관마다 내부 원칙에 의해 M-Rec이 시행되고 있고, 각 병원마다 세부규정의 차이는 있을 수 있으나, MCPME에서 제시하는 safe practice recommendations에 근거하여 일반화하면 다음과 같다.

1) 정확한 투약 목록 작성

① 용량·용법, 최종 투약시간 등 주요 정보가 누락되지 않도록 주의한다.

② 표준화된 양식을 이용하도록 한다.

③ 작성한 투약목록을 환자와 확인하는 작업을 갖도록 한다.

④ 투약목록 작성 시 의사, 약사, 간호사 등 구성원 모두가 참여하는 것이 바람직하다.

2) 정확한 처방

① 의사는 처방시 환자의 최근까지의 투약목록을 이용한다.

② 투약목록은 접근성, 편의성 등의 조건을 갖추어 처방 시 활용이 쉬워야한다.

3) 변수 확인

① 처방 전 · 후 투약목록을 비교하여 차이점 및 오류 등을 찾아내고, 필요시 처방을 조정한다. 이때, 구성원 모두의 참여가 바람직하다.
② 가능하면 신속한 시행이 요구되며, 구체적으로 시간한계를 설정하는 것이 필요하다.

4) 지속적인 관리

① 투약목록을 작성하고 편차를 조정하는데 사용할 표준화된 형식이 필요하다.
② M-Rec 각 단계마다 명확한 정책이나 절차의 정립이 필요하다.
③ 약사의 회진참여는 투약 안전성을 높이는데 더욱 효과적이다.
④ 모든 의료인에게 투약 확인 절차에 관한 지속적인 교육이 필요하다.
⑤ 피드백과 지속적인 모니터링이 필요하다.

IV 지참약 관리와 Medication Reconciliation의 비교

1. 공통점

1) 투약오류 및 약물이상반응 발생을 예방하고 환자안전을 보장하기 위해 시행한다.
2) 환자가 복용하고 있는 지참약의 정보(약물명, 성상, 용량, 투여횟수 등)를 의료진에게 제공한다.

2. 차이점

1) 대상 환자

지참약 관리는 입원시점에서의 투약력 재확인 과정이다. 반면, M-Rec은 초기에는 지참약 관리와 마찬가지로 입원시점에서 업무가 시행되었으나, 최근에는 입원환자의 입원, 전원, 퇴원 시점 뿐 아니라 응급실 환자, 외래환자, home health care를 받고 있는 환자들의 경우까지 그 대상을 확대하고 있는 추세로 궁극적으로 환자에 대한 투약이력을 지속적으로 관리하고자 한다.

2) 입원 전 · 후 처방의 비교 및 검토

M-Rec의 경우에만 실시되고 있는 부분이다. 지참약 관리의 경우 입원 전 처방의 검토에 약사의 역할이 편중되어 있다. 지참약의 검토 및 회신 이후 의사의 처방에 대해서 의무적인 피드백은 이루어지지 않고 있다. 다만, 처방전에 지참약이 명시되고, 지참약이 원내 DUR 시스템 등에 적용되게 전산개발을 하여 조제나 감사 시 원내 처방 중인 다른 약품과의 부적합성, 상호작용, 과용량, 중복 처방 등에 대한 약사의 처방검토가 이루어 질 수 있게 하고 있다.

반면, M-Rec의 경우 입원 전 · 후 처방의 비교 및 검토에 중점을 두고 있다. 미국에서 활발하게 시행되고 있는 ward pharmacy의 임상업무의 연장으로 M-Rec을 인식하고 있는 경우가 많고, 따라서 약사의 회진 참여와 보다 적극적인 처방 중재를 더욱 강조하고 있는 개념이라 할 수 있겠다.

V 지참약 관리의 전망

투약오류와 약물 유해반응 발현을 예방하여 환자안전을 보장하기 위해 입원환자를 대상으로 지참약 관리 업무가 개발 · 시행된 후 5년 남짓의 시간이 지났다. 기존의 약품식별업무를 기반으로 적극적인 정보수집의 노력(예, 환자와의 인터뷰 및 조제약국과의 통화 등), 약물정보의 확대(예, 용량 · 용법의 제공), 원내 전산 시스템의 개발 등을 바탕으로 업무가 개발되었고, 시행 이후 업무량이 비약적으로 늘어가고 있으며, 의료기관 인증과 관련된 필수 업무로 자리잡고 있다. 또한 담당 간호사의 업무감소와 주치의의 처방 편리함 등의 효과로 의료진의 만족도는 높은 편이다.

그러나, 여전히 업무수행에 여러 어려움들이 있다. 지참약 관리 업무 중 병원 내의 이동시간에 할애하는 시간이 많아 시간대비 업무의 효율이 떨어지고, 환자와의 면담 이후에도 정확한 투약력을 확인하기 어려운 경우가 존재하며, 처방 기관이나 조제 약국 등을 알아내기 또한 쉽지 않아 투약력 관련 자료 확보에 현실적인 어려움이 많은 편이다. 또한, 약사의 지참약 관리 회신 이후 환자의 투약력을 모니터링하는 시스템이 구축되어 있지 않아, 실제 회신 이후 처방반영 비율이나 처방 변경유도 사례 등 실질적인 유효 효과를 파악하기 어렵다. 물론, DUR 시스템의 운영 및 꾸준한 전산적인 보완작업을 진행 중이나, 환자의 질환 및 임상적인 판단이 배제된 전산적인 장치만으로는 투약오류 예방에 한계가 존재한다. 결국, 현재까지는 많은 장점에도 불구하고, 지참약 관리가 약품식별 업무에서 크게 발전을 보이지 못하고 있는 것이 현실적인 한계이다.

Medication reconciliation에 관련된 외국의 여러 논문들에 따르면, 약품식별업무나 단순한 투약력 파악의 업무는 pharmacy technician이나 다른 의료진도 수행 가능하다. 결국, 지참약 관리가 단순 업무에서 발전해나가지 못한다면, 약사 인력의 낭비를 초래할 지도 모른다. 추후 지참약 관리의 업무 발전을 위해서는 일단, 정부차원에서 지참약 관리에 대한 중요성을 인식하고 단순히 업무시행을 권고하는 차원이 아니라 수가책정과 같은 현실적인 방안을 제시함으로써 의료기관이 스스로 지원의 폭을 늘릴 수 있는 현실적인 근거를 제공해야 한다. 또한 의료진 전체에게 지참약 관리의 중요성 및 약사에 의한 처방중재의 유효성을 알리는 노력이 필요하다. 약사 스스로 약사의 처방중재에 대한 필요성과 중요함을 인식하고 업무개발에 힘쓰는 적극적인 태도 역시 요구된다.

참고문헌

- Joint Commission: Accreditation, Health Care, Certification www.jointcommission.org
- 장혜경 외 : 입원 시 지참약의 안전관리. 병원약사회지. 27(2) : 119~131 (2010)
- Joint Commission on The Accreditation Of Healthcare Organizations, Medication Reconciliation Handbook 1st ed., Joint commission resource (2006)
- Martin Stephens : Hospital Pharmacy 1st ed., pharmaceutical (2003)
- 김재연 : 자가투약 의약품에 대한 관리. 병원약사회지. 24(2) : 111~4 (2007)
- Gina R. et al : Reconciling Medications at admission : safe practice recommendations and implementation strategies. Journal on Quality and Patient Safety. 32(1) : 37~50 (2006)
- Jonathan K. et al : Model-based cost-effectiveness analysis of interventions aimed at preventing medication error at hospital admission (medication reconciliation). Journal of Evaluation in Clinical Practice. 15(2) : 299~306 (2009)
- Patricia M. et al : Medication Reconciliation Performed by Pharmacy Technicians at the Time of Preoperative Screening. The Annal of Pharmacotherapy. 43 : 868~74 (2009)
- Richard J. FitzGerald : Medication errors, the importance of an accurate drug history, British Journal of Clinical Pharmacology. 67(6) : 671~5 (2009)
- 2007 의료기관 평가 지침서 조사표
- American Society of Health-System Pharmacists http://www.ashp.org
- Institute for Healthcare Improvement http://www.ihi.org
- Messachusetts Coalition for the Prevention of Medical Errors http://www.macoalition.org

part X

임상시험약 관리

_22

임상시험용 의약품 관리

Objectives

▶ 임상시험에 관련된 규정들을 이해한다.
▶ 임상시험에 사용되는 용어를 숙지한다.
▶ 임상시험의 단계 및 수행 과정에 대해 학습한다.

I 임상시험의 기본 개념

1. 임상시험이란

임상시험(Clinical Trial/Study)이라 함은 임상시험용 의약품의 안전성과 유효성을 증명할 목적으로, 해당 약물의 약동 · 약력 · 약리 · 임상적 효과를 확인하고 이상반응을 조사하기 위하여 사람을 대상으로 실시하는 시험 또는 연구를 말한다.

2. 임상시험 관련 규정

신약의 안전성과 유효성은 인체에 대한 시험, 즉 임상시험에 의해서 비로소 확립될 수 있는 것이므로 신약개발에 있어 임상시험은 필수불가결한 것이다. 임상시험이 인체를 대상으로 실시되는 것이니 만큼 그에 상응하는 과학적이고도 윤리적인 안전장치의 필요성은 계속적으로 증대되어 왔다. 임상시험의 안전장치는 임상시험 단계의 정립과 임상시험의 윤리성을 담보하기 위한 각종 규정의 제정으로 발전하게 되었다.

1) 뉘른베르그 헌장 (Nuremberg Code)

2차 대전 중 나치 독일 하에서의 유태인을 대상으로 한 비인간적이고 범죄적인 인체실험에 대한 반성으로서, 인간을 대상으로 한 실험의 윤리적 수행을 위해 1947년 독일 뉘른베르그에서 10가지 원칙을 채택하였다. 10가지 원칙은 주로 임상시험 대상자의 자발적 동의를 강조하였고, 가능한 모든 과학적, 기술적 수단을 통하여 대상자를 보호해야 하는 연구주체의 책임에 아울러, 언제든지 연구 참여를 중단할 수 있는 대상자의 권리를 보장해야 한다는 내용을 담고 있다.

2) 헬싱키 선언 (Declaration of Helsinki)

1964년 세계의학협회에서 임상연구에 참여하는 의사들을 위해 채택한 공식적인 윤리조항으로서 그 근본정신은 UN의 인권선언과 1949년 세계의학협회의 제네바 선언에 기초를 두고 있다. 본 선언은 12개항의 일반원칙, 6개항의 전문치료와 관련되는 임상연구, 4개의 치료와 무관한 생물의학 연구로 구성되어 있다. '헬싱키 선언' 에서는 의학의 진보를 위해 최종적으로 인체를 대상으로 한 시험이 필요함을 명확히 인정하였으며, 대상자 개인의 이익과 복지는 과학이나 사회에 대한 기여보다도 우선되어야 할 것이라는 원칙에서 연구의 윤리성을 지키기 위한 구체적이고도 체계적인 절차를 천명하였다. 이 '헬싱키 선언' 이 현재의 임상시험 실시에 관한 세계적인 윤리 규범이며, 의학연구의 진보와 함께 수정되고 있다.

3) ICH-GCP (International Conference of Harmonization on Technical Requirements for Registration of Pharmaceuticals for Human Use - Good Clinical Practice)

ICH는 신약개발을 주도하는 미국, 유럽, 일본의 보건당국과 제약기업의 전문가들이 모여서 신약등록에 관한 윤리적, 과학적 지침들을 논의하고 결정하는 기구로 1990년에 설립되었다. 1991년부터 매2년마다 정기적으로 회의를 개최하여 신약개발과정에서 필요한 지침서를 발표하고 있는데, 각 지역에서 윤리적이고 과학적으로 실시된 임상시험의 자료를 다른 지역에서 인정할 수 있도록 하기 위해 규정(GCP)을 만들었으며, 선진국에서 이를 시행하기 시작했다.

4) KGCP (Korea Good Clinical Practice)

국내에서도 허가임상시험의 신뢰성을 높이고, 대상자의 권익을 보호하기 위해 1987년 KGCP의 초안이 작성 · 발표되었고, 1995년 본격적으로 적용하기 시작했으며, 많은 시행 착오를 거치면서 국내임상시험 수준을 향상시키는데 큰 기여를 하게 되었다. ICH-GCP가 선진국에서 시행되면서, 국내에서 실시된 임상시험자료를 다른 나라에서도 인정받기 위해서는 ICH-GCP 수준의 임상시험을 수행해야 할 필요성이 대두되었다. 이에 따라, 2000년 1월 4일에 식품의약품안전청에서는 KGCP를 ICH-GCP수준으로 개정하여 공고하였고, 2001년 1월 1일부터 적용하게 되었다.

3. 임상시험 관련 용어 정의

임상시험용 의약품 관리약사는 일반조제업무 영역과는 다른 환경에서 업무를 수행해야 하므로 임상시험 관리 기준에 명시된 용어들을 숙지할 필요가 있다.

임상시험용 의약품 관리업무에 빈번하고 주요하게 사용되는 용어는 다음과 같다.

1) 다기관 임상시험(Multicenter Trial)

하나의 임상시험계획에 따라 둘 이상의 시험기관에서 수행되는 임상시험

2) 임상시험계획서(Protocol)

해당 임상시험의 배경이나 근거를 제공하기 위해 임상시험의 목적, 연구방법론, 통계적 고려사항, 관련조직 등을 기술한 문서

3) 증례기록서(Case Report Form, CRF)

각각의 시험대상자별로 임상시험 계획서에서 요구한 정보를 기록하여 임상시험 의뢰자에게 전달할 목적으로 인쇄하거나 전자 문서화한 문서

4) 결과보고서(Clinical Trial/Study Report)

임상시험에서 얻은 결과를 임상적, 통계적 측면에서 통합하여 기술한 문서

5) 임상시험용 의약품(Investigational Product)

시험약 및 대조약을 말함

6) 시험약

임상시험용 의약품 중 대조약을 제외한 의약품

7) 대조약(Comparator)

시험약과 비교할 목적으로 사용하는 위약 또는 개발 중이거나 시판 중인 의약품

8) 이상반응(Adverse Event, AE)

임상시험용 의약품을 투여한 시험대상자에게 발생한 모든 유해하고 의도하지 않은 증후, 증상 또는 질병을 말하며, 해당 임상시험용 의약품과 반드시 인과관계를 가져야 하는 것은 아님

9) 이상약물반응(Adverse Drug Reaction, ADR)

임상시험용 의약품의 임의 용량에서 발생한 모든 유해하고 의도하지 않은 반응으로서 임상시험용 의약품과의 인과관계를 부정할 수 없는 경우를 말함

10) 중대한 이상반응, 이상약물반응(Serious AE, ADR)

임상시험용 의약품의 임의 용량에서 발생한 이상반응 또는 이상약물반응 중에서 다음의 어느 하나에

해당하는 경우
(1) 사망하거나 생명에 대한 위험이 발생한 경우
(2) 입원할 필요가 있거나 입원 기간을 연장할 필요가 있는 경우
(3) 영구적이거나 중대한 장애 및 기능 저하를 가져온 경우
(4) 태아에게 기형 또는 이상이 발생한 경우

11) 임상시험 대상자(Subject/Trial Subject)

임상시험용 의약품을 투여 받거나 대조군에 포함되어 임상시험에 참여하는 사람을 말함

12) 임상시험 실시기관(Institution)

의약품임상시험 실시기관 지정에 관한 규정에 의거 식품의약품안전처장이 별도로 지정하는 의료기관 또는 특수연구기관으로 실제 임상시험이 실시되는 기관

13) 임상시험 심사위원회(Institutional Review Board)

계획서 또는 변경계획서, 임상시험 대상자로부터 서면동의서를 얻기 위해 사용하는 방법이나 제공되는 정보를 검토하고 지속적으로 이를 확인함으로써 임상시험에 참여 하는 피험자의 권리, 안전, 복지를 보호하기 위해 시험기관 내에 독립적으로 설치한 상설 위원회

14) 시험 책임자(Principal Investigator)

시험기관에서 임상시험의 수행에 대한 책임을 갖고 있는 사람

15) 시험 담당자(Sub-investigator)

시험책임자의 위임 및 감독 하에 임상시험과 관련된 업무를 담당하거나 필요한 사항을 결정하는 의사, 치과의사, 한의사 및 기타 임상시험에 관여하는 사람

16) 관리약사(Clinical Trial Pharmacist)

시험기관에서 임상시험용 의약품의 인수, 보관, 조제, 관리 및 반납에 대한 책임을 갖는 약사로서 시험기관의 장이 지정한 자

17) 임상시험 의뢰자(Sponsor)

임상시험의 계획, 관리, 재정 등에 관련된 책임을 갖고 있는 개인, 회사, 실시기관, 단체

18) 임상시험 모니터요원(Monitor)

임상시험의 모니터링을 담당하기 위해 의뢰자가 지정한 자

19) 모니터링(Monitoring)

임상시험 진행과정을 감독하고, 해당 임상시험이 계획서, 표준작업지침서, 임상시험관리 기준 및 관련 규정에 따라 실시, 기록되는지 여부를 검토, 확인하는 활동

20) 임상시험 수탁기관(Contract Research Organization, CRO)

임상시험과 관련된 의뢰자의 임무나 역할의 일부 또는 전부를 대행하기 위해 의뢰자로부터 계약에 의해 위임 받은 개인이나 기관

21) 근거 문서(Source Document)

병원기록, 의무기록, 대상자 기록, 메모, 병리검사결과, 대상자 일기 또는 평가 점검표, 약국의 의약품 불출 기록, 자동화 검사기기에 기록된 자료, 검사 인증서 및 공식 사본, 마이크로 피시, 마이크로 필름, 방사선학적 검사자료, 자기테이프, 약국기록자료, 병리 검사실기록자료 등과 같이 근거자료를 담고 있는 모든 문서, 자료 및 기록

22) 표준작업지침서(Standard Operating Procedure, SOP)

특정 업무를 표준화된 방법에 따라 일관되게 실시할 목적으로 해당 절차 및 수행 방법 등을 상세하게 적은 문서

23) 실태조사(Inspection)

식품의약품안전처장이 임상시험관리기준 및 관련규정에 따라 임상시험이 실시되었는지를 확인할 목적으로 시험기관, 의뢰자 또는 임상시험 수탁기관 등의 모든 시설, 문서, 기록 등을 현장에서 공식적으로 조사하는 행위

24) 점검(Audit)

해당 임상시험에서 수집된 자료의 신뢰성을 확보하기 위해 해당 임상시험이 계획서, 의뢰자의 표준작업지침서, 임상시험관리기준, 관련규정 등에 따라 수행되고 있는지를 의뢰자 등이 체계적, 독립적으로 실시하는 조사

25) 눈가림(Blinding/Masking)

임상시험에 관여하는 사람 또는 부서 등이 배정된 치료법에 대해 알지 못하도록 하는 절차를 말함.

26) 무작위 배정(Randomization)

임상시험 과정에서 발생할 수 있는 비뚤림(bias)을 줄이기 위해 확률의 원리에 따라 대상자를 각 치료군에 배정하는 것

4. 신약개발의 단계적 임상시험 과정

1) 전임상 연구(Pre-clinical Study)

임상시험이 시작되기 전에 동물을 대상으로 최소한의 독성시험과 약효를 증명할 수 있는 약리시험이 이루어져야 한다. 전임상 연구를 통한 인체에서의 부작용 스펙트럼, 유효용량, 독성용량 대한 예측력은 낮은 편이지만, 1962년 Litchfield 보고 등을 통하여 전임상시험의 타당성이 입증되었으며 임상시험으로 진입하기 위하여 선행되어야 한다.

(1) 제제학적 시험 : 안전성, 흡수성, 용해도, 제제의 형태
(2) 독성 시험 : 혈중농도와 독성의 관련성, 급성 독성, 아급성 독성, 만성 독성, 생식독성, 의존성, 항원성, 변이원성, 발암성, 국소자극성
(3) 약력학적 시험
(4) 약리학적 시험
(5) 약동학적 시험 : 흡수, 분포, 대사, 배설

2) 임상 연구(Clinical study)

(1) 제1상(Phase Ⅰ) - 임상약리 단계(주로 안전성 검토)

전임상시험에서 얻은 독성, 흡수, 대사, 배설 및 약리작용의 결과를 바탕으로 비교적 한정된 인원(약 20~80명)의 건강한 자원자에게 투여하여 약물의 체내동태, 인체 내에서의 약리작용, 이상반응 및 안전하게 투여할 수 있는 투여량(내약량)의 범위를 결정하는 것을 목적으로 하는 임상시험이다. 가능한 경우 인체에서의 약리효과를 탐색하며 항암제 등과 같은 신약의 경우에는 환자를 대상으로 제 1상 시험을 진행한다.

(2) 제2상(Phase Ⅱ) - 임상연구 단계(단기 유효성, 단기 안전성 검토)

대상질환 중 조건에 부합되는 환자 100~200명을 대상으로 단기 투약에 따른 예상 적응증에 대한 효능, 이상반응, 약물동태 등을 검토하는 단계로 3상 시험의 다수 피험자에게 투여할 용량, 용법을 결정하는 단계이기도 하다.

① 초기 Pilot Study (Phase Ⅱa) : 소수의 환자를 대상으로 유효용량 탐색
② 후기 Pivotal Study (Phase Ⅱb) : 위약 통제된 용량반응관계(Placebo controlled dose-response relationship)에 관한 연구 또는 대조약물과의 비교시험

(3) 제3상(Phase III) - 임상시험 단계(안전성 확립, 유효성 재확인)

신약의 유효성이 어느 정도 확립된 후에 다수의 환자를 대상으로 효능을 최종적으로 검증하는 과정으로 흔히 수백 명 이상의 환자를 대상으로 하며, 이 과정에서 대상질환에 대한 효능 자료 등을 수집하고 임상 통계적으로 검증하는 단계이다.

(4) 제4상(Phase IV) - 시판 후 임상시험 단계

시판이 허가된 후 대규모의 환자를 대상으로 희귀이상반응, 장기 투여시 이상반응, 새로운 적응증 등을 탐색하는 모니터링 연구로서 다음과 같은 내용을 포함한다.

① 이상반응 빈도에 대한 추가 정보를 얻기 위한 시판 후 안전성 조사 연구(Post-Marketing Surveillance, PMS)

② 약리기전, 약물사용에 따른 이환율, 사망률 등에 미치는 효과를 확인하기 위한 장기간의 대규모 추적 연구

③ 시판 전 검토되지 못한 특수한 환자군에 대한 임상시험

④ 새로운 적응증 탐색을 위한 시판 후 추가 연구

5. 임상시험의 계획과 시행절차

1) 임상시험실시의 기본요건

(1) 과학적인 연구설계

과학적으로 잘 설계된 연구계획서의 확보는 연구과정상의 오류를 최소화하여 윤리적인 연구수행까지도 담보할 수 있다. 과학적인 설계에 의한 임상시험계획서대로 연구를 진행하여 오류가 개입할 수 있는 가능성을 최소화 할 수 있다.

(2) 연구자의 소양과 능력

임상시험연구자는 기술적인 능력과 윤리적 소양을 겸비해야 한다. 기술적인 능력은 연구자 교육 수준, 지식, 경험, 연구수행 능력 등에 의해 평가할 수 있고, 윤리적 소양은 대상자에 대한 책임감과 인간적인 동정심, 애정 등으로 평가된다.

(3) 임상시험실시기관의 여건

임상시험실시기관은 임상시험 시행에 필요한 시설, 전문인력 및 기구를 갖추고 식품의약품안전처장의 지정을 받는다.

(4) 임상시험심사위원회(IRB)의 검토

임상시험심사위원회에서는 임상시험 연구계획서를 윤리적인 측면에서 문제가 없는지 면밀히 검토하고, 문제 발생 가능성이 발견될 경우 의뢰자와 연구자에게 재검토 요구 및 수정지시를 해야 한다. 또한

시험 진행과정에서 연구계획서대로 과학적, 윤리적으로 시험연구가 진행되고 있는지를 정기적으로 확인하여야 한다.

(5) 임상시험대상자에게 설명 후 동의서 취득

임상시험대상자로부터의 동의서 취득은 윤리적인 임상시험 수행에 있어 가장 중요한 요소이다. 동의

표 22-1 임상시험을 위한 임상시험대상자에게 제공되는 정보, 동의서 서식, 대상자 설명서, 그 밖의 문서화된 정보에 포함되어야 할 내용

1. 임상시험이 연구를 목적으로 수행된다는 사실
2. 임상시험의 목적
3. 임상시험용 의약품에 관한 정보 및 시험군 또는 대조군에 무작위 배정될 확률
4. 침습적 시술(Invasive procedure)을 포함하여 임상시험에서 대상자가 받게 될 각종 검사나 절차
5. 대상자가 준수하여야 할 사항
6. 검증되지 않은 임상시험이라는 사실
7. 대상자(임부를 대상으로 한 경우에는 태아를 포함하며, 젖을 먹이는 여성을 대상으로 하는 경우에는 영유아를 포함한다)에게 미칠 것으로 예견되는 위험이나 불편
8. 임상시험을 통하여 대상자에게 기대되는 이익이 있거나 대상자에게 기대되는 이익이 없을 경우에는 그 사실
9. 대상자가 선택할 수 있는 다른 치료방법이나 종류 및 이러한 치료의 잠재적 위험과 이익
10. 임상시험과 관련된 손상이 발생하였을 경우 대상자에게 주어질 보상이나 치료방법
11. 대상자가 임상시험에 참여함으로써 받게 될 금전적 보상이 있는 경우 예상 금액 및 이 금액이 임상시험 참여의 정도나 기간에 따라 조정될 것이라고 하는 것
12. 임상시험에 참여함으로써 대상자에게 발생이 예상되는 비용
13. 대상자의 임상시험 참여 여부 결정은 자발적이어야 하며, 대상자가 원래 받을 수 있는 이익에 대한 손실 없이 임상시험의 참여를 거부하거나 임상시험 도중 언제라도 참여를 포기할 수 있다는 사실
14. 모니터요원, 점검을 실시하는 사람, 심사위원회 및 식품의약품안전처장이 관계 법령에 따라 임상시험의 실시절차와 자료의 품질을 검증하기 위하여 대상자의 신상에 관한 비밀이 보호되는 범위에서 대상자의 의무기록을 열람할 수 있다는 사실과 대상자 또는 대상자의 대리인이 서명한 동의서에 의하여 이러한 자료의 열람이 허용된다는 사실
15. 대상자의 신원을 파악할 수 있는 기록은 비밀로 보장될 것이며, 임상시험의 결과가 출판될 경우 대상자의 신상은 비밀로 보호될 것이라는 사실
16. 대상자의 임상시험 계속 참여 여부에 영향을 줄 수 있는 새로운 정보를 취득하면 제때에 대상자 또는 대상자의 대리인에게 알릴 것이라는 사실
17. 임상시험과 대상자의 권익에 관하여 추가적인 정보가 필요한 경우 또는 임상시험과 관련된 손상이 발생한 경우에 연락해야 하는 사람
18. 임상시험 도중 대상자의 임상시험 참여가 중지되는 경우 및 그 사유
19. 대상자의 임상시험 예상 참여 기간
20. 임상시험에 참여하는 대략의 대상자 수

서의 중요한 3요소는 임상시험에 관한 포괄적인 정보의 제공(information), 설명된 내용을 이해하고 의사를 결정할 수 있는 능력(competence) 및 의사결정의 자율성(voluntariness) 이다.

2) 임상시험의 절차

(1) 임상시험 의뢰자는 다음과 같은 서류 및 자료를 작성하여 식품의약품안전처와 실시기관 내 임상시험심사위원회(IRB)에 승인 신청한다.

① 개발계획 : 임상시험실시에 대한 이론적 근거, 임상시험 대상 적응증, 임상시험 평가방법과 임상시험용 의약품의 예측되는 위험성을 기술하고 계획하고자 하는 임상시험계획서별로 임상시험의 형태, 예상 대상자수 등에 대한 개략적인 정보를 반영한 자료

② 서론 : 임상시험용 의약품에 대한 세부적인 정보(의약품 명칭, 주성분, 효능군, 제형, 투여경로 등), 예정 임상시험의 목적 및 기간, 임상적 사용경험, 임상시험 중단 또는 판매중단된 의약품의 경우에는 그 사유를 간략하게 기술한 자료

③ 구조결정, 물리화학적 및 생물학적 성질에 관한 자료(위약 포함) : 임상시험용의약품의 원료물질 규격(구조식, 물리화학적, 생물학적 특성 등), 새로운 첨가제를 사용하는 경우 이에 대한 설명, 저장방법, 사용(유효)기간 또는 재검사일자 설정을 위한 안정성 관련자료, 이미 알려진 물질과의 구조적 유사성에 대한 설명, 원료물질의 규격 또는 임상시험용 의약품의 기준 및 시험방법에 따른 품질관리 결과 등이 포함된 자료

④ 비임상시험성적에 관한 자료 : 독성, 약리, 흡수 · 분포 · 대사 및 배설에 관한 시험결과를 요약의 형태로 기술하되, 시험방법, 시험결과, 임상과의 연관성에 대한 고찰이 포함되어야 하며, 독성시험자료는 그 결과를 상세히 도표화한 자료와 시험이 비임상시험관리기준에 적합하게 실시되었음을 입증하는 정보를 포함한 자료

⑤ 임상시험성적에 관한 자료 : 원칙적으로 임상시험의 이론적 근거와 임상적 고찰이 포함되어야 하며, 이미 임상시험이 실시되었거나 시판되고 있는 의약품의 경우 이용 가능한 약동학, 약력학, 용량반응, 안전성 · 유효성 결과 등을 요약 · 기술한 자료

⑥ 임상시험계획서 : 약사법 제34조 제1항의 규정한 적합한 임상시험계획서로서 제1상 임상시험의 경우에는 예상 대상자수, 용량계획 등을 포함한 임상시험의 개략적 윤곽을 제시하되 안전성에 관한 사항이 상세히 포함된 계획서

⑦ 근거자료목록

⑧ 임상시험자 자료집 : 임상시험자가 임상시험을 수행하기 위하여 필요한 정보를 체계적으로 요약, 정리하여 기술한 자료

(2) 식품의약품안전처와 실시기관 내 임상시험심사위원회에서는 임상시험계획서를 검토 후 승인여부를 결정한다.

(3) 임상시험의뢰자는 신약후보물질에 대한 안전성과 유효성을 검증하기 위해 시험책임자에게 임상시험 실시를 요청한다.

(4) 시험책임자는 대상자에게 임상시험에 대해 충분히 설명한 후 동의서를 받으며 임상시험계획서에 따

라 과학적이고 윤리적인 임상시험을 진행한다.

(5) 임상시험과 관련하여 식품의약품안전처장은 임상시험 실시기관, 임상시험의뢰자, 시험책임자 등에 대한 실태조사를 실시할 수 있다.

(6) 식품의약품안전처는 신약후보물질의 안전성과 유효성을 평가하여 신약 허가 여부를 결정하고 신약 허가를 받은 후 판매가 가능하다.

II 임상시험약국

1. 관리약사의 역할

의약품 임상시험 관리기준(KGCP, Korean Good Clinical Practice)에는 관리약사(Clinical Trial Pharmacist)를 "시험기관에서 임상시험용 의약품의 인수 · 보관 · 조제 · 관리 및 반납에 대한 책임을 갖는 약사로서 시험기관의 장이 지정한 자를 말한다." 로 정의하고 있다. 또한, "임상시험용 의약품의 관리에 대한 책임은 해당 시험기관의 시험책임자와 관리약사에게 있다." 고 규정하여 임상시험에서 관리약사의 책임을 분명히 하고 있다. KGCP에서 밝히고 있는 관리약사의 의무는 다음과 같다.

(1) 의뢰자로부터 임상시험용 의약품을 인수하여 규정된 조건에서 보관하며, 투약기록지에 수불기록을 작성, 유지하는 재고관리 업무

(2) 임상시험용 의약품 처방을 검토한 후(공인된 연구자의 처방여부, 규정된 투약계획 준수 여부, 투약기록에 필요한 사항-환자 무작위배정 번호, 방문번호, 환자 이니셜, 기타 투약에 필요한 필수사항의 기재여부, 용량 · 용법지시의 적합성 등) 조제, 투약, 복약지도, 이상반응 모니터링

(3) 임상시험용 의약품 투약에 관련된 기록을 유지하고, 해당사항을 주기적으로 시험책임자에게 보고

2. 관리약사 역할 수행의 실제

1) 임상시험계획서(Protocol)의 검토

(1) 연구계획의 확인

① 연구단계 (Phase Ⅰ / Ⅱ / Ⅲ / Ⅳ)

② 연구디자인

a. Single arm / Control arm

b. Parallel / Cross over

c. Open / Single blind / Double blind / Pharmacist unblind

d. Single center / Multi-center

③ 시험방법

a. 대상자 선정 기준, 대상자수, 치료방법, 치료기간, 무작위배정(Randomization) 여부와 그 방법

b. 대상자 방문 및 임상시험용 의약품 투약 일정
c. 용량, 용법, 투약경로, 용량 조절 지침
d. 반납약 회수 여부 및 회수방법

(2) 임상시험용 의약품 관련 정보
① 시험약/대조약/병용투여약/구제약
② 약물상호작용 및 병용금기 약물/병용가능약물
③ 예상 이상반응
④ 주사제 혼합과정이 필요한 경우 조제 방법 및 조제 시 주의사항
⑤ 포장 및 투약 단위
⑥ 보관 조건 및 보관 시 주의사항
⑦ IV(W)RS (Interactive Voice (Web) Response System) 시행 여부

2) Pre-meeting (Initiation meeting) 참여 및 투약계획 수립

(1) 참여자 : 연구자, 관리약사, 연구 코디네이터, 의뢰자, CRO monitor
(2) 연구계획서의 투약계획 확인
(3) 연구관련 업무분장 및 기관내 업무 flow 확립
(4) 시험자, 의뢰자와의 communication channel 구축
(5) 처방전 기재사항 논의 및 확정: 무작위배정 방법과 그에 따른 배정번호, 대상자 이니셜, 방문번호 및 그밖에 투약에 필요한 정보
(6) 연구계획서의 투약계획에 적합한 약품의 공급방법 및 투약기록 관리방법 논의
(7) 의약품 외 물품의 공급방법
(8) 미사용 의약품 반납 여부와 반납 방법, 시험 종료 후 연장 투여 여부

3) 처방 코드 등록

전산으로 의약품 처방을 하는 기관에서는 처방을 할 수 있도록 처방 코드를 생성시키는 작업을 하게 됨

4) 의약품 발주 및 인수

(1) 임상시험 시작 시점의 초기 입고는 발주 없이 의뢰자 측에서 의약품을 공급하는 경우가 많으며, 임상시험 중 추가 입고는 연구 과제마다 신청 방법이 다르므로 연구를 시작하기 전에 이를 확인하여 방법대로 처리한다. (시스템을 통한 자동 배송, IVRS를 통한 신청, 전화로 직접 신청 등)
(2) 의약품을 인수받을 때는 인수량과 포장상태, 라벨에 기재되어야 할 필수 사항 등을 확인한다. 무작위배정번호가 부여된 시험약은 인수증의 내용과 공급된 약품의 번호가 일치하는지 확인한다. KGCP에 규정되어 있는 라벨에 기재되어야 할 필수 사항은 다음과 같다.

① ‘임상시험용’ 이라는 표시
② 제품의 코드명 또는 주성분의 일반명
③ 제조번호 및 사용기한 또는 재검사일자
④ 저장방법
⑤ 임상시험계획 승인을 받은 자의 상호와 주소
⑥ ‘임상시험 외의 목적으로 사용할 수 없음’ 이라는 표시

(3) 인수증에 서명 후 원본은 의뢰자 측에서 사본은 임상시험약국에서 보관하도록 한다.
(4) 의약품 인수 작업을 마친 후 최종 확인을 하는 방법은 연구 과제마다 다르므로 연구를 시작하기 전에 이를 확인하여 방법대로 처리한다. (IVRS, IWRS, fax 등을 통한 shipment confirmation)

5) 임상시험용 의약품의 보관 및 재고관리

(1) 일반약과 분리하여 시건이 가능한 약품장에 보관한다.
(2) 의뢰자가 제공한 의약품 보관 방법을 숙지하고 적절한 보관 조건을 유지한다.
(3) 적정 실내 온도가 유지되는지 관리하고 주기적인 기록 문서를 확보한다.
(4) 냉장고 및 냉동고의 적정 냉장 및 냉동 온도가 유지되는지 관리하고 주기적인 기록 문서를 확보한다.
(5) 임상시험의 특성에 따른 시험책임자의 요청이 있는 경우 심사위원회의 의견을 들어 시험책임자 또는 시험담당자가 임상시험용 의약품을 관리하게 할 수 있다.

6) 임상시험용 의약품의 조제, 투약 및 복약지도

(1) 처방전 내용 및 세부사항(comment) 내용 확인
① 해당 연구 과제의 연구자로 등록된 의사의 처방인가?
② 투약 스케줄에 맞게 처방되었는가?
③ 용량 및 용법, 처방 회수 및 일수는 적정한가?
④ 무작위 번호, 환자 성명 이니셜(initial), 방문번호, 배정된 약 번호 등 연구 특이적으로 투약에 필요한 정보들이 세부사항으로 입력되었는가?
⑤ 체중이나 검사 수치 등은 지속 투여나 감량 기준에 적절한지?

(2) 처방전상에서 확인된 내용 및 프로토콜을 바탕으로 정확한 조제 및 감사
(3) Pre-meeting 등에서 협의된 내용에 의해 복약지도 또는 복약지도문 제공 : 대상자의 복약이행도는 연구의 중요한 요소이므로 임상시험용 의약품에 대한 충분한 복약지도를 통해 복약동기를 부여하여 높은 복약이행율 유지에 기여한다.
(4) 복용 후 남은 의약품을 대상자로부터 반납 받고 해당 기록을 남긴다.

7) 임상시험용 의약품 처방전 및 투약기록 관리

임상시험용 의약품 처방전은 해당 과제의 의뢰자가 제공하는 임상시험약국용 바인더에 보관되도록 하고, 투약내역도 제공된 기록 양식에 따라 의약품 및 대상자 별로 기록, 유지한다.

8) 모니터링, 점검 및 실태조사 준비

(1) 각종 점검에 대한 서류준비
  ① 처방전 원본
  ② 의약품별 투약기록지/대상자별 투약기록지
  ③ 의약품 인수증/반납증
  ④ 온도기록 등 의약품관리에 필요한 제반 기록

(2) 약품 재고 상황(투약기록지상 재고와 실재고의 일치 여부 등)

9) 임상시험 종료에 따른 업무

(1) 임상시험이 종료되면 투약 후 남은 의약품과 대상자 투약 후 잔량 반납된 의약품 등을 파악하여 의뢰자에게 반납되도록 한다.

(2) 의뢰자의 closing visit을 대비하여 각종 문서를 점검한다.

참고문헌

- 신상구 외 : 신약의 임상개발 과정, 임상약리학회지. 9 : 2~5 (2001)
- 안윤옥 : 임상시험의 설계, 한국역학회지. 1~4 (1989)
- 삼성서울병원 임상시험센터. 임상시험 연구 핸드북 (2007~2008)
- 식품의약품안전청. 의약품 임상시험 계획 승인 지침 (2010. 08. 25)
- 식품의약품안전처. 의약품 등의 안전에 관한 규칙 별표 4. 의약품 임상시험 관리기준 (2013. 3. 23)

찾아보기

INDEX

『국문』

ㄱ

감염관리실 ······ 31
감염관리위원회 ······ 31
강화화학요법 ······ 327
거부반응 ······ 151
건강보험심사평가원 ······ 381
건강보험정책심의위원회 ······ 381
건강보험제도 ······ 376
건강식품 ······ 213
검수 ······ 363
경구 당부하검사 ······ 244
경구 혈당강하제 ······ 250
경장영양 ······ 315
고식적 화학요법 ······ 328
고혈당 ······ 244
공개경쟁입찰 ······ 362
공고화학요법 ······ 327
공공부조 ······ 373
과립제 ······ 61
관리약사 ······ 502
관리약사의 역할 ······ 508
구역 ······ 228
구제화학요법 ······ 328
구토 ······ 228
국가보건서비스방식 ······ 375
국민건강보험방식 ······ 375
국소화학요법 ······ 327
급성 구토 ······ 228
기관지 유발 검사 ······ 174
기관지폐이형성증 ······ 347
긴급사용 ······ 359

ㄴ

내과계 중환자실 ······ 337
내용액제 ······ 65
네뷸라이저 ······ 194

ㄷ

단백 요구량 ······ 299
단순폐기능 ······ 173
당뇨병의 치료지침 ······ 248
당화혈색소 ······ 245
대체 조제 ······ 103
돌발성 구토 ······ 228
동맥관 개존증 ······ 347
동시화학요법 ······ 327
디스커스 ······ 192

ㄹ

리드타임 ······ 365

ㅁ

마약 ······ 90
마약류 ······ 89
마약류관리자 ······ 89
마약류취급자 ······ 89

만성폐쇄성폐질환 ········· 181
말초신경병증 ········· 234
메타콜린 유발 검사 ········· 174
면역억제제 ········· 152
면역요법 ········· 180, 187
멸균 ········· 23, 26
멸균법 ········· 408
모니터링 ········· 441
무균시험법 ········· 411
무균적 조작술 ········· 77
무균제제작업소 ········· 406
무균조작법 ········· 408
무균조제 ········· 71
무균조제실 ········· 72
미량원소 요구량 ········· 302
미션 ········· 3
미숙아 무호흡 ········· 346

ㅂ

발주 ········· 362
발주비용 ········· 364
백혈구 감소와 감염 ········· 226
변경 조제 ········· 103
병용금기 ········· 474, 478
병원내 감염 ········· 21
보조화학요법 ········· 327
보조흡입기 ········· 189
보험급여 ········· 382
복약지도 ········· 53
복용시간 ········· 51
부분관해 ········· 328
부작용 ········· 441
분말흡입기 ········· 191
불변 ········· 328
불용성 이물시험법 ········· 411
비강 흡입기 ········· 195
비급여 ········· 387
비상마약류 ········· 89, 92
비선형 약동학 ········· 283
비전 ········· 3
비타민 요구량 ········· 301

ㅅ

사고마약류 ········· 89, 92
사회보장 ········· 371
사회보험 ········· 373
사회보험방식 ········· 375
사회안전망 ········· 372
산소요법 ········· 184
산제 조제 ········· 57
상대가치 ········· 389
선택진료료 ········· 387
선행화학요법 ········· 327
선형 약동학 ········· 282
세정 ········· 22
세포주기 ········· 325
세포주기 비특이적 항암제 ········· 325
세포주기 특이적 항암제 ········· 325
소독 ········· 22
소독제 ········· 23, 24
소아암 ········· 333
소아중환자실 ········· 342
소아항암치료 ········· 333
수의계약 ········· 362
수정 조제 ········· 104
수족 증후군 ········· 233
수직형 후드 ········· 75
수평형 후드 ········· 75
시판 후 조사 ········· 447
신생아 ········· 346
신생아 지속성 폐동맥 고혈압증 ········· 347
신생아 호흡곤란 증후군 ········· 346
신생아중환자실 ········· 345
신약 도입 심의자료 ········· 434
신약 재심사 제도 ········· 448
신약조사 문헌집 ········· 418
실마리 정보 ········· 441
심부정맥혈전 ········· 339

심인성 구토 ······ 228

ㅇ

악성종양 ······ 321
안과용제 ······ 67
안전성 정보 ······ 441
알레르기-약물 상호작용 ······ 473
알레르기성 비염 ······ 185
암 ······ 321
약동학적 변수 ······ 267
약동학적 상호작용 ······ 471
약력학적 상호작용 ······ 472
약물 상호작용 ······ 208
약물감시 ······ 447
약물구매선정실무위원회 ······ 354
약물부작용 ······ 439
약물유해반응 ······ 440
약물유해사례 ······ 440
약제부 소식지 ······ 430
약제학적 상호작용 ······ 472
약품식별 데이터베이스 ······ 491
약효 재평가 제도 ······ 448
양성종양 ······ 321
에너지 요구량 ······ 297
에어슈터 ······ 39
엔도톡신시험법 ······ 411
연령-약물 상호작용 ······ 473
연령금기 ······ 474
영양 상태 평가 ······ 287
영양결핍 ······ 295
영양소 ······ 304
오심 ······ 227
완전관해 ······ 328
외과계 중환자실 ······ 340
외용산제 ······ 66
외용액제 ······ 66
요양급여 ······ 385
원내소독제 ······ 410
원내예외 사유 ······ 47
원내제제약품 ······ 409
원외처방전 ······ 97
웨건 ······ 39
유도화학요법 ······ 327
유지화학요법 ······ 327
유해사례 모니터링 ······ 448
유형별 환산지수 ······ 389
유효혈중농도 ······ 265
응고기전 ······ 200
의료기관 조제실제제 ······ 403
의약분업 ······ 47, 95
의약품 반납 ······ 54
의약품 사용과오 ······ 105, 441
의약품 처방조제지원서비스 ······ 469
의약품 피해 ······ 441
의약품관리료 ······ 395
의약품작업소 ······ 405
의약품정보원 ······ 427
의약품집 ······ 356, 432
이차적 종양 ······ 237
인공호흡기 ······ 338
인과성 평가 ······ 456
인슐린 ······ 256
일혈 ······ 237
임부금기 ······ 474
임상 약제 업무 ······ 337
임상시험 ······ 499
임상시험 심사위원회 ······ 502
임상시험용 의약품 ······ 501
임상약동학 ······ 348
임상약물동력학 ······ 265
임상약물동력학 자문 ······ 265
임상영양요법 ······ 348
임신-약물 상호작용 ······ 473

ㅈ

자동 산제 포장기 ······ 45
자동운반함 ······ 39
잔여마약류 ······ 89, 92
장기이식 ······ 149
재고관리 ······ 363
재고부족비용 ······ 365
재고유지비용 ······ 364

저함량 배수처방 ········· 477
저혈당 ········· 260
적시생산시스템 ········· 366
적정채혈시각 ········· 276
적정혈중농도 ········· 276
적혈구 감소와 빈혈 ········· 227
전액 본인부담 ········· 386
점막염 ········· 231
정량분무식 흡입기 ········· 188
정맥영양 ········· 303
정제 ········· 61
제조관리기준서 ········· 407
제조품목신고 ········· 406
제조품목신고대장 ········· 406
제품설명서 ········· 418
제한 항균제 ········· 69
제한경쟁입찰 ········· 362
조제 ········· 37
조제 로봇 시스템 ········· 45
조제과오 ········· 105
조제료 ········· 396
조제실제제 ········· 403
조제약 감사 ········· 52
조제업무 자동화시스템 ········· 44
종양 ········· 321
종양분획 ········· 326
주문비용 ········· 364
주사제 ········· 67
주사제 자동 조제 시스템 ········· 45
준비비용 ········· 364
중복처방 ········· 477, 478
지역의약품안전센터 ········· 461
지연성 구토 ········· 228
지질 요구량 ········· 300
지참약 ········· 489
진행 ········· 328
질병-약물 상호작용 ········· 473
질병군수가 ········· 393
질의응답지 ········· 422

ㅊ

차등수가 ········· 392
처방 검토 ········· 50
처방감사 ········· 99
처방오류 ········· 101
처방전 ········· 48
처방전 간 DUR ········· 478
처방전 내 DUR ········· 474
처방전 발급 ········· 103
처방전관리실 ········· 97
천식 ········· 172
철회의약품 ········· 359
총재고비용 ········· 365
최대호기량 측정 ········· 173
치료혈중농도 ········· 265

ㅋ

카운터기 ········· 45
칸반시스템 ········· 367
캡슐제 ········· 61

ㅌ

탄수화물 요구량 ········· 299
탈모 ········· 232
터부헬러 ········· 191
투약 ········· 52

ㅍ

폐활량측정법 ········· 173
표적치료제 ········· 325
품목삭제 ········· 357
품질관리기준서 ········· 407
피부단자시험 ········· 175

ㅎ

한국형 알고리즘 ···· 457
항암제의 분류 ···· 322
항암제의 용량 결정 ···· 326
항암제의 작용기전 ···· 322
항암처방 검토 ···· 328
항암화학요법 ···· 223
항암화학요법 부작용 ···· 225
항암화학요법 상담업무 ···· 223
항응고약물 요법 ···· 205
핸디헬러 ···· 193
향정신성의약품 ···· 90
혈소판 감소와 출혈 ···· 227
혈전증 ···· 200
환자안전 ···· 118
회수의약품 ···· 359
효능군 중복의약품 ···· 478
흡입 치료 ···· 188

『영문』

A

Acute Emesis ···· 228
ADE ···· 440
ADR ···· 142, 440
Adverse drug event ···· 441
Alopecia ···· 232
Aminoglycosides ···· 268
Aminophylline ···· 271
Anaphylaxis ···· 144, 445
Anticipatory Emesis ···· 228
Aseptic Technique ···· 77
Assessment ···· 279
ATC ···· 45
Azathioprine ···· 157

B

Basiliximab ···· 158
Biguanide계 ···· 252
Bolus model ···· 282
Breakthrough Emesis ···· 228
Bronchoprovocation Test ···· 174

C

Carbamazepine ···· 272
Cleaning ···· 22
Clinical Trial ···· 499
Clinical Trial Pharmacist ···· 502
CMV ···· 161
Concurrent Computerized Surveillance System ···· 452
Continuous infusion model ···· 282
Corticosteroids ···· 155
CRRT ···· 338
Cutaneous reactions ···· 445
Cyclosporine ···· 153, 275
Cytomegalovirus ···· 161

D

Daclizumab ···· 158
DDS ···· 62
Delayed Emesis ···· 228
Digoxin ···· 272
Disinfection ···· 22
Diskus ···· 192
DPI ···· 191
DPP-4 inhibitor ···· 255
DRG ···· 393
Drug Delivery System ···· 62
Drug Fever ···· 144, 445
Drug induced autoimmunity ···· 445
Drug Utilization Review ···· 469
Dry Powder Inhalers ···· 191
DUR ···· 469

E

ECMO ········ 338
eFormulary ········ 432
Emesis ········ 228
Enteral Nutrition ········ 315
Extravasation ········ 237

F

FEV1 ········ 173
FK506 ········ 155
Floor Stock System ········ 39
Forced Expiratory Volume in one second ········ 173
Forced Vital Capacity ········ 173
FVC ········ 173

G

GLP-1 receptor agonist ········ 255

H

Hand-foot syndrome ········ 233
Handihaler ········ 193
HEPA 필터 ········ 76
Herbal Medicine ········ 213
High Efficiency Particulate Air ········ 76
Horizontal Hood ········ 75
Hospital National Patient Safety Goals ········ 118

I

Incretin ········ 255
INR ········ 203
Institutional Review Board ········ 502
Investigational Product ········ 501
Irritant ········ 237

J

JIT ········ 366

K

Kanban ········ 367
KGCP ········ 500
Korea Good Clinical Practice ········ 500

M

Malignant Hyperpyrexia ········ 144, 445
MDI ········ 188
MedDRA ········ 451
Medication Error ········ 105, 441
Medication misadventuring ········ 441
Medication reconciliation ········ 487, 493
Meglitinide유도체 ········ 251
Metered Dose Inhalers ········ 188
Mission ········ 3
MRP 시스템 ········ 368
Mucositis ········ 231
Mycophenolate Mofetil ········ 156

N

Naranjo 알고리즘 ········ 457
Nausea ········ 227
Newsletter ········ 430
Non-sulfonylurea계 ········ 251
Noncoring ········ 79
NPSG ········ 118

O

Objective ········ 279
OCS ········ 43

OKT3 ············ 159
Order Communication System ············ 43

P

Parenteral Nutrition ············ 303
Patient Prescription System ············ 40
Patient Specific Drug Information Worksheet ············ 422
Peak expiratory flow ············ 173
Peak Flow Meter ············ 173
PEF ············ 173
Peripheral neuropathy ············ 234
PFM ············ 173
Pharmacovigilance ············ 447
Phenobarbital ············ 272
Phenytoin ············ 272
Plan ············ 279
PMS ············ 447
PN ············ 303
Post-marketing surveillance ············ 447
Prothrombin Time ············ 203
PSDIW ············ 422
PT ············ 203

R

Retching ············ 228

S

Secondary Malignancy ············ 237
Serum Sickness ············ 144, 445
Short infusion model ············ 283
Side effect ············ 439, 441
Signal ············ 441
Sirolimus ············ 157
Skin Prick Test ············ 175
SOAP ············ 279
Spacers ············ 190
Spirometry ············ 173
Sterilization ············ 23
Study ············ 499
Subjective ············ 279
Sulfonylurea계 ············ 250

T

Tacrolimus ············ 155, 275
Theophylline ············ 270
Thiazolidinedione계 ············ 254
Thymoglobulin® ············ 159
Transdermal therapeutic system ············ 141
Turbuhaler ············ 191

U

UDS ············ 40
Unexpected ADR ············ 441
Unit Dose Drug Distribution System ············ 40

V

Valproic acid ············ 272
Vancomycin ············ 268
Vasculitis ············ 445
Vertical Hood ············ 75
Vesicant ············ 237
Vision ············ 3
VKORC1 ············ 202
Vomiting ············ 228

W

WHO 평가기준 ············ 442
WHOART ············ 451

Z

Zone system ………… 174

『기타』

α-glucosidase inhibitor ………… 253
1차 문헌 ………… 420
2차 문헌 ………… 420
3차 문헌 ………… 420